Selten wurde so aufwühlend, so anders und neu über die Liebe geschrieben. Eine Reise durch das Glück. »Eine der schönsten Liebesgeschichten des Jahrhunderts.« Die Welt

Clare ist Kunststudentin und eine Botticelli-Schönheit, Henry ein verwegener und lebenshungriger Bibliothekar. Clare fällt aus allen Himmeln, jedes Mal aufs Neue, wenn Henry vor ihr steht. Denn Henry ist ein Zeitreisender, ohne jede Ankündigung verstellt sich seine innere Uhr. Plötzlich und unerwartet stürzt er los, nie ist sicher, aus welcher Zeit er kommt und in welcher Zeit er bei Clare landet, aber immer ist sicher, dass er wieder bei ihr landet. Als sie sich das erste Mal begegnen, ist Clare sechs und Henry 36, aber in Wahrheit ist Henry nur acht Jahre älter als sie und schon lange mit ihr verheiratet. Absurdes wird zur Normalität. Seine Zeitreisen sind das brennende Geheimnis, das Henry und Clare mit jeder Trennung noch inniger vereint.

Audrey Niffenegger ist es gelungen, über die Schönheit der Dauer und das Staunen der Sehnsucht zu schreiben, von der Liebe wie zum ersten Mal zu erzählen. Meisterhaft verknüpft Niffenegger die originelle Idee der Zeitreise mit der einzigartigen, tief bewegenden Liebesgeschichte. Genial inszeniert, mitreißend erzählt.

»Die Geschichte von Henry und Clare ist eine berührend erzählte Liebesgeschichte, die allen Menschen, die von der bedingungslosen großen Liebe träumen, das Herz erwärmen wird.« HR

»›Die Frau des Zeitreisenden‹ ist eine Liebesgeschichte – und zwar die sehnsüchtigste, die ich in diesem Jahr bisher gelesen habe.« Angela Wittmann ›Brigitte‹

Audrey Niffenegger lehrt Kunst und Buchgestaltung am College Chicago Center. Sie liebt »Alice im Wunderland« und Rilke. »Die Frau des Zeitreisenden« ist ihr erster Roman und stand mehrere Monate auf der Spiegel-Bestsellerliste. Das Buch wurde in über 20 Sprachen übersetzt und wird demnächst mit Brad Pitt als Henry verfilmt.

Unsere Adresse im Internet: www.fischerverlage.de

AUDREY NIFFENEGGER

DIE FRAU
DES ZEITREISENDEN

ROMAN

Aus dem Amerikanischen von Brigitte Jakobeit

FISCHER
TASCHENBUCH
VERLAG

16. Auflage: Juli 2009

Veröffentlicht im Fischer Taschenbuch Verlag,
einem Unternehmen der S. Fischer Verlag GmbH,
Frankfurt am Main, November 2005

Die Originalausgabe erschien 2003
unter dem Titel ›The Time Traveler's Wife‹
im Verlag MacAdam / Cage, San Francisco
© 2003 by Audrey Niffenegger
Für die deutschsprachige Ausgabe
© 2004 S. Fischer Verlag GmbH, Frankfurt am Main
Wir danken dem Hanser Verlag für die freundliche Abdruckgenehmigung
des Gedichtes »Liebe nach Liebe«.
Aus: Derek Walcott, Erzählungen von den Inseln. Gedichte.
Mit Anmerkungen, einem Nachwort
und aus dem Amerikanischen übersetzt von Klaus Martens.
© Carl Hanser Verlag München–Wien 1993
Alle Rechte vorbehalten
Druck und Bindung: CPI – Clausen & Bosse, Leck
Printed in Germany
ISBN 978-3-596-16390-8

Die mechanische Zeit ist unser Bankverwalter, Steuereintreiber und Polizeikommissar; die innere Zeit ist unsere Frau.

J. B. Priestley, Mensch und Zeit

LIEBE NACH LIEBE

Die Zeit wird kommen,
wenn du mit Schwung
dich selbst an deiner eigenen Tür
begrüßen wirst, in deinem eigenen Spiegel,
und jeder wird beim Gruß des anderen lächeln

und sagen, setz dich hier hin. Iß.
Du wirst wieder den Fremden lieben, der du warst.
Gib Wein. Gib Brot. Gib dein Herz sich selbst
Zurück, dem Fremden, der dich geliebt hat

dein ganzes Leben, den du wegen eines anderen
übersahst, der dich inwendig kennt.
Nimm die Liebesbriefe vom Bücherbord herunter,

die Photographien, die verzweifelten Zeilen,
pelle dein Bild vom Spiegel ab.
Setz dich. Schmause von deinem Leben.

Derek Walcott

Für
Elizabeth Hillman Tamandl
20. Mai 1915 – 18. Dezember 1986
und
Norbert Charles Tamandl
11. Februar 1915 – 23. Mai 1957

PROLOG

CLARE: Es ist schlimm, wenn man zurückgelassen wird. Ich warte auf Henry, weiß nicht, wo er ist, und hoffe, es geht ihm gut. Allein zurückzubleiben ist schlimm.

Ich sorge dafür, dass ich immer beschäftigt bin. So vergeht die Zeit schneller.

Ich gehe allein ins Bett und wache allein auf. Ich mache Spaziergänge. Ich arbeite, bis ich müde bin. Ich beobachte, wie der Wind mit dem Müll spielt, der den ganzen Winter unterm Schnee lag. Alles scheint einfach, wenn man nicht darüber nachdenkt. Warum wird die Liebe durch Getrenntsein stärker?

Früher fuhren die Männer zur See, und die Frauen warteten zu Hause, sie standen am Ufer und suchten den Horizont nach dem winzigen Schiff ab. Nun warte ich auf Henry. Er verschwindet unfreiwillig, ohne Vorwarnung. Ich warte auf ihn. Jeder Augenblick des Wartens erscheint mir wie ein Jahr, wie eine Ewigkeit. Jeder Augenblick ist träge und durchsichtig wie Glas. Hinter jedem Augenblick sehe ich endlos aneinander gereihte Augenblicke warten. Warum ist er fort, und ich kann nicht mitkommen?

HENRY: Wie fühlt es sich an? Wie es sich anfühlt?

Manchmal fühlt es sich an, als wärst du nur ganz kurz abgelenkt. Und mit einem Mal merkst du, dass das Buch, das du eben noch in der Hand hattest, das rot karierte Baumwollhemd mit den weißen Knöpfen, die geliebten schwarzen Jeans und die kastanienbraunen Socken mit der fast durchgescheuerten Ferse, das Wohnzimmer, der Wasserkessel in der Küche, der gleich zu pfeifen anfängt: All das ist plötzlich verschwunden. Du stehst im Graben an einer unbekannten Landstraße, splitternackt und bis zu den Knöcheln in eiskaltem Wasser. Du wartest kurz, um zu sehen, ob du vielleicht gleich wieder bei deinem Buch bist, in deiner Wohnung et cetera. Nach ungefähr fünf Minuten Fluchen und Zittern und dem sehnlichen Wunsch, einfach zu verschwinden, machst du dich auf den Weg, bis du schließlich zu einem Bauernhaus kommst und die Wahl hast, dir etwas zum Anziehen zu klauen oder alles zu erklären. Klauen bringt dich manchmal hinter Gitter, aber Erklärungen sind langwierig, zeitaufwendig und auch mit Lügen verbunden, und außerdem führen sie nicht selten dazu, dass du trotzdem in den Knast wanderst, also was soll's.

Manchmal ist es, als wärst du zu schnell aufgestanden, obwohl du noch im Halbschlaf im Bett liegst. Du hörst das Blut in deinem Kopf pochen und hast das Schwindel erregende Gefühl zu fallen. Deine Hände und Füße kribbeln, sind schließlich ganz weg. Du hast dich wieder verloren. Es dauert nicht lange, du kannst gerade noch versuchen, dich festzuhalten oder um dich zu schlagen (wobei du vermutlich dir selbst oder wertvollen Gegenständen Schaden zufügst) und schon schlitterst du über den waldgrünen Flurteppich eines Motel 6 in Athens, Ohio, um 4.16 Uhr morgens, Montag, den 6. August 1981, und stößt mit dem Kopf an jemandes Tür, was dazu führt, dass dieser Jemand, eine gewisse Ms Tina Schulman aus Philadelphia, die Tür öffnet und anfängt zu schreien, weil ein nackter Mann mit aufgeschürfter Haut ohnmächtig zu ihren Füßen liegt. Du wachst mit Gehirnerschütterung im County Hospital auf, und vor deiner Tür sitzt ein Polizist, der sich in einem rauschenden Transistorradio ein Spiel der Phillies anhört. Zum Glück verlierst du erneut das Bewusstsein, nur um Stunden später wieder in deinem eigenen Bett zu erwachen, wo deine Frau sich über dich beugt und sehr besorgt aussieht.

Manchmal bist du euphorisch. Alles ist erhaben und sehr atmosphärisch, und plötzlich wird dir wahnsinnig übel, und schon bist du fort. Du übergibst dich auf ein paar Geranien in einem Vorort, oder auf die Tennisschuhe deines Vaters, oder wie vor drei Tagen auf deinen eigenen Badezimmerboden, oder auf einen hölzernen Gehweg in Oak Park, Illinois, das war ungefähr 1903, auf einem Tennisplatz an einem schönen Herbsttag in den 1950ern, oder auf deine eigenen bloßen Füße an den unterschiedlichsten Orten, zu den verschiedensten Zeiten.

Wie es sich anfühlt?

Es fühlt sich an wie einer dieser Träume, in denen dir schlagartig einfällt, dass du eine Arbeit schreiben musst, für die du nichts gelernt hast, und außerdem nackt bist und deine Brieftasche zu Hause gelassen hast.

Wenn ich dort draußen bin, irgendwo in der Zeit, ist mein Innerstes nach außen gestülpt, bin ich die verzweifelte Version meiner selbst. Ich werde ein Dieb, ein Landstreicher, ein Tier, das davonläuft und sich versteckt. Ich erschrecke alte Frauen, versetze Kinder in Staunen. Ich bin ein Trick, eine Illusion höchsten Grades, so unglaublich, dass ich schon wieder wahr bin.

Ob all diesem Kommen und Gehen, diesen vielen Verschiebungen eine Logik, eine Regel zugrunde liegt? Ob es eine Methode gibt, hier zu bleiben und die Gegenwart mit jeder Faser anzunehmen? Ich weiß es nicht. Aber es gibt Hinweise; wie bei jeder Krankheit gibt es Muster und Möglichkeiten. Erschöpfung, Krach, Stress, plötzliches Aufstehen, blinkende Lichter – jedes davon kann eine Episode auslösen. Aber: Ich kann auch mit einem Kaffee in der Hand die *Sunday Times* lesen, während Clare neben mir auf dem Bett döst, und plötzlich bin ich im Jahr 1976 und sehe mich als Dreizehnjährigen den Rasen meiner Großeltern mähen. Manchmal dauern diese Episoden nur Sekunden; es ist, als höre man einem Autoradio zu, bei dem ständig der Sender verrutscht. Ich finde mich unter Menschenmengen, Zuschauern, irgendwelchen Horden wieder. Aber ebenso oft bin ich allein, auf einem Feld, in einem Haus oder Auto, an einem Strand, in einer Schule mitten in der Nacht. Ich habe Angst, mich im Gefängnis wiederzufinden, in einem Aufzug voller Menschen, mitten auf einer Straße. Ich erscheine wie aus dem Nichts und bin nackt. Wie soll ich das erklären? Mir ist es nie gelungen, etwas mitzunehmen. Keine Kleider, kein Geld, keinen Ausweis. Den Großteil meiner Ausflüge verbringe ich damit, mir Kleidung zu besorgen und mich zu verstecken. Zum Glück trage ich keine Brille.

Eigentlich ist es absurd, denn am wohlsten fühle ich mich zu Hause: in einem gemütlichen Sessel, umgeben von den bescheidenen Freuden des häuslichen Lebens. Ich will nur ein klein wenig Glück. Ein Krimi im Bett, der Duft von Clares langem rotblondem Haar, noch feucht vom Waschen, eine Urlaubspostkarte von einem Freund, Sahnewolken im Kaffee, die weiche Haut unter Clares Brüsten, die Symmetrie von noch nicht ausgepackten Einkaufstüten auf der Küchentheke. Ich schlendere unheimlich gern durchs Magazin in der Bibliothek, wenn die Leser nach Hause gegangen sind, und berühre zärtlich die Buchrücken. Das sind die Dinge, die ich schmerzlich vermisse, wenn sie mir durch die Launen der Zeit entzogen sind.

Und Clare, immer wieder Clare. Clare am Morgen, schläfrig und mit zerknittertem Gesicht. Clare beim Papier schöpfen, wenn sie die Arme in die Wanne taucht, die Schöpfform herauszieht und hin und her bewegt, damit die Fasern sich vermischen. Clare beim Lesen, wenn ihre Haare über die Stuhllehne fallen und sie sich vor dem Schlafengehen Salbe in die rissigen roten Hände massiert. Clares leise Stimme ist mir oft im Ohr.

Ich finde es schrecklich, fort zu sein, an einem Ort ohne sie, in einer Zeit ohne sie. Aber immer wieder muss ich gehen, und sie kann nicht mitkommen.

I

EIN MANN FÄLLT AUS DER ZEIT

Oh, *nicht*, weil Glück *ist*,
dieser voreilige Vorteil eines nahen Verlusts.

Aber weil Hiersein viel ist, und weil uns scheinbar
Alles das Hiesige braucht, dieses Schwindende das
Seltsam uns angeht. Uns, die Schwindensten.

Ach, in den andern Bezug,
wehe, was nimmt man hinüber? Nicht das Anschaun, das hier
langsam erlernte, und kein hier Ereignetes. Keins.
Also die Schmerzen. Also vor allem das Schwersein,
also der Liebe lange Erfahrung, – also
lauter Unsägliches.

Aus der neunten *Duineser Elegie*,
Rainer Maria Rilke

ERSTE BEGEGNUNG, EINS

Samstag, 26. Oktober 1991 (Henry ist 28, Clare 20)

CLARE: In der Bibliothek ist es kühl, es riecht nach Teppichreiniger, auch wenn ich nur Marmor sehe. Ich trage mich ins Besucherbuch ein: *Clare Abshire, 11.15 Uhr, 26.10.91, Sondersammlung.* Ich war noch nie in der Newberry Library und bin, nachdem ich nun den dunklen, ominösen Eingang passiert habe, ganz aufgeregt. Irgendwie fühle ich mich wie am ersten Weihnachtstag vor der Bescherung, die Bibliothek ist eine riesige Schachtel voll wunderschöner Bücher. Der schwach beleuchtete Aufzug fährt fast geräuschlos. Im zweiten Stock steige ich aus, fülle den Antrag für einen Leserausweis aus und gehe anschließend nach oben zur Sondersammlung. Meine Stiefelabsätze knallen auf dem Holzboden. In dem ruhigen, gut besuchten Raum stehen massive, schwere Tische, an denen Menschen sitzen, vor denen sich Bücher stapeln. Das morgendliche Herbstlicht von Chicago fällt durch die hohen Fenster. Ich gehe zum Informationstisch und hole mir einen Packen Bücherbestellzettel. Ich schreibe eine Diplomarbeit in Kunstgeschichte. Mein Thema ist die *Chaucer*-Ausgabe der Kelmscott-Press. Ich schlage das Buch nach und fülle einen Bestellzettel aus. Aber ich möchte auch etwas über die Buchkunst bei Kelmscott-Press lesen. Der Katalog verwirrt mich. Ich gehe zur Information zurück und bitte um Hilfe. Während ich der Frau erkläre, was ich suche, blickt sie über meine Schulter hinweg zu jemandem, der hinter mir vorbeigeht. »Vielleicht kann Ihnen Mr DeTamble weiterhelfen«, sagt sie. Ich drehe mich um, darauf gefasst, das Ganze erneut erklären zu müssen, und sehe mich Henry gegenüber.

Mir verschlägt es die Sprache. Da ist Henry, ruhig, in Kleidern, jünger, als ich ihn jemals gesehen habe. Henry arbeitet in der Newberry, er steht leibhaftig vor mir, in der Gegenwart. Hier und jetzt. Ich bin außer mir vor Glück. Henry sieht mich geduldig an, leicht verunsichert, aber höflich.

»Kann ich Ihnen irgendwie behilflich sein?«, fragt er.

»Henry!« Ich muss mich zurückhalten, um ihm nicht um den Hals zu fallen. Aber offensichtlich hat er mich noch nie in seinem Leben gesehen.

»Kennen wir uns? Tut mir Leid, ich...« Henry sieht sich um, befürchtet, wir könnten von Lesern oder Kollegen bemerkt werden, durchforstet sein Gedächtnis und begreift, dass eine zukünftige Ausgabe seines Ichs diesem strahlend glücklichen Mädchen, das da vor ihm steht, schon einmal begegnet ist. Als ich ihn das letzte Mal sah, hat er mir auf der Wiese die Zehen gelutscht.

Ich versuche, es ihm zu erklären: »Ich bin Clare Abshire. Ich kannte dich schon als kleines Mädchen...« Es ist mir peinlich, in einen Mann verliebt zu sein, der vor mir steht und nicht die leiseste Erinnerung an mich hat. Für ihn liegt alles in der Zukunft. Am liebsten würde ich lachen, so komisch finde ich die Situation. Die vielen Jahre, seit ich Henry kenne, gehen mir durch den Kopf, er dagegen sieht mich verdutzt und ängstlich an. Henry, der die alte Anglerhose meines Vaters anhat und mich geduldig das Einmaleins, französische Verben, alle Hauptstädte der Bundesstaaten abhört; Henry, der über ein seltsames Abendessen lacht, das ich ihm als Siebenjährige zur Wiese gebracht habe; Henry im Frack, der sich an meinem achtzehnten Geburtstag mit zitternden Händen die Manschettenknöpfe öffnet. Er ist hier! In diesem Augenblick! »Wollen wir uns zum Kaffee verabreden oder essen gehen?« Er muss einfach ja sagen, dieser Mann, der mich in der Vergangenheit und in der Zukunft liebt, muss mich auch jetzt lieben und es fühlen, das zarte Echo anderer

Zeiten. Zu meiner großen Erleichterung sagt er tatsächlich ja. Wir verabreden uns für heute Abend in einem thailändischen Restaurant nicht weit von hier, alles unter dem staunenden Blick der Frau hinter dem Tisch, und ich gehe, vergessen sind Kelmscott und Chaucer, ich schwebe die Marmortreppe hinab, durch die Eingangshalle und hinaus in die Oktobersonne Chicagos, renne himmelhoch jauchzend durch den Park und verscheuche kleine Hunde und Eichhörnchen.

HENRY: Ein normaler Tag im Oktober, sonnig und frisch. Ich arbeite in einem kleinen fensterlosen und feuchtigkeitsregulierten Raum im dritten Stock der Newberry und katalogisiere eine Sammlung marmorierter Papiere, die vor kurzem gestiftet wurde. Die Papiere sind wunderschön, das Katalogisieren aber stumpfsinnig, und ich langweile mich, schwimme in Selbstmitleid. Außerdem fühle ich mich alt, wie es nur einem achtundzwanzigjährigen Mann möglich ist, der die halbe Nacht zu teuren Wodka getrunken und erfolglos versucht hat, sich die Gunst von Ingrid Carmichel zurückzuerobern. Den ganzen Abend haben wir gestritten, aber im Moment weiß ich nicht mal worüber. Mir brummt der Schädel, ich brauche einen Kaffee. Also lasse ich die marmorierten Papiere in einem Zustand des kontrollierten Chaos zurück, marschiere durch das Büro vorbei am Informationstisch im Lesesaal, wo Isabelles Stimme zu mir sagt: »Vielleicht kann Ihnen Mr DeTamble weiterhelfen«, womit sie meint »Henry, altes Wiesel, wohin schleichst du schon wieder?« Da dreht sich diese erstaunlich schöne große schlanke Frau mit dem bernsteinfarbenen Haar um und sieht mich an wie ihren leibhaftigen Erlöser. Ich spüre ein flaues Gefühl im Magen. Offenbar kennt sie mich, ich dagegen kenne sie nicht. Weiß der Himmel, was ich diesem strahlenden Wesen gesagt, getan oder versprochen habe, deshalb frage ich gezwungenermaßen in meinem besten Bibliothekarston: »Kann ich Ihnen irgendwie behilflich sein?« Als Antwort haucht sie mir ein äußerst beschwörendes »Henry!« zu, das mich überzeugt, dass wir irgendwann später eine unglaublich schöne Zeit erleben werden. Umso schlimmer, dass ich rein gar nichts über sie weiß, nicht einmal ihren Namen. »Kennen wir uns?«, frage ich sie, worauf mir Isabelle einen Blick zuwirft, der besagt *du Idiot*. Aber die Frau erwidert: »Ich bin Clare Abshire. Ich kannte dich schon als kleines Mädchen«, und fordert mich auf, abends mit ihr essen zu gehen. Völlig verdattert stimme ich zu. Sie strahlt mich an, obwohl ich unrasiert, verkatert und nicht gerade in Bestform bin. Wir verabreden uns gleich für heute Abend im Beau Thai, und Clare, die mich für später sicher hat, schwebt aus dem Lesesaal. Hinterher, als ich wie benommen im Fahrstuhl stehe und begreife, dass mir ein gewaltiger Brocken aus meiner Zukunft, der absolute Volltreffer, hier in der Gegenwart zugeflogen ist, fange ich zu lachen an. Ich durchquere die Eingangshalle, sause die Treppe zur Straße hinunter und sehe Clare, die hüpfend und juchzend über den Washington Square rennt; mir kommen fast die Tränen, und ich weiß nicht warum.

Später am Abend:

HENRY: Um sechs hetze ich von der Arbeit nach Hause und versuche mich in Schale zu werfen. Mein Zuhause ist zurzeit eine winzige, aber irrsinnig teure Ein-Zimmer-Wohnung an der North Dearborn; ständig stoße ich mit irgendwelchen Körperteilen gegen lästige Wände, Theken und Möbel. Erstens: Siebzehn Schlösser an der Wohnungstür aufsperren, ins Wohnzimmer stürzen, das gleichzeitig mein Schlafzimmer ist, und ausziehen. Zweitens: Duschen und rasieren. Drittens: Ein verzweifelter Blick in den Kleiderschrank mit der düsteren Erkenntnis, dass nichts richtig sauber ist. Ich entdecke ein weißes Hemd, das noch in der Reinigungstüte steckt. Ich entscheide mich für den schwarzen Anzug, Budapester und hellblaue Krawatte. Viertens: Angezogen finde ich, dass ich aussehe wie ein FBI-Agent. Fünftens: Ich sehe mich um und stelle fest, die Wohnung ist ein Chaos. Ich beschließe, Clare heute Abend möglichst nicht mit zu mir zu nehmen, auch wenn sich die Möglichkeit ergeben sollte. Sechstens: Vor dem bodenlangen Spiegel im Badezimmer werde ich einen hageren, sehr aufgeregten einsfünfundachtzig großen zehnjährigen Egon-Schiele-Zwilling in sauberem Hemd und Anzug eines Bestattungsunternehmers gewahr. Ich überlege, in welcher Aufmachung Clare mich wohl gesehen hat, denn ich kann ja nicht in eigenen Kleidern aus meiner Zukunft in ihre Vergangenheit gekommen sein. Hatte sie nicht gesagt, sie sei noch ein kleines Mädchen gewesen? Eine Fülle nicht zu beantwortender Fragen schießt mir durch den Kopf. Ich halte inne und atme tief durch. Gut. Dann stecke ich Brieftasche und Schlüssel ein, und schon bin ich unterwegs: Ich sperre die siebenunddreißig Schlösser ab, fahre in dem wackeligen kleinen Aufzug nach unten, kaufe im Laden in der Eingangshalle Blumen für Clare, lege die zwei Blocks zum Restaurant in Rekordzeit zurück und komme trotzdem zu spät. Clare wartet bereits in einer Sitznische, und mein Anblick scheint sie zu erleichtern. Sie winkt mir zu, als sehe sie einen Festzug.

»Hallo«, sage ich. Clare trägt ein weinrotes Samtkleid mit Perlenkette. Sie sieht aus wie ein von John Graham gemalter Botticelli: große graue Augen, lange Nase, winziger fein geschnittener Mund wie bei einer Geisha. Ihre langen roten Haare fallen ihr über die Schultern bis zur Rückenmitte. Clare ist so blass, dass sie im Kerzenlicht an eine Wachsfigur erinnert. Ich halte ihr die Rosen hin. »Für dich.«

»Vielen Dank«, sagt Clare, unglaublich begeistert. Sie sieht mich an und merkt, dass mich ihre Reaktion verwirrt. »Du hast mir noch nie Blumen geschenkt.«

Ich rutsche auf den Sitz ihr gegenüber, völlig fasziniert. Diese Frau kennt mich wirklich; sie ist nicht irgendeine flüchtige Bekanntschaft auf meinen künftigen Exilstationen. Die Bedienung kommt und reicht uns die Speisekarten.

»Erzähl schon.«

»Was denn?«

»Alles. Ich meine, verstehst du, warum ich dich nicht kenne? Es tut mir schrecklich Leid ...«

»Ach was, nicht nötig. Im Ernst, ich weiß doch, woran es liegt.« Clare senkt die Stimme. »Für dich ist nämlich noch nichts davon passiert, aber ich, also, ich kenne dich schon ziemlich lange.«

»Wie lange?«

»Ungefähr vierzehn Jahre. Mit sechs hab ich dich zum ersten Mal gesehen.«

»Himmel. Hast du mich sehr oft gesehen? Oder nur ein paar Mal?«

»Bei unserer letzten Begegnung hast du gesagt, wenn wir uns wiedersehen, soll ich das hier mitbringen«, Clare zeigt mir ein hellblaues Kindertagebuch, »also bitte« – sie reicht es mir –, »du kannst es haben«. Ich schlage es an der Stelle auf, wo ein Stück Zeitungspapier steckt. Die Seite, auf der oben rechts zwei kleine Cockerspaniels lauern, ist mit einer Liste von Daten gefüllt. Sie beginnt mit dem 23. September 1977 und endet sechzehn kleine, blaue, mit Hündchen bedruckte Seiten weiter am 24. Mai 1989. Ich zähle nach. Es sind hundertzweiundfünfzig Daten, sehr sorgfältig mit Kugelschreiber in der schnörkeligen Schönschrift einer Siebenjährigen geschrieben.

»Stammt die Liste von dir? Sind alle Daten genau?«

»Du hast sie mir doch selbst diktiert. Vor einigen Jahren hast du mir erzählt, du würdest sie alle auswendig kennen. Daher weiß ich nicht so ganz, wann die Liste ihren Anfang nahm; irgendwie kommt mir das Ganze wie ein Möbiusband vor. Aber die Daten stimmen. Durch sie wusste ich, wann ich zur Wiese kommen muss, um dich zu treffen.« Die Bedienung erscheint wieder, und wir bestellen: Tom Kha Kai für mich, Gang Mussaman für Clare. Ein Kellner bringt Tee, und ich gieße jedem von uns eine Tasse ein.

»Was ist die Wiese?« Ich platze fast vor Neugier. Mir ist noch nie jemand aus meiner Zukunft begegnet, geschweige denn eine zarte Schönheit à la Botticelli, die mich schon hundertzweiundfünfzig Mal gesehen hat.

»Die Wiese gehört zum Haus meiner Eltern in Michigan. Auf einer Seite wird sie von Wald begrenzt, auf der anderen vom Haus. Ungefähr in der Mitte befindet sich eine Lichtung, etwa drei Meter im Durchmesser, in der ein großer Stein liegt, und wenn man auf der Lichtung ist, kann man vom Haus aus nicht gesehen werden, weil das Gelände erst ansteigt und zur Lichtung hin abfällt. Früher habe ich dort gespielt, weil ich gern allein war und immer dachte, keiner wüsste, dass ich dort bin. Eines Tages, ich war in der ersten Klasse, kam ich von der Schule zurück, ging zur Lichtung und da warst du.«

»Splitternackt und wahrscheinlich kotzend.«

»Um ehrlich zu sein, du warst sehr geistesgegenwärtig. Du kanntest meinen Namen, das weiß ich noch, und du bist ziemlich spektakulär verschwunden, auch das weiß ich noch. Im Nachhinein ist mir klar, dass du schon vorher dort warst. Zum ersten Mal vermutlich 1981, da war ich zehn. Du hast ständig »O Gott« gesagt und mich angestarrt. Außerdem warst du völlig außer dir, weil du nackt warst, dabei fand ich es zu der Zeit schon irgendwie selbstverständlich, dass so ein alter nackter Kerl wie durch Zauberei aus der Zukunft erscheint und um Kleidung bittet.« Clare lächelt. »Und um Essen.«

»Was ist daran so komisch?«

»Im Laufe der Jahre hab ich dir ein paar reichlich abgedrehte Mahlzeiten serviert. Sandwiches mit Erdnussbutter und Anchovis. Leberpastete mit Roter Bete auf Cracker. Ich nehme an, einerseits wollte ich herausfinden, ob es Dinge gibt, die du verschmähst, andererseits wollte ich dich mit meiner kulinarischen Hexenkunst beeindrucken.«

»Wie alt war ich?«

»Ich glaube, Anfang vierzig, da warst du am ältesten. Ich bin mir nicht sicher, wann du am jüngsten warst, vielleicht um die dreißig? Wie alt bist du jetzt?«

»Achtundzwanzig.«

»Im Augenblick wirkst du sehr jung. In den letzten Jahren warst du meistens Anfang vierzig und hattest allem Anschein nach ein ziemlich hartes Leben. Schwer zu sagen. Wenn man klein ist, kommen einem alle Erwachsenen groß und alt vor.«

»Was haben wir denn auf der Wiese gemacht? Immerhin kommt ja einiges an Zeit zusammen.«

Clare lächelt. »Wir haben vieles gemacht. Es hing von meinem Alter ab, und vom Wetter. Du hast mir oft bei den Hausaufgaben geholfen. Wir haben gespielt. Aber die meiste Zeit haben wir einfach über Sachen geredet. Als ich noch sehr jung war, hielt ich dich für einen Engel und hab dich ständig über Gott ausgefragt. Als Teenager wollte ich dich dazu bringen, mit mir zu schlafen, aber du bist immer standhaft geblieben, was meine Entschlossenheit natürlich nur verstärkt hat. Ich glaube, irgendwie hast du befürchtet, du könntest mich sexuell verbiegen. In mancher Hinsicht warst du sehr elterlich.«

»Oh. Wahrscheinlich sollte mich das freuen, auch wenn ich im Augenblick keinen gesteigerten Wert darauf lege, dass man mich für elterlich hält.« Unsere Blicke begegnen sich. Wir beide müssen lächeln und sind Verschworene. »Was war im Winter? Die Winter in Michigan sind hart.«

»Meistens hab ich dich in den Keller geschmuggelt; unser Haus hat einen riesigen Keller mit mehreren Räumen, in einem davon werden Sachen gelagert, auf der anderen Seite der Wand ist die Heizung. Wir nennen es den Leseraum, weil dort alle unbenutzten alten Bücher und Zeitschriften aufgehoben werden. Einmal warst du unten, als es einen Schneesturm gab, und keiner konnte in die Schule oder zur Arbeit gehen, und es hat mich fast wahnsinnig gemacht, dir Essen zu organisieren, denn es war nicht mehr viel im Haus. Etta wollte gerade einkaufen gehen, als der Sturm einsetzte. Du hast also festgesessen, musstest drei Tage lang alte *Reader's Digest* lesen und dich von Ölsardinen und Ramen-Nudeln ernähren.«

»Klingt salzig. Ich freu mich schon drauf.« Unser Essen kommt. »Hast du jemals kochen gelernt?«

»Nein, ich würde nicht behaupten, dass ich kochen kann. Nell und Etta wurden schon unruhig, wenn ich in der Küche mehr machen wollte als eine Cola aus dem Kühlschrank holen, und seit ich nach Chicago gezogen bin, gibt es niemanden, den ich bekochen könnte, folglich fehlt mir die Motivation, um meine Kochkünste zu verfeinern. Meistens bin ich zu sehr mit der Schule und allem beschäftigt, dann esse ich einfach dort.« Clare nimmt einen Bissen von ihrem Curry. »Schmeckt wirklich gut.«

»Wer sind Nell und Etta?«

»Nell ist unsere Köchin.« Clare lächelt. »Nell ist die schwarze Antwort auf die französische Küche, stell dir Aretha Franklin mit einer Crêpe-Pfanne in der Hand vor. Etta ist unsere Haushälterin und vielseitig begabtes bestes Stück. Eigentlich ist sie fast so was wie unsere Mom; im Ernst, meine Mutter ist … na ja, Etta ist einfach immer da, sie ist eine strenge Deutsche, aber sehr beruhigend, während meine Mutter irgendwie ständig in höheren Regionen schwebt, verstehst du?«

Ich nicke, den Mund voll Suppe.

»Ach, und dann ist da noch Peter«, fügt Clare hinzu. »Unser Gärtner.«

»Wow. Eine Familie mit Dienstpersonal. Nicht gerade meine Liga. Hab ich mal jemanden aus deiner Familie kennen gelernt?«

»Ja, meine Grandma Meagram, kurz vor ihrem Tod. Sie war die Einzige, der ich von dir erzählt hatte. Damals war sie schon fast blind. Sie wusste, dass wir heiraten werden und wollte dich kennen lernen.«

Ich unterbreche das Essen und sehe Clare an. Sie erwidert meinen Blick ruhig, engelhaft, absolut entspannt. »Wir werden heiraten?«

»Das nehme ich doch an«, erwidert sie. »Du hast mir jahrelang erzählt, du seist mit mir verheiratet, ganz gleich, aus welcher Zeit du kommst.«

Zu viel. Das ist zu viel. Ich schließe die Augen und zwinge mich, an nichts zu denken. Das Letzte, was ich möchte, ist die Herrschaft über das Hier und Jetzt zu verlieren.

»Henry? Henry, ist alles in Ordnung?« Ich spüre, wie Clare zu mir auf den Sitz rutscht. Als ich die Augen öffne, nimmt sie meine Hände fest in die ihren. Ich betrachte ihre Hände und stelle fest, es sind die rauen, aufgesprungenen Hände einer Arbeiterin.

»Henry, tut mir Leid, aber ich kann mich einfach nicht daran gewöhnen. Plötzlich ist alles so umgedreht. Mein ganzes Leben lang warst du derjenige, der immer alles wusste, und ich hab irgendwie nicht daran gedacht, dass ich heute Abend vielleicht nicht gleich mit der Tür ins Haus fallen sollte.« Sie lächelt. »Eine deiner letzten Bemerkungen, bevor du gegangen bist, war: ›Hab Erbarmen, Clare.‹ Du hast es mit deiner Vortragsstimme gesagt, aber wenn ich's mir jetzt recht überlege, hast du vermutlich mich zitiert.« Sie hält immer noch meine Hände und sieht mich erwartungsvoll an, voller Liebe. Ich fühle mich zutiefst geehrt.

»Clare?«

»Ja?«

»Könnten wir noch mal zurückgehen? Könnten wir so tun, als wäre das eine normale erste Verabredung zwischen zwei normalen Menschen?«

»Meinetwegen.« Clare steht auf und geht an ihre Tischseite zurück. Sie setzt sich gerade hin und versucht, nicht zu lächeln.

»Genau. Also, Clare, erzähl mir ein bisschen von dir. Hobbys? Haustiere? Besondere sexuelle Vorlieben?«

»Musst du selber rausfinden.«

»Klar. Mal sehen ... wo gehst du zur Schule? Was studierst du?«

»Ich bin an der School of the Art Institute, bisher habe ich Bildhauerei studiert, und jetzt fange ich gerade mit Papierherstellung an.«

»Interessant. Und wie sieht dein Werk aus?«

Zum ersten Mal scheint Clare sich unwohl zu fühlen. »Irgendwie ... groß, und es geht um ... Vögel.« Sie blickt auf den Tisch, dann nippt sie an ihrem Tee.

»Vögel?«

»Na ja, eigentlich geht es um Sehnsucht.« Sie sieht mich immer noch nicht an, also wechsle ich das Thema.

»Erzähl mir mehr von deiner Familie.«

»Gut.« Clare wird wieder locker, sie lächelt. »Also, meine Familie lebt in Michigan, in der Nähe einer kleinen Stadt am See namens South Haven. Unser Haus liegt außerhalb der Stadtgrenze, um genau zu sein. Ursprünglich gehörte es den Eltern meiner Mutter, Grandpa und Grandma Meagram. Er starb schon vor meiner Geburt, und sie hat bis zu ihrem Tod bei uns gelebt. Ich war siebzehn. Mein Grandpa war Anwalt, und mein Dad ist auch Anwalt. Mein Dad lernte Mom kennen, als er anfing, bei meinem Grandpa zu arbeiten.«

»Dann hat er die Tochter des Chefs geheiratet.«

»Richtig. Um ehrlich zu sein, manchmal frage ich mich, ob er nicht eigentlich das Haus des Chefs geheiratet hat. Meine Mom war ein Einzelkind, und das Haus ist ein wahres Schmuckstück, es kommt in vielen Büchern über das Arts & Crafts Movement vor.«

»Hat es einen Namen? Von wem wurde es erbaut?«

»Es heißt Meadowlark House und wurde 1896 von Peter Wyns erbaut.«

»Mann. Ich kenne es von Bildern. Ist es nicht für einen der Hendersons gebaut worden?«

»Ja. Es war ein Hochzeitsgeschenk für Mary Henderson und Dieter Bascombe. Zwei Jahre, nachdem sie eingezogen waren, haben sie sich scheiden lassen und das Haus verkauft.«

»Vornehmer Schuppen.«

»Ich stamme aus einer vornehmen Familie. Worauf sie übrigens auch Wert legt.«

»Geschwister?«

»Mark ist zweiundzwanzig und beendet in Harvard gerade seine Vorbereitungskurse fürs Jurastudium. Alicia ist siebzehn und mit der Highschool fast fertig. Sie spielt Cello.« Ich höre eine Vorliebe für die Schwester heraus und vagen Groll auf den Bruder. »Von deinem Bruder scheinst du keine besonders hohe Meinung zu haben.«

»Mark ist genau wie Dad. Beide wollen sie immer gewinnen und reden so lange auf dich ein, bis du aufgibst.«

»Ich beneide jeden, der Geschwister hat, auch wenn er sie nicht besonders gern mag.«

»Dann bist du Einzelkind?«

»Ja. Ich dachte, du weißt alles über mich?«

»Eigentlich weiß ich alles und gar nichts. Ich weiß, wie du nackt aussiehst, aber bis heute Nachmittag kannte ich nicht deinen Nachnamen. Ich wusste, du lebst in Chicago, aber ich weiß nichts über deine Familie, außer dass deine Mutter bei einem Autounfall ums Leben kam, als du sechs warst. Ich weiß, dass du dich in Kunst gut auskennst und fließend Französisch und Deutsch sprichst. Aber ich hatte keine Ahnung, dass du Bibliothekar bist. Du hast es mir unmöglich gemacht, dich in der Gegenwart zu treffen; du hast gesagt, es passiert, wenn es passieren soll, und da sitzen wir.«

»Da sitzen wir«, bestätige ich. »Jedenfalls komme ich nicht aus einer vornehmen Familie, meine Eltern sind Musiker: Mein Vater ist Richard DeTamble, meine Mutter war Annette Lyn Robinson.«

»Ach, die Sängerin!«

»Genau. Und er ist Geiger. Er spielt im Chicago Symphony Orchestra. Aber er hatte nie den Erfolg wie sie. Wirklich schade, denn mein Vater ist ein begnadeter Geiger. Nach Moms Tod ist er nur noch auf der Stelle getreten.« Die Rechnung kommt. Keiner von uns hat viel gegessen, aber was mich betrifft, interessiert mich Essen im Augenblick überhaupt nicht. Als Clare zu ihrer Handtasche greift, sehe ich sie an und schüttle den Kopf. Ich zahle, und wir verlassen das Restaurant, stehen in der Clark Street. Es ist ein schöner Herbstabend. Clare trägt ein raffiniertes blaues Strickteil mit einem Pelzbesatz; ich habe vergessen, mir einen Mantel mitzunehmen und friere.

»Wo wohnst du?«, fragt Clare.

Oje. »Ungefähr zwei Blocks von hier, aber meine Wohnung ist winzig und gerade nicht vorzeigbar. Und du?«

»In Roscoe Village, Hoyne Avenue. Aber ich habe eine Mitbewohnerin.«

»Wenn du mit zu mir kommst, musst du die Augen schließen und bis tausend zählen. Deine Mitbewohnerin ist nicht zufällig sehr apathisch und taub?«

»Schön wär's. Ich bringe nie jemanden mit. Charisse würde sich auf dich stürzen und dir Bambussplitter unter die Fingernägel stecken, bis sie alles von dir weiß.«

»Ich sehne mich danach, von jemand namens Charisse gefoltert zu werden, aber ich merke, dass du meine Vorliebe nicht teilst. Nehmen wir meinen Salon.« Wir gehen die Clark Street entlang in Richtung Norden. Unterwegs hole ich bei Clark Street Liquors eine Flasche Wein. Clare ist verblüfft.

»Ich dachte, du darfst nicht trinken.«

»Ach ja?«

»Dr. Kendrick hat es streng verboten.«

»Wer ist das?« Wir gehen langsam, weil Clare unpraktische Schuhe trägt.

»Dein Arzt. Er ist eine Koryphäe, was das Chrono-Syndrom angeht.«

»Das musst du erklären.«

»Ich weiß nicht viel. Dr. David Kendrick ist ein Molekulargenetiker, der herausgefunden hat – oder besser, herausfinden wird –, wie es zu dieser Schädigung kommt. Es ist ein genetisches Problem, das findet er im Jahr 2006 heraus.« Sie seufzt. »Es ist einfach noch viel zu früh. Du hast mir mal gesagt, in ungefähr zehn Jahren wird es viel mehr chrono-geschädigte Menschen geben.«

»Ich kenne niemanden mit diesem – Syndrom.«

»Selbst wenn du jetzt sofort zu Dr. Kendrick gehen würdest, könnte er dir wahrscheinlich nicht helfen. Und wenn er es könnte, hätten wir uns nie getroffen.«

»Daran wollen wir lieber nicht denken.« Wir sind in meiner Eingangshalle. Clare geht mir in den winzigen Fahrstuhl voran. Ich schließe die Tür und drücke auf elf. Sie riecht nach altem Stoff, Seife, Schweiß und Pelz. Ich sauge tief ihren Duft ein. Auf meiner Etage, wo der Aufzug scheppernd zum Stehen kommt, steigen wir aus und gehen den schmalen Korridor entlang. Ich stecke meine Hand voll Schlüssel in alle hundertsieben Schlösser und öffne die Tür einen Spalt. »Ist noch schlimmer geworden, während wir beim Essen waren. Ich glaube, ich muss dir die Augen verbinden.« Clare kichert, und ich stelle den Wein hin, nehme meine Krawatte ab, lege sie ihr über die Augen und binde sie fest an ihrem Hinterkopf zu. Dann öffne ich die Tür, führe sie ins Zimmer und setze sie in den Sessel. »Gut, fang an zu zählen.«

Und Clare zählt. In Windeseile hebe ich Unterwäsche und Socken vom Boden auf, sammle Löffel und Kaffeetassen von verschiedenen waagrechten Oberflächen ein und staple alles in der Küchenspüle. Bei »Neunhundertsiebenundsechzig« binde ich ihr die Krawatte von den Augen und setze mich aufs Schlafsofa, das ich in die Tagesversion verwandelt habe. »Wein? Musik? Kerzenlicht?«

»Alles, bitte.«

Ich stehe auf und zünde Kerzen an. Anschließend schalte ich die Deckenbeleuchtung aus, und im Zimmer tanzen kleine Lichter und alles sieht schöner aus. Die Rosen stelle ich ins Wasser, mache meinen Korkenzieher ausfindig, entferne den Korken und gieße jedem ein Glas Wein ein. Nach kurzem Zögern lege ich die CD von meiner Mutter mit den Schubert-Liedern ein und drehe die Lautstärke leise.

Meine Wohnung besteht im Prinzip aus einem Sofa, einem Sessel und ungefähr viertausend Büchern.

»Wie hübsch«, sagt Clare, steht vom Sessel auf und setzt sich aufs

Sofa. Ich lasse mich neben ihr nieder. Einen angenehmen Augenblick lang sitzen wir einfach nur da und sehen uns an. Das Kerzenlicht flackert auf Clares Haaren. »Es ist so schön, dich zu sehen. Ich hab mich schon einsam gefühlt.«

Ich ziehe sie an mich, und dann küssen wir uns. Es ist ein überaus ... passender Kuss, ein Kuss, der einer langen Verbindung entspringt, und allmählich frage ich mich, was genau wir da eigentlich auf Clares Wiese getrieben haben, verdränge aber den Gedanken. Unsere Lippen trennen sich. An diesem Punkt würde ich normalerweise überlegen, wie ich mich durch diverse Schichten von Kleidern arbeiten kann, doch stattdessen lehne ich mich zurück, strecke mich auf dem Sofa aus und nehme Clare mit, indem ich sie unter den Achseln fasse und mit mir ziehe. Der Samt macht ihren Körper glitschig, so dass sie wie ein glatter Aal in die Lücke zwischen mir und Sofalehne rutscht. Ihr Gesicht ist mir zugewandt. Durch den dünnen Stoff spüre ich ihren Körper, der sich an den meinen presst. Ein Teil von mir brennt darauf, loszulegen und zu lecken und einzutauchen, aber ich bin erschöpft und überwältigt.

»Armer Henry.«

»Wieso ›Armer Henry‹? Ich bin überglücklich.« Und das stimmt.

»Na, die ganze Zeit hab ich dich mit diesen Neuigkeiten bombardiert.« Clare schwingt ein Bein über mich, so dass sie genau auf meinem Schwanz sitzt, was meine Konzentration wunderbar auf den Punkt bringt.

»Nicht bewegen.«

»Gut. Ich finde unseren Abend äußerst unterhaltsam. Ich meine, Wissen bedeutet Macht und alles. Zumal ich schon immer herausfinden wollte, wo du wohnst, wie du dich kleidest und womit du dein Geld verdienst.«

»*Voilà.*« Meine Hände gleiten unter ihr Kleid und über die Oberschenkel nach oben. Sie trägt Strümpfe mit Bändern. Genau mein Geschmack. »Clare?«

»*Oui.*«

»Wäre es nicht schade, gleich alles auf einmal zu verschlingen. Ein bisschen Vorfreude würde dem Ganzen vielleicht gut tun.«

Clare ist verlegen. »Tut mir Leid! Aber weißt du, in meinem Fall dauert die Vorfreude schon Jahre. Und hier geht es ja nicht um Kuchen ... den isst man, und er ist weg.«

»Nimm, was du kriegen kannst.«

»Das ist mein Motto.« Sie lächelt frech und stößt ihre Hüften ein paar Mal vor und zurück. Meine Erektion ist mittlerweile so groß, dass sie eine der gewagteren Achterbahnfahrten in den Great America Parks ohne Elternteil bestehen könnte.

»Du setzt dich wohl oft durch, oder?«

»Immer. Ich bin schrecklich. Auch wenn du meistens sehr zugeknöpft auf meine schmeichelhaften Avancen reagiert hast. Was habe ich gelitten unter deinen französischen Verben und Damespielen.«

»Wahrscheinlich sollte mich die Tatsache trösten, dass mein zukünftiges Ich wenigstens über ein paar Waffen verfügt, um dich zu unterwerfen. Machst du das mit allen Jungs so?«

Clare ist beleidigt, wie ernsthaft, kann ich nicht beurteilen. »Mit *Jungs* würde ich das nie im Leben machen. Was hast du bloß für schlimme Gedanken!« Sie knöpft mein Hemd auf. »Mein Gott, du bist so ... jung.« Sie zwickt mich fest in die Brustwarzen. Zum Teufel mit der Tugendhaftigkeit. Ich weiß jetzt, wie ihr Kleid aufgeht.

Am nächsten Morgen:

CLARE: Ich erwache und weiß nicht, wo ich bin. Eine fremde Zimmerdecke. Fernes Verkehrsrauschen. Bücherregale. Ein blauer Sessel, auf dem mein Samtkleid liegt, darüber eine Krawatte. Dann fällt mir alles ein. Ich drehe mich um, und da liegt Henry. Ganz einfach, als wäre ich mein Leben lang neben ihm aufgewacht. Er schläft hingebungsvoll, in einer unmöglich verdrehten Stellung, wie ein Gestrandeter, ein Arm über den Augen, um den Morgen auszusperren, die langen schwarzen Haare ausgebreitet auf dem Kissen. Ganz einfach. Wir haben uns gefunden. Hier und jetzt, endlich.

Vorsichtig steige ich aus dem Bett, das gleichzeitig Henrys Sofa ist. Die Federn quietschen. Zwischen Bett und Bücherregalen ist wenig Platz, also schiebe ich mich vorwärts, bis ich im Flur bin. Das Badezimmer ist winzig. Ich komme mir vor wie Alice im Wunderland, als wäre ich riesig groß geworden und müsste den Arm aus dem Fenster strecken, damit ich mich überhaupt umdrehen kann. Der kunstvolle kleine Radiator gibt geräuschvoll Wärme von sich. Ich pinkle, wasche mir Hände und Gesicht. Und dann sehe ich zwei Zahnbürsten, die in einem weißen Porzellanhalter stecken.

Ich öffne das Arzneischränkchen. Rasierklingen, Rasierschaum, Mundwasser, Kopfschmerzmittel, Rasierwasser, eine blaue Murmel, ein Zahnstocher, Deodorant auf dem oberen Bord. Handcreme, Tampons, ein Diaphragmabehältnis, Deodorant, Lippenstift, ein Fläschchen Multivitamintabletten, eine Tube Spermizid auf dem unteren Bord. Der Lippenstift ist sehr dunkelrot.

Mit dem Lippenstift in der Hand stehe ich da, mir ist leicht übel. Ich versuche mir vorzustellen, wie sie aussieht, wie sie heißt. Wie lange sind sie wohl schon zusammen? Wahrscheinlich sehr lange. Ich stelle den Lippenstift zurück, schließe das Schränkchen. Im Spiegel sehe ich mein bleiches Gesicht, die Haare stehen in sämtliche Richtungen ab. *Na gut, wer du auch bist, nun bin ich hier. Du magst Henrys Vergangenheit sein, ich aber bin seine Zukunft.* Ich muss lächeln. Mein Spiegelbild grinst zurück. Ich leihe mir Henrys weißen Frotteebademantel, der an der Rückseite der Tür hängt. Darunter ist ein hellblauer Morgenrock aus Seide am Haken. Aus irgendeinem Grund tröstet es mich, seinen Bademantel zu tragen.

Zurück im Wohnzimmer, schläft Henry immer noch. Ich hole meine Uhr vom Fensterbrett, es ist erst 6.30 Uhr. Aber ich bin zu unruhig, um wieder ins Bett zu gehen. Auf der Suche nach Kaffee schlendere ich in die Küche. Alle Flächen und der Herd sind mit Stapeln von Geschirr, Zeitschriften und anderem Lesematerial übersät. In der Spüle liegt sogar eine Socke. Offenbar hat Henry gestern Abend alles wahllos in die Küche gepackt. Dabei hatte ich ihn mir immer sehr ordentlich vorgestellt. Jetzt wird deutlich, dass er zu den Leuten gehört, die pingelig auf ihre äußere Erscheinung achten, insgeheim aber ziemlich schlampig sind. Ich finde Kaffee im Kühlschrank, dann die Kaffeemaschine und werfe sie an. Während ich warte, sehe ich Henrys Bücherregale sorgfältig durch.

Das ist der Henry, den ich kenne. John Donnes *Elegies and Songs and Sonnets*. *Doctor Faustus* von Christopher Marlowe. *Naked Lunch*. Anne Bradstreet, Immanuel Kant. Barthes, Foucault, Derrida. Blakes *Songs of Innocence and Experience. Winnie the Pooh. The Annotated Alice.* Heidegger. Rilke. *Tristram Shandy. Wisconsin Death Trip.* Aristoteles. Bishop Berkeley. Andrew Marvell. *Hypothermia, Frostbite and Other Cold Injuries.*

Das Bett quietscht, und ich zucke zusammen. Henry setzt sich auf, sieht mich blinzelnd im Morgenlicht an. Er wirkt so jung, so *bevor...* Aber er kennt mich noch nicht. Mit einem Mal befürchte ich, er könnte vergessen haben, wer ich bin.

»Du siehst verfroren aus«, sagt er. »Komm wieder ins Bett, Clare.«

»Ich hab Kaffee aufgesetzt«, entgegne ich.

»Ich rieche es. Aber jetzt komm erst mal und sag guten Morgen.«

Im Bademantel steige ich ins Bett. Seine Hand gleitet unter den Stoff, hält nur ganz kurz inne, aber ich merke, er hat die Verbindung hergestellt und geht im Geiste die Sachen durch, die ich in seinem Badezimmer gesehen haben könnte.

»Stört es dich?«, fragt er.

Ich zögere.

»Ja, klar. Was für eine Frage. Natürlich stört es dich.« Henry setzt sich wieder auf, und ich tue es ihm nach. Er dreht den Kopf zu mir, sieht mich an. »Es war sowieso fast vorbei.«

»Fast?«

»Ich wollte mit ihr Schluss machen. Es war nur schlecht abgepasst. Oder gut abgepasst, ich weiß es nicht.« Er versucht, meine Miene zu deuten, aber wozu? Will er, dass ich ihm vergebe? Er hat ja keine Schuld. Woher hätte er das alles wissen sollen? »Wir haben uns seit langem nur noch gequält...« Er redet immer schneller, dann verstummt er. »Willst du es wissen?«

»Nein.«

»Danke.« Henry fährt sich mit den Händen übers Gesicht. »Tut mit Leid. Ich wusste ja nicht, dass du kommst, sonst hätte ich ein bisschen besser aufgeräumt. In meinem Leben, nicht nur die Wohnung.« Unter Henrys Ohr ist verschmierter Lippenstift, den ich wegwische. Er nimmt meine Hand. »Bin ich sehr anders, als du erwartet hast?«, fragt er ängstlich.

»Ja, du bist viel ...«, *egoistischer*, denke ich, sage aber, »...jünger.«

Er überlegt. »Ist das gut oder schlecht?«

»Je nachdem.« Mit beiden Händen fahre ich über Henrys Schultern und Rücken, massiere Muskeln, erforsche Vertiefungen. »Hast du dich schon älter gesehen, in den Vierzigern?«

»Ja. Da sehe ich aus, als hätte man mich geknickt und verstümmelt.«

»Stimmt. Aber du bist nicht so – ich meine, irgendwie hast du mehr… Na ja, du kennst mich eben und bist deswegen…«

»Du willst mir also zu verstehen geben, dass ich etwas unbeholfen bin.«

Ich schüttle den Kopf, obwohl ich genau das meine. »Ich hatte die vielen Erlebnisse mit dir, als du… Ich bin es nicht gewöhnt, mit dir zusammen zu sein, wenn du dich an nichts erinnern kannst.«

Henry macht ein düsteres Gesicht. »Tut mir Leid. Aber den Mann, den du kennst, gibt es noch nicht. Bleib bei mir, denn früher oder später wird er erscheinen. Mehr kann ich dir nicht anbieten.«

»In Ordnung«, erwidere ich. »Aber in der Zwischenzeit…«

Er dreht sich um und sieht mich an. »In der Zwischenzeit?«

»Will ich…«

»Willst du?«

Ich werde rot. Henry lacht und schiebt mich sanft nach hinten aufs Kissen. »Du weißt schon.«

»Ich weiß nicht viel, aber das eine oder andere kann ich mir denken.«

Später, wir dösen wohlig Haut an Haut im Licht der fahlen vormittäglichen Oktobersonne, flüstert Henry mir etwas in den Nacken, das ich nicht verstehe.

»Was?«

»Ich dachte eben, wie friedlich es hier ist, zusammen mit dir. Es ist schön, einfach dazuliegen und zu wissen, die Zukunft ist irgendwie geregelt.«

»Henry?«

»Hmm?«

»Wieso hast du dir nie was von mir erzählt?«

»Oh, das mach ich grundsätzlich nicht.«

»Was machst du nicht?«

»Mir Sachen erzählen, die in der Zukunft liegen, außer es handelt sich um wichtige, lebensentscheidende Dinge, verstehst du? Ich möchte wie ein normaler Mensch leben. Ich bin auch nicht gern mit anderen Ichs zusammen, deshalb statte ich mir selbst nur Besuche ab, wenn mir nichts anderes übrig bleibt.«

Ich denke eine Weile über seine Antwort nach. »Ich würde mir alles sagen.«

»Nein, bestimmt nicht. Das bringt viel Ärger.«

»Ich wollte dich immer dazu bewegen, mir Sachen zu erzählen.« Ich wälze mich auf den Rücken, und Henry stützt den Kopf auf seine Hand und blickt zu mir herab. Unsere Gesichter sind keine zwanzig Zentimeter voneinander entfernt. Es ist so seltsam, miteinander zu reden, wie wir es fast immer getan haben, aber die körperliche Nähe macht es mir schwer, mich zu konzentrieren.

»Und hab ich dir Sachen erzählt?«, fragt er.

»Manchmal. Wenn du Lust hattest, oder wenn du musstest.«

»Zum Beispiel?«

»Na bitte! Du willst es doch wissen. Aber ich verrate nichts.«

Henry lacht. »Geschieht mir recht. Hey, ich hab Hunger. Lass uns was zum Frühstück holen.«

Draußen ist es kühl. Autos und Fahrräder fahren die Dearborn entlang, auf den Gehsteigen schlendern Pärchen, und wir sind mitten unter ihnen, in der Morgensonne, Hand in Hand, endlich zusammen und für jedermann sichtbar. Ein leises Bedauern überkommt mich, als hätte ich ein Geheimnis verloren, und dann ein jähes Hochgefühl: Nun fängt alles an.

ES GIBT IMMER EIN ERSTES MAL

Sonntag, 16. Juni 1968

HENRY: Das erste Mal war magisch. Woher hätte ich wissen sollen, welche Bedeutung es hatte? Es war mein fünfter Geburtstag, und wir gingen ins Field Museum of Natural History. Ich glaube, es war mein erster Besuch im Field Museum. Meine Eltern hatten mir die ganze Woche erzählt, welche Wunder es dort zu bestaunen gab, die ausgestopften Elefanten in der hohen Eingangshalle, die Dinosaurierskelette, die Dioramen mit den Höhlenmenschen. Mom, die gerade aus Sydney zurückgekehrt war, hatte mir einen gewaltigen, unglaublich blauen Schmetterling mitgebracht, *Papilio ulysses*, präpariert in einem mit Watte gefüllten Rahmen. Dauernd hielt ich ihn dicht vor mein Gesicht, so dicht, dass ich nur noch Blau sah. Es erfüllte mich mit einem Gefühl, das ich später durch Alkohol wiederholen wollte und schließlich bei Clare wiederfand, ein Gefühl von Einheit, Vergessenheit und Leichtigkeit im besten Sinne des Wortes. Meine Eltern beschrieben die zahllosen Schaukästen mit Schmetterlingen, Kolibris, Käfern. Ich war so aufgeregt, dass ich schon vor Tagesanbruch erwachte. Im Schlafanzug zog ich mir die Turnschuhe an, nahm meinen *Papilio ulysses*, ging hinten in den Garten und die Treppe hinunter zum Fluss. Dort setzte ich mich auf den Anleger und sah zu, wie es hell wurde. Eine Entenfamilie schwamm vorbei, und auf dem Anleger am anderen Flussufer erschien ein Waschbär und musterte mich neugierig, ehe er sein Frühstück im Wasser wusch und verschlang. Vielleicht war ich eingeschlafen. Irgendwann hörte ich Mom rufen und rannte die vom Tau glitschigen Stufen hoch, vorsichtig darauf bedacht, den Schmetterling nicht fallen zu lassen. Sie war verärgert, weil ich allein zum Anleger gegangen war, machte aber keine große Sache daraus, denn es war ja mein Geburtstag.

Beide mussten sie am Abend nicht arbeiten, deshalb dauerte es eine Weile, bis sie angezogen und startbereit waren. Ich war lange vor ihnen fertig. Ich saß auf ihrem Bett und tat, als wenn ich eine Partitur lesen würde. Etwa um diese Zeit entdeckten meine Musikereltern, dass in ihrem einzigen Sprössling keine musikalische Begabung schlummerte. Nicht dass ich mir keine Mühe gegeben hätte, aber ich hörte aus einem Musikstück einfach nicht das Gleiche heraus wie sie. Ich mochte Musik, konnte aber kaum einen Ton halten. Und obwohl ich schon mit vier Zeitung lesen konnte, sah ich in einer Partitur nur hübsche schwarze Schnörkel. Noch aber hofften meine Eltern auf ein verborgenes musikalisches Talent in mir, so dass sich Mom, kaum hatte ich die Partitur in der Hand, neben mich setzte und mir dabei helfen wollte. Schon bald sang sie, und ich stimmte mit kläglichen Heultönen, die Finger schnippend, ein, bis wir kicherten und sie mich kitzelte. Dad, der mit einem Handtuch um die Hüften aus dem Bad kam, stimmte ebenfalls ein, und ein paar wunderschöne Minuten lang sangen sie gemeinsam, und Dad hob mich hoch, und sie tanzten, mich zwischen sich gepresst, durchs Schlafzimmer. Dann klingelte das Telefon, die Szene löste sich auf. Mom ging ran, Dad setzte mich aufs Bett und zog sich an.

Schließlich waren sie doch fertig. Meine Mom trug ein rotes ärmelloses Kleid mit Sandalen und hatte ihre Finger- und Zehennägel im dazu passenden Farbton lackiert. Dad, der in dunkelblauer Hose und weißem kurzärmeligem Hemd brillierte, lieferte einen ruhigen Hintergrund zu Moms extravaganter Erscheinung. Wir stiegen ins Auto. Wie immer hatte ich den ganzen Rücksitz für mich, also legte ich mich hin und beobachtete durchs Fenster, wie die hohen Gebäude am Lake Shore Drive vorbeirauschten.

»Komm, Henry«, sagte Mom. »Wir sind da.«

Ich setzte mich auf und sah das Museum. Meine bisherige Kindheit hatte ich damit verbracht, mit meinen Eltern durch die Metropolen Europas zu ziehen, deshalb befriedigte das Field Museum meine Vorstellung von einem »Museum«, auch wenn mich die gewölbte Steinfassade nicht sonderlich beeindruckte. Weil Sonntag war, mussten wir länger nach einem Parkplatz suchen, aber schließlich fanden wir einen und schlenderten am See entlang, vorbei an Booten, Statuen und aufgeregten Kindern. Dann gingen wir zwischen den wuchtigen Säulen hindurch ins Museum.

Und schon war ich ein verzauberter Junge.

Die gesamte Natur war da eingefangen, beschriftet und nach einer Logik geordnet, die so zeitlos schien, als hätte Gott sie befohlen, vielleicht ein Gott, der den ursprünglichen Plan für die Schöpfung verlegt und die Mitarbeiter des Field Museum gebeten hatte, ihm zu helfen, nicht den Überblick zu verlieren. Für mich als Fünfjährigen, den schon ein einziger Schmetterling in Verzückung setzen konnte, kam der Gang durchs Field Museum einem Spaziergang durchs Paradies gleich, der alles bot, was es dort gab.

So vieles haben wir an jenem Tag gesehen: natürlich die Schmetterlinge, Schaukasten um Schaukasten, aus Brasilien, aus Madagaskar, sogar einen Bruder meines blauen Schmetterlings aus Down Under. Die Dunkelheit und Kälte in dem alten Museum verstärkten das Gefühl der Unendlichkeit, das Gefühl, dass Zeit und Tod innerhalb dieser Mauern Einhalt geboten wird. Wir sahen Kristalle und Pumas, Bisamratten und Mumien, Fossilien und wieder Fossilien. Unser Picknick nahmen wir auf dem Rasen des Museums ein, und schon ging es wieder zu den Vögeln und Alligatoren und Neandertalern. Gegen Ende konnte ich vor Müdigkeit kaum noch stehen, aber ich mochte einfach nicht gehen. Das Aufsichtspersonal kam und drängte alle Besucher freundlich zu den Türen. Ich kämpfte mit den Tränen, fing aber vor Erschöpfung und Sehnsucht trotzdem zu weinen an. Dad nahm mich auf den Arm, und wir liefen zum Auto zurück. Auf dem Rücksitz schlief ich ein, und als ich wieder aufwachte, waren wir zu Hause und es war Zeit zum Abendessen.

Wir aßen unten in der Wohnung von Mr und Mrs Kim, unseren Vermietern. Mr Kim war ein schroffer, gedrungener Mann, der mich zwar mochte, aber nie viel sagte, während Mrs Kim (mein Spitzname für sie war Kimy) meine Freundin war, meine verrückte, koreanische, Karten spielende Babysitterin. Die meiste Zeit, in der ich wach war, verbrachte ich mit Kimy. Meine Mom war nie eine großartige Köchin, aber Kimy konnte von einem Soufflé bis zu *bi bim bop* alles zaubern. Heute Abend, an meinem Geburtstag, gab es Pizza und Schokoladenkuchen.

Beim Essen sangen alle Happy Birthday, und ich blies die Kerzen aus. Ich kann mich nicht mehr erinnern, was ich mir dabei gewünscht habe. Ich durfte länger aufbleiben als sonst, weil ich immer noch so aufgeregt war von unserem Museumsbesuch und weil ich nachmittags so lange geschlafen hatte. Im Schlafanzug setzte ich mich mit meinen Eltern und Mrs und Mr Kim auf die hintere Veranda. Wir tranken Limonade, bewunderten das Blau des Abendhimmels und lauschten den Zikaden und Fernsehstimmen aus den anderen Wohnungen. Schließlich sagte Dad: »Zeit zum Schlafengehen, Henry.« Ich putzte mir die Zähne, sagte meine Gebete auf und ging ins Bett. Ich war erschöpft, aber hellwach. Dad las mir noch eine Weile vor, und als ich dann immer noch nicht schlafen konnte, machten meine Eltern das Licht aus, ließen meine Zimmertür einen Spaltbreit auf und gingen ins Wohnzimmer. Unsere Abmachung lautete: Sie würden so lange wie ich wollte für mich spielen, aber ich musste im Bett bleiben und zuhören. Mom setzte sich ans Klavier, Dad holte seine Geige aus dem Kasten, und sie spielten und sangen eine ganze Weile. Schlafweisen, Lieder, Nocturnes, verträumte Musik, die den wilden Jungen in seinem Zimmer besänftigen sollte. Irgendwann kam meine Mutter herein, um nachzusehen, ob ich schlief. In meinem Kinderbett sah ich vermutlich klein und misstrauisch aus, ein nächtliches Tier im Schlafanzug.

»Ach, mein Schatz. Immer noch wach?«

Ich nickte.

»Dad und ich gehen jetzt ins Bett. Alles in Ordnung?«

Ich sagte Ja, und sie umarmte mich. »War ziemlich aufregend heute im Museum, hm?«

»Können wir morgen wieder hin?«

»Nein, morgen nicht, aber wir gehen sehr bald wieder hin, gut?«

»Gut.«

»Nacht.« Sie ließ die Tür offen und knipste das Licht im Flur aus.

»Schlaf gut. Lass dich nicht von den Wanzen beißen.«

Ich hörte leise Geräusche, fließendes Wasser, die Toilettenspülung. Dann war alles still. Ich stand aus dem Bett auf und kniete mich vor mein Fenster. Im Haus nebenan brannten Lichter, irgendwo fuhr ein Auto mit plärrendem Radio vorbei. Ich blieb eine Weile am Fenster, versuchte müde zu werden, und dann stand ich auf, und alles veränderte sich.

Samstag, 2. Januar 1988, 4.03 Uhr
Sonntag, 16. Juni 1968, 22.46 Uhr
(Henry ist 24 und 5)

HENRY: Es ist 4.03 Uhr an einem überaus kalten Januarmorgen, ich komme gerade nach Hause. Ich war tanzen und bin nicht wirklich betrunken, aber völlig erschöpft. Im hellen Foyer, wo ich mit meinen Schlüsseln herumfummle, wird mir schwindlig und ich falle benommen auf die Knie, und schon bin ich im Dunkeln und übergebe mich auf einen gekachelten Boden. Ich hebe den Kopf, erkenne ein rot erleuchtetes EXIT-Schild, und als sich meine Augen an die Dunkelheit gewöhnt haben, sehe ich Tiger, Höhlenmänner mit langen Speeren, Höhlenfrauen in strategisch günstig drapierten Fellen, Wolfshunde. Mein Herz rast, und einen alkoholbenebelten Augenblick lang denke ich *Heilige Scheiße, jetzt hat es mich glatt in die Steinzeit verschlagen*, bis mir bewusst wird, dass EXIT-Schilder eine Errungenschaft des zwanzigsten Jahrhunderts sind. Zitternd stehe ich auf und strebe dem Eingang entgegen, der Boden unter meinen bloßen Füßen ist eiskalt, ich habe eine Gänsehaut und mir stehen alle Haare zu Berge. Es herrscht vollkommene Stille. Die klimatisierte Luft fühlt sich feucht an. Am Eingang werfe ich einen Blick in den angrenzenden Raum, in dem es von Glaskästen wimmelt. Im weißen Licht der Straßenlampen, das durch die hohen Fenster fällt, sehe ich Tausende von Käfern. Gott sei Dank, ich bin im Field Museum. Ich bleibe stehen, atme tief durch und versuche einen klaren Kopf zu bekommen. Mein lahm gelegtes Hirn fühlt sich an etwas erinnert, das ich versuche auszugraben. Ich sollte etwas tun. Genau. Mein fünfter Geburtstag ... jemand war da, und derjenige werde ich gleich sein ... Ich brauche Kleidung. Keine Frage.

Ich sprinte durch die Käferausstellung in den langen Gang, der den ersten Stock in zwei Hälften teilt, nehme die Westtreppe hinunter ins Erdgeschoss, unendlich dankbar, dass es noch keine Bewegungsmelder gibt. Im Mondlicht ragen die riesigen Elefanten drohend über mir auf, und ich winke ihnen auf dem Weg zu dem kleinen Geschenkeladen rechts vom Haupteingang zu. Ich sehe mir die Auslagen an und finde ein paar vielversprechende Dinge: einen dekorativen Brieföffner, ein Lesezeichen aus Metall mit den Insignien des Museums und zwei T-Shirts mit Dinosaurier-Aufdruck. Die Schlösser an den Schaukästen sind ein Witz. Ich öffne sie mit einer Haarklammer, die neben der Kasse liegt, und bediene mich. Gut. Zurück zur Treppe und hinauf in den zweiten Stock, den so genannten Dachboden des Museums, in dem sich die Labore und Büros der Mitarbeiter befinden. Ich überfliege die Namen an den Türen, aber keiner sagt mir etwas. Schließlich lasse ich den Zufall entscheiden und führe mein Lesezeichen am Schloss entlang, bis der Bolzen zurückschnappt und ich eintreten kann.

Der Bewohner dieses Büros, ein gewisser V. M. Williamson, ist ein sehr unordentlicher Mensch. Überall im Zimmer liegen Papiere und Kaffeebecher herum, der Aschenbecher quillt vor Kippen über. Auf dem Schreibtisch liegt ein teilweise bewegliches Schlangenskelett. Rasch sehe ich mich in dem Chaos nach Kleidung um und entdecke nichts. Im nächsten Zimmer arbeitet eine Frau, J. F. Bettley. Bei meinem dritten Versuch habe ich Glück. Am Kleiderständer von D.W. Fitch hängt ordentlich ein ganzer Anzug, der mir sogar einigermaßen passt, auch wenn Ärmel und Beine etwas kurz sind und das Revers zu weit. Unter die Jacke ziehe ich eins der Dinosaurier-T-Shirts an. Fehlen nur noch Schuhe, aber ansonsten bin ich salonfähig. In D.W.s Schreibtisch liegt außerdem eine noch ungeöffnete Packung Oreo-Kekse, Gott segne ihn.

Ich beschlagnahme sie und verlasse, sorgsam die Tür hinter mir schließend, das Zimmer.

Wo war ich noch, als ich mich vorhin sah? Ich schließe die Augen, werde von einer körperlichen Erschöpfung übermannt, die mich mit schläfrigen Fingern streichelt. Ich schlafe fast im Stehen ein, reiße mich aber zusammen und da fällt es mir wieder ein: Eine Männergestalt, von hinten durch die Eingangstür beleuchtet, tritt auf mich zu. Ich muss unbedingt wieder nach unten, in die Eingangshalle.

Dort angelangt, ist alles ruhig und still. Ich durchquere die Halle, versuche, mir das Bild der Eingangstür in Erinnerung zu rufen, und setze mich dann auf der linken Seite in die Nähe der Garderobe. Ich höre das Blut in meinem Kopf strömen, die Klimaanlage summt, draußen auf dem Lake Shore Drive rauschen Autos vorbei. Langsam esse ich zehn Kekse, breche jeden vorsichtig auseinander, kratze mit den Schneidezähnen die Vanillefüllung heraus und knabbere an den Schokoladenkekshälften, damit sie länger halten. Ich habe keine Ahnung, wie spät es ist oder wie lange ich warten muss. Mittlerweile bin ich wieder weitgehend nüchtern und halbwegs wach. Die Zeit verstreicht, nichts geschieht. Schließlich: ein leises Plumpsen, ein Stöhnen. Stille. Ich warte, stehe geräuschlos auf, tapse in die Halle und bewege mich langsam durchs Licht, das schräg auf den Marmorboden fällt. In der Mitte des Eingangs bleibe ich stehen und rufe halblaut: »Henry.«

Nichts. Ein braver Junge, misstrauisch und still. Zweiter Versuch. »Schon gut, Henry. Ich bin dein Führer, bin nur hier, um dir alles zu zeigen. Du bekommst eine Sondertour. Keine Angst, Henry.«

Ich höre ein leises, ganz schwaches Geräusch. »Ich hab dir ein T-Shirt mitgebracht, Henry. Damit dir nicht kalt wird, wenn wir uns die Ausstellungsstücke ansehen.« Ich kann ihn jetzt erkennen, er steht am Rand der Dunkelheit. »Hier. Fang auf.« Ich werfe es ihm zu, das T-Shirt verschwindet, dann tritt er ins Licht. Das Shirt reicht ihm bis zu den Knien. Da bin ich mit fünf, dunkles Stoppelhaar, mondbleich mit braunen, fast slawischen Augen, drahtig, übermütig. Mit fünf bin ich glücklich, geborgen in Normalität und den Armen meiner Eltern. Alles hat sich verändert, fängt jetzt an.

Langsam gehe ich auf ihn zu, neige mich ihm entgegen, sage im Flüsterton: »Hallo. Freut mich, dich zu sehen Henry. Danke, dass du heute Nacht gekommen bist.«

»Wo bin ich? Wer bist du?« Seine dünne, hohe Stimme hallt leise vom kalten Stein wider.

»Du bist im Field Museum. Man hat mich hierher geschickt, um dir ein paar Sachen zu zeigen, die du tagsüber nicht siehst. Ich heiße auch Henry. Ist das nicht komisch?«

Er nickt.

»Willst du ein paar Kekse? Wenn ich mir ein Museum ansehe, esse ich immer gern Kekse. Das spricht noch mehr Sinne an.« Ich halte ihm die Oreo-Packung hin. Henry zögert, unsicher, ob das gut ist, hungrig, aber unsicher, wie viel er nehmen darf, ohne unhöflich zu sein. »Nimm so viele wie du willst. Ich hab schon zehn Stück gegessen, du hast also einiges aufzuholen.« Er nimmt drei. »Gibt es etwas, das du zuerst sehen möchtest?« Er schüttelt den Kopf. »Weißt du was? Wir gehen in den zweiten Stock, da heben sie alles auf, was nicht ausgestellt ist. Gut?«

»Gut.«

Im Dunkeln steigen wir die Treppe hoch. Er geht nicht sehr schnell, also passe ich mich seinem langsamen Schritt an.

»Wo ist Mom?«

»Sie ist zu Hause und schläft. Wir machen eine Führung nur für dich, weil heute dein Geburtstag ist. Für solche Sachen haben Erwachsene außerdem wenig übrig.«

»Du bist doch selber ein Erwachsener.«

»Aber ein sehr ungewöhnlicher. Meine Aufgabe besteht darin, Abenteuer zu erleben. Und als ich erfuhr, dass du am liebsten gleich wieder ins Field Museum wolltest, hab ich die Gelegenheit ergriffen, um dich herumzuführen.«

»Aber wie bin ich hierher gekommen?« Oben an der Treppe bleibt er stehen und sieht mich völlig verwirrt an.

»Das ist eigentlich ein Geheimnis. Wenn ich es dir sage, musst du schwören, es keinem zu verraten.«

»Warum?«

»Weil man dir nicht glauben würde. Du kannst es Mom und

Kimy erzählen, wenn du willst, aber sonst keinem. In Ordnung?«

»In Ordnung...«

Ich knie vor ihm nieder, vor meinem unschuldigen Ich, sehe ihm in die Augen. »Ehrenwort?«

»Mhm...«

»Gut. Also: Du bist durch die Zeit gereist. Du warst in deinem Zimmer, und mit einem Mal, puff! bist du hier, aber es ist noch etwas früher am Abend, wir haben also jede Menge Zeit und können uns alles ansehen, bevor du wieder nach Hause musst.« Er schweigt und macht ein zweifelndes Gesicht. »Ergibt das einen Sinn?«

»Aber ... warum?«

»Nun, das weiß ich auch noch nicht. Wenn es so weit ist, lass ich's dich wissen. Bis dahin sollten wir einfach weitergehen. Keks?«

Er nimmt einen, und wir schlendern langsam den Gang entlang. Ich entschließe mich für ein kleines Experiment. »Versuchen wir's hier.« An einer Tür mit der Nummer 306 lasse ich mein Lesezeichen am Schloss entlanggleiten, und es öffnet sich. Als ich das Licht anknipse, liegen überall auf dem Boden kürbisgroße Steine, ganze und halbe, außen zerklüftet, innen von metallischen Adern durchzogen. »Oh, sieh dir das an, Henry. Meteoriten.«

»Was sind Meteriten?«

»Steine, die aus dem Weltraum fallen.« Er sieht mich an, als wäre ich aus dem Weltraum. »Wollen wir es an einer anderen Tür probieren?« Er nickt. Ich schließe den Meteoritenraum und versuche es an der gegenüberliegenden Tür. Ein Raum voller Vögel. Vögel in simuliertem Flug, Vögel, die für immer auf Ästen sitzen, Vogelköpfe, Vogelbälge. Ich öffne eine der Hunderte von Schubladen; sie enthält mehrere Glasröhren mit jeweils einem winzigen schwarz-goldenen Vogel, dessen Name auf einem um den Fuß gewickelten Schildchen steht. Henrys Augen werden riesengroß. »Willst du einen anfassen?«

»Mhm.«

Ich entferne den Wattepfropfen aus der Glasöffnung und schüttle einen Goldfink auf meine Hand. Er bleibt röhrenförmig. Henry streichelt liebevoll den kleinen Kopf. »Schläft er?«

»Könnte man sagen.« Er misstraut meiner doppeldeutigen Antwort und wirft mir einen strengen Blick zu. Vorsichtig gebe ich den Goldfink wieder ins Glas, stecke den Wattepfropfen hinein, lege das Röhrchen zurück und schließe die Schublade. Ich bin schrecklich müde. Allein das Wort Schlaf klingt verlockend und verführerisch. Ich gehe vor ihm in den Flur hinaus, und plötzlich fällt mir ein, was mich an jenem Abend, als ich noch klein war, so fasziniert hat.

»Hey Henry. Wir gehen in die Bibliothek.« Er zuckt gleichgültig mit den Schultern. Ich gehe jetzt schnell, und er muss rennen, um Schritt zu halten. Die Bibliothek ist im zweiten Stock, im Ostflügel des Hauses. Dort angekommen, bleibe ich kurz stehen und betrachte die Schlösser. Henry sieht mich an, als wolle er sagen Na, das war's wohl. Ich taste in meiner Tasche nach dem Brieföffner, schraube den Holzgriff ab, und siehe da, innen befindet sich eine schöne lange dünne Metallspitze. Eine Hälfte davon stecke ich in das Schloss und taste es ab. Ich kann den Bolzen schnappen hören, und als der Weg frei ist, schiebe ich die zweite Hälfte nach, lasse mein Lesezeichen am anderen Schloss entlanggleiten, und Hokuspokus, Sesam öffne dich!

Mein Gefährte ist jedenfalls gebührend beeindruckt. »Wie hast du das gemacht?«

»Ist gar nicht schwer. Ich zeig's dir ein andermal. *Entrez*!« Ich halte ihm die Tür auf, er tritt ein. Dann schalte ich die Lichter an, und vor uns breitet sich der Lesesaal aus; schwere Holztische und -stühle, kastanienbrauner Teppich, ein verboten großer Tisch für die Aufsicht. Die Bibliothek des Field Museum ist nicht dazu geeignet, die Phantasie von Fünfjährigen zu beflügeln. Es ist eine Präsenzbibliothek, die nur von Wissenschaftlern und Gelehrten genutzt wird. Bücherregale säumen die Wände, aber sie enthalten vorwiegend in Leder gebundene wissenschaftliche Zeitschriften aus der viktorianischen Zeit. Das Buch, worauf ich es abgesehen habe, befindet sich in einem riesigen Kasten aus Eiche und Glas, der allein in der Mitte des Raums steht. Mit meiner Haarklammer knacke ich das Schloss und öffne die Glastür. Man sollte sich hier im Museum wirklich etwas ernsthafter um die Sicherheit kümmern. Mein kleiner Einbruch bereitet mir keine Gewissensbisse, denn schließlich bin ich ein echter Bibliothekar, der ständig Führungen durch die

Newberry macht. Ich gehe hinter den Tisch der Aufsicht, hole ein Stück Filz und ein paar Stützleisten und breite alles auf dem nächsten Tisch aus. Dann hebe ich das Buch vorsichtig aus dem Schaukasten auf den Filz und ziehe einen Stuhl heran. »Komm, stell dich hier drauf, dann siehst du besser.« Er steigt hoch, und ich öffne das Buch.

Es handelt sich um Audubons *Birds of America*, das prachtvolle wunderschöne Elefantfolio, fast so groß wie mein junges Ich. Es ist die schönste Ausgabe, die es gibt, ich habe sie an vielen verregneten Nachmittagen bewundert. Als ich die erste Tafel aufschlage, lächelt Henry und schaut mich an. »»Eistaucher‹«, liest er. »Sieht aus wie eine Ente.«

»Ja, stimmt. Wetten, dass ich deinen liebsten Vogel errate?«

Er schüttelt den Kopf und grinst.

»Worum willst du wetten?«

Er blickt an dem Tyrannosaurus Rex auf seinem T-Shirt hinunter und zuckt die Schultern. Ich kenne sein Gefühl nur zu gut.

»Wie wär's damit: Wenn ich richtig rate, darfst du einen Keks essen, und wenn ich falsch rate, darfst du auch einen essen.«

Er überlegt und befindet die Wette für ungefährlich. Ich schlage das Buch bei *Flamingo* auf. Henry lacht.

»Hab ich Recht?«

»Ja!«

Es ist nicht schwer, allwissend zu sein, wenn man alles schon einmal erlebt hat. »Also, nimm deinen Keks. Und ich bekomme einen, weil ich Recht hatte. Aber wir müssen sie aufheben, bis wir uns das Buch fertig angesehen haben, wir wollen doch nicht, dass Krümel auf die Berghüttensänger kommen, oder?«

»Nein!« Er legt den Keks auf die Stuhllehne, und wir fangen noch mal von vorn an, blättern uns langsam durch die Vögel, die viel lebendiger wirken als die echten in den Glasröhrchen am anderen Ende des Gangs.

»Das ist ein Kanadareiher. Der ist richtig groß, größer als ein Flamingo. Hast du schon mal einen Kolibri gesehen?«

»Heute hab ich ein paar gesehen!«

»Hier im Museum?«

»Ja.«

»Was meinst du wohl, wenn du draußen einen siehst! Sie sind wie winzige Helikopter, ihre Flügel flattern so schnell, dass man sie nur verschwommen sieht.« Das Umblättern jeder Seite ist, als würde man ein Bett machen: Ein enorm großes Blatt Papier, das sich hebt und senkt. Henry steht aufmerksam da, wartet immer auf das neue Wunder, stößt bei jedem Kanadischen Kranich, bei jeder Nordamerikanischen Trauerente, jedem Riesenalk und Schopfspecht kleine Freudenschreie aus. Bei der letzten Tafel mit der *Schneeammer* beugt er sich vor und berührt die Seite, streichelt zärtlich über die Gravierung. Ich sehe ihn an, dann das Buch, erinnere mich an dieses Buch, an diesen Augenblick, es war das erste Buch, das ich geliebt habe, und ich weiß noch, wie ich mich am liebsten darin verkrochen und geschlafen hätte.

»Müde? Wollen wir gehen?«

»Ja.«

Ich klappe die *Birds of America* zu, bringe sie in ihr Glashaus zurück, schlage sie bei *Flamingo* auf, schließe den Kasten und sperre ihn ab. Henry hüpft vom Stuhl und isst seinen Keks. Ich bringe den Filz zum Tisch zurück, schiebe den Stuhl an seinen Platz. Dann macht Henry das Licht aus, und wir verlassen die Bibliothek.

Im Gehen plaudern wir friedlich über fliegende und kriechende Tiere, dabei essen wir unsere Kekse. Henry erzählt mir von Mom und Dad, von Mrs Kim, die ihm beibringt, wie man Lasagne macht, und von Brenda, die ich ganz vergessen hatte, meine beste Freundin, als ich klein war, bis ihre Eltern nach Tampa in Florida zogen, heute in etwa drei Monaten. Wir stehen vor Bushman, dem legendären Berggorilla mit dem Silberrücken, der in einem Gang im Erdgeschoss auf einem kleinen Marmorsockel thront und in seiner ausgestopften Pracht finster auf uns herabblickt, als Henry aufschreit, mit ausgestreckten Armen auf mich zustolpert, und ich nach ihm greifen will, aber schon ist er fort. Das warme T-Shirt in meinen Händen ist leer. Seufzend gehe ich die Treppe hoch, um mir die Mumien noch eine Weile allein anzusehen. Mein junges Ich wird nun zu Hause sein und ins Bett gehen. Ich erinnere mich, erinnere mich genau. Am nächsten Morgen erwachte ich, und alles war ein wunderschöner Traum. Mom lachte und sagte, durch die Zeit zu reisen bringe offenbar großen Spaß, und sie würde es auch gern einmal versuchen.

Das war das erste Mal.

ERSTE BEGEGNUNG, ZWEI

Freitag, 23. September 1977 (Henry ist 36, Clare 6)

HENRY: Ich bin auf der Wiese und warte. Ich warte nackt etwas abseits der Lichtung, weil die Kleidung nicht da ist, die Clare in einer Schachtel unter einem Stein für mich aufbewahrt; auch die Schachtel fehlt, darum bin ich froh, dass es ein schöner Nachmittag ist, vielleicht Anfang September, in einem unbekannten Jahr. Nachdenklich kauere ich im hohen Gras. Die nicht vorhandene Kleiderschachtel bedeutet, dass ich in einer Zeit gekommen bin, bevor Clare und ich uns begegnet sind. Vielleicht ist Clare noch gar nicht geboren. Das passiert mir nicht zum ersten Mal, es ist schrecklich. Clare fehlt mir, und da ich es nicht wage, mich nackt in der Umgebung ihrer Eltern zu zeigen, verstecke ich mich die ganze Zeit auf der Wiese. Sehnsüchtig denke ich an die Apfelbäume am westlichen Wiesenrand. In dieser Jahreszeit müssten sie kleine, säuerliche Äpfel tragen, teilweise vom Wild angeknabbert, aber essbar. Ich höre das Fliegengitter knallen und spähe übers Gras. Ein Mädchen rennt hastig den Pfad herunter, schlägt sich durch das wogende Gras, und mein Herz macht einen Satz: Clare platzt in die Lichtung.

Sie ist sehr klein, völlig selbstvergessen und allein. Sie trägt noch ihre Schuluniform, eine weiße Bluse unter einer jagdgrünen Jacke und Kniestrümpfe mit Mokassins, außerdem hat sie eine Einkaufstüte von Marshall Field's und ein Badetuch bei sich. Clare breitet das Handtuch auf dem Boden aus und kippt den Inhalt der Tüte darauf: alle erdenklichen Arten von Schreibutensilien. Alte Kugelschreiber, kleine Bleistiftstummel aus der Bibliothek, Wachsmalstifte, duftende Textmarker und ein Füllfederhalter. Auch einen Stapel Briefpapier aus dem Büro ihres Vaters hat sie dabei. Sie ordnet die Sachen, schüttelt den Papierstapel gerade und probiert dann jeden Stift aus, indem sie leise vor sich hin summend sorgfältige Linien und Schleifen zieht. Nach einigem Zuhören erkenne ich die Titelmelodie der *Dick Van Dyke Show*.

Noch zögere ich. Clare ist zufrieden, konzentriert. Sie ist ungefähr sechs, wenn September ist, müsste sie gerade in die erste Klasse gekommen sein. Sie scheint mich nicht zu erwarten, ich bin ein Fremder, und bestimmt lernt man als Erstes in der ersten Klasse, sich nicht auf Fremde einzulassen, die an deinem liebsten Versteck auftauchen, deinen Namen kennen und dich bitten, nichts deinen Eltern zu erzählen. Ich überlege, ob heute der Tag ist, an dem wir uns zum ersten Mal begegnen müssten. Vielleicht sollte ich mich ganz ruhig verhalten, dann wird Clare entweder gehen und ich kann mir ein paar Äpfel holen und etwas zum Anziehen klauen oder aber ich werde in meine normale Zeit zurückkehren.

Ich schrecke aus meinen Träumen auf, als Clare mich unverblümt anstarrt. Zu spät wird mir klar, dass ich die Melodie mitgesummt habe.

»Wer ist da?«, faucht Clare. Sie sieht aus wie eine stinkwütende Gans, nur Hals und Beine. Ich überlege blitzschnell.

»Sei gegrüßt, Erdling«, intoniere ich freundlich.

»Mark, du Nimrod!« Clare sieht sich nach einem Wurfgegenstand um, entscheidet sich für ihre Schuhe mit den schweren, scharfen Absätzen. Sie streift sie ab und wirft. Ich glaube nicht, dass sie mich gut sehen kann, aber sie hat Schwein, und ein Schuh trifft mich am Mund. Meine Lippen beginnen zu bluten.

»Bitte lass das.« Meine Stimme klingt gedämpft, weil ich nichts zum Blutstillen habe und meine Hand auf den Mund presse. Mein Kiefer schmerzt.

»Wer ist da?« Clare ist jetzt verängstigt, genau wie ich.

»Henry. Ich bin's, Clare. Henry. Ich will dir nichts tun und wäre dir dankbar, wenn du nichts mehr nach mir wirfst.«

»Gib mir meine Schuhe wieder. Ich kenn dich nicht. Warum versteckst du dich?« Clare schaut mich böse an.

Ich werfe ihre Schuhe in die Lichtung zurück. Clare hebt sie auf, hält sie wie gezückte Pistolen. »Ich verstecke mich, weil ich meine Kleider verloren habe und mich schäme. Ich komme von weit her, bin hungrig, kenne niemanden, und jetzt blute ich auch noch.«

»Woher kommst du? Und warum weißt du meinen Namen?«

Die Wahrheit und nichts als die Wahrheit. »Ich komme aus der Zukunft. Ich bin ein Zeitreisender. In der Zukunft sind wir Freunde.«

»Zeitreisende gibt es nur in Filmen.«

»Genau das sollt ihr glauben.«

»Warum?«

»Wenn jeder durch die Zeit reisen würde, gäbe es ein großes Gedränge. Zum Beispiel letztes Jahr, als du an Weihnachten deine Grandma Abshire besuchen wolltest und durch den Flughafen O'Hare gehen musstest, war es da nicht sehr, sehr voll? Wir Zeitreisende wollen uns nicht selbst alles vermasseln, deshalb halten wir uns zurück.«

Clare lässt sich das eine Weile durch den Kopf gehen. »Komm raus.«

»Leih mir dein Badetuch.« Sie hebt es auf, so dass sämtliche Stifte und Papiere herunterfliegen, wirft es mir zu, und ich fange es auf, drehe mich um und schlinge es mir um die Hüften. Es ist leuchtend rosa und orange, mit einem schrillen geometrischen Muster. Genau die Sorte Kleidungsstück, die man gern trägt, wenn man seiner zukünftigen Frau zum ersten Mal begegnet. Ich drehe mich um, gehe auf die Lichtung und lasse mich so würdevoll wie möglich auf dem Stein nieder. Clare steht so weit von mir entfernt, dass sie gerade noch auf der Lichtung ist. Sie umklammert immer noch ihre Schuhe.

»Du blutest.«

»Na ja, klar. Du hast einen Schuh nach mir geworfen.«

»Oh.«

Schweigen. Ich versuche, einen harmlosen und freundlichen Eindruck zu erwecken. Freundlichkeit spielt eine tragende Rolle in Clares Kindheit, denn sie kennt nicht viele Leute, die freundlich sind.

»Du machst dich über mich lustig.«

»Würde ich nie tun. Wie kommst du darauf?«

Clare ist überaus hartnäckig. »Niemand reist durch die Zeit. Du lügst.«

»Der Weihnachtsmann reist durch die Zeit.«

»Was?«

»Klar. Wie soll er sonst die vielen Geschenke in einer Nacht abliefern? Er dreht die Uhr ständig ein paar Stunden zurück, bis er durch jeden einzelnen Kamin gerutscht ist.«

»Der Weihnachtsmann ist magisch. Du bist nicht der Weihnachtsmann.«

»Ich bin also nicht magisch? Ach, du liebes Lieschen, du bist eine harte Nuss.«

»Ich bin nicht dein Lieschen.«

»Weiß ich doch. Du bist Clare. Clare Anne Abshire, geboren am 24. Mai 1971. Deine Eltern sind Philip und Lucille Abshire, und du wohnst mit ihnen, deiner Grandma, deinem Bruder Mark und deiner Schwester Alicia in dem großen Haus dort oben.«

»Nur weil du Sachen weißt, bedeutet es noch lange nicht, dass du aus der Zukunft kommst.«

»Wenn du noch eine Weile bleibst, kannst du sehen, wie ich verschwinde.« Ich bin überzeugt, diese Aussicht hält Clare bei der Stange, denn sie hat mir mal erzählt, das sei für sie das Beeindruckendste an unserer ersten Begegnung gewesen.

Schweigen. Clare tritt von einem Fuß auf den anderen und verjagt eine Stechmücke. »Kennst du den Weihnachtsmann?«

»Du meinst persönlich? Ähm, nein.« Meine Lippe blutet nicht mehr, aber ich muss schrecklich aussehen. »Hey, Clare, du hast nicht zufällig ein Pflaster? Oder etwas zu essen? Vom Zeitreisen werde ich immer ziemlich hungrig.«

Sie denkt darüber nach. Dann greift sie in ihre Jackentasche, zieht einen angebissenen Schokoriegel heraus und wirft ihn mir zu.

»Vielen Dank. Die mag ich unheimlich gern.« Ich esse ihn ordentlich, aber rasend schnell. Mein Blutzucker ist niedrig. Das Papier lege ich in ihre Einkaufstüte. Clare ist begeistert.

»Du isst wie ein Hund.«

»Stimmt gar nicht!« Ich bin zutiefst gekränkt. »Ich hab opponierbare Daumen, vielen Dank.«

»Was sind ponierbare Daumen?«

»Mach mal so.« Ich mache das »Okay«-Zeichen, halte den Daumen nach oben. Clare macht ebenfalls das »Okay«-Zeichen. »Das kannst du nur mit opponierbaren Daumen. Damit kannst du Gläser öffnen, deine Schuhe zubinden und andere Dinge, die Tiere nicht können.«

Clare findet meine Erklärung nicht befriedigend. »Schwester Carmelita sagt, Tiere haben keine Seele.«

»Natürlich haben Tiere eine Seele. Wie kommt sie denn auf die Idee?«

»Sie meint, das sagt der Papst.«

»Der Papst ist ein alter Brummbär. Tiere haben viel reinere Seelen als wir. Sie lügen nie, schnauzen andere nicht an.«

»Aber sie fressen sich gegenseitig.«

»Klar, das müssen sie auch. Tiere können schließlich nicht zu Dairy Queen gehen und sich eine Tüte Vanilleeis mit Streusel holen, oder?« Clare isst für ihr Leben gern Vanilleeis mit Streusel (als Kind. Als Erwachsene isst sie am liebsten Sushi, besonders von Katsu in der Peterson Avenue).

»Sie könnten doch auch Gras fressen.«

»Wir auch, tun wir aber nicht. Wir essen Hamburger.«

Clare setzt sich an den Rand der Lichtung. »Etta sagt, ich darf nicht mit Fremden sprechen.«

»Ein guter Rat.«

Schweigen.

»Wann verschwindest du denn?«

»Wenn ich dazu bereit bin. Langweilst du dich mit mir?« Clare verdreht die Augen. »Woran arbeitest du gerade?«

»Schönschreiben.«

»Darf ich mal sehen?«

Clare steht vorsichtig auf, sammelt ein paar Papierbögen auf und fixiert mich dabei mit ihrem bösen Blick. Langsam beuge ich mich vor und strecke die Hand aus, als wäre sie ein Rottweiler, und sie gibt mir schnell die Papiere und zieht sich zurück. Interessiert betrachte ich die Blätter, als hätte sie mir einen Stapel Originalzeichnungen von Bruce Rogers für ›Centaur‹ oder das *Book of Kells* gegeben. In Druckbuchstaben hat sie, immer wieder, größer und größer werdend, »Clare Anne Abshire« geschrieben. Sämtliche Ober- und Unterlängen sind mit schwungvollen Schnörkeln versehen, und in die Punzen hat sie Smileys gemalt. Alles sehr schön.

»Sieht hübsch aus.«

Clare ist hocherfreut, wie immer, wenn man sie für ihre Arbeit lobt. »Ich könnte eins für dich machen.«

»Das wäre schön. Leider darf ich nichts mitnehmen, wenn ich durch die Zeit reise, aber vielleicht könntest du es für mich aufbewahren, dann habe ich meine Freude daran, wenn ich hier bin.«

»Warum darfst du nichts mitnehmen?«

»Na, denk doch mal nach. Wenn wir Zeitreisenden anfangen würden, Dinge durch die Zeit zu schleppen, wäre die Welt bald ein einziges Chaos. Angenommen, ich würde Geld in die Vergangenheit mitnehmen. Dann könnte ich vorher alle Gewinnzahlen und Footballergebnisse in Erfahrung bringen und haufenweise Geld machen. Ziemlich ungerecht, oder? Und wenn ich richtig unehrlich wäre, könnte ich Sachen stehlen und mit in die Zukunft nehmen, wo mich niemand finden kann.«

»Du könntest ein Pirat sein!« Die Vorstellung von mir als Pirat scheint Clare sehr zu gefallen, denn sie vergisst sogar, dass ich der gefährliche Fremde bin. »Du könntest das Geld vergraben, eine Schatzkarte zeichnen und es in der Zukunft ausgraben.« Auf diese Weise finanzieren Clare und ich tatsächlich mehr oder minder unser chaotisches Leben. Als Erwachsene findet Clare unser Vorgehen leicht unmoralisch, auch wenn es uns auf dem Aktienmarkt Vorteile bringt.

»Tolle Idee. Aber ich brauche eigentlich kein Geld, sondern Kleider.«

Clare sieht mich zweifelnd an.

»Dein Dad hat nicht zufällig ein paar Sachen, die er nicht

braucht? Schon eine Hose wäre großartig. Ich meine, mir gefällt dein Handtuch, versteh mich bitte nicht falsch, aber da, wo ich herkomme, trage ich immer gern Hosen.« Philip Abshire ist ein bisschen kleiner als ich und ungefähr fünfzehn Kilo schwerer. Seine Hosen sehen komisch an mir aus, aber wenigstens sind sie bequem.

»Ich weiß nicht…«

»Schon gut, du musst sie nicht sofort holen. Aber es wäre sehr nett, wenn du mir nächstes Mal welche mitbringen würdest.«

»Nächstes Mal?«

Ich nehme ein unbeschriebenes Blatt Papier und einen Bleistift. In Blockbuchstaben schreibe ich: DONNERSTAG, 29. SEPTEMBER 1977 NACH DEM ABENDESSEN. Ich reiche Clare das Blatt, sie nimmt es vorsichtig entgegen. Mein Blickfeld verschwimmt. Ich kann hören, wie Etta nach Clare ruft. »Unser Treffen bleibt ein Geheimnis, Clare, in Ordnung?«

»Warum?«

»Darf ich nicht sagen. Ich muss jetzt los. War schön, dich zu sehen. Und nimm keine hölzernen Nickel an.« Ich halte ihr meine Hand hin, und Clare nimmt sie tapfer. Kaum schütteln wir uns die Hand, verschwinde ich.

Mittwoch, 9. Februar 2000 (Clare ist 28, Henry 36)

CLARE: Es ist noch früh, ungefähr sechs Uhr morgens, und ich schlafe den leichten traumerfüllten Sechsuhrmorgenschlaf, als Henry mich mit voller Wucht weckt, und mir bewusst wird, er kommt aus einer anderen Zeit. Er nimmt praktisch auf mir Gestalt an, so dass mir ein Schrei entfährt und wir uns beide vor Schreck fast in die Hosen machen, aber dann lacht er und wälzt sich herum, worauf auch ich mich herumwälze und sehe, dass er am Mund stark blutet. Ich springe auf, um einen Waschlappen zu holen, und als ich zurückkomme und ihm behutsam die Lippen abtupfe, lächelt Henry immer noch.

»Wie ist das passiert?«

»Du hast einen Schuh nach mir geworfen.« Ich kann mich nicht entsinnen, jemals etwas nach Henry geworfen zu haben.

»Stimmt nicht.«

»Doch. Wir sind uns zum allerersten Mal begegnet, und kaum dass du mich erblicktest, hast du gesagt: ›Diesen Mann werde ich heiraten‹, und mir eins vor den Latz geknallt. Ich wusste schon immer, dass du eine ausgezeichnete Menschenkenntnis besitzt.«

Donnerstag, 29. September 1977 (Clare ist 6, Henry 35)

CLARE: Auf dem Kalender auf Daddys Schreibtisch stand heute früh das gleiche Datum wie auf dem Papier von dem Mann. Nell hat Alicia ein weiches Ei gekocht und Etta hat mit Mark geschimpft weil er seine Hausaufgaben nicht machen wollte sondern Frisbee mit Steve spielte. Ich sagte *Etta darf ich ein paar Kleider aus den großen Koffern nehmen?* und meinte damit die Koffer auf dem Dachboden wo wir immer Verkleiden spielten, und Etta sagte *Wofür denn?* worauf ich erwiderte *Ich möchte mit Megan Verkleiden spielen* aber Etta wurde sauer und sagte *Es ist Zeit, in die Schule zu gehen, ums Spielen kannst du dich später kümmern.* Ich ging also in die Schule und wir hatten Addieren Mehlwürmer und Englisch und nach dem Mittagessen Französisch Musik und Religion. Den ganzen Tag dachte ich an die Hose für den Mann weil er anscheinend wirklich eine brauchte. Zu Hause wollte ich Etta noch mal fragen aber sie war in der Stadt dafür ließ mich Nell den Kuchenteig von beiden Schneebesen schlecken was Etta nie erlaubt weil man davon Salmonellen kriegt. Mama saß am Schreibtisch und ich wollte gerade ohne Erlaubnis weggehen aber sie sagte *Was ist denn, Schatz?* also fragte ich sie und sie sagte ich darf in den Goodwill-Tüten nachsehen und alles haben was ich möchte. Ich ging in die Wäschekammer und schaute in den Goodwill-Tüten nach und fand drei Hosen von Dad aber eine hatte ein großes Brandloch von einer Zigarette. Also nahm ich nur zwei und fand noch ein Hemd wie Daddy es zur Arbeit trägt und eine Krawatte mit aufgedruckten Fischen und einen roten Pullover. Außerdem den gelben Bademantel den Daddy immer anhatte als ich klein war und er roch noch nach Daddy. Die Kleider packte ich in eine Tüte und die Tüte stellte ich in den Schrank im Vorraum. Mark sah mich als ich aus dem Vorraum kam und sagte *Was machst du da, Arschloch*? Und ich sagte *Nichts, Arschloch* da zog er mich an den Haaren und ich trat ihn ganz fest auf den Fuß und schon fing er an zu heulen und wollte mich verpetzen. Ich ging nach oben in mein Zimmer und spielte Fernsehen mit Mr Bear und Jane, wo Jane ein Filmstar ist und Mr Bear sie fragt wie es ist wenn man ein Filmstar ist und sie antwortet eigentlich wäre sie viel lieber Tierärztin aber weil sie so unglaublich schön ist muss sie Schauspielerin sein und Mr Bear sagt Tierärztin könnte sie vielleicht noch sein wenn sie alt ist. Da klopfte Etta und sagte *Warum trittst du Mark auf den Fuß?* und ich sagte *Weil Mark mich grundlos an den Haaren gezogen hat* worauf Etta meinte *Ihr zwei geht mir schwer auf die Nerven* und damit marschierte sie ab und die Sache war erledigt. Abends aßen wir nur mit Etta weil Daddy und Mama zu einer Party gingen. Es gab Grillhähnchen mit Erbsen und Schokoladenkuchen und Mark bekam das größte Stück aber ich sagte nichts weil ich die Schneebesen abgeleckt hatte. Nach dem Essen fragte ich Etta ob ich rausgehen darf und sie fragte ob ich Hausaufgaben hätte und ich antwortete *Rechtschreibung und Blätter für den Kunstunterricht mitbringen* und sie sagte *Hauptsache du bist wieder da bevor es dunkel ist*. Also holte ich meinen blauen Pullover mit den Zebras und die Tasche und ging hinaus und zur Lichtung. Aber der Mann war nicht da und ich setzte mich eine Weile auf den Stein und dann dachte ich mir vielleicht sollte ich lieber ein paar Blätter sammeln. Ich ging in den Garten zurück und suchte ein paar Blätter von Mamas kleinem Baum einem Ginkgo wie sie mir später sagte und noch ein paar Blätter vom Ahorn und der Eiche. Als ich dann wieder zur Lichtung zurückging war er immer noch nicht da und ich dachte mir *Na ja, wahrscheinlich hat er nur erfunden dass er kommen will und er wünscht sich gar nicht so dringend eine Hose*. Ich dachte vielleicht hat Ruth ja Recht denn ich hatte ihr von dem Mann erzählt und sie sagte das würde ich mir nur ausdenken weil Leute im wirklichen Leben nicht verschwinden nur im Fernsehen. Vielleicht war es auch nur ein Traum so wie damals als Buster starb und ich geträumt habe es ginge ihm gut und er wäre in seinem Käfig aber dann wachte ich auf und kein Buster war da und Mama sagte *Träume sind anders als das wirkliche Leben, aber genauso wichtig*.

Langsam wurde es kalt und ich dachte vielleicht sollte ich die Tasche einfach dalassen und wenn der Mann kommt kann er seine Hose nehmen. Ich ging also wieder den Pfad zurück da hörte ich ein Geräusch und jemand sagte *Aua. Verdammt, das war hart.* Und dann hatte ich Angst.

HENRY: Bei meiner Ankunft schlage ich mit voller Wucht gegen den Stein und schürfe mir die Knie auf. Ich bin auf der Lichtung, wo sich die Sonne wie in einem Gemälde von J. M. W. Turner in einem spektakulären Farbenrausch aus Rot und Orange hinter den Bäumen verabschiedet. Außer der Einkaufstüte mit den Kleidern ist niemand da, woraus ich blitzschnell folgere, dass Clare sie zurückgelassen hat und heute vermutlich ein Tag kurz nach unserem ersten Treffen ist. Clare ist nirgends zu sehen, und ich rufe leise ihren Namen. Keine Reaktion. Ich wühle die Kleidertüte durch. Da ist eine Hose aus kräftiger Baumwolle und eine herrliche braune Wollhose, eine grässliche, mit Forellen bedruckte Krawatte, ein Harvard-Pullover, ein weißes Hemd aus edlem Leinen mit Schmutzrand am Kragen und Schweißflecken unter den Armen, der feine seidene Bademantel mit Philips Monogramm und einem großen Riss über der Tasche. Alle Kleidungsstücke sind mir wohl vertraut, bis auf die Krawatte, und ich freue mich, sie wiederzusehen. Während ich die Baumwollhose und den Pullover anziehe, preise ich Clares angeborenen guten Geschmack und Verstand. Mir geht es blendend; bis auf die fehlenden Schuhe bin ich für meinen Aufenthalt in der Raum-Zeit-Welt bestens gewappnet. »Danke, Clare, gut gemacht«, rufe ich leise.

Erstaunt sehe ich sie am Eingang der Lichtung auftauchen. In der Dunkelheit, die jetzt schnell hereinbricht, wirkt Clare winzig und ängstlich.

»Hallo.«

»Hallo, Clare. Danke für die Kleider. Sie passen perfekt, heute Nacht werden sie mich schön warm halten.«

»Ich muss gleich ins Haus zurück.«

»Macht nichts, ist auch fast schon dunkel. Hast du morgen Schule?«

»Ja.«

»Den wievielten haben wir heute?«

»Donnerstag, den 29. September 1977.«

»Sehr hilfreich. Danke.«

»Wieso weißt du das denn nicht?«

»Na ja, ich bin eben erst angekommen. Vor ein paar Minuten war noch Montag, der 27. März 2000. Ein verregneter Morgen, ich war gerade beim Toast machen.«

»Aber du hast es mir selbst aufgeschrieben.« Sie holt einen Papierbogen mit Philips Kanzleibriefkopf hervor und hält ihn mir hin. Ich gehe zu ihr, nehme das Blatt und lese interessiert das von mir in sorgfältiger Druckschrift aufgeschriebene Datum. Ich überlege angestrengt, wie ich dem kleinen Mädchen, das Clare momentan noch ist, die Wechselfälle des Zeitreisens am besten erklären könnte.

»Es ist so: Du weißt, wie man einen Kassettenrekorder benutzt?«

»Ja.«

»Gut. Du legst also eine Kassette ein und spielst sie von Anfang bis Ende, richtig?«

»Ja ...«

»Genauso verläuft dein Leben. Morgens stehst du auf, frühstückst, putzt dir die Zähne und gehst zur Schule, stimmt's? Du stehst nicht auf, findest dich plötzlich in der Schule wieder, isst mit Helen und Ruth zu Mittag und dann bist du mit einem Mal zu Hause und ziehst dich an, stimmt's?«

Clare kichert. »Stimmt.«

»Aber bei mir, da ist das anders. Als Zeitreisender springe ich oft von einer Zeit in die nächste. Es ist also, als würdest du die Kassette einschalten und eine Weile laufen lassen, aber dann sagst du dir Oh, ich möchte gern noch mal das eine Stück hören, also spielst du es noch mal, und dann spulst du wieder an die Stelle, wo du abgebrochen hast, aber du hast zu weit gespult und musst wieder zurückspulen, bist aber trotzdem noch zu weit vorn. Verstehst du?«

»Einigermaßen.«

»Na egal, war ohnehin nicht die beste Analogie. Im Prinzip ist es so: Ich verirre mich manchmal in irgendeiner Zeit und weiß nicht, in welcher.«

»Was ist Analogie?«

»Wenn du eine Sache zu erklären versuchst, indem du sagst, sie sei wie eine andere. Im Moment zum Beispiel fühle ich mich in diesem schönen Pullover froh wie ein Floh im Stroh, und du bist schön wie die Sonne, und wenn du nicht bald reingehst, wird Etta sauer wie eine Zitrone.«

»Schläfst du hier? Du könntest auch in unser Haus, wir haben ein Gästezimmer.«

»Gott, das ist wirklich lieb von dir. Leider ist es mir nicht gestattet, deine Familie vor 1991 kennen zu lernen.«

Clare ist völlig verdutzt. Ein Teil des Problems liegt vermutlich darin, dass sie sich keine Daten jenseits der 70er vorstellen kann. Ich kann mich noch gut erinnern, dass ich das gleiche Problem mit den 60ern hatte, als ich in ihrem Alter war.

»Warum nicht?«

»Das gehört zu den Regeln. Zeitreisende dürfen nicht herumlaufen und mit normalen Leuten reden, wenn sie in deren Zeit sind, weil wir alles vermasseln könnten.« Ehrlich gesagt, glaube ich das nicht. Jedes Ereignis geschieht nur einmal so wie es geschieht, daran ist nichts zu ändern. Ich halte nichts von der Idee der gespaltenen Universen.

»Aber mit mir redest du.«

»Du bist eine Ausnahme. Du bist mutig und klug und kannst gut Geheimnisse für dich behalten.«

Clare ist verlegen. »Ich hab's Ruth erzählt, aber sie wollte mir nicht glauben.«

»Oh. Aber mach dir deswegen keine Sorgen. Mir glaubt auch kaum jemand. Vor allem Ärzte nicht. Ärzte glauben einem erst, wenn man ihnen etwas beweisen kann.«

»Ich glaube dir.«

Clare steht ungefähr eineinhalb Meter von mir entfernt. Ihr kleines bleiches Gesicht fängt das letzte orangene Licht aus dem Westen. Ihr Haar ist straff nach hinten zum Pferdeschwanz gebunden, und sie trägt Jeans, dazu einen dunklen Pullover, über dessen Brust Zebras rennen. Ihre Hände sind geballt, sie wirkt wild entschlossen. Genauso, denke ich traurig, hätte unsere Tochter ausgesehen.

»Vielen Dank, Clare.«

»Ich muss jetzt rein.«

»Gute Idee.«

»Kommst du wieder?«

Ich rufe die Liste aus dem Gedächtnis ab. »Am 16. Oktober. Ein Freitag. Komm gleich nach der Schule hierher. Und bring das kleine blaue Tagebuch mit, das dir Megan zum Geburtstag geschenkt hat, und einen blauen Kugelschreiber.« Ich wiederhole das Datum, den Blick auf Clare gerichtet, um sicherzugehen, dass sie es sich merkt.

»Au revoir, Clare.«

»Au revoir...«

»Henry.«

»*Au revoir, Henri.*« Ihre Aussprache ist schon jetzt besser als meine. Clare dreht sich um und rennt den Weg hinauf, in die Arme des beleuchteten und wartenden Hauses, und ich wende mich der Dunkelheit zu, gehe langsam über die Wiese. Später am Abend werfe ich hinter Dinas Fish'n Fry die Krawatte in die Mülltonne.

ÜBERLEBENSTRAINING

Donnerstag, 7. Juni 1973 (Henry ist 27 und 9)

HENRY: Es ist ein sonniger Junitag im Jahr 1973, und ich stehe mit meinem neunjährigen Ich gegenüber vom Art Institute of Chicago. Er kommt vom nächsten Mittwoch, ich bin aus 1990 angereist. Vor uns liegt ein langer Nachmittag und Abend, die wir nach Lust und Laune verbummeln können, und so haben wir uns an einem der großartigsten Kunstmuseen der Welt zu einer kleinen Lektion in Sachen Taschendiebstahl eingefunden.

»Wollen wir uns nicht einfach nur Kunst ansehen?«, fleht Henry. Er ist nervös, denn er hat noch nie gestohlen.

»Nein. Du musst das beherrschen. Wie willst du überleben, wenn du nichts klauen kannst?«

»Durch Betteln.«

»Betteln ist eine Qual, dauernd wirst du von der Polizei abgeschleppt. Hör gut zu: Wenn wir im Museum sind, hältst du dich bitte von mir fern und tust, als wenn wir uns nicht kennen. Aber bleib in meiner Nähe, damit du beobachten kannst, was ich mache. Wenn ich dir was gebe, lass es nicht fallen und steck es so schnell wie möglich ein. Verstanden?«

»Glaub schon. Können wir uns den heiligen Georg ansehen?«

»Klar.« Wir überqueren die Michigan Avenue, gehen an Studenten und Hausfrauen vorbei, die sich auf der Eingangstreppe vor dem Museum sonnen. Henry tätschelt im Vorbeigehen einen der Bronzelöwen.

Mir ist nicht ganz wohl bei der Sache. Einerseits bringe ich mir lediglich dringend notwendige Überlebenstaktiken bei. Weitere Lektionen in dieser Serie beinhalten Ladendiebstahl, Leute vermöbeln, Schlösser knacken, Bäume erklimmen, Autofahren, Einbruch, Mülltonnen durchsuchen und die Anleitung zum Gebrauch von Gegenständen wie Jalousien und Mülltonnendeckel als Waffe. Andererseits korrumpiere ich mein armes unschuldiges kleines Ich. Ich seufze hörbar. Aber jemand muss es ja tun.

Heute ist eintrittsfreier Tag, es wimmelt also von Menschen. Wir stehen in der Schlange, passieren den Eingang und steigen langsam die grandiose Mitteltreppe hoch. Wir gehen in die europäische Abteilung und arbeiten uns von den Niederländern des siebzehnten Jahrhunderts zu den Spaniern des fünfzehnten Jahrhunderts zurück. Der heilige Georg steht wie immer bereit, den Drachen mit seiner feinen Lanze zu durchbohren, während die rosagrüne Prinzessin gelassen im Mittelgrund wartet. Meine kleine Version und ich lieben den gelbbauchigen Drachen von ganzem Herzen, und jedes Mal sind wir erleichtert, dass sein verhängnisvolles Schicksal noch nicht vollstreckt ist.

Fünf Minuten stehen wir vor Bernardo Martorells Gemälde, dann dreht er sich zu mir. Im Moment haben wir die Galerie für uns.

»Es ist gar nicht schwer«, sage ich. »Halt die Augen auf. Such dir jemand, der abgelenkt ist. Überleg dir, wo die Brieftasche sein könnte. Männer stecken sie meistens hinten in die Hosentasche oder in die Innentasche ihres Jacketts. Bei Frauen sollte die Handtasche hinten auf dem Rücken sein. Auf der Straße kannst du dir einfach die ganze Tasche schnappen, musst dir dann aber sicher sein, dass du schneller bist als ein möglicher Verfolger. Stressfreier läuft es, wenn du etwas entwendest, ohne dass derjenige es merkt.«

»Ich hab einen Film gesehen, da üben sie mit Anzügen und Kostümen, an denen kleine Glöckchen befestigt sind, und sobald der Dieb die Kleidung beim Herausnehmen der Brieftasche bewegt, bimmeln die Glöckchen.«

»Ja, ich erinnere mich an den Film. Das kannst du mal zu Hause probieren. Jetzt folge mir.« Ich führe Henry vom fünfzehnten ins neunzehnte Jahrhundert, plötzlich befinden wir uns inmitten des französischen Impressionismus. Das Art Institute ist berühmt für seine impressionistische Sammlung. Man kann kommen, wann man will, die Räume sind immer brechend voll mit Menschen, die sich den Hals verrenken, um einen Blick auf Seurats *La Grande Jatte* oder einen Heuhaufen von Monet zu werfen. Henry kann die Gemälde nicht würdigen, weil er nicht über die Köpfe der Erwachsenen hinwegsehen kann, aber er ist ohnehin zu nervös. Ich lasse den Blick durch den Raum schweifen. Eine Frau bückt sich über ihr Kind, das strampelt und schreit. Wahrscheinlich Schlafenszeit. Ich nicke Henry zu und nähere mich der Frau, die vor Toulouse-Lautrecs *Moulin Rouge* steht. Ihre Handtasche hat einen einfachen Verschluss und hängt von der Schulter quer über dem Rücken. Sie ist völlig damit beschäftigt, ihr kreischendes Kind zu beruhigen. Ich tue, als wenn ich das Bild im Gehen betrachte, stoße mit ihr zusammen, wodurch sie nach vorn taumelt, und packe sie am Arm. »Tut mir ehrlich Leid, entschuldigen Sie, ich hab nicht aufgepasst, ist alles in Ordnung? Es ist so voll...« Und schon gleitet meine Hand in ihre Tasche, sie ist ganz aufgeregt, sie hat dunkle Augen und lange Haare, einen großen Busen, offenbar kämpft sie immer noch mit den Pfunden, die sie während der Schwangerschaft zugelegt hat. Ich begegne ihrem Blick, ihre Geldbörse ist in meiner Hand, und immer noch Entschuldigung murmelnd, wandert das Ding in meinen Jackenärmel, ich mustere sie lächelnd von oben bis unten, entferne mich rückwärts, drehe mich um, laufe weiter, werfe einen Blick zurück über die Schulter. Sie hat ihren Jungen auf dem Arm und starrt mich leicht verloren an. Ich lächle und gehe weiter, immer weiter. Henry folgt mir die Treppe hinunter zum Kindermuseum. Wir treffen uns in der Männertoilette.

»Das war unheimlich«, sagt Henry. »Warum hat sie dich so angeguckt?«

»Sie ist einsam«, antworte ich beschönigend. »Vielleicht lässt ihr Mann sie oft allein.« Wir zwängen uns in eine Kabine, und ich öffne die Geldbörse. Sie heißt Denise Radke, wohnt in Villa Park, Illinois.

Sie ist Museumsmitglied und eine ehemalige Studentin der Roosevelt University. Zweiundzwanzig Dollar plus Kleingeld hat sie bei sich. Schweigend zeige ich alles Henry, bringe die Geldbörse wieder in ihren ursprünglichen Zustand und reiche sie ihm. Wir verlassen die Kabine, gehen zur Männertoilette hinaus und zurück in Richtung Museumseingang. »Gib sie der Aufsicht. Sag, du hast sie auf dem Boden gefunden.«

»Warum?«

»Wir brauchen sie nicht, ich wollte es dir nur zeigen.« Henry rennt zur Aufsicht, einer älteren schwarzen Frau, die ihn anlächelt und fast umarmt. Langsam kommt er zurück, und wir gehen im Abstand von dreieinhalb Metern, ich voran, den langen dunklen Korridor entlang, der eines Tages die Dekorativen Künste beherbergen und zu dem bisher noch nicht einmal geplanten Rice-Flügel führen wird, im Augenblick jedoch voller Plakate hängt. Auf der Suche nach leichter Beute sehe ich direkt vor mir ein Musterbeispiel, den Traum eines jeden Taschendiebs: Klein, beleibt und sonnenverbrannt, als wenn er in seiner Baseballmütze, der Polyesterhose und dem hellblauen kurzärmeligen Button-down-Hemd am Wrigley-Field-Stadion falsch abgebogen wäre. Er hält seiner unscheinbaren Freundin einen Vortrag über Vincent van Gogh.

»Schneidet er sich also ein Ohr ab und schenkt es seiner Freundin – hey, wär das nicht ein Geschenk für dich? Ein Ohr! So was. Jedenfalls haben sie ihn in die Klapse gesteckt ...«

Bei ihm habe ich keine Skrupel. Plappernd schlendert er weiter, heiter und unbeeindruckt, das Portemonnaie in der linken Gesäßtasche. Er hat einen dicken Bauch, aber fast keinen Hintern, und sein Portemonnaie schreit geradezu danach, von mir gegriffen zu werden. Ich schreite hinter ihnen her. Henry kann ungehindert sehen, wie ich Daumen und Zeigefinger geschickt in die Tasche meines Opfers stecke und die Beute befreie. Ich falle zurück, das Paar spaziert weiter, ich reiche die Brieftasche an Henry weiter, der sie sich in die Tasche steckt, während ich vorausgehe.

Ich zeige Henry noch ein paar andere Techniken: Wie man eine Brieftasche aus der inneren Brusttasche eines Jacketts holt, wie man die eigene Hand vor Blicken abschirmt, wenn sie in der Handtasche einer Frau steckt, sechs verschiedene Methoden, jemanden abzulenken und ihm gleichzeitig die Brieftasche zu entwenden, wie man eine Brieftasche aus einem Rucksack holt, und wie man jemanden dazu bewegt, einem versehentlich zu zeigen, wo er sein Geld aufbewahrt. Henry ist nun lockerer, das Ganze macht ihm langsam sogar Spaß. Schließlich sage ich: »Okay, jetzt bist du dran.«

Sofort erstarrt er vor Schreck. »Ich kann nicht.«

»Natürlich kannst du. Sieh dich um. Such dir jemanden aus.« Wir stehen im Raum mit den japanischen Drucken, er ist voll alter Damen.

»Nicht hier.«

»Gut, wo dann?«

Er überlegt eine Weile. »Im Restaurant?«

Schweigend gehen wir zum Restaurant. Mir ist all dies noch lebhaft in Erinnerung. Ich hatte entsetzliche Angst. Ich sehe mein junges Ich an, und tatsächlich, sein Gesicht ist bleich vor Angst. Ich muss lächeln, weil ich weiß, was als Nächstes kommt. Wir stellen uns in die Schlange zum Gartenrestaurant. Henry wirft einen Blick in die Runde und überlegt.

Vor uns in der Reihe steht ein sehr großer Mann mittleren Alters in einem gut geschnittenen braunen leichten Anzug; man kann nicht sehen, wo er die Brieftasche trägt. Henry tritt auf ihn zu, auf seiner ausgestreckten Hand liegt eine der Brieftaschen, die ich vorher gestohlen habe.

»Sir? Ist das Ihre?«, fragt Henry leise. »Die lag auf dem Boden.«

»Wie? Oh, hmm, nein.« Der Mann überprüft seine rechte Gesäßtasche, findet seine Brieftasche unversehrt, beugt sich zu Henry, um ihn besser zu verstehen, nimmt ihm die Brieftasche aus der Hand und öffnet sie. »Tja, die solltest du zum Wachpersonal bringen, da ist ziemlich viel Bargeld drin, ja.« Der Mann trägt eine Brille mit dicken Gläsern, durch die er Henry beim Sprechen anstarrt, und Henry greift um den Mann herum unter dessen Jackett und holt sich die Brieftasche. Da Henry ein kurzärmeliges T-Shirt trägt, trete ich hinter ihn, und er gibt mir die Brieftasche. Der große dünne Mann im braunen Anzug zeigt zur Treppe und erklärt Henry, wo er die Brieftasche abgeben soll. Henry verschwindet in die von dem

Mann gewiesene Richtung, und ich gehe hinterher, überhole ihn und führe ihn durchs Museum zum Eingang und nach draußen, vorbei am Wachpersonal, auf die Michigan Avenue Richtung Süden, bis wir im Artists Cafe landen, wo wir uns mit dämonischem Grinsen Milchshakes und Pommes von unserem Sündengeld gönnen. Hinterher werfen wir alle Brieftaschen ohne Geld in einen Briefkasten, und ich miete uns ein Zimmer im Palmer House Hilton.

»Und?«, frage ich, während ich auf dem Badewannenrand sitze und Henry beim Zähneputzen zusehe.

»O-u?«, gibt Henry mit einem Mund voll Zahnpasta zurück.

»Was meinst du?«

Er spuckt aus. »Wozu?«

»Zum Taschendiebstahl.«

Er sieht mich im Spiegel an. »Nicht schlecht.« Er dreht sich um und blickt mich unverwandt an. »Ich hab's geschafft!« Er grinst breit.

»Du warst genial!«

»Klar!« Das Grinsen erlischt. »Henry, ich reise nicht gern allein durch die Zeit. Mit dir ist es schöner. Kannst du nicht immer mit mir kommen?«

Er steht mit dem Rücken zu mir, wir sehen uns im Spiegel an. Armes kleines Ich: In diesem Alter ist mein Rücken schmal, und meine Schulterblätter stehen ab wie werdende Flügel. Er dreht sich um, wartet auf eine Antwort, und ich weiß, was ich ihm – mir – sagen muss. Ich strecke die Hand aus, drehe ihn sanft um und ziehe ihn zu mir, bis er neben mir steht, auf gleicher Kopfhöhe, unsere Gesichter dem Spiegel zugewandt.

»Hör zu.« Wir betrachten unsere Ebenbilder, verschwistert in der vergoldeten Badezimmerpracht des Palmer House. Wir haben beide die gleichen braunschwarzen Haare, haben beide schräg stehende Augen mit identischen dunklen Ringen von zu wenig Schlaf, unsere Ohren könnten ähnlicher nicht sein. Ich bin nur größer, muskulöser und muss mich rasieren. Er ist schmal und staksig, besteht nur aus Knien und Ellbogen. Ich streiche mir die Haare aus dem Gesicht, zeige ihm die Narbe von dem Unfall damals. Unbewusst ahmt er meine Geste nach, berührt die gleiche Narbe auf seiner Stirn.

»Die sieht aus wie meine«, sagt mein Ich erstaunt. »Wie ist das passiert?«

»Genau wie bei dir. Es ist die gleiche Narbe. Wir sind ein- und derselbe.«

Ein durchscheinender Moment. Erst verstand ich es nicht, dann aber fiel es mir wie Schuppen von den Augen. Ich sehe, wie es passiert. Am liebsten wäre ich beide gleichzeitig, möchte ich noch einmal erleben, wie es ist, wenn mein Ich seine Ränder verliert und die Vermischung von Zukunft und Gegenwart zum ersten Mal sieht. Aber ich habe mich zu sehr daran gewöhnt, mir ist das Gefühl zu vertraut, und so bleibe ich abseits stehen, erinnere mich nur an das Wunder, neun zu sein und plötzlich zu sehen, zu wissen, dass mein Freund, Lehrmeister, Bruder nie ein anderer war als ich. Ich, nur ich. Diese Einsamkeit.

»Du bist ich.«

»Nur älter.«

»Aber ... was ist mit den anderen?«

»Den anderen Zeitreisenden?«

Er nickt.

»Soweit ich weiß, gibt es keine. Jedenfalls sind mir nie welche begegnet.«

Eine Träne erscheint in seinem linken Auge. Als ich klein war, stellte ich mir eine ganze Gesellschaft von Zeitreisenden vor, und Henry, mein Lehrer, war ein Abgesandter, der mich einweisen sollte, bis man mich schließlich in die große Gemeinde aufnehmen würde. Ich fühle mich immer noch wie ein Schiffbrüchiger, wie der Letzte einer einst weit verbreiteten Spezies. Wie Robinson Crusoe, der einen verräterischen Fußabdruck am Strand entdeckt und dann feststellt, es sei sein eigener. Mein kleines Ich, zart wie ein Blatt, dünn wie Wasser, beginnt zu weinen. Ich halte ihn, halte mich eine ganze Weile fest im Arm.

Später bestellen wir beim Zimmerservice heiße Schokolade und sehen uns im Fernsehen Johnny Carson an. Henry schläft bei hellem Licht ein. Am Ende der Show blicke ich zu ihm hinüber, aber er ist fort, ist wieder in mein altes Zimmer in der Wohnung meines Vaters verschwunden, steht schlaftrunken neben dem alten Bett und sinkt dankbar hinein. Ich schalte den Fernseher und die Nachttischlampe aus. Straßenlärm von 1973 dringt durchs offene Fenster. Ich möchte nach Hause. Einsam und verlassen liege ich auf dem harten Hotelbett. Ich verstehe es noch immer nicht.

Sonntag, 10. Dezember 1978 (Henry ist 15 und 15)

HENRY: Ich bin mit meinem Ich in meinem Zimmer. Er ist aus dem nächsten März gekommen. Wir tun, was wir oft tun, wenn wir ein wenig Privatsphäre haben, wenn es draußen kalt ist, wenn wir beide die Pubertät hinter uns haben, uns aber noch nicht so recht an echte Mädchen trauen. Ich glaube, die meisten Leute würden so handeln, wenn sich ihnen solche Gelegenheiten böten. Ich meine, ich bin ja nicht schwul oder so.

Es ist Sonntagvormittag. Ich höre das Glockenläuten von St. Joe. Dad kam gestern Abend spät nach Hause, wahrscheinlich ist er nach dem Konzert noch im Exchequer eingekehrt. Er war so betrunken, dass er auf der Treppe hingefallen ist und ich ihn in die Wohnung schleppen und ins Bett bringen musste. Jetzt hustet er, und ich höre ihn in der Küche herumhantieren.

Mein anderes Ich ist nicht bei der Sache, späht ständig zur Tür. »Was ist denn?«, frage ich. »Nichts«, entgegnet er. Ich stehe auf, um abzuschließen. »*Nein*«, sagt er. Das Sprechen scheint ihn sehr anzustrengen. »Stell dich nicht an«, sage ich.

Ich höre Dads schweren Schritt vor der Tür. »Henry?«, ruft er. Der Türknopf dreht sich langsam, und mir wird schlagartig klar, dass ich versehentlich aufgesperrt habe, und als Henry zur Tür stürzt, ist es zu spät: Dad streckt den Kopf herein, und da sind wir, *in flagrante delicto*. »Oh«, sagt er mit großen Augen und angewidertem Blick. »Das darf doch nicht wahr sein, Henry.« Er schließt die Tür, und ich höre ihn zu seinem Zimmer gehen. Ich werfe meinem Ich einen vorwurfsvollen Blick zu, ziehe mir dabei Jeans und T-Shirt an. Dann gehe ich über den Flur zu Dads Zimmer. Die Tür ist zu. Ich klopfe an. Keine Antwort. Ich warte. »Dad?« Schweigen. Ich öffne die Tür, bleibe auf der Schwelle stehen. »Dad?« Er sitzt mit dem Rücken zu mir auf dem Bett, rührt sich nicht, und ich bleibe eine Weile stehen, bringe es aber nicht über mich, zu ihm zu gehen. Schließlich mache ich die Tür zu, gehe zurück in mein Zimmer.

»Das war einzig und allein deine Schuld«, sage ich streng zu meinem Ich. Er hat seine Jeans an und sitzt auf dem Stuhl, den Kopf in die Hände gestützt. »Du wusstest Bescheid, wusstest genau, was geschieht und hast kein Wort gesagt. Wo ist dein Selbsterhaltungstrieb? Was verdammt noch mal ist mit dir los? Worin liegt der Sinn, die Zukunft zu kennen, wenn du uns derart peinliche Szenen nicht ersparen kannst...«

»Sei still«, krächzt Henry. »Sei einfach nur still.«

»Ich will aber nicht still sein«, entgegne ich gereizt. »Du hättest doch nur sagen müssen...«

»Hör zu.« Er blickt resigniert zu mir auf. »Es war wie ... wie an dem Tag auf der Eisbahn.«

»O nein.« Vor ein paar Jahren sah ich, wie ein kleines Mädchen im Indian Head Park von einem Eishockeypuck am Kopf getroffen wurde. Es war schrecklich. Später erfuhr ich, dass sie im Krankenhaus gestorben war. Und dann bin ich immer wieder zu diesem Tag zurückgereist und wollte ihre Mutter warnen, aber es ging nicht. Es war, als säße ich als Zuschauer im Kino. Als wäre ich ein Geist. Ich wollte schreien, *Nein, geh mit ihr nach Hause, lass sie nicht in die Nähe der Eisbahn, bring sie weg, sonst wird sie verletzt, sonst muss sie sterben*, aber ich merkte, dass die Worte nur in meinem Kopf waren und alles weiterlief wie zuvor.

Henry sagt: »Du redest von Veränderung der Zukunft, aber für mich ist das Vergangenheit, und soweit ich weiß, kann ich nichts daran ändern. Im Ernst, ich hab's ja versucht, aber gerade deswegen ist es passiert. Wenn ich nichts gesagt hätte, wärst du nicht aufgestanden...«

»Und warum hast du dann etwas gesagt?«

»Darum. Du wirst dich genauso verhalten, wart's nur ab.« Er zuckt mit den Schultern. »Es ist wie mit Mom. Und dem Unfall. Es passiert immer wieder.« Immer wieder, immer das Gleiche.

»Und was ist mit dem freien Willen?«

Er steht auf, schreitet zum Fenster und sieht auf den Hinterhof der Tatingers hinaus. »Über das Thema hab ich vor kurzem mit einem Ich von 1992 gesprochen. Er hatte eine interessante Theorie: Seiner Ansicht nach gibt es den freien Willen nur in der realen Zeit, in der Gegenwart. In der Vergangenheit, meint er, können wir nur tun, was wir schon getan haben, können wir nur dort sein, wenn wir schon dort waren.«

»Aber meine Gegenwart ist immer dann, wenn ich irgendwo bin. Ich sollte doch in der Lage sein, zu entscheiden…«

»Nein. Offenbar nicht.«

»Was hat er über die Zukunft gesagt?«

»Na ja, überleg doch selbst. Du gehst in die Zukunft, machst etwas und kehrst in die Gegenwart zurück. Dann ist das, was du gemacht hast, ein Teil deiner Vergangenheit. Und damit ist es wahrscheinlich auch unumgänglich.«

Eine seltsame Gefühlsmischung aus Freiheit und Verzweiflung erfasst mich. Ich schwitze; er reißt das Fenster auf, und kalte Luft strömt ins Zimmer. »Aber dann bin ich ja für nichts verantwortlich, wenn ich nicht in der Gegenwart bin.«

Er lächelt. »Gott sei Dank.«

»Und alles ist schon passiert.«

»So sieht es aus.« Er streicht sich mit der Hand übers Gesicht, und ich sehe, er könnte eine Rasur brauchen. »Er meinte aber auch, man müsse sich *verhalten*, als hätte man einen freien Willen und als wäre man für das, was man tut, auch verantwortlich.«

»Warum? Es ändert doch nichts.«

»Andernfalls gerät alles außer Kontrolle. Wird deprimierend.«

»War das seine persönliche Erfahrung?«

»Ja.«

»Was geschieht jetzt als Nächstes?«

»Dad ignoriert dich drei Wochen lang. Und das hier« – er weist aufs Bett – »muss in Zukunft aufhören.«

Ich seufze. »Gut, kein Problem. Sonst noch was?«

»Vivian Teska.«

Vivian ist ein Mädchen aus dem Geometriekurs, das ich unheimlich gut finde. Ich habe noch nie ein Wort mit ihr geredet.

»Morgen gehst du nach dem Unterricht zu ihr und bittest sie um eine Verabredung.«

»Aber ich kenn sie doch gar nicht.«

»Vertrau mir.« Er grinst mich auf eine Weise an, die bei mir die Frage aufwirft, wieso um alles in der Welt ich ihm trauen sollte, aber in diesem Fall möchte ich ihm sogar glauben. »Gut.«

»Ich sollte langsam los. Geld, bitte.« Widerstrebend reiche ich ihm zwanzig Dollar. »Mehr.« Ich lege noch zwanzig dazu.

»Mehr hab ich nicht.«

»Gut.« Er zieht sich an, holt Sachen aus dem geheimen Kleiderlager, die ich nicht unbedingt mehr wiedersehen will. »Wie wär's mit einem Mantel?« Ich gebe ihm einen peruanischen Skipullover, den ich schon immer gehasst habe. Er schneidet eine Grimasse, zieht ihn aber an. Dann gehen wir zur hinteren Wohnungstür. Die Kirchenglocken läuten zwölf Uhr Mittag. »Wiedersehen«, sagt mein Ich.

»Viel Glück«, sage ich, seltsam berührt vom Anblick meines Ichs, das sich ins Unbekannte stürzt, in einen kalten Sonntagmorgen in Chicago, in den er nicht gehört. Er poltert die Holztreppe hinunter, und ich wende mich wieder der stillen Wohnung zu.

Mittwoch, 17. November/Dienstag, 28. September 1982
(Henry ist 19)

HENRY: Ich sitze auf der Rückbank eines Streifenwagens in Zion, Illinois. Außer Handschellen trage ich nicht viel. Es riecht nach Zigaretten, Leder, Schweiß und noch einem für mich unidentifizierbaren Geruch, der allen Polizeiautos anzuhaften scheint. Vielleicht der Geruch von Panik. Mein linkes Auge schwillt langsam zu, und mein Körper ist vorn mit Blutergüssen, Schnittwunden und Schmutz übersät, nachdem mich der kräftigere der beiden Polizisten auf einem leeren Parkplatz voll zerbrochenem Glas niedergeworfen hat. Die Polizisten stehen draußen und unterhalten sich mit den Anwohnern, von denen mindestens einer gesehen hat, wie ich in das gelb-weiße viktorianische Haus, vor dem wir parken, einbrechen wollte. Ich habe keine Ahnung, in welcher Zeit ich bin. Seit ungefähr einer Stunde bin ich hier, ich habe alles komplett vermasselt. Ich bin sehr hungrig und sehr müde. Eigentlich sollte ich in Dr. Quarries Shakespeare-Seminar sitzen, aber das habe ich bestimmt auch verpasst. Schade. Wir lesen gerade *Ein Sommernachtstraum*.

Die Kehrseite an diesem Polizeiauto ist: Es ist warm, und ich bin nicht in Chicago. Die Ordnungshüter von Chicago hassen mich, weil ich immer verschwinde, wenn sie mich einbuchten, und sie kommen einfach nicht dahinter wie. Darüber hinaus weigere ich mich, mit ihnen zu sprechen, sie wissen also immer noch nicht, wer ich bin und wo ich wohne. Der Tag, an dem sie das herausfinden, ist mein Ende, denn es stehen noch einige Haftbefehle wegen verschiedenster Delikte gegen mich aus: Einbruchsdiebstahl, Ladendiebstahl, Widerstand gegen Vollstreckungsbeamte, Sich-entziehen-von-Haftmaßnahmen, Hausfriedensbruch, Erregen öffentlichen Ägernisses, Raub und so weiter. Aus dieser Liste könnte man schließen, dass ich ein ziemlich ungeschickter Krimineller bin, doch das Hauptproblem liegt eigentlich in der Schwierigkeit, in nacktem Zustand keine Aufmerksamkeit zu erregen. Schläue und Schnelligkeit sind zwar meine größten Vorteile, aber es klappt eben nicht immer, wenn ich am helllichten Tag splitternackt in ein Haus einbrechen will. Siebenmal wurde ich verhaftet, und bislang bin ich immer entwischt, bevor sie meine Fingerabdrücke nehmen oder mich fotografieren konnten.

Die Anwohner starren mich durch die Fenster des Streifenwagens an. Mir egal. Mir egal. Das Ganze dauert eine Ewigkeit. Mist, wie ich das hasse. Ich lehne mich zurück und schließe die Augen.

Eine Autotür wird geöffnet. Kalte Luft – meine Augen fliegen auf – ich sehe kurz das Metallgitter zwischen Fahrerkabine und hinterem Wagenteil, die rissigen Kunstledersitze, meine Hände in den Handschellen, die Gänsehaut auf meinen Beinen, den trüben Himmel durch die Windschutzscheibe, die Mütze mit dem schwarzen Schirm auf dem Armaturenbrett, das Klemmbrett in der Hand des Beamten, sein rotes Gesicht, buschige ergraute Augenbrauen und Hängebacken wie Gardinen – alles schimmert und schillert in Schmetterlingsfarben, und der Polizist sagt: »Hey, ich glaub, der hat einen Anfall…«, und meine Zähne klappern wie verrückt, der Streifenwagen verschwindet vor meinen Augen, und ich liege in meinem eigenen Garten auf dem Rücken. Ja. Tatsächlich! Ich fülle meine Lungen mit der klaren Septembernachtluft, setze mich auf und reibe mir die Handgelenke, die immer noch die Spuren der Handschellen tragen.

Und dann breche ich in schallendes Gelächter aus. Wieder bin ich entwischt! Houdini, Prospero, seht mich an!, denn auch ich bin ein Magier.

Plötzlich wird mir übel, und ich übergebe mich auf Kimys Chrysanthemen.

Samstag, 14. Mai 1983 (Clare ist 11, fast 12)

CLARE: Mary Christina Heppworth hat Geburtstag, und alle Mädchen der fünften Klasse aus der St.-Basil-Schule übernachten bei ihr. Zum Abendessen gibt es Pizza, Cola und Obstsalat, und Mrs Heppworth hat einen großen Kuchen in Form eines Einhornkopfes gebacken, auf dem in roter Glasur *Happy Birthday Mary Christina!* steht, und als wir singen, bläst Mary Christina alle zwölf Kerzen mit einem Atemzug aus. Ich kann mir vorstellen, was sie sich dabei gewünscht hat: Wahrscheinlich hat sie sich gewünscht, nicht mehr zu wachsen. Jedenfalls würde ich mir das an ihrer Stelle wünschen. Mary Christina ist die Größte in unserer Klasse. Sie ist einsfünfundsiebzig. Ihre Mom ist ein bisschen kleiner als sie, aber ihr Dad, der ist wirklich ein Riese. Helen fragte Mary Christina mal nach seiner Größe, und sie sagte, er sei über zwei Meter groß. Sie ist das einzige Mädchen in der Familie, und ihre Brüder sind alle älter, rasieren sich schon und sind auch sehr groß. Sie achten darauf, dass sie uns auch wirklich wie Luft behandeln und essen jede Menge Kuchen, und immer wenn sie in unserer Nähe sind, kichern Patty und Ruth besonders laut. Es ist so peinlich. Mary Christina macht ihre Geschenke auf. Ich habe ihr einen grünen Pullover geschenkt, den Gleichen wie mein blauer mit dem Kragen von Laura Ashley, der ihr so gut gefallen hat. Nach dem Essen sehen wir uns auf Video *The Parent Trap* an, und die Heppworths hängen irgendwie alle herum und beobachten uns, bis wir abwechselnd nach oben ins Badezimmer gehen, unsern Schlafanzug anziehen und uns in Mary

Christinas Zimmer zwängen, das vollkommen rosa eingerichtet ist, sogar der Teppichboden. Man könnte meinen, ihre Eltern haben sich unheimlich gefreut, als nach den vielen Jungs endlich ein Mädchen kam. Wir alle haben unsere Schlafsäcke mitgebracht, stapeln sie aber an der Wand und setzen uns auf Mary Christinas Bett oder auf den Boden. Nancy hat eine Flasche Peppermint Schnaps dabei, aus der jede einen Schluck trinkt. Er schmeckt scheußlich und fühlt sich in der Brust an wie Wick VapoRub. Dann spielen wir Tat oder Wahrheit. Ruth verlangt von Wendy, dass sie ohne Oberteil durch den Flur rennt. Wendy fragt Francie, welche BH-Größe deren siebzehnjährige Schwester Lexie hat. (Antwort: 95D.) Francie will von Gayle wissen, was sie letzten Samstag mit Michael Plattner im Dairy Queen gemacht hat. (Antwort: Eis essen. Na, was denn sonst.) Nach einer Weile finden wir Tat oder Wahrheit langweilig, weil es nämlich nicht leicht ist, sich gute Taten auszudenken, die wir auch wirklich ausführen, und weil wir das Wichtigste sowieso voneinander wissen, da wir schon seit dem Kindergarten gemeinsam zur Schule gehen. Mary Christina sagt: »Wir spielen Ouijatafel«, und alle sind einverstanden, denn es ist ja ihre Party, außerdem ist Ouija spielen cool. Sie holt es aus dem Schrank. Die Schachtel ist ganz zerdrückt, und auf dem kleinen Plastikteil, das die Buchstaben zeigt, fehlt das Fenster. Henry hat mir mal erzählt, dass er bei einer Séance war, bei der das Medium mitten in der Sitzung Blinddarmdurchbruch hatte und sie einen Krankenwagen rufen mussten. Da immer nur zwei Leute gleichzeitig spielen können, beginnen Mary Christina und Helen. Der Regel zufolge muss man seine Frage laut stellen, sonst funktioniert es nicht. Beide legen sie ihre Finger auf das Plastikteil. Helen sieht Mary Christina an, die zögert, und Nancy sagt: »Frag nach Bobby«, also fragt Mary Christina: »Mag mich Bobby Duxler?« Alle kichern. Die Antwort lautet nein, aber mit ein bisschen Schieben von Helen sagt das Ouija *ja*. Mary Christina strahlt so glücklich, dass man oben und unten ihre Zahnspangen sieht. Helen fragt, ob irgendwelche Jungs sie mögen. Das Ouija dreht sich eine Weile und hält dann bei D, A, V. »David Hanley?«, sagt Patty, und alle lachen. Dave ist der einzige schwarze Junge in unserer Klasse. Er ist sehr schüchtern und klein und gut in Mathe. »Vielleicht hilft er dir ja bei der ungekürzten Division«, sagt Laura, die auch sehr schüchtern ist. Helen lacht. In Mathe ist sie eine Null. »Komm, Clare. Jetzt du und Ruth.« Wir nehmen Helens und Mary Christinas Plätze ein, und Ruth sieht mich an, aber ich zucke nur die Schultern. »Mir fällt nichts ein«, sage ich, und alle kichern. Was soll man hier schon fragen? Dabei gibt es so vieles, was ich wissen möchte. *Wird es mit Mama wieder besser? Warum hat Daddy heute früh Etta angeschrien? Ist Henry wirklich ein Mensch? Wo hat Mark meine Französischhausaufgabe versteckt?* Ruth sagt: »Welche Jungs mögen Clare?« Ich werfe ihr einen bösen Blick zu, aber sie grinst nur. »Interessiert dich das denn nicht?« »Nein«, sage ich, lege aber dennoch meine Finger auf das weiße Plastik. Ruth legt ihre auch drauf, aber nichts rührt sich. Wir beide berühren das Teil nur ganz leicht, wir wollen es richtig machen und nicht schieben. Dann beginnt es sich langsam zu bewegen, hält bei H. Es wird schneller. E, N, R, Y. »Henry«, sagt Mary Christina, »wer ist Henry?« Helen sagt: »Ich weiß es nicht, aber du wirst ja rot, Clare. Wer ist denn nun Henry?« Ich schüttle nur den Kopf, so als stünde auch ich vor einem Rätsel. »Jetzt kommst du, Ruth.« Sie fragt (große Überraschung), wer sie mag, und das Ouija buchstabiert R, I, C, K. Ich spüre, wie sie schiebt. Rick ist Mr Malone, unser Naturkundelehrer, der in unsere Englischlehrerin Miss Engle verknallt ist. Alle lachen, nur Patty nicht, die auch in Mr Malone verknallt ist. Ruth und ich stehen auf, Laura und Nancy setzen sich. Nancy sitzt mit dem Rücken zu mir, darum kann ich ihr Gesicht nicht sehen, als sie fragt: »Wer ist Henry?« Alle sehen mich an und werden mucksmäuschenstill. Ich beobachte das Brett. Nichts. Gerade als ich mich in Sicherheit wähne, beginnt das Plastikteil sich zu bewegen. Es zeigt auf H. Vielleicht, überlege ich, buchstabiert es ja einfach wieder Henry. Nancy und Laura wissen schließlich nichts von Henry. Ich weiß ja selbst nicht allzu viel über ihn. Dann geht es weiter: U, S, B, A, N, D. Alle starren mich an. »Ich bin doch gar nicht verheiratet, schließlich bin ich erst elf.« »Aber wer ist Henry?«, grübelt Laura. »Ich weiß es nicht. Vielleicht jemand, den ich noch gar nicht kenne.« Sie nickt. Alle sind fassungslos, genau wie ich. Ehemann? Unglaublich.

HENRY: Clare und ich sind im Wald und spielen im Feuerkreis Schach. Es ist ein herrlicher Frühlingstag, in den Bäumen wimmelt es von Vögeln, die sich umwerben und nisten. Wir halten uns von Clares Familie fern, die heute Nachmittag überall herumwuselt. Clare brütet schon eine Weile über dem Brett. Vor drei Zügen habe ich ihre Königin genommen, und nun ist sie am Ende, will sich aber nicht kampflos ergeben.

Sie blickt auf. »Henry, wen magst du von den Beatles am liebsten?«

»John natürlich.«

»Warum ›natürlich‹?«

»Na ja, Ringo ist auch okay, aber irgendwie zieht er immer den Kürzeren, verstehst du? Und George ist mir ein bisschen zu New Age.«

»Was ist ›New Age‹?«

»Abstruse Religionen. Doofe, langweilige Musik. Ein schwacher Versuch, sich selbst von der Großartigkeit alles Indischen zu überzeugen. Ablehnung der westlichen Medizin.«

»Da bist du doch auch dagegen.«

»Aber nur, weil die Ärzte mir immer weismachen wollen, dass ich verrückt bin. Mit einem gebrochenen Arm wäre ich ein großer Anhänger der westlichen Medizin.«

»Wie findest du Paul?«

»Paul ist für Mädchen.«

Clare lächelt schüchtern. »Ich mag Paul am liebsten.«

»Du bist ja auch ein Mädchen.«

»Warum ist Paul für Mädchen?«

Vorsicht, ermahne ich mich. »Hm, na ja, Paul ist irgendwie der nette Beatle, verstehst du?«

»Ist das schlimm?«

»Nein, überhaupt nicht. Aber Männer stehen eher auf coole Typen, und der coole Beatle ist nun mal John.«

»Aber der ist doch tot.«

Ich muss lachen. »Cool kann man auch als Toter sein. Eigentlich ist es dann sogar leichter, weil man nicht alt und fett wird, und man kriegt keinen Haarausfall.«

Clare summt den Anfang von »When I'm 64«. Sie rückt ihren Turm fünf Felder vor. Ich könnte sie jetzt matt setzen und weise sie darauf hin, worauf sie den Zug schnell zurücknimmt.

»Was gefällt dir denn an Paul?«, frage ich, und blicke gerade rechtzeitig auf, um zu sehen, wie sie feuerrot wird.

»Er ist so ... *schön*«, schwärmt Clare. Sie sagt das auf eine Art, bei der mir ganz komisch wird. Ich studiere das Brett und merke, dass Clare mich matt setzen könnte, wenn sie meinen Läufer mit ihrem Springer nehmen würde. Ich überlege, ob ich es ihr sagen soll. Wäre sie etwas jünger, würde ich es tun, aber mit zwölf ist man alt genug, um sich allein durchs Leben zu schlagen. Clare starrt verträumt aufs Brett. Langsam dämmert mir, dass ich eifersüchtig bin. Gütiger Himmel! Es ist nicht zu fassen, ich bin eifersüchtig auf einen millionenschweren Rockstar, der altersmäßig Clares Vater sein könnte.

»Hä-hm«, sage ich.

Clare blickt auf und lächelt verschmitzt. »Und wen magst du?«

Dich, denke ich, sage aber: »Du meinst, als ich in deinem Alter war?«

»Ja. Wann warst du denn in meinem Alter?«

Ich wäge den möglichen Wert dieser Information ab, ehe ich sie zögernd herausgebe. »1975 war ich in deinem Alter. Ich bin acht Jahre älter als du.«

»Dann bist du jetzt zwanzig?«

»Eigentlich nicht, ich bin sechsunddreißig.« Alt genug, um dein Dad zu sein.

Clare runzelt die Stirn. Mathe ist nicht ihre große Stärke. »Aber wenn du 1975 zwölf warst...«

»Ach, entschuldige. Du hast völlig Recht. Weißt du, so wie ich hier sitze, bin ich sechsunddreißig, aber irgendwo dort draußen« – ich weise mit der Hand nach Süden – »bin ich zwanzig. In der wirklichen Zeit.«

Clare bemüht sich, das zu verdauen. »Dann gibt es dich also zweimal?«

»Nicht direkt. Mich gibt es immer nur einmal, aber wenn ich

durch die Zeit reise, lande ich manchmal an einem Ort, wo ich mich schon befinde, und klar, dann könnte man sagen, es gibt zwei. Oder noch mehr.«

»Und wieso sehe ich nie mehr als einen?«

»Kommt noch. Wenn wir beide uns in meiner Gegenwart treffen, wirst du das recht oft erleben.« Öfter als mir lieb ist, Clare.

»Und wen hast du 1975 gemocht?«

»Eigentlich keinen. Mit zwölf hatte ich andere Dinge im Kopf. Aber mit dreizehn war ich total in Patty Hearst verknallt.«

Clare sieht verärgert aus. »Ein Mädchen aus deiner Schule?«

»Nein. Patty Hearst war eine reiche Studentin aus Kalifornien, die von bösen linksradikalen Terroristen gekidnappt wurde. Sie haben sie gezwungen, Banken auszurauben. Monatelang war sie jeden Abend in den Nachrichten.«

»Was ist aus ihr geworden? Und warum hast du sie gemocht?«

»Irgendwann haben sie sie freigelassen. Sie hat geheiratet, Kinder bekommen und jetzt lebt sie als reiche Frau in Kalifornien. Warum ich sie mochte? Ach, ich weiß nicht. Schwer zu erklären. Wahrscheinlich konnte ich mir vorstellen, wie ihr zumute war, nachdem man sie entführt hatte und zu Dingen zwang, die sie nicht tun wollte, und es dann so aussah, als würde es ihr Spaß machen.«

»Tust du Dinge, die du lieber nicht tün würdest?«

»Klar. Ständig.« Mein Bein ist eingeschlafen, und ich stehe auf und schüttle es, bis es kribbelt. »Ich lande nicht immer gesund und wohlbehalten bei dir, Clare. Oft komme ich irgendwohin, und muss mir erst mal was zum Anziehen und zum Essen klauen.«

»Oh.« Ihre Miene verfinstert sich, und dann entdeckt sie ihren Zug, führt ihn aus und sieht mich triumphierend an. »Schachmatt!«

»Hey! Bravo!« Ich mache eine tiefe Verbeugung vor ihr. »Du bist die Schachkönigin *du jour*.«

»Allerdings«, sagt Clare, rosa vor Stolz. Sie stellt die Figuren wieder in die Ausgangsposition. »Neue Partie?«

Ich tue, als wenn ich meine nicht vorhandene Uhr konsultiere. »Klar.« Ich setze mich wieder hin. »Hast du Hunger?« Wir sind seit Stunden hier und unsere Vorräte neigen sich dem Ende zu; wir haben nur noch die Krümel einer Tüte Doritos.

»Mmhmm.« Clare hält die Bauern hinter ihren Rücken. Ich tippe an ihren rechten Ellbogen, und sie zeigt mir den weißen. Ich mache meine Standarderöffnung, Bauer nach d4. Sie macht ihren Standardgegenzug auf meine Standarderöffnung: Bauer nach d5. Die nächsten zehn Züge spielen wir ziemlich schnell, ohne nennenswertes Blutvergießen, dann sitzt Clare eine Weile grübelnd vor dem Brett. Immer will sie experimentieren, immer sucht sie den *coup d'éclat*. »Und wen magst du heute?«, fragt sie ohne aufzublicken.

»Du meinst mit zwanzig? Oder mit sechsunddreißig?«

»Beide.«

Ich versuche mich an die Zeit mit zwanzig zu erinnern, sehe aber nur ein verschwommenes Bild von Frauen, Brüsten, Beinen, Haut und Haaren vor mir. Ihre Geschichten haben sich miteinander vermischt, die Gesichter verbinden sich nicht mehr mit Namen. Mit zwanzig hatte ich viele Frauen, aber glücklich war ich nicht. »Zwanzig war nichts Besonderes. Mir fällt niemand ein.«

»Und sechsunddreißig?«

Ich sehe Clare prüfend an. Ist zwölf noch zu jung? Ja, ganz bestimmt. Soll sie lieber von dem schönen, unerreichbaren, ungefährlichen Paul McCartney träumen, statt sich mit Henry, dem zeitreisenden Kerl, herumzuschlagen. Warum will sie das überhaupt wissen?

»Henry?«

»Ja?«

»Bist du verheiratet?«

»Ja«, gestehe ich widerstrebend.

»Mit wem?«

»Mit einer sehr schönen, geduldigen, begabten und klugen Frau.«

Ihr fällt die Kinnlade runter. »Aha.« Sie nimmt einen meiner weißen Läufer, den sie vor zwei Zügen erobert hat, und dreht ihn wie einen Kreisel auf der Erde. »Das ist aber schön.« Irgendwie scheint sie mein Geständnis zu ärgern.

»Was ist los?«

»Nichts.« Clare zieht ihre Dame von d7 nach g4. »Schach.«

Ich ziehe meinen Springer dazwischen, um meinen König zu schützen.

»Bin ich verheiratet?«, will Clare wissen.

Ich begegne ihrem Blick. »Heute gehst du aber zu weit.«

»Na und? Du verrätst mir sowieso nie was. Komm schon, Henry, sag mir, ob ich eine alte Jungfer werde.«

»Du bist eine Nonne«, ziehe ich sie auf.

Clare erschaudert. »Mann, bloß das nicht.« Mit ihrem Turm schlägt sie einen meiner Bauern. »Wie hast du deine Frau kennen gelernt?«

»Tut mir Leid. Das fällt unter die Schweigepflicht.« Ich nehme ihren Turm mit meiner Dame.

Clare verzieht das Gesicht. »Aua. Hast du sie auf einer Zeitreise kennen gelernt?«

»*Ich* hab mich um meinen eigenen Kram gekümmert.«

Clare seufzt und schlägt mit ihrem anderen Turm einen weiteren Bauern. Langsam gehen mir die Bauern aus. Ich ziehe meinen Damenläufer nach f4.

»Ich finde es ungerecht, dass du alles über mich weißt, mir aber nie was von dir erzählst.«

»Stimmt. Das ist ungerecht.« Ich versuche möglichst reuevoll und artig auszusehen.

»Ruth, Helen, Megan und Laura erzählen mir alles, und ich ihnen auch.«

»Alles?«

»Klar. Nur von dir wissen sie nichts.«

»Ach? Und wieso nicht?«

Clare macht ein trotziges Gesicht. »Du bist ein Geheimnis. Außerdem würden sie es mir nicht glauben.« Sie bedroht meinen Läufer mit ihrem Springer, grinst mich gerissen an. Ich begutachte das Brett und suche eine Möglichkeit, wie ich ihren Springer nehmen oder meinen Läufer retten kann. Es sieht nicht gut aus für Weiß.

»Henry, bist du wirklich ein Mensch?«

Die Frage verblüfft mich etwas. »Ja. Was soll ich sonst sein?«

»Ich weiß nicht. Ein Geist?«

»Ich bin wirklich ein Mensch, Clare.«

»Beweis es mir.«

»Wie denn?«

»Keine Ahnung.«

»Ich meine, du kannst doch auch nicht beweisen, dass *du* ein Mensch bist, Clare.«

»Klar kann ich.«

»Und wie?«

»Ich bin eben wie ein Mensch.«

»Das bin ich auch.« Komisch, dass Clare darauf zu sprechen kommt; 1999 führen Dr. Kendrick und ich philosophische Grabenkämpfe über eben dieses Thema. Kendrick ist überzeugt, dass ich der Vorbote einer neuen Spezies von Mensch bin und mich vom landläufigen Volk unterscheide wie der Cro-Magnon von seinen benachbarten Neandertalern. Ich behaupte, dass ich nur ein Mann mit verkorkstem Gen-Code bin, und unsere Unfähigkeit, Kinder zu bekommen, beweist, dass ich offenbar nicht das fehlende Glied bin. Mit grimmigen Gesichtern werfen wir uns Zitate von Kierkegaard und Heidegger um die Ohren. Unterdessen mustert mich Clare zweifelnd.

»*Menschen* kommen und gehen nicht einfach so wie du. Du bist wie die Cheshire Cat in *Alice im Wunderland*.«

»Willst du damit andeuten, dass ich eine Gestalt aus der Literatur bin?« Endlich komme ich auf den richtigen Zug: Turm nach a3. Jetzt kann sie meinen Läufer kassieren, wird dabei aber ihre Dame los. Clare braucht eine Weile, bis sie das erkennt, und als sie es tut, streckt sie mir die Zunge raus, die von den vielen Tortillachips bedenklich orange ist.

»Irgendwie muss ich jetzt neu über Märchen nachdenken. Im Ernst, wenn es dich wirklich gibt, warum sollten dann nicht auch Märchen wahr sein?« Clare steht auf, ohne das Brett aus den Augen zu lassen, sie führt einen kleinen Tanz auf und hüpft herum, als stünde ihre Hose in Flammen. »Ich glaube, der Boden wird immer härter. Mein Hintern ist eingeschlafen.«

»Vielleicht sind sie ja wahr. Oder eine Kleinigkeit in ihnen, und den Rest hat man einfach hinzugefügt, verstehst du?«

»Zum Beispiel, dass Schneewittchen im Koma lag?«

»Und Dornröschen auch.«

»Und Jack in der Riesenbohne war nur ein begnadeter Gärtner.«

»Und Noah ein komischer alter Kauz mit einem Hausboot und vielen Katzen.«

Clare sieht mich an. »Noah kommt in der Bibel vor und nicht im Märchen.«

»Stimmt. Entschuldige.« Mein Hunger wird immer größer. Nell kann jeden Moment die Essensglocke läuten, dann muss Clare ins Haus zurück. Sie setzt sich wieder auf ihre Seite des Bretts. Ihr Interesse an dem Spiel ist sichtlich erloschen, denn sie fängt an, eine kleine Pyramide aus den eroberten Figuren zu bauen.

»Du hast noch nicht bewiesen, dass es dich wirklich gibt«, sagt Clare.

»Du aber auch nicht.«

»Zweifelst du denn manchmal, dass es mich gibt?«, fragt sie mich überrascht.

»Vielleicht träume ich dich ja nur. Oder vielleicht träumst du mich nur; vielleicht gibt es uns nur im Traum des jeweils anderen, und jeden Morgen, wenn wir aufwachen, vergessen wir einander.«

Clare runzelt die Stirn und winkt ab, als wollte sie diese seltsame Idee verscheuchen. »Kneif mich«, fordert sie mich auf. Ich beuge mich vor und kneife sie leicht in den Arm. »Fester!« Ich kneife sie erneut, diesmal so fest, dass ein weißroter Streifen zurückbleibt, der ein paar Sekunden zu sehen ist, bevor er verschwindet. »Meinst du etwa, ich würde nicht aufwachen, wenn ich schlafen würde? Jedenfalls fühlt es sich gar nicht so an, als würde ich schlafen.«

»Und ich fühle mich nicht wie ein Geist. Oder wie eine literarische Figur.«

»Woher willst du das wissen? Angenommen, ich hätte dich erfunden und wollte nicht, dass du es weißt, dann würde ich es dir doch nicht sagen, oder?«

Ich zwinkere ihr zu. »Vielleicht hat Gott uns nur erfunden und verrät es uns nicht.«

»So was solltest du nicht sagen«, ruft Clare aus. »Außerdem glaubst du gar nicht an Gott, oder?«

Ich zucke die Schultern und wechsle das Thema. »Jedenfalls bin ich wirklicher als Paul McCartney.«

Clare macht ein besorgtes Gesicht. Sie packt die Figuren wieder in die Schachtel, sorgfältig nach Schwarz und Weiß getrennt. »Paul McCartney kennen viele – von dir weiß nur ich.«

»Aber mir bist du wirklich begegnet, ihm noch nie.«

»Meine Mom war mal bei einem Beatles-Konzert.« Sie schließt den Deckel des Schachspiels, legt sich der Länge nach auf die Erde und starrt in den Baldachin aus frischen Blättern empor. »Im Comiskey Park in Chicago, am 8. August 1965.« Ich pikse sie in den Bauch, und sie rollt sich zusammen wie ein Igel und kichert. Nach einer Runde Kitzeln und Um-sich-Schlagen liegen wir auf der Erde, die Hände auf dem Bauch gefaltet, und Clare fragt: »Reist deine Frau auch durch die Zeit?«

»Nein. Gott sei Dank.«

»Warum ›Gott sei Dank‹? Wäre doch ein Heidenspaß. Ihr könntet überall zusammen hingehen.«

»Ein Zeitreisender pro Familie ist mehr als genug. Es ist nicht ungefährlich, Clare.«

»Macht sie sich Sorgen um dich?«

»Ja«, antworte ich leise, »sie sorgt sich sehr.« Ich frage mich, was Clare jetzt, im Jahr 1999, wohl gerade macht. Vielleicht schläft sie noch. Vielleicht weiß sie gar nicht, dass ich weg bin.

»Liebst du sie?«

»Über alles«, flüstere ich. Schweigend liegen wir Seite an Seite, betrachten die schwankenden Bäume, die Vögel, den Himmel. Plötzlich höre ich gedämpftes Schniefen, sehe zu Clare und stelle erstaunt fest, dass ihr Tränen übers Gesicht in Richtung Ohren laufen. Ich setze mich auf und beuge mich über sie. »Was ist denn, Clare?« Aber sie schüttelt nur den Kopf und presst die Lippen zusammen. Ich streiche ihre Haare glatt, ziehe sie in den Sitz hoch und umarme sie. Irgendwie ist sie ein Kind, und dann auch wieder nicht. »Was ist los?«

Die Antwort kommt so leise, dass ich Clare bitten muss, sie zu wiederholen: »Ich dachte immer, du wärst vielleicht mit mir verheiratet.«

CLARE: Ein Spätnachmittag Ende Juni. Ich stehe auf der Wiese, und in ein paar Minuten wird es Zeit, dass ich mir fürs Abendessen die Hände wasche. Langsam sinkt die Temperatur. Noch vor zehn Minuten war der Himmel kupferblau und eine drückende Hitze hing über der Wiese, alles fühlte sich aufgeladen an, wie unter einer großen Glaskuppel, jedes Geräusch in der Nähe wurde von der Schwüle geschluckt und nur ein riesiger Insektenchor summte. Ich saß auf der kleinen Fußgängerbrücke, beobachtete, wie Wasserkäfer auf dem reglosen kleinen Tümpel herumflitzten, und dachte an Henry. Heute ist kein Henry-Tag, bis zum nächsten ist es noch zweiundzwanzig Tage hin. Inzwischen ist es um einiges kühler. Henry gibt mir viele Rätsel auf. Mein ganzes Leben lang habe ich ihn als etwas Selbstverständliches betrachtet, das heißt, obwohl Henry ein Geheimnis ist und damit automatisch faszinierend, ist er auch eine Art Wunder, und erst in letzter Zeit ist mir aufgegangen, dass die wenigsten Mädchen einen Henry haben, und wenn sie einen kennen, haben sie ihn geschickt verschwiegen. Ein leichter Wind kommt auf, das hohe Gras wogt, und ich schließe die Augen, jetzt hört es sich an wie das Meer (das ich nur aus dem Fernsehen kenne). Als ich sie wieder öffne, ist der Himmel gelb und dann grün. Henry behauptet, er komme aus der Zukunft. Als kleines Mädchen hatte ich keine Probleme damit, denn ich wusste nicht, was Zukunft bedeutet. Nun frage ich mich, ob die Zukunft ein Ort ist, oder etwas Ähnliches wie ein Ort, zu dem ich gelangen könnte, und zwar auf eine andere Art als durchs Älterwerden. Ich möchte wissen, ob Henry mich in die Zukunft mitnehmen könnte. Der Wald ist schwarz und die Bäume werden zur Seite gepeitscht und nach unten gedrückt. Verstummt ist das Insektensummen, und der Wind plättet das Gras, lässt die Bäume ächzen und stöhnen. Ich habe Angst vor der Zukunft, sie erscheint mir wie ein großer Kasten, der auf mich wartet. Henry sagt, er kenne mich in der Zukunft. Riesenschwarze Wolken brauen sich hinter den Bäumen zusammen und ziehen so schnell heran, dass ich lachen muss, sie ähneln Marionetten, und alles wirbelt auf mich zu und schon folgt ein langes tiefes Donnerrollen. Plötzlich wird mir bewusst, dass ich dünn und groß auf einer Wiese stehe, in der alles platt gepresst ist, also lege ich mich hin und hoffe, das heranziehende Gewitter möge mich nicht bemerken, ich liege flach auf dem Rücken und blicke nach oben, als es anfängt, aus dem Himmel zu gießen. Meine Kleider sind im Nu durchnässt, und plötzlich spüre ich, dass Henry da ist, ein unbeschreibliches Verlangen nach Henry, nach seinen Händen auf meinem Körper, auch wenn mir scheint, dass Henry der Regen ist, und ich allein bin und mich nach ihm sehne.

Sonntag, 23. September 1984 (Henry ist 35, Clare 13)

HENRY: Ich bin allein bei der Lichtung auf der Wiese. Es ist Spätsommer und noch sehr früh am Morgen, kurz vor Tagesanbruch. Die Blumen und Gräser reichen mir bis zur Brust. Es ist kühl. Ich wate durchs Gestrüpp und sehe die Kleiderschachtel, öffne sie und finde Jeans, ein weißes Baumwollhemd und weiße Gummilatschen. Die Sachen sind mir unbekannt, ich habe also keine Ahnung, in welcher Zeit ich bin. Clare hat mir auch eine Kleinigkeit zu essen dagelassen: Ein sorgfältig in Alufolie eingewickeltes Sandwich mit Erdnussbutter und Gelee, dazu ein Apfel und eine Tüte Jay Kartoffelchips. Vielleicht ist es eins von Clares Pausenbroten. Meine Vermutungen gehen in Richtung der späten Siebziger oder frühen Achtziger. Ich setze mich auf den Stein und esse mein Frühstück, danach fühle ich mich gleich besser. Langsam geht die Sonne auf. Die ganze Wiese schimmert blau, dann orange und rosa, die Schatten werden immer länger, und dann ist es hell. Weit und breit keine Clare. Ich krieche ein Stück weiter ins Gestrüpp, rolle mich auf der Erde zusammen, obwohl sie vom Tau noch nass ist, und schlafe ein.

Als ich aufwache, steht die Sonne höher, und Clare sitzt neben mir und liest ein Buch. Sie lächelt mich an und sagt: »Es wird Tag im Sumpf. Die Vögel singen und die Frösche quaken und es ist Zeit, aufzustehen!«

Stöhnend reibe ich mir die Augen. »Hallo, Clare. Der wievielte ist heute?«

»Sonntag, der 23. September 1984.«

Clare ist dreizehn. Ein seltsames und schwieriges Alter, wenn auch längst nicht so schwierig wie alles, was wir in meiner Gegenwart durchmachen. Ich setze mich auf und gähne. »Clare, wenn ich dich ganz lieb bitte, würdest du mir dann eine Tasse Kaffee aus dem Haus schmuggeln?«

»Kaffee?« Clare sagt das, als handle es sich um eine fremde Substanz. Später ist sie danach genauso süchtig wie ich. Sie denkt über die Logistik nach.

»Bitte, bitte.«

»Na gut, ich tu mein Bestes.« Langsam steht sie auf. In diesem Jahr wurde Clare schnell groß. Im vergangenen Jahr ist sie zwölf Zentimeter gewachsen, und sie fühlt sich in ihrem neuen Körper noch nicht so recht wohl. Alles hat sich neu geformt, ihre Brüste, Beine und Hüften. Ich beobachte, wie sie den Pfad zum Haus hinaufgeht, und versuche, den Gedanken zu verscheuchen. Ich werfe einen Blick auf das Buch, in dem sie gelesen hat, ein Titel von Dorothy Sayers, den ich nicht kenne. Bei ihrer Rückkehr bin ich auf Seite dreiunddreißig. Sie hat eine Thermoskanne, Becher, eine Decke und ein paar Donuts mitgebracht. Clares Nase ist von der vielen Sonne voll Sommersprossen, und ich muss mich beherrschen, um ihr nicht durch die ausgebleichten Haare zu streichen, die ihr über die Arme fallen, als sie die Decke ausbreitet.

»Gott segne dich.« Ich nehme die Thermoskanne wie ein Heiligtum entgegen, dann machen wir es uns auf der Decke bequem. Ich kicke die Gummilatschen weg, schenke einen Becher Kaffee ein und trinke einen Schluck. Er schmeckt unglaublich stark und bitter. »Auweia! Clare, das ist Raketenbrennstoff.«

»Zu stark?« Sie macht ein leicht enttäuschtes Gesicht, und ich beeile mich, sie zu loben.

»Also, zu stark kann Kaffee wahrscheinlich gar nicht sein, aber er ist nicht ohne. Mir schmeckt er trotzdem. Hast du ihn gemacht?«

»Ja. Ich hab noch nie Kaffee gekocht, und dann war auch noch Mark da und hat genervt. Vielleicht hab ich ja was falsch gemacht.«

»Nein, alles bestens.« Ich puste auf den Kaffee, stürze ihn hinunter und fühle mich sofort besser. Ich schenke mir noch einen Becher ein.

Clare nimmt die Thermoskanne, gießt sich einen kleinen Schluck ein und nippt vorsichtig. »Igitt«, sagt sie. »Ist ja widerlich. Muss das so schmecken?«

»Nun, normalerweise ist er nicht ganz so stark. Du trinkst ihn gern mit viel Milch und Zucker.«

Clare schüttet den Rest ihres Kaffees in die Wiese und nimmt einen Donut. Dann sagt sie: »Du machst mich noch zum Freak.«

Auf diese Bemerkung habe ich keine Antwort parat, denn der Gedanke ist mir noch nie in den Sinn gekommen. »Hm, nein, stimmt nicht.«

»Doch.«

»Nein.« Ich überlege. »Was soll das heißen, ich mach dich zum Freak? Ich mach dich zu gar nichts.«

»Wenn du mir zum Beispiel sagst, dass ich meinen Kaffee mit Milch und Zucker mag, obwohl ich gerade mal einen winzigen Schluck probiert habe. Ich meine, wie soll ich herausfinden, ob mir etwas schmeckt oder nicht, wenn du behauptest, es schmeckt mir?«

»Aber Clare, es geht doch nur um den persönlichen Geschmack. Natürlich musst du selbst herausfinden, wie du deinen Kaffee magst, ganz egal, was ich sage. Im Übrigen nervst du mich doch immer damit, dass ich dir von der Zukunft erzählen soll.«

»Über die Zukunft Bescheid zu wissen ist etwas anderes als gesagt zu bekommen, was ich mag«, widerspricht Clare.

»Warum? Alles hängt mit dem freien Willen zusammen.«

Clare zieht Schuhe und Socken aus, steckt die Socken in die Schuhe und stellt sie ordentlich an den Deckenrand. Dann nimmt sie meine herumliegenden Gummilatschen und stellt sie penibel neben ihre Schuhe, als wäre die Decke eine Reisstrohmatte. »Ich dachte immer, freier Wille hätte mit Sünde zu tun.«

Ich denke darüber nach. »Nein«, entgegne ich, »warum sollte der freie Wille auf Richtig und Falsch beschränkt sein? Zum Beispiel hast du eben aus freiem Willen entschieden, deine Schuhe auszuziehen. Ob du Schuhe trägst oder nicht ist völlig schnurz und interessiert keinen Menschen, es ist weder sündig noch tugendhaft und hat keinen Einfluss auf die Zukunft, aber du hast deinen freien Willen ausgeübt.«

Clare winkt ab. »Aber manchmal erzählst du mir etwas, und dann denke ich, die Zukunft ist schon da, verstehst du? Als hätte meine Zukunft in der Vergangenheit stattgefunden, und ich kann nichts daran ändern.«

»Das nennt man Determinismus«, erkläre ich ihr. »Er verfolgt mich in meinen Träumen.«

Clare ist neugierig. »Warum?«

»Na ja, wenn *du* dich von der Vorstellung, dass deine Zukunft unabänderlich ist, eingeengt fühlst, wie soll *ich* mich dann fühlen? Ich renne ständig gegen die Tatsache an, dass ich Ereignisse nicht ändern kann, obwohl ich unmittelbar daran beteiligt bin und sie vor mir sehe.«

»Aber Henry, natürlich änderst du manches! Du hast zum Beispiel die Sache aufgeschrieben, die ich dir 1991 wegen des Babys mit dem Down Syndrom geben soll. Und die Liste, wenn ich die nicht hätte, wüsste ich nie, wann ich dich treffen kann. Du änderst ständig etwas.«

Ich muss lächeln. »Ich kann nur Dinge tun, die ermöglichen, was schon geschehen ist. Aber ich kann zum Beispiel nicht rückgängig machen, dass du dir eben die Schuhe ausgezogen hast.«

Clare lacht. »Warum sollte dir auch was dran liegen, ob ich meine Schuhe ausziehe oder nicht?«

»Tut es ja nicht. Aber selbst wenn es so wäre, ist es jetzt ein unabänderlicher Teil in der Geschichte des Universums und daran kann ich nichts ändern.« Ich genehmige mir einen Donut. Einen Berliner, meine Lieblingssorte. Der Zuckerguss ist in der Sonne leicht geschmolzen und klebt mir an den Fingern.

Clare isst ihren Donut, rollt die Aufschläge ihrer Jeans hoch, setzt sich in den Schneidersitz. Dann kratzt sie sich im Nacken und sieht mich verärgert an. »Jetzt verunsicherst du mich. Du tust, als wäre jedes Naseputzen von mir ein historisches Ereignis.«

»Ist es ja auch.«

Sie verdreht die Augen. »Was ist das Gegenteil von Determinismus?«

»Chaos.«

»Oh. Davon halte ich nicht viel. Findest du es gut?«

Ich beiße ein großes Stück von meinem Berliner ab und überlege, was ich davon halte. »Nun, ja und nein. Chaos bedeutet größere Freiheit, wenn nicht totale Freiheit. Aber ohne Sinn. Ich möchte zwar frei handeln können, aber ich möchte auch, dass meine Handlungen einen Sinn haben.«

»Aber Henry, du hast Gott vergessen! Wieso kann es keinen Gott geben, der allem einen Sinn gibt?« Clare runzelt nachdenklich die Stirn und blickt beim Sprechen über die Wiese.

Ich stecke mir den Rest des Berliners in den Mund und kaue langsam, um Zeit zu gewinnen. Sobald Clare Gott erwähnt, fangen meine Hände zu schwitzen an und ich verspüre das dringende Bedürfnis, mich zu verstecken, davonzulaufen oder zu verschwinden.

»Ich weiß es nicht, Clare. Um ehrlich zu sein, mir erscheint das Leben zu beliebig und zu belanglos, als dass es einen Gott geben könnte.«

Clare schlingt die Arme um ihre Knie. »Aber eben hast du noch gesagt, dass alles irgendwie im Voraus geplant scheint.«

»Pfff«, sage ich, packe Clare an den Knöcheln, ziehe ihre Füße auf meinen Schoß und halte sie fest. Clare lacht, stützt sich hinten auf die Ellbogen. Ihre Füße, die sehr rosa und sehr sauber sind, fühlen sich kalt an. »Na schön«, sage ich, »versuchen wir's. Wir haben die Wahl zwischen drei Möglichkeiten: Einem festen Universum, in dem Vergangenheit, Gegenwart und Zukunft gleichzeitig und parallel nebeneinander existieren und in dem alles schon passiert ist; dem Chaos, in dem alles möglich und nichts vorhersehbar ist, weil wir nicht alle Variablen kennen; und einem christlichen Universum, in dem Gott alles erschaffen und jedes seinen Sinn hat, uns aber wenigstens der freie Wille bleibt. Richtig?«

Clare wackelt mir mit den Zehen zu. »Kann sein.«

»Und wofür stimmst du?«

Clare bleibt stumm. Ihr Pragmatismus und ihre romantischen Gefühle für Jesus und Maria halten sich bei ihr, mit dreizehn, fast die Waage. Noch vor einem Jahr hätte sie sich ohne zu zögern für Gott entschieden. In zehn Jahren wird sie die deterministische Weltsicht bevorzugen, und noch zehn Jahre später glaubt sie an die Willkürlichkeit des Universums und dass Gott, wenn es ihn gibt, unsere

Gebete nicht erhört, dass Ursache und Wirkung unumgänglich und brutal, letztlich aber bedeutungslos sind. Und danach? Ich weiß es nicht. Im Moment jedenfalls sitzt Clare an der Schwelle zur Pubertät, in der einen Hand ihren Glauben, in der anderen ihren wachsenden Skeptizismus, und sie kann nur versuchen, beide in Einklang zu bringen oder zusammenzupressen, bis sie verschmelzen. Sie schüttelt den Kopf. »Ich weiß nicht. Ich *will* Gott. Ist das in Ordnung?«

Ich komme mir vor wie ein Idiot. »Natürlich. Das ist dein Glaube.«

»Ich will es aber nicht bloß glauben, ich will, dass es wahr ist.«

Ich lasse meinen Daumen über Clares Fußrücken gleiten, und sie schließt die Augen. »Du und der heilige Thomas von Aquin.«

»Von dem hab ich schon gehört«, sagt Clare, als handle es sich um einen verloren geglaubten Lieblingsonkel oder den Gastgeber einer Fernsehshow, die sie immer als kleines Mädchen sah.

»Auch er wollte Ordnung, Vernunft und Gott. Er hat im dreizehnten Jahrhundert gelebt und an der Universität von Paris gelehrt. Aquin glaubte an Aristoteles und an Engel.«

»Engel find ich toll«, sagt Clare. »Sie sind so schön. Ich wünschte, ich hätte Flügel und könnte herumfliegen und auf Wolken sitzen.«

»*Ein jeder Engel ist schrecklich.*«

Clare stößt einen kurzen leisen Seufzer aus, der so viel heißt wie, von wem stammt das jetzt wieder? »Hm?«

»Das ist eine Zeile aus einer Reihe von Gedichten mit dem Titel *Duineser Elegien* von einem Mann namens Rilke. Er ist einer unserer liebsten Dichter.«

Clare lacht. »Da, schon wieder!«

»Was denn?«

»Du sagst mir voraus, was ich später mag.« Clare bohrt mir ihre Zehen in den Schoß. Ohne nachzudenken lege ich mir ihre Füße auf die Schultern, aber das erscheint mir irgendwie zu intim, also nehme ich die Füße wieder weg, halte sie mit einer Hand zusammen in die Luft, und sie liegt unschuldig und engelgleich mit dem Rücken auf der Decke, die Haare um ihren Kopf ausgebreitet wie ein Heiligenschein. Ich kitzle sie an den Füßen. Clare kichert und befreit sich wie ein Fisch aus meinen Händen, springt auf, schlägt ein

Rad über die Lichtung und grinst mich herausfordernd an, als wollte sie, dass ich sie fange. Ich grinse nur zurück, und so kommt sie wieder zur Decke und setzt sich zu mir.

»Henry?«

»Ja?«

»Durch dich bin ich irgendwie anders.«

»Ich weiß.«

Ich wende mich Clare zu und vergesse kurz, wie jung sie ist und wie lange dies alles zurückliegt; ich sehe das Gesicht meiner Frau Clare auf dem dieses jungen Mädchens und weiß nicht, was ich ihr sagen soll, dieser Clare, die alt und jung und anders ist als andere Mädchen, die weiß, dass Anderssein schwer sein kann. Aber Clare scheint keine Antwort zu erwarten. Sie lehnt sich an mich, und ich lege ihr meinen Arm um die Schultern.

»*Clare*!« Ihr Vater brüllt den Namen in die Ruhe über der Wiese. Clare springt auf und packt ihre Schuhe mit den Socken.

»Zeit für die Kirche«, sagt sie, mit einem Mal nervös.

»Gut. Dann bis bald.« Ich winke ihr zu, und sie lächelt, murmelt *Wiedersehen*, rennt den Pfad hinauf und ist verschwunden. Ich bleibe noch eine Weile in der Sonne liegen, denke über Gott nach, lese Dorothy Sayers. Ungefähr eine Stunde später bin auch ich verschwunden, und nur eine Decke, ein Buch, ein Kaffeebecher und Kleidung beweisen, dass wir überhaupt da waren.

NACH DEM ENDE

Samstag, 27. Oktober 1984 (Clare ist 13, Henry 43)

CLARE: Ich wache unvermittelt auf. Da war ein Geräusch: Jemand
rief meinen Namen. Es klang nach Henry. Ich setze mich im Bett
auf und horche. Wind und Krähenrufe. Aber wenn es doch Henry
war? Ich springe aus dem Bett und laufe los, renne ohne Schuhe
nach unten und zur Hintertür hinaus auf die Wiese. Es ist kalt, der
Wind weht beißend durch mein Nachthemd. Wo ist Henry? Ich
bleibe stehen, sehe mich um, und dort, beim Obstgarten, sind
Daddy und Mark in ihrer leuchtend orangefarbenen Jagdmontur,
und noch ein Mann ist bei ihnen, sie stehen alle drei da und starren
auf etwas, aber dann hören sie mich und drehen sich um, und ich
sehe, der Mann ist Henry. Was macht Henry bei Daddy und Mark?
Ich renne zu ihnen, das trockene Gras schneidet mir in die Füße,
und Dad kommt mir entgegen. »Liebling«, sagt er, »was machst du
so früh hier draußen?«

»Jemand hat mich gerufen«, erwidere ich. Er lächelt mich an.
Dummes Mädchen, will sein Lächeln sagen, und ich sehe Henry an,
ob er es mir erklären wird. *Warum hast du mich gerufen, Henry?*,
aber er schüttelt den Kopf und legt einen Finger auf die Lippen,
Scht, nichts sagen, Clare. Er stapft in den Obstgarten, und ich will
sehen, was ihre Aufmerksamkeit auf sich gezogen hat, aber da liegt

nichts, und Daddy sagt: »Geh wieder schlafen, Clare, es war nur ein Traum.« Er legt den Arm um mich und schlendert langsam mit mir zum Haus zurück, und als ich mich umdrehe, winkt Henry und lächelt. *Schon gut, Clare, später erkläre ich dir alles* (aber wie ich ihn kenne, wird er vermutlich nichts erklären, sondern ich muss es allein herausfinden oder irgendwann erklärt es sich von selbst). Ich winke zurück und sehe dann schnell zu Mark, ob der es bemerkt hat, aber er steht mit dem Rücken zu uns, er ist genervt und wartet darauf, dass ich endlich verschwinde, damit er und Daddy wieder auf die Jagd gehen können, aber was will Henry hier und worüber haben sie sich unterhalten? Ich drehe mich noch einmal um, sehe aber keinen Henry mehr, und Daddy sagt: »Jetzt geh schon, Clare, leg dich wieder ins Bett«, und küsst mich auf die Stirn. Er wirkt gereizt, also laufe ich los, renne zum Haus zurück und leise die Treppe hinauf, und dann sitze ich zitternd auf dem Bett und verstehe noch immer nicht, was eben geschehen ist. Aber ich spüre, es war etwas Schlimmes, etwas sehr, sehr Schlimmes.

Montag, 2. Februar 1987 (Clare ist 15, Henry 38)

CLARE: Bei meiner Rückkehr von der Schule wartet Henry im Leseraum auf mich. Ich habe ihm einen kleinen Raum neben dem Heizungskeller hergerichtet, auf der anderen Seite des Fahrradkellers. Meine Familie habe ich wissen lassen, dass ich mich zum Lesen gern im Keller aufhalte, und tatsächlich verbringe ich dort viel Zeit, so dass niemand Verdacht schöpft. Henry hat einen Sessel unter den Türknopf gezwängt. Nach vier Mal Klopfen lässt er mich herein. Er hat sich eine Art Nest aus Kissen, Sesselpolstern und Decken gebaut und unter meiner Schreibtischlampe alte Zeitschriften gelesen. Er trägt eine alte Jeans von Dad, dazu ein kariertes Flanellhemd, er ist unrasiert und sieht müde aus. Heute früh habe ich die Hintertür für ihn offen gelassen, und jetzt ist er da.

Ich stelle das von mir mitgebrachte Essenstablett auf den Boden. »Ich könnte dir ein paar Bücher runterbringen.«

»Eigentlich bin ich bestens versorgt.« Er hat *Mad*-Hefte aus den 6oer Jahren gelesen. »Und das ist unverzichtbare Lektüre für Zeitreisende, die auf die Schnelle alle möglichen Faktoiden wissen müssen«, sagt er und hält einen *Welt-Almanach* Jahrgang 1968 hoch.

Ich setze mich neben ihn auf die Decken und sehe ihn an, ob er will, dass ich mich woanders hinsetze. Als ich merke, wie er darüber nachdenkt, halte ich meine Hände hoch und setze mich dann drauf. Er lächelt und sagt: »Fühl dich wie zu Hause.«

»Von wann kommst du?«

»2001. Oktober.«

»Du siehst müde aus.« Man sieht ihm an, wie er mit sich kämpft, ob er mir den Grund für seine Müdigkeit erzählen soll; er entscheidet sich dagegen. »Was haben wir 2001 vor?«

»Große und anstrengende Dinge.« Henry beißt in das Roastbeef-Sandwich, das ich ihm mitgebracht habe. »Hey, das schmeckt gut.«

»Hat Nell gemacht.«

Henry lacht. »Was mir immer ein Rätsel bleiben wird, ist, dass du große Skulpturen schaffst, die orkanartigen Winden trotzen, du kannst mit Färbanweisungen umgehen, Kozo-Fasern kochen und alles Mögliche, aber was Essen angeht, hast du zwei linke Hände. Schon verrückt.«

»Eine mentale Blockade. Eine Phobie.«

»Sehr komisch.«

»Sobald ich die Küche betrete, sagt ein dünnes Stimmchen zu mir: ›Geh weg.‹ Und ich gehorche.«

»Isst du auch genug? Du siehst dünn aus.«

Aber ich fühle mich dick. »Natürlich esse ich.« Mir kommt ein düsterer Gedanke. »Bin ich 2001 sehr dick? Vielleicht findest du mich deshalb zu dünn?«

Henry lacht über einen Witz, den ich nicht verstehe. »Na ja, im Moment, also in meiner Gegenwart, bist du etwas rundlich, aber das geht vorbei.«

»Igitt.«

»Rundlich ist schön. Es wird dir sehr gut stehen.«

»Nein danke.« Henry sieht mich besorgt an. »Ich bin ja nicht magersüchtig oder so. Deswegen musst du dir wirklich keine Sorgen machen.«

»Na egal, ich dachte nur, weil deine Mom dich deswegen immer so genervt hat.«

»›Hat?‹«

»Nervt.«

»Warum hast du ›hat‹ gesagt?«

»Einfach so. Lucille geht's gut. Keine Sorge.«

Er lügt. Mein Magen verkrampft sich, ich schlinge die Arme um meine Knie und senke den Kopf.

HENRY: Wie konnte mir bloß ein Versprecher dieser Größenordnung unterlaufen! Ich streichle Clares Haare und wünschte sehnlichst, ich könnte kurz in meine Gegenwart zurückgehen, nur so lange, bis ich Clares Rat eingeholt und herausgefunden habe, was ich ihr mit fünfzehn über den Tod ihrer Mutter erzählen soll. Schuld daran ist nur mein ständiger Schlafmangel. Mit ein wenig Schlaf hätte ich schneller geschaltet oder wenigstens meinen Schnitzer besser überspielt. Aber Clare, der ehrlichste Mensch, den ich kenne, reagiert auf jede noch so kleine Lüge überaus empfindlich, und jetzt bleiben mir nur drei Alternativen: Ich verweigere jede nähere Erklärung, was sie auf die Palme bringen wird. Ich lüge, was sie nicht akzeptieren wird. Oder ich sage die Wahrheit, was sie aus der Bahn werfen und die Beziehung zu ihrer Mutter nachhaltig beeinflussen wird.

Clare sieht mich an. »Sag's mir.«

CLARE: Henry sieht gequält aus. »Ich kann nicht, Clare.«

»Warum nicht?«

»Weil es nicht gut ist, Dinge im Voraus zu wissen. Das vermasselt dir dein Leben.«

»Ja. Aber du kannst mir keine halben Sachen erzählen.«

»Es gibt nichts zu erzählen.«

Langsam packt mich die Panik. »Sie hat sich umgebracht.« Ein Gefühl der Gewissheit durchflutet mich. Genau das habe ich immer am meisten gefürchtet.

»*Nein*. Nein. Absolut nicht.«

Ich starre Henry an, er sieht so unglücklich aus. Schwer zu sagen, ob er die Wahrheit sagt. Wenn ich doch nur seine Gedanken lesen könnte, dann wäre das Leben um vieles einfacher. Mama. Ach, Mama.

HENRY: Das Ganze ist entsetzlich. In dieser Ungewissheit darf ich Clare nicht zurücklassen.

»Gebärmutterkrebs«, sage ich ganz ruhig.

»Gott sei Dank«, erwidert sie und beginnt zu weinen.

Freitag, 5. Juni 1987 (Clare ist 16, Henry 32)

CLARE: Den ganzen Tag habe ich auf Henry gewartet. Ich bin so aufgeregt. Gestern bekam ich meine Fahrerlaubnis, und Daddy hat mir erlaubt, heute Abend mit dem Fiat zu Ruths Party zu fahren. Mama gefällt das gar nicht, aber da Daddy sein Wort schon gegeben hat, kann sie nicht mehr viel ändern. Nach dem Abendessen höre ich, wie sie in der Bibliothek streiten.

»Du hättest mich wenigstens fragen können…«

»Ich fand es wirklich belanglos, Lucy…«

Ich hole mein Buch und gehe hinaus auf die Wiese, lege mich ins Gras. Die Sonne geht langsam unter. Kühl ist es hier, und im Gras wimmelt es von kleinen weißen Motten. Über den Bäumen im Westen leuchtet der Himmel rosa und orange, über mir ist er ein Bogen aus immer dunkler werdendem Blau. Ich überlege gerade, ob ich zurückgehen und mir einen Pullover holen soll, da höre ich jemanden durchs Gras gehen. Und tatsächlich, es ist Henry. Er betritt die Lichtung und setzt sich auf den Stein. Ich beobachte ihn vom Gras aus. Er sieht ziemlich jung aus, vielleicht Anfang dreißig, trägt ein schlichtes schwarzes T-Shirt, Jeans und Basketballschuhe. Ganz ruhig sitzt er da und wartet. Ich dagegen halte es keine Sekunde länger aus und springe auf, um ihn zu erschrecken.

»Himmel, Clare, ich bin ein alter Mann, mich trifft noch der Herzschlag.«

»Du bist kein alter Mann.«

Henry lächelt. Was das Alter angeht, ist er ziemlich eigen.

»Küss mich«, verlange ich, und er küsst mich.

»Und wofür, wenn ich fragen darf?«

»Ich hab meinen Führerschein!«

Henry macht ein entsetztes Gesicht. »O nein. Ich meine, herzlichen Glückwunsch.«

Ich strahle ihn an, meine gute Laune ist unerschütterlich. »Du bist nur neidisch.«

»Allerdings. Ich fahre unheimlich gern, tue es aber nie.«

»Und warum nicht?«

»Zu gefährlich.«

»Schisser.«

»Ich meine für andere Leute. Stell dir vor, was passieren würde, wenn ich während des Fahrens verschwinde. Das Auto würde immer weiter rollen und *Peng*! jede Menge Blut und Verletzte. Gar nicht schön.«

Ich setze mich neben Henry auf den Stein und übersehe geflissentlich, wie er zur Seite rutscht. »Heute Abend gehe ich zu einer Party bei Ruth. Willst du mitkommen?«

Er hebt eine Augenbraue, normalerweise ein sicheres Zeichen, dass er gleich aus einem Buch zitiert, das ich nicht kenne, oder mir einen Vortrag hält. Aber er sagt nur: »Meine liebe Clare, dann würde ich deinen vielen Freundinnen begegnen.«

»Was spricht dagegen? Unsere Geheimnistuerei geht mir langsam auf die Nerven.«

»Überleg doch mal. Du bist sechzehn. Ich bin im Moment zweiunddreißig, also doppelt so alt wie du. Das würde natürlich keinem unangenehm auffallen, und deine Eltern würden es ganz bestimmt nie erfahren.«

»Aber ich muss zu der Party.« Ich seufze. »Komm doch mit, du kannst im Auto warten, und ich bleibe nicht lang, danach können wir irgendwohin gehen.«

HENRY: Wir parken ungefähr einen Block von Ruths Haus entfernt. Ich kann die Musik bis hierher hören, *Once in A Lifetime* von den Talking Heads. Eigentlich würde ich Clare gern begleiten, aber es wäre unklug. Sie hüpft aus dem Auto und sagt: »Platz!«, als wäre ich ein großer, unfolgsamer Hund, dann geht sie unsicher auf ihren hohen Absätzen und im Minirock zu Ruth. Ich lasse mich nach unten sinken und warte.

CLARE: Kaum stehe ich in der Tür, wird mir klar, diese Party ist ein Fehler. Ruths Eltern sind eine Woche in San Francisco, ihr bleibt also wenigstens ein bisschen Zeit, um alles zu reparieren, sauber zu machen und sich Erklärungen auszudenken, aber ich bin trotzdem froh, dass es nicht mein Haus ist. Auch Ruths älterer Bruder Jake hat seine Freunde eingeladen, und insgesamt dürften um die hundert Leute da sein, die alle betrunken sind. Die Jungs sind in der Überzahl, und ich wünschte, ich hätte eine Hose und flache Schuhe an, aber daran ist nun nichts mehr zu ändern. Auf dem Weg in die Küche, wo ich mir etwas zu trinken holen will, sagt einer hinter mir: »Da ist ja Miss Rühr-mich-nicht-an!«, und macht ein obszönes Schlürfgeräusch. Ich wirble herum, und vor mir steht ein Typ, den wir Froschgesicht nennen (wegen seiner Akne), und glotzt mich an. »Hübsches Kleid, Clare.«

»Vielen Dank, aber für dich ist es nicht gedacht, Froschgesicht.«

Er geht mir in die Küche hinterher. »Du bist aber vielleicht unfreundlich, junge Dame. Da will man dir ein Kompliment für deine wunderschöne Garderobe aussprechen, und dir fällt nichts Besseres ein als mich zu beleidigen...« Er will einfach nicht die Klappe halten. Schließlich entwische ich ihm, indem ich Helen packe und als menschlichen Schild benutze, um aus der Küche zu kommen.

»Scheiß Party«, sagt Helen. »Wo ist eigentlich Ruth?«

Ruth hat sich oben in ihrem Zimmer mit Laura verschanzt. Im Dunkeln rauchen sie einen Joint und beobachten vom Fenster aus, wie ein paar von Jakes Freunden nackt im Pool schwimmen. Und schon sitzen wir alle gaffend am Fenster.

»Mmm«, sagt Helen. »Davon hätte ich gern einen.«

»Und welchen?«, fragt Ruth.

»Den auf dem Sprungbrett.«

»Ooh.«

»Sieh dir Ron an«, sagt Laura.

»Das ist Ron?« Ruth kichert.

»Mann. Aber ohne das Metallica-T-Shirt und die ätzende Leder-weste würde wahrscheinlich jeder besser aussehen«, sagt Helen. »Hey, Clare, du bist so ruhig.«

»Mm? Ja, schon möglich«, entgegne ich schwach.

»Ich kann's kaum glauben«, sagt Helen. »Du bist ja völlig weg-getreten vor Begierde. Ich schäme mich für dich. Wie kannst du dir so den Kopf verdrehen lassen?« Sie lacht. »Im Ernst, Clare, warum bringst du es nicht einfach hinter dich?«

»Ich kann nicht«, antworte ich kläglich.

»Natürlich kannst du. Du gehst nach unten und rufst ›Fick mich!‹, und schon reißen sich fünfzig Typen um dich.«

»Du verstehst mich nicht. Ich will nicht ... es geht nicht um...«

»Sie will einen ganz besonderen«, sagt Ruth, ohne den Pool aus den Augen zu lassen.

»Wen?«, fragt Helen.

Ich zucke mit den Schultern.

»Komm schon, Clare, spuck's aus.«

»Lasst sie in Ruhe«, mischt Laura sich ein. »Wenn Clare es nicht sagen will, ist es ihre Sache.« Ich sitze neben Laura, lehne den Kopf an ihre Schulter.

Plötzlich springt Helen auf und sagt: »Bin gleich wieder da.«

»Wo gehst du denn hin?«

»Ich hab Champagner und Birnensaft mitgebracht, um Bellinis zu machen, aber alles im Auto vergessen.« Sie stürmt zur Tür hi-naus. Ein großer Typ mit schulterlangem Haar macht einen Salto rückwärts vom Brett.

»Olala«, sagen Ruth und Laura im Chor.

HENRY: Eine ganze Weile ist verstrichen, vielleicht eine Stunde oder so. Ich esse die Hälfte der Kartoffelchips und trinke die warme Cola, die mir Clare mitgebracht hat. Danach döse ich ein bisschen. Sie ist schon so lange weg, dass ich langsam überlege, ob ich einen Spaziergang machen soll. Außerdem muss ich mal pin-keln.

Ich höre Stöckelschuhe auf mich zutrippeln. Aber es ist nicht Clare, sondern eine rassige Superblondine im engen roten Kleid.

Ich kneife die Augen zusammen und stelle fest, dass es Helen Powell ist, Clares Freundin. Oje.

Sie kommt zu mir an die Beifahrerseite getrippelt, bückt sich und schaut mich an. Ich sehe in ihren Ausschnitt bis ans Ende der Welt. Mir ist leicht schwummrig.

»Hallo, Clares Freund. Ich bin Helen.«

»Falsche Nummer, Helen. Aber freut mich.« Ihr Atem riecht stark nach Alkohol.

»Willst du nicht aussteigen und ordentlich Guten Tag sagen?«

»Ach, eigentlich sitze ich hier ganz gut, vielen Dank.«

»Na schön, dann komm ich eben ein bisschen zu dir.« Unsicher schwankt sie vorn ums Auto herum, reißt die Tür auf und lässt sich auf den Fahrersitz plumpsen.

»Dich wollte ich schon lange kennen lernen«, vertraut Helen mir an.

»Ach ja? Warum?« Ich wünsche mir sehnlichst, Clare würde kommen und mich retten, andererseits wäre dann wohl alles verraten, nicht wahr?

Helen beugt sich zu mir und sagt *sotto voce*: »Es musste dich einfach geben. Meine scharfe Beobachtungsgabe hat mich zu dem Schluss geführt, dass, wenn man das Unmögliche ausschaltet, immer die Wahrheit übrig bleibt, und sei sie noch so unmöglich. Also« – Helen hält inne, um zu rülpsen –, »wie unschicklich. Entschuldige. Also habe ich gefolgert, dass Clare einen Freund haben muss, sonst würde sie sich nämlich nicht standhaft weigern, die vielen überaus hübschen Jungs zu vögeln, die deswegen schon ganz traurig sind. Und du bist die Antwort.«

Ich habe Helen immer gemocht und bedaure sehr, sie in die Irre führen zu müssen. Allerdings erklärt das etwas, was sie mir bei unserer Hochzeit gesagt hat. Ich finde es herrlich, wenn kleine Ungereimtheiten plötzlich Sinn ergeben.

»Eine äußerst zwingende Beweisführung, Helen, aber ich bin nicht Clares Freund.«

»Und warum sitzt du in ihrem Auto?«

Mir kommt eine Idee. Clare wird mich dafür umbringen. »Ich bin ein Freund ihrer Eltern. Sie waren beunruhigt, dass sie mit dem

Auto zu einer Party fährt, bei der es vielleicht Alkohol gibt, also haben sie mich gebeten, sie zu begleiten und Chauffeur zu spielen, falls sie zu betrunken ist, um selbst zu fahren.«

Helen zieht eine Schnute. »Das ist reichlich überflüssig. Mit den Mengen, die unsere Clare trinkt, kann man nicht mal einen klitzekleinen Fingerhut füllen ...«

»Ich habe nicht behauptet, dass sie trinkt. Aber ihre Eltern waren ganz panisch.«

Auf dem Gehweg nähern sich Stöckelschuhe. Diesmal ist es Clare. Sie erstarrt, als sie sieht, dass ich nicht allein bin.

Helen springt aus dem Auto und sagt: »Clare! Dieser ungezogene Mann behauptet, er sei nicht dein Freund.«

Clare und ich wechseln einen Blick. »Ist er ja auch nicht«, erwidert sie knapp.

»Oh«, sagt Helen. »Gehst du schon?«

»Es ist fast Mitternacht.« Clare läuft ums Auto herum und öffnet die Tür. »Komm, Henry, fahren wir.« Sie startet den Motor und schaltet das Licht ein.

Helen steht wie erstarrt im Scheinwerferlicht. Dann kommt sie zu mir auf die Beifahrerseite. »Von wegen nicht ihr Freund, *Henry*? Einen Moment lang hattest du mich glatt so weit. Bis bald, Clare.« Sie lacht, während Clare ungeschickt ausparkt und losfährt. Ruth wohnt in der Conger Street. Als wir in die Broadway abbiegen, sehe ich, dass alle Straßenlampen ausgeschaltet sind. Die Broadway ist eine zweispurige Straße, die kerzengerade verläuft, aber ohne Straßenbeleuchtung ist es, als würde man in ein Tintenfass fahren.

»Mach lieber das Fernlicht an, Clare«, sage ich. Sie greift nach vorn und schaltet die Scheinwerfer ganz aus.

»Clare!«

»Sag mir nicht, was ich tun soll!«

Ich bin still. Außer den beleuchteten Ziffern der Radiouhr kann ich nichts erkennen. Es ist 23.36 Uhr. Ich höre die Luft am Auto vorbeizischen, den Motor summen; ich spüre, wie die Reifen über den Asphalt rauschen, aber wir selbst scheinen irgendwie reglos, und die Welt um uns herum bewegt sich mit siebzig Kilometern pro Stunde. Ich schließe die Augen. Das Gefühl bleibt. Ich öffne sie wieder. Mein Herz rast.

In der Ferne tauchen Scheinwerfer auf. Clare schaltet das Licht ein, und wir rasen wieder vorwärts, perfekt ausgerichtet zwischen dem gelben Mittelstreifen und dem Straßenrand. Es ist 23.38 Uhr.

Clare sitzt ausdruckslos im Widerschein der Armaturenbeleuchtung. »Warum hast du das getan?«, frage ich sie mit zittriger Stimme.

»Warum nicht?« Clares Stimme klingt ruhig wie ein Sommerteich.

»Wir hätten beide in einem brennenden Wrack umkommen können.«

Clare fährt langsamer und biegt auf den Blue Star Highway ab. »Aber so weit kommt es nicht«, sagt sie. »Ich werde erwachsen, lerne dich kennen, wir heiraten und bitte sehr.«

»Wenn du eben einen Unfall gebaut hättest, könnten wir ein Jahr lang im Streckverband liegen.«

»Aber dann hättest du mich gewarnt, damit es nicht so weit kommt«, sagt Clare.

»Ich wollte ja, aber du hast mich angebrüllt ...«

»Im Ernst, du bist älter, ich bin jünger, du hättest mir sagen müssen, ich soll keinen Unfall bauen.«

»Aber dann wäre es schon zu spät gewesen.«

Wir sind bei der Meagram Lane angelangt, der Privatstraße, die zu Clares Haus führt, und sie biegt ein. »Clare, halt bitte an, ja?« Sie fährt ins Gras, bremst, schaltet Motor und Licht aus. Wieder herrscht völlige Dunkelheit, und ich höre eine Million Zikaden singen. Ich ziehe Clare dicht zu mir, lege meinen Arm um sie. Sie ist angespannt und störrisch.

»Versprich mir etwas.«

»Was?«

»Versprich, dass du nie wieder so einen Unsinn machst. Damit meine ich nicht nur das Auto, sondern alles, was gefährlich ist. Man weiß ja nie. Die Zukunft ist ungewiss, und du kannst nicht durch die Welt laufen und so tun, als wärst du unbesiegbar ...«

»Aber wenn du mich schon in der Zukunft gesehen hast ...«

»Vertrau mir. Hab einfach Vertrauen.«

Clare lacht. »Und wieso sollte ich das?«

»Keine Ahnung. Weil ich dich liebe?«

Clares Kopf fährt so schnell herum, dass sie mich am Kiefer trifft.

»Aua.«

»Tut mir Leid.« Selbst den Umriss ihres Profils kann ich kaum erkennen. »Du liebst mich?«, fragt sie.

»Ja.«

»In diesem Moment?«

»Ja.«

»Aber mein Freund willst du nicht sein.«

Aha. Das also hat sie gewurmt. »Nun, genau genommen bin ich dein Mann. Da du aber noch nicht geheiratet hast, müssen wir davon ausgehen, dass du meine Freundin bist.«

Clare legt ihre Hand auf eine Stelle, wo sie eigentlich nichts zu suchen hat. »Ich wäre aber lieber deine Geliebte.«

»Du bist sechzehn, Clare.« Sanft entferne ich ihre Hand, streichle ihr Gesicht.

»Alt genug. Deine Hände sind ja ganz nass.« Clare macht die Innenbeleuchtung an, und ich stelle erschrocken fest, dass ihr Gesicht und Kleid mit Blut beschmiert sind. Ich sehe meine Hände an, sie sind klebrig und rot. »Henry! Was ist los?«

»Weiß nicht.« Ich lecke mir die rechte Handfläche ab, auf der vier tiefe, sichelförmige Schnitte in einer Reihe erscheinen. Ich muss lachen. »Das kommt von meinen Fingernägeln. Als du ohne Licht gefahren bist.«

Clare knipst die Innenbeleuchtung aus, wir sitzen wieder im Dunkeln. Die Zikaden zirpen mit voller Lautstärke. »Ich wollte dir keine Angst machen.«

»Hast du aber. Normalerweise fühle ich mich allerdings sicher, wenn du fährst. Es ist nur ...«

»Was?«

»Als kleiner Junge hatte ich einen Unfall, und seitdem fahre ich ungern Auto.«

»Oh, das tut mir Leid.«

»Schon gut. Wie spät ist es eigentlich?«

»O Gott.« Clare knipst das Licht an. 0.12 Uhr. »Ich komme zu spät. Aber ich kann doch nicht so blutverschmiert reingehen.« Sie sieht so verzweifelt aus, dass ich am liebsten lachen würde.

»Lass mich mal.« Ich fahre ihr mit meiner linken Handfläche über die Oberlippe und unter die Nase. »Du hast Nasenbluten.«

»Gut.« Sie startet den Motor, schaltet die Scheinwerfer ein und fährt vorsichtig wieder auf die Straße. »Etta erschreckt sich zu Tode, wenn sie mich sieht.«

»Etta? Was ist mit deinen Eltern?«

»Mama schläft wahrscheinlich schon, und Daddy hat heute Pokerabend.« Clare öffnet das Tor, und wir fahren durch.

»Wenn meine Tochter einen Tag, nachdem sie den Führerschein hat, mit dem Auto unterwegs wäre, würde ich mit der Stoppuhr neben der Tür sitzen.« Clare bleibt außer Sichtweite des Hauses stehen.

»Haben wir Kinder?«

»Tut mir Leid, das unterliegt der Geheimhaltung.«

»Dann werde ich von meinem Recht auf Einsicht in meine Akte Gebrauch machen.«

»Nur zu.« Vorsichtig küsse ich sie, um nicht das falsche Nasenbluten zu ruinieren. »Lass mich wissen, was dabei herauskommt.« Ich öffne die Tür. »Viel Glück bei Etta.«

»Gute Nacht.«

»Nacht.« Ich steige aus und schließe die Tür so geräuschlos wie möglich. Das Auto rollt die Auffahrt entlang, um die Kurve und in die Nacht. Ich gehe hinterher, zu einem Bett auf der Wiese unter den Sternen.

Sonntag, 27. September 1987 (Henry ist 32, Clare 16)

HENRY: Auf der Wiese, ungefähr fünf Meter westlich der Lichtung, nehme ich Gestalt an. Ich fühle mich schrecklich, mir ist schwindlig und übel, und so bleibe ich ein paar Minuten ruhig sitzen, um mich zu sammeln. Es ist kühl und grau, und das hohe braune Gras, in dem ich versunken bin, schneidet mir in die Haut. Nach einer Weile fühle ich mich etwas besser, und da alles ruhig ist, stehe ich auf und gehe hinaus auf die Lichtung.

Clare sitzt an den Stein gelehnt auf der Erde. Sie sagt kein Wort und sieht mich einfach nur sehr zornig an. *Oje* denke ich. *Was habe ich bloß angestellt?* Sie ist in ihrer Grace-Kelly-Phase, trägt ihre blaue Wolljacke und den roten Rock. Zitternd suche ich die Kleiderschachtel und ziehe mir eine schwarze Jeans, einen schwarzen Pullover, schwarze Wollsocken, schwarzen Mantel, schwarze Stiefel und schwarze Lederhandschuhe an. Ich sehe aus wie der Hauptdarsteller in einem Wim-Wenders-Film. Ich setze mich neben Clare.

»Hallo, Clare. Alles in Ordnung?«

»Hallo, Henry.« Sie gibt mir eine Thermoskanne und zwei Sandwichs.

»Danke. Mir ist leicht übel, ich warte noch ein bisschen.« Ich lege das Essen auf den Stein. In der Thermoskanne ist Kaffee. Ich atme tief ein, und allein von dem Duft geht es mir gleich besser. »Was ist passiert?« Sie schaut mich nicht an. Als ich sie genauer betrachte, stelle ich fest, dass sie geweint hat.

»Henry. Würdest du jemand für mich verprügeln?«

»Was?«

»Ich will jemand wehtun, bin aber nicht stark genug und weiß nicht, wie man zuschlägt. Würdest du das für mich übernehmen?«

»Moment. Wovon redest du überhaupt? Um wen geht es? Und warum?«

Clare starrt in ihren Schoß. »Ich möchte nicht drüber reden. Reicht es dir nicht, wenn ich dir versichere, dass er es absolut verdient?«

Ich glaube, mir schwant, worum es geht, die Geschichte kommt mir bekannt vor. Seufzend rutsche ich näher zu Clare und lege meinen Arm um sie. Sie lehnt ihren Kopf an meine Schulter.

»Es geht um einen Kerl, mit dem du ausgegangen bist, stimmt's?«

»Ja.«

»Und er hat sich als Arsch entpuppt, und jetzt soll ich ihn zermalmen.«

»Ja.«

»Clare, viele Männer sind Ärsche. Ich war früher auch einer ...«

Clare lacht. »Aber so ein Arsch wie Jason Everleigh warst du bestimmt nicht.«

»Ist das nicht ein Footballspieler oder so?«

»Ja.«

»Clare, wie kommst du auf die Idee, dass ich es mit einer riesigen Sportskanone aufnehmen kann, die halb so alt ist wie ich?«

Sie zuckt die Schultern. »In der Schule haben mich alle genervt, weil ich nie mit jemandem weggehe. Ruth, Meg und Nancy – ich meine, ständig kursiert das Gerücht, dass ich eine Lesbe bin. Selbst Mama fragt mich schon, warum ich nie mit Jungs ausgehe. Wenn mich ein Typ einlädt, lehne ich dankend ab. Und dann kam Beatrice Dilford, die wirklich eine Lesbe ist, und wollte wissen, ob ich eine bin, und ich hab Nein gesagt, worauf sie meinte, das hätte sie auch gewundert, aber alle anderen würden es behaupten. Da dachte ich mir, na gut, vielleicht sollte ich doch mal mit ein paar Jungs ausgehen. Und der Nächste, der gefragt hat, war Jason. Er ist so ein Sporttyp und sieht echt gut aus, außerdem war mir klar, wenn ich mit dem ausgehe, würden es alle erfahren, und ich dachte, dann wären sie vielleicht ruhig.«

»Es war also deine erste Verabredung mit einem Mann?«

»Ja. Wir gingen zu diesem Italiener, Laura und Mike waren auch da und noch ein paar Leute aus dem Theaterkurs. Ich wollte getrennte Kasse machen, aber er meinte, das käme bei ihm nicht in Frage, und ich fand das in Ordnung, ich meine, wir haben nur über Schule und Football und so was geredet. Dann sind wir in *Freitag der 13., Teil VII*, gegangen, ein echt blöder Streifen, nur für den Fall, dass du überlegst, ihn dir anzusehen.«

»Hab ich schon.«

»Ach. Warum? Ist doch gar nicht dein Geschmack.«

»Aus dem gleichen Grund wie du. Meine Verabredung wollte ihn sehen.«

»Wer war deine Verabredung?«

»Eine Frau namens Alex.«

»Und wie war sie so?«

»Eine Bankkassiererin mit Riesentitten, die sich gern auf den Hintern klapsen lässt.« Kaum ist mir diese Bemerkung entschlüpft, fällt mir ein, dass ich Clare als Teenager und nicht als meine Frau vor mir habe, und haue mir im Geist eine runter.

»Auf den Hintern klapsen?« Clare sieht mich an und grinst, die Augenbrauen halb am Haaransatz.

»Vergiss es. Ihr wart also im Kino und …?«

»Na ja, dann wollte er nach Traver.«

»Was ist das?«

»Eine Farm im Norden.« Clares Stimme senkt sich, ich kann sie kaum verstehen. »Da fahren alle hin, um … rumzuknutschen.« Ich enthalte mich eines Kommentars. »Aber ich hab ihm gesagt, dass ich müde bin und nach Hause will, und daraufhin wurde er irgendwie wütend.« Clare verstummt; eine Zeit lang sitzen wir da, lauschen Vögeln, Flugzeugen, dem Wind. Dann sagt Clare: »Er war *richtig* wütend.«

»Was ist dann passiert?«

»Er wollte mich nicht heimfahren. Wir waren irgendwo auf der Route 12, aber wo genau, wusste ich nicht, er fuhr nur so durch die Gegend, auf kleinen Straßen, Gott, keine Ahnung. Dann bog er in einen Schotterweg ein, und da war so eine kleine Hütte. In der Nähe war ein See, das konnte ich hören. Und er hatte einen Schlüssel für die Hütte.«

Langsam werde ich nervös. Von dieser Geschichte hat mir Clare nie erzählt, nur dass sie einmal einen schrecklichen Abend mit einem Kerl namens Jason verbracht hatte, einem Footballspieler. Clare ist wieder verstummt.

»Clare. Hat er dich vergewaltigt?«

»Nein. Er hat gesagt, ich wäre nicht … gut genug. Er hat gesagt … Nein, vergewaltigt hat er mich nicht. Er hat mir nur … wehgetan. Und mich gezwungen …« Sie kann es nicht aussprechen. Ich warte. Clare knöpft ihren Mantel auf, zieht ihn aus. Dann schält sie sich aus ihrem Hemd, und ich sehe, dass ihr Rücken von Blutergüssen übersät ist, die sich dunkellila von ihrer weißen Haut abheben. Sie dreht sich um, und auf ihrer rechten Brust ist eine Brandwunde von einer Zigarette, auf der sich eine hässliche Blase gebildet hat. Einmal wollte ich wissen, woher diese Narbe kommt, aber sie mochte es mir nicht sagen. Den Kerl bringe ich um. Ich schlage ihn zum Krüppel. Clare sitzt da, Schultern nach hinten, Gänsehaut, und wartet. Ich gebe ihr das Hemd zurück, und sie zieht es an.

»In Ordnung«, sage ich ruhig zu ihr. »Wo finde ich den Kerl?«
»Ich fahr dich hin.«

Clare holt mich im Fiat am Ende der Auffahrt ab, außer Sichtweite des Hauses. Trotz des bewölkten Nachmittags trägt sie eine Sonnenbrille, auch Lippenstift, ihre Haare sind am Hinterkopf gewellt. Sie wirkt viel älter als sechzehn, sieht eher aus, als käme sie gerade aus *Fenster zum Hof*, allerdings wäre die Ähnlichkeit noch größer, wenn sie blond wäre. Wir rasen durch den herbstlichen Wald, aber ich glaube, von den Farben nehmen wir beide nicht viel wahr. In meinem Kopf dreht sich unaufhörlich eine Bandschleife dessen, was Clare in der kleinen Hütte zugestoßen ist.

»Wie groß ist er?«

Clare überlegt. »Ein paar Zentimeter größer als du. Aber viel schwerer, um die fünfundzwanzig Kilo.«

»Donnerwetter.«

»Ich hab das mitgebracht.« Clare fischt einen Revolver aus ihrer Handtasche.

»Clare!«

»Der gehört Daddy.«

Ich überlege schnell. »Clare, ich halte das für keine gute Idee. Ich bin so wütend, dass ich ihn vielleicht wirklich benutze, und das wäre dumm. Pass auf.« Ich nehme ihr die Waffe ab, öffne die Trommel, entferne die Kugeln und lege sie in ihre Handtasche. »So. Schon besser. Tolle Idee, Clare.« Sie sieht mich verständnislos an. Ich stecke mir den Revolver in die Manteltasche. »Soll ich es anonym durchziehen oder soll er wissen, dass ich von dir komme?«

»Ich will dabei sein.«

»Ach so.«

Sie biegt in einen Privatweg ein und hält an. »Ich will ihn irgendwohin bringen und ich will ihm sehr wehtun und ihn dabei beobachten. Er soll richtig Schiss haben.«

»Clare«, entgegne ich seufzend, »eigentlich bin ich nicht der Typ für solche drastischen Maßnahmen. Normalerweise kämpfe ich nur zur Selbstverteidigung.«

»Bitte«, sagt sie völlig tonlos.

»Natürlich.« Wir fahren die Auffahrt entlang und halten vor einem großen neuen Haus im nachgemachten Kolonialstil. Autos sind nicht in Sicht. Aus einem offenen Fenster im ersten Stock plärrt Van Halen. Wir gehen zur Haustür, ich stelle mich an die Seite, und Clare klingelt. Kurz darauf bricht die Musik schlagartig ab und schwere Schritte poltern die Treppe herunter. Die Tür wird aufgerissen, und nach einer kurzen Pause sagt eine tiefe Stimme: »Was? Hast du noch nicht genug?« Mehr brauche ich nicht zu hören. Ich ziehe den Revolver, trete an Clares Seite, den Lauf auf seine Brust gerichtet.

»Hallo, Jason«, sagt Clare, »ich dachte mir, du hättest vielleicht Lust auf einen kleinen Ausflug.«

Er reagiert wie erwartet, lässt sich fallen und rollt außer Reichweite, aber nicht schnell genug. Schon bin ich in der Tür und hechte mich auf seine Brust, dass ihm die Luft wegbleibt. Ich stehe auf, stelle ihm meinen Stiefel auf die Brust, richte den Revolver auf seinen Kopf. *C'est magnifique mais ce n'est pas la guerre.* Irgendwie erinnert er an Tom Cruise, sehr hübsch, der typische Amerikaner. »Welche Position spielt er?«, frage ich Clare.

»Halfback.«

»Hmm. Wär ich nie drauf gekommen. Steh auf, Flossen nach oben, wo ich sie sehen kann«, fordere ich ihn gut gelaunt auf. Er gehorcht, und ich geleite ihn zur Tür hinaus. Wir stehen zu dritt in der Auffahrt, da kommt mir eine Idee. Ich schicke Clare ins Haus, um ein Stück Schnur zu holen, und ein paar Minuten später kommt sie mit Klebeband und Schere zurück.

»Wo soll es stattfinden?«

»Im Wald.«

Wir lassen Jason, der schwer keucht, in den Wald marschieren. Nach ungefähr fünf Minuten entdecke ich eine kleine Lichtung, an deren Rand eine praktische junge Ulme steht. »Wie findest du's hier, Clare?«

»Gut.«

Ich sehe sie an. Sie ist völlig gelassen, souverän wie eine Mörderin bei Raymond Chandler. »Sag an, Clare.«

»Binde ihn an den Baum.« Ich reiche ihr den Revolver, ziehe Jasons Hände hinterm Baumstamm in Position und binde sie mit Klebeband zusammen. Die Rolle ist noch fast neu, und ich nehme mir vor, sie aufzubrauchen. Jason keucht angestrengt beim Atmen. Ich trete hinter ihn und sehe Clare an. Sie begutachtet ihn wie ein schlechtes Stück Konzeptkunst. »Hast du Asthma?«

Er nickt. Seine Pupillen sind zu kleinen schwarzen Punkten geschrumpft. »Ich geh seinen Inhalator holen«, sagt Clare. Sie gibt mir wieder den Revolver und schlendert den gleichen Weg zurück, den wir gekommen sind. Jason, der versucht, langsam und gleichmäßig zu atmen, will etwas sagen.

»Wer ... bist du?«, fragt er heiser.

»Clares Freund. Ich bin hier, um dir gute Manieren beizubringen, da du offenbar keine hast.« Ich senke meine spöttische Stimme, trete dicht an ihn heran und sage leise: »Wie konntest du ihr das antun? Sie ist noch so jung und unerfahren, und du hast jetzt alles kaputtgemacht ...«

»Erst macht sie einen heiß, und dann lässt sie einen nicht ran.«

»Sie hat keine Ahnung. Du könntest genauso gut eine kleine Katze quälen, weil sie dich gebissen hat.«

Jason antwortet nicht. Sein Atem ist ein langes, zittriges Hecheln. Ich werde schon langsam unruhig, als Clare zurückkommt. Sie hält den Inhalator hoch, sieht mich an. »Weißt du, wie man das Ding benutzt, Liebster?«

»Ich glaube, du musst es schütteln und ihm dann in den Mund halten und oben die Kappe drücken.« Das tut sie und fragt anschließend, ob er mehr will. Er nickt. Nach der vierten Dosis wird sein Atem langsam wieder normal.

»Fertig?«, frage ich Clare.

Sie hält die Schere hoch und schnippt ein paar Mal in die Luft. Jason zuckt zusammen. Clare tritt zu ihm, kniet vor ihm nieder und fängt an, seine Sachen aufzuschneiden.

»Hey«, ruft Jason.

»Sei bitte still«, sage ich. »Dir tut niemand weh. Noch nicht.«

Clare ist mit der Jeans fertig und widmet sich dem T-Shirt, während ich anfange, ihn mit Klebeband am Baum festzubinden. Ich beginne an den Knöcheln und winde mich überaus sorgfältig über die Waden bis zu den Oberschenkeln hoch. »Hier hörst du auf«, sagt Clare und zeigt auf einen Punkt knapp unterhalb Jasons Schritt. Sie schnippelt seine Unterhose auf, und ich klebe an der Taille weiter. Seine Haut ist feucht, und bis auf einen knappen, badehosenbreiten Streifen ist er am ganzen Körper braun gebrannt. Er schwitzt stark. Ich umwickle ihn bis zu den Schultern und höre dann auf, denn er soll ja noch atmen können. Wir treten zurück und bewundern unser Werk. Jason ist jetzt eine Klebebandmumie mit einer großen Erektion. Clare beginnt zu lachen, ein gruseliges Lachen, das durch den Wald hallt. Ich sehe sie scharf an. In ihrem Lachen schwingt etwas Wissendes und Grausames mit, und irgendwie werde ich das Gefühl nicht los, dass dieser Augenblick eine Abgrenzung markiert, eine Art Niemandsland zwischen Clares Kindheit und ihrem Leben als Frau.

»Was kommt jetzt?«, erkundige ich mich. Eigentlich würde ich gern Hackfleisch aus ihm machen, aber andererseits reizt es mich nicht, jemanden zu verprügeln, der an einen Baum gefesselt ist. Jason ist knallrot. Ein hübscher Kontrast zu dem grauen Klebeband.

»So«, sagt Clare. »Ich glaube, das reicht.«

»Bist du sicher?«, frage ich, bin aber eigentlich erleichtert. »Ich könnte alles Mögliche mit ihm anstellen. Soll ich ihm das Trommelfell zertrümmern? Oder die Nase brechen? Oh, die hat er sich selbst schon mal gebrochen. Wir könnten ihm die Achillessehne durchschneiden. Dann würde er in nächster Zukunft nicht mehr Football spielen.«

»Nein!«, presst Jason unter dem Band hervor.

»Dann entschuldige dich«, sage ich zu ihm.

Jason zögert. »Entschuldigung.«

»Das war ziemlich dünn ...«

»Ich weiß«, sagt Clare. Sie wühlt in ihrer Handtasche und holt einen Textmarker hervor, nähert sich Jason, als wäre er ein gefährliches Zootier, und fängt an, seine verklebte Brust zu beschreiben. Als sie fertig ist, tritt sie zurück und setzt die Schutzkappe auf den Marker. Sie hat eine Kurzfassung von ihrem Abend mit Jason aufgeschrieben. Sie steckt den Marker wieder in ihre Handtasche und sagt: »Geh'n wir.«

»Aber wir dürfen ihn nicht einfach hier lassen. Er könnte noch einen Asthmaanfall bekommen.«

»Okay. Ich werde ein paar Leute anrufen.«

»Moment mal«, protestiert Jason.

»Was ist?«, fragt Clare.

»Wen willst du anrufen? Ruf Rob an.«

Clare lacht. »Keine Chance. Ich werde jedes mir bekannte Mädchen anrufen.«

Ich gehe zu Jason und halte ihm den Revolverlauf unters Kinn. »Wenn du auch nur einer Menschenseele etwas von mir erzählst und ich erfahre davon, werde ich wiederkommen und dich alle machen. Und wenn ich fertig bin, wirst du nicht mehr laufen, sprechen, essen und ficken können. Soweit du weißt, ist Clare ein nettes Mädchen, das sich aus unerfindlichen Gründen nie mit jungen Männern trifft. Verstanden?«

Jason sieht mich hasserfüllt an. »Verstanden.«

»Wir haben dir gegenüber große Milde walten lassen. Solltest du Clare noch einmal in irgendeiner Form belästigen, wird es dir Leid tun.«

»Ja.«

»Gut.« Ich stecke den Revolver in die Tasche zurück. »War nett.«

»Hör mal, Arschgesicht ...«

Oh, zum Teufel. Ich trete einen Schritt zurück und lege mein ganzes Gewicht in einen Sidekick, den ich in Richtung Schritt platziere. Jason schreit auf. Dann drehe ich mich um und sehe Clare an, die unter ihrem Make-up erbleicht. Tränen laufen Jason im Gesicht hinab. Ich überlege, ob er ohnmächtig werden könnte. »Gehen wir«, sage ich, und Clare nickt. Schweigend laufen wir zum Auto zurück. Jason brüllt uns hinterher. Wir steigen ein, Clare lässt den Motor an, wendet und zischt die Auffahrt hinunter auf die Straße.

Ich beobachte sie beim Fahren. Es beginnt zu regnen. Ein kleines zufriedenes Lächeln umspielt ihre Lippen. »Hast du das gewollt?«, frage ich sie.

»Ja«, sagt Clare. »Das war prima. Vielen Dank.«

»War mir ein Vergnügen.« Mir wird schwindelig. »Ich glaube, ich bin gleich weg.«

Clare biegt in eine Seitenstraße und hält an. Der Regen trommelt aufs Auto, man könnte meinen, wir fahren durch eine Waschanlage. »Küss mich«, befiehlt Clare. Ich gehorche, und dann bin ich verschwunden.

Montag, 28. September 1987 (Clare ist 16)

CLARE: Am Montag in der Schule sehen mich alle an, aber keiner will mit mir sprechen. Ich komme mir vor wie *Harriet, die kleine Detektivin*, nachdem ihre Klassenkameraden ihr Notizbuch fanden. Mein Gang durch den Flur gleicht der Teilung des Roten Meers. Als ich zur ersten Stunde in den Englischunterricht gehe, verstummen alle. Ich setze mich neben Ruth, die mich besorgt anlächelt. Auch ich sage nichts zu ihr, und dann spüre ich unterm Tisch ihre kleine warme Hand auf meiner. Ruth hält meine Hand, bis Mr Partaki hereinkommt, dann nimmt sie sie weg. Mr Partaki merkt, dass die Klasse ungewohnt still ist, und erkundigt sich freundlich, ob wir ein schönes Wochenende hatten, worauf Sue Wong sagt: »Aber *natürlich*«, und vereinzeltes nervöses Gelächter durch den Raum geht. Partaki ist verdutzt, es entsteht eine peinliche Pause. Dann sagt er: »Nun gut, beginnen wir mit *Billy Budd*. 1851 veröffentlichte Hermann Melville *Moby Dick*, ein Buch, das von der amerikanischen Öffentlichkeit mit erschreckender Gleichgültigkeit aufgenommen wurde...« An mir geht alles vorbei. Obwohl ich ein Baumwollunterhemd trage, scheuert mein Pullover und mir tun die Rippen weh. Meine Klassenkameraden führen eine zähe Diskussion über *Billy Budd*. Schließlich klingelt es, und sie entfliehen. In Begleitung von Ruth gehe ich langsam hinter ihnen her.

»Ist alles in Ordnung?«, fragt sie.

»Mehr oder weniger.«

»Ich hab gemacht, was du wolltest.«

»Um wie viel Uhr?«

»Gegen sechs. Ich hatte Angst, seine Eltern könnten nach Hause kommen und ihn suchen. Es war nicht einfach, ihn zu befreien. Das Band hat ihm alle Brusthaare ausgerissen.«

»Sehr schön. Haben ihn viele gesehen?«

»Ja, alle. Das heißt, alle Mädchen. Jungs waren nicht dabei, soweit ich weiß.« Die Gänge sind beinahe leer. Wir stehen vor meiner Französischklasse. »Clare«, sagt Ruth, »ich kann gut verstehen, *warum* du das gemacht hast, was mir aber nicht in den Kopf will, *wie* du das geschafft hast.«

»Ich hatte Hilfe.«

Es klingelt, Ruth erschrickt. »O Gott. Ich bin schon fünfmal hintereinander zu spät zum Turnen gekommen!« Sie entfernt sich, als würde sie von einem starken Magnetfeld abgestoßen. »Erzähl's mir heute Mittag«, ruft sie noch, als ich mich umdrehe und in Madame Simones Klassenzimmer gehe.

»*Ah, Mademoiselle Abshire, asseyez-vous, s'il vous plaît.*« Ich setze mich zwischen Laura und Helen, die auf einen Zettel schreibt: *Gut gemacht.* Die Klasse übersetzt Montaigne. Wir arbeiten still, Madame geht durch den Raum und verbessert gelegentlich. Ich habe Mühe, mich zu konzentrieren. Dieser Ausdruck in Henrys Gesicht, nachdem er Jason getreten hatte: Völlig ungerührt, als hätte er ihm eben die Hand gegeben, als würde er an nichts Besonderes denken, und dann seine Sorge, wie ich wohl reagieren würde. In diesem Moment wurde mir klar, dass es Henry Vergnügen bereitet, Jason wehzutun. Ob es dasselbe Gefühl war, das Jason empfand, als er mir wehtat? Aber Henry ist ein guter Mensch. Rechtfertigt das seine Reaktion? War es richtig von mir, ihn zu dieser Sache zu überreden?

»*Clare, attendez*«, sagt Madame neben mir.

Nach dem Klingeln stürmen wieder alle hinaus. Ich gehe mit Helen. Laura umarmt mich entschuldigend und rennt zu ihrem Musikkurs am anderen Ende des Gebäudes. In der dritten Stunde haben Helen und ich gemeinsam Turnen.

Helen lacht. »Also, verdammt, Mädchen. Ich dachte, ich kann meinen Augen nicht trauen. Wie hast du es geschafft, ihn an den Baum zu fesseln?«

Ich merke schon jetzt, wie mir die Frage auf die Nerven gehen wird. »Ein Freund von mir übernimmt solche Aufträge. Er hat mir geholfen.«

»Und wer ist ›er‹?«

»Ein Klient von meinem Dad«, lüge ich.

Helen schüttelt den Kopf. »Du konntest noch nie gut lügen.« Ich muss lächeln, sage aber nichts.

»Henry war's, oder?«

Ich schüttle den Kopf und lege meinen Zeigefinger auf die Lippen. Inzwischen sind wir bei der Mädchenturnhalle angelangt, und als wir den Umkleideraum betreten, verstummen wie von Zauberhand alle Gespräche. Dann erfüllt leises Gemurmel die Stille. Helen und ich haben unsere Spindschränke in der gleichen Ecke. Ich öffne meinen Schrank, hole die Sportsachen heraus. Ich hatte mir überlegt, wie ich es machen werde. Ich streife Schuhe und Strümpfe ab, ziehe mich bis auf Unterhemd und Slip aus. Einen BH trage ich nicht, weil es noch zu wehtut.

»Hey, Helen.« Ich schäle mich aus dem Hemd, und Helen dreht sich um.

»Das darf nicht wahr sein, Clare!« Die Blutergüsse sehen noch übler aus als gestern, ein paar sind grünlich. Auf meinen Oberschenkeln sind Striemen von Jasons Gürtel. »Oh, Clare.« Helen kommt zu mir, nimmt mich vorsichtig in den Arm. Schweigen hat sich über den Raum gelegt, und über Helens Schulter sehe ich, dass die Mädchen sich alle um uns versammelt haben und uns anstarren. Helen strafft die Schultern, erwidert den Blick der Mädchen und sagt: »Na?«, worauf hinten jemand anfängt zu klatschen, und dann klatschen sie alle, und alle lachen und reden und jubeln. Und ich fühle mich leicht, leicht wie Luft.

Mittwoch, 12. Juli 1995 (Clare ist 24, Henry 32)

CLARE: Ich liege im Bett und schlafe schon fast, als ich Henrys Hand auf meinem Bauch spüre und begreife, er ist wieder da. Ich öffne die Augen, und er beugt sich herab und küsst die kleine Brandnarbe von der Zigarette; ich berühre sein Gesicht im düsteren Nachtlicht. »Danke«, sage ich, und er sagt: »War mir ein Vergnügen.« Es ist das einzige Mal, dass wir je darüber reden.

Sonntag, 11. September 1988 (Henry ist 36, Clare 17)

HENRY: Clare und ich sind an einem warmen Septembernachmittag im Obstgarten. Insekten summen auf der Wiese in der strahlenden Sonne. Nichts regt sich. Über dem trockenen Gras flirrt die Luft in der Wärme. Wir sind unter einem Apfelbaum. Clare lehnt am Stamm, unter sich ein Kissen, um die Wurzeln abzupolstern. Ich liege ausgestreckt da, mein Kopf in ihrem Schoß. Wir haben gegessen, und die Reste liegen um uns verstreut zwischen abgefallenen Äpfeln. Ich bin schläfrig und zufrieden. In meiner Gegenwart ist es Januar, und Clare und ich streiten gerade. Dieses sommerliche Zwischenspiel ist idyllisch.

Clare sagt: »Ich möchte dich zeichnen, einfach so.«

»Verkehrt herum und schlafend?«

»Entspannt. Du siehst so friedlich aus.«

Warum nicht? »Meinetwegen.« Eigentlich sind wir hier, weil Clare für den Kunstunterricht Bäume zeichnen soll. Sie greift nach ihrem Zeichenblock, balanciert ihn auf den Knien und holt den Kohlestift. »Soll ich mich anders legen?«, frage ich sie.

»Nein, das würde zu viel verändern. So wie eben, bitte.« Träge blicke ich wieder auf die Äste, die sich in bizarren Mustern gegen den Himmel abheben.

Reglosigkeit erfordert Disziplin. Beim Lesen kann ich ziemlich lange in einer Stellung verharren, aber Clare Modell zu sitzen finde ich immer wieder erstaunlich schwer. Auch eine anfangs scheinbar angenehme Pose wird nach etwa fünfzehn Minuten zur Tortur. Ich beobachte Clare und bewege nichts außer den Augen. Sie ist völlig in ihre Zeichnung vertieft. Wenn Clare zeichnet, könnte man meinen, die Welt um sie herum sei verschwunden und es gäbe nur noch sie und das Objekt ihrer Betrachtung. Deswegen lasse ich mich unheimlich gern von ihr zeichnen: Wenn sie mich mit dieser gebannten Aufmerksamkeit ansieht, habe ich das Gefühl, ich bin ihr Ein und Alles. Mit dem gleichen Blick sieht sie mich an, wenn wir miteinander schlafen. Just in diesem Moment schaut sie mir in die Augen und lächelt.

»Bevor ich es vergesse: Aus welcher Zeit kommst du?«

»Januar 2000.«

Sie macht ein langes Gesicht. »Ehrlich? Ich hätte auf etwas später getippt.«

»Warum? Seh ich so alt aus?«

Clare streichelt meine Nase. Ihre Finger wandern über meinen Nasenrücken und die Augenbrauen. »Nein, das nicht. Aber du wirkst glücklich und ruhig, und meistens bist du fertig oder gestresst, wenn du aus 1998, '99 oder 2000 kommst, und willst mir partout nicht sagen warum. Im Jahr 2001 bist du dann wieder normal.«

»Du hörst dich an wie eine Wahrsagerin«, sage ich lachend. »Mir war nicht bewusst, wie genau du meine Stimmungen verfolgst.«

»Woran sollte ich mich sonst halten?«

»Vergiss nicht, dass ich gewöhnlich in Stresssituationen zu dir komme. Trotzdem sind es nicht nur schreckliche Jahre. Wir erleben auch viele schöne Dinge in dieser Zeit.«

Clare widmet sich wieder ihrer Zeichnung. Sie hat es aufgegeben, mir Fragen nach unserer Zukunft zu stellen. Stattdessen will sie wissen: »Henry, wovor hast du Angst?«

Die Frage überrascht mich, ich muss darüber nachdenken. »Vor Kälte«, antworte ich. »Ich habe Angst vor dem Winter. Ich habe Angst vor der Polizei. Ich habe Angst, dass ich zur falschen Zeit an den falschen Ort reise und von einem Auto angefahren oder zusammengeschlagen werde. Oder dass ich irgendwo in der Zeit strande und nicht mehr zurückkann. Ich habe Angst, dich zu verlieren.«

Clare lächelt. »Wie solltest du mich verlieren? Ich bin doch immer da.«

»Ich fürchte, dass du es irgendwann Leid bist, meine Unzuverlässigkeit hinzunehmen, und dich von mir trennst.«

Clare legt ihr Skizzenbuch beiseite. Ich setze mich auf. »Ich werde mich nie von dir trennen«, sagt sie. »Auch wenn du mich ständig verlässt.«

»Aber ich verlasse dich nie freiwillig.«

Clare zeigt mir die Zeichnung. Ich kenne sie schon, sie hängt zu Hause, neben ihrem Zeichentisch im Atelier. Auf der Zeichnung sehe ich friedlich aus. Clare signiert sie und will das Datum dazuschreiben. »Nein«, sage ich. »Sie ist undatiert.«

»Undatiert?«

»Ich kenne die Zeichnung. Sie hat kein Datum.«

»Gut.« Clare radiert das Datum aus und schreibt stattdessen *Meadowlark* in die Ecke. »Fertig.« Sie sieht mich verwirrt an. »Kommt es manchmal vor, dass du in deine Gegenwart zurückkehrst und etwas hat sich verändert? Ich meine, wenn ich jetzt das Datum auf die Zeichnung setzen würde? Was würde dann passieren?«

»Ich weiß nicht. Versuch es einfach«, sage ich, nunmehr selbst neugierig geworden. Clare radiert das Wort *Meadowlark* aus und schreibt 11. September 1988.

»So«, sagt sie, »das war leicht.« Wir sehen uns gedankenverloren an. Clare lacht. »Falls ich gegen das Raum-Zeit-Kontinuum verstoßen habe, ist es nicht sehr offensichtlich.«

»Ich sag dir Bescheid, ob du eben den Dritten Weltkrieg verursacht hast.« Langsam fühle ich mich zittrig. »Ich glaube, ich gehe, Clare.« Sie küsst mich, und schon bin ich verschwunden.

Donnerstag, 13. Januar 2000 (Henry ist 36, Clare 28)

HENRY: Nach dem Essen denke ich immer noch an Clares Zeichnung, also gehe ich in ihr Atelier, um sie mir anzusehen. Clare arbeitet gerade an einer riesigen Skulptur aus winzigen purpurroten Papierbüscheln; sie sieht aus wie eine Kreuzung zwischen einem Muppet und einem Vogelnest. Vorsichtig umrunde ich die Skulptur und trete an Clares Tisch. Die Zeichnung hängt nicht da.

Clare kommt mit einem Arm voll Manilahanf herein. »Hey.« Sie wirft ihn auf den Boden und geht zu mir herüber. »Was ist los?«

»Wo ist die Zeichnung abgeblieben, die hier immer hing? Du weißt schon, die von mir.«

»Keine Ahnung. Vielleicht ist sie runtergefallen.« Clare schaut unterm Tisch nach und sagt: »Da ist sie nicht. Oh, warte, ich hab sie.« Sie taucht wieder auf und hält die Zeichnung zwischen zwei Fingern. »Igitt, überall Spinnweben.« Sie wischt sie ab und gibt sie mir. Ich werfe einen Blick darauf. Das Blatt ist immer noch undatiert.

»Was ist mit dem Datum passiert?«

»Welchem Datum?«

»Du hattest das Datum unten hingeschrieben. Unter deinem Namen. Sieht aus, als wäre es abgeschnitten worden.«

Clare lacht. »Gut. Ich gestehe. Ich hab's abgeschnitten.«

»Und warum?«

»Deine Bemerkung mit dem Dritten Weltkrieg hat mich völlig aus der Fassung gebracht. Ständig musste ich daran denken, dass wir uns vielleicht in der Zukunft nie begegnen, nur weil ich es unbedingt ausprobieren wollte.«

»Ich bin froh, dass du's getan hast.«

»Warum?«

»Weiß nicht. Einfach so.« Wir sehen uns an, dann lächelt Clare, ich zucke mit den Achseln, und damit ist das Thema beendet. Aber warum habe ich das Gefühl, als wäre fast etwas Unmögliches geschehen? Warum bin ich so erleichtert?

HEILIGABEND, EINS
(ALWAYS CRASHING IN THE
SAME CAR)

Samstag, 24. Dezember 1988 (Henry ist 40, Clare 17)

HENRY: Ein dunkler Winternachmittag. Ich bin im Keller von Meadowlark, genauer gesagt im Leseraum. Clare hat mir etwas Proviant
hier gelassen: Roastbeef und Käse auf Vollkorntoast mit Senf, einen
Apfel, einen Liter Milch und eine Plastikdose voll Weihnachtsplätz-
chen: Kokoskugeln, Zimtnussrauten und Erdnussbutterkekse mit
kleinen Schokoküssen in der Mitte. Ich trage meine Lieblingsjeans
und ein T-Shirt mit Sex-Pistols-Aufdruck. Eigentlich sollte ich
glücklich und zufrieden sein, aber ich bin es nicht: Clare hat mir
auch die heutige Ausgabe des *South Haven Daily* hier gelassen, da-
tiert vom 24. Dezember 1988. Heiligabend. Heute wird sich mein
fünfundzwanzigjähriges Ich in der Get Me High Lounge in Chicago
betrinken, bis ich vom Barhocker falle und im Merci Hospital lande, wo man mir den Magen auspumpt. Und es ist der neunzehnte
Todestag meiner Mutter.

Ich sitze ruhig da und denke an meine Mom. Schon komisch, wie
Erinnerungen im Laufe der Zeit an Substanz verlieren. Könnte ich
mich nur auf meine Kindheitserinnerungen stützen, dann wäre das
Bild von meiner Mutter vage und verschwommen und es würden
nur ein paar lichte Momente herausragen. Als ich fünf war, hörte
ich sie die *Lulu* in der Lyric Opera singen. Ich erinnere mich noch

an Dad, der neben mir saß und am Ende des ersten Aktes völlig euphorisch zu ihr hoch lächelte. Ich erinnere mich noch, wie ich mit Mom in der Orchestra Hall war und wir Dad unter Boulez Beethoven spielen hörten. Ich weiß noch, dass ich bei einer Party meiner Eltern ins Wohnzimmer durfte und Blakes *Tiger, Tiger, grelle Pracht* aufsagte, komplett mit Knurrgeräuschen. Ich war vier, und als ich fertig war, hob meine Mutter mich hoch, küsste mich, und alle applaudierten. Sie hatte dunklen Lippenstift benutzt, und ich bestand darauf, mit dem Abdruck ihrer Lippen auf den Wangen ins Bett zu gehen. Ich erinnere mich noch, wie sie im Warren Park auf einer Bank saß, während mein Vater mich auf der Schaukel anschubste, und sie ständig größer und kleiner wurde, größer und kleiner.

Das zugleich Schönste und Traurigste am Zeitreisen ist die Möglichkeit gewesen, meine Mutter immer wieder lebendig zu sehen. Ein paar Mal habe ich sogar mit ihr geredet, Banalitäten wie: »Mieses Wetter heute, was?« Ich biete ihr meinen Platz in der Hochbahn an, folge ihr in den Supermarkt, beobachte sie beim Singen. Ich halte mich vor der Wohnung auf, in der mein Vater noch heute lebt, und sehe mir an, wie die beiden – manchmal mit mir als Kind – Spaziergänge machen, ins Restaurant gehen oder ins Kino. Ich spreche von den 1960er Jahren, in denen sie elegante, junge und brillante Musiker sind, die alles noch vor sich haben. Sie sind quietschfidel, sie strotzen vor Glück und Freude. Wenn wir uns über den Weg laufen, winken sie mir zu; sie halten mich für einen aus der Nachbarschaft, einen begeisterten Spaziergänger, einen Mann mit einer komischen Frisur, dessen Alter rätselhafterweise schwankt. Einmal hörte ich meinen Vater fragen, ob ich wohl ein Krebspatient sei. Mich wundert immer noch, dass Dad nie die Idee kam, dieser Mann, der sich in den ersten Jahren ihrer Ehe ständig in ihrer Nähe herumdrückte, könnte sein Sohn sein.

Ich sehe meine Mutter und mich. Sie ist schwanger, geht mit mir aus dem Krankenhaus nach Hause, fährt mit mir im Kinderwagen in den Park und setzt sich auf eine Bank, wo sie ihre Partituren auswendig lernt, mir mit kleinen Handbewegungen leise vorsingt, Grimassen zieht und mit Spielsachen vor meinem Gesicht wackelt. Wir gehen Hand in Hand und bewundern Eichhörnchen, Autos, Tauben, alles, was sich bewegt. Sie trägt Leinenmäntel und Slipper mit Caprihosen. Ihr dunkles kurzes Haar umrahmt ein aufregendes Gesicht mit vollen Lippen und großen Augen. Sie verströmt das Flair einer Italienerin, ist jedoch Jüdin. Meine Mom legt auch Lippenstift, Eyeliner, Wimperntusche, Rouge und Augenbrauenstift auf, wenn sie zur Reinigung geht. Dad hingegen ist wie immer – groß, hager, dezente Kleidung, ein Hutträger. Nur sein Gesicht ist außergewöhnlich: Es strahlt eine tiefe Zufriedenheit aus. Sie berühren sich oft, halten Händchen, gehen im Gleichschritt. Am Strand tragen wir alle drei harmonierende Sonnenbrillen, und ich habe einen lächerlichen blauen Hut auf. Wir liegen in der Sonne, dick eingeschmiert mit Babyöl, und trinken Rum, Cola und Hawaii-Punsch.

Die Karriere meiner Mutter steht unter einem Glücksstern. Sie studiert bei Jehan Meck, bei Mary Delacroix, die sie behutsam auf den Weg des Ruhms geleiten; sie singt mehrere kleine, aber glänzende Rollen, die Louis Behaire an der Lyric Opera hellhörig werden lassen. Sie ist die zweite Besetzung für Linea Waverleighs Aida. Dann soll sie die Carmen singen. Andere Häuser werden auf sie aufmerksam, und bald reisen wir durch die Welt. Sie nimmt Schubert für Decca auf, Verdi und Weill für EMI, wir fahren nach London, Paris, Berlin, New York. Ich erinnere mich nur noch an eine endlose Serie von Hotelzimmern und Flugzeugen. Ihr Auftritt im Lincoln Center wird im Fernsehen übertragen; ich sehe ihn mit Gram und Gramps in Muncie. Ich bin sechs und kann es kaum fassen, dass das auf dem kleinen Schwarzweiß-Bildschirm meine Mom ist. Sie singt Madame Butterfly.

Meine Eltern wollen nach dem Ende der Spielsaison 69/70 der Lyric Opera nach Wien ziehen. Dad spielt in der Philharmonie vor. Immer wenn das Telefon klingelt, ist es Moms Manager Onkel Ish oder jemand von einer Plattenfirma.

Ich höre, wie oben an der Treppe die Tür geöffnet wird und ins Schloss fällt, dann langsam herabsteigende Schritte. Clare klopft leise vier Mal, und ich entferne den Stuhl unter dem Türknopf. In ihren Haaren ist noch Schnee, ihre Wangen sind rot. Sie ist siebzehn Jahre alt. Clare umarmt mich und drückt mich aufgeregt an sich.

»Frohe Weihnachten, Henry!«, sagt sie. »Wie schön, dass du da bist!« Ich küsse sie auf die Wange; ihre wuselige Heiterkeit zerstreut mich ein wenig, aber mein Gefühl von Trauer und Verlorenheit bleibt. Als ich ihr über die Haare streiche, halte ich eine kleine Portion Schnee in den Händen, die sofort schmilzt.

»Was ist los?« Clare bemerkt das unberührte Essen, meine niedergeschlagene Stimmung. »Bist du schlecht gelaunt, weil keine Mayo dabei ist?«

»Hey. Sei still.« Ich setze mich auf den kaputten alten Fernsehsessel, und Clare zwängt sich neben mich. Ich lege einen Arm um ihre Schultern. Sie legt ihre Hand auf meinen Innenschenkel, ich nehme sie weg und halte sie fest. Ihre Hand ist kalt. »Hab ich dir schon mal von meiner Mutter erzählt?«

»Nein.« Clare ist ganz Ohr; sie saugt alle autobiographischen Einzelheiten, die ich fallen lasse, begierig auf. Seit die Daten auf der Liste weniger werden und uns eine zweijährige Trennungszeit bevorsteht, ist Clare insgeheim davon überzeugt, dass sie mich in der wirklichen Zeit finden kann, wenn ich ihr nur ein paar Fakten an die Hand liefere. Das kann sie natürlich nicht, weil ich ihr nichts an die Hand liefere, und sie mich folglich nicht findet.

Wir essen jeder ein Plätzchen. »Gut. Vor vielen Jahren hatte ich eine Mom. Ich hatte auch einen Dad, und sie haben sich über alles geliebt. Und sie hatten mich. Wir waren alle ziemlich glücklich. Außerdem waren sie beide unglaublich gut in ihren Jobs, besonders meine Mutter war auf ihrem Gebiet eine Virtuosin, und wir waren ständig unterwegs und sahen die Hotelzimmer der ganzen Welt. Kurz vor Weihnachten ...«

»In welchem Jahr?«

»In dem Jahr, als ich sechs war. Am Morgen des Weihnachtsabends war mein Dad in Wien, weil wir bald dorthin ziehen wollten und er eine Wohnung für uns suchte. Es war geplant, dass er zurückfliegen und Mom mit mir zum Flughafen fahren sollte, um ihn dort abzuholen; dann wollten wir zu dritt weiterfahren und bei Grandma die Feiertage verbringen.

Es war ein grauer, verschneiter Morgen, und auf den Straßen lagen Eisschichten, die noch nicht mit Salz bestreut waren. Mom war eine nervöse Fahrerin. Sie hasste die Schnellstraßen ebenso wie die Fahrt zum Flughafen und hatte sich nur darauf eingelassen, weil es die sinnvollste Lösung war. Wir standen früh auf, sie packte das Auto. Ich trug einen Wintermantel, eine Strickmütze, Stiefel, Jeans, einen Pullover, Unterwäsche, etwas zu enge Wollsocken und Fausthandschuhe. Sie war ganz in Schwarz gekleidet, was damals noch etwas ungewöhnlicher war als heute.«

Clare trinkt einen Schluck Milch aus der Packung und hinterlässt einen zimtfarbenen Lippenstiftabdruck. »Welches Auto hattet ihr?«

»Einen weißen 62er-Ford Fairlane.«

»Wie sieht der aus?

»Musst du nachschlagen. War wie ein Panzer gebaut. Mit Flossen. Meine Eltern liebten ihn – sie verbanden viele Erinnerungen mit ihm.

Dann stiegen wir ein. Ich saß auf dem Beifahrersitz, wir waren beide angeschnallt. Wir fuhren los. Das Wetter war absolut schrecklich. Man konnte kaum sehen, und die Lüftung im Auto war nicht die beste. Wir fuhren durch ein Labyrinth von Wohnstraßen und kamen schließlich auf die Schnellstraße. Die Hauptverkehrszeit war bereits vorbei, aber wegen des Wetters und der kommenden Feiertage herrschte ein einziges Verkehrschaos. Wir fuhren zwischen fünfundzwanzig und dreißig Stundenkilometern. Meine Mutter blieb auf der rechten Spur, weil sie bei der schlechten Sicht wahrscheinlich nicht die Spur wechseln wollte und weil die Ausfahrt zum Flughafen ohnehin nicht weit entfernt war.

Wir fuhren in sicherem Abstand hinter einem Laster, ließen jede Menge Platz vor uns. Bei einer Auffahrt bog hinter uns ein kleiner Wagen ein, eine rote Corvette, um genau zu sein. Die Corvette – sie wurde von einem Zahnarzt gesteuert, der um halb elf vormittags schon leicht betrunken war – fuhr etwas zu rasant und konnte wegen der vereisten Straße nicht schnell genug verlangsamen. Er fuhr bei uns auf. Unter normalen Bedingungen wäre die Corvette übel zugerichtet worden, und unser unzerstörbarer Ford Fairlane hätte eine verbogene Stoßstange davongetragen; alles wäre keine große Sache gewesen.

Aber das Wetter war schlecht, die Straßen glatt, und so wurde unser Auto durch den Stoß von hinten mit beschleunigtem Tempo vorwärts gestoßen, als der Verkehr gerade langsamer wurde. Der Laster vor uns bewegte sich kaum noch. Meine Mutter trat pumpend auf die Bremse, doch es tat sich nichts.

Wir rutschten praktisch in Zeitlupe auf den Laster, so jedenfalls kam es mir vor. In Wirklichkeit fuhren wir ungefähr fünfundsechzig. Es war ein offener Kleinlaster voller Alteisen. Als wir auffuhren, flog ein riesiges Stahlblech von der Ladefläche, brach durch unsere Windschutzscheibe und enthauptete meine Mutter.«

Clare hat die Augen geschlossen. »Nein.«

»Doch.«

»Aber du warst neben ihr! Warst du zu klein?«

»Nein, daran lag es nicht, das Blech bohrte sich genau an der Stelle in den Sitz, wo eigentlich mein Kopf hätte sein sollen. Ich wurde an der Stirn gestreift, man sieht noch die Narbe.« Ich zeige sie Clare. »Die Platte hat meine Mütze erwischt. Die Polizei konnte es sich nicht erklären. Meine Kleider waren alle im Auto, lagen auf dem Sitz und am Boden, und mich fand man splitternackt am Straßenrand.«

»Du bist zeitgereist.«

»Ja. Das bin ich.« Ein kurzes Schweigen tritt ein. »Damals ist es zum zweiten Mal passiert. Ich hatte keine Ahnung, was vor sich ging. Ich sah, wie wir uns in den Laster schoben, und dann wachte ich im Krankenhaus auf. Ich war so gut wie unverletzt, hatte nur einen Schock.«

»Wie ... warum glaubst du, hast du so reagiert?«

»Stress – nackte Angst. Mein Körper hat wahrscheinlich den einzigen Trick angewandt, den er konnte.«

Clare sieht mich an, sie ist traurig und aufgewühlt. »Und dann...«

»Mom starb, und ich nicht. Unser Ford wurde vorn zerdrückt, die Lenkradsäule durchbohrte Mom die Brust und ihr Kopf flog durch die Öffnung, wo vorher die Windschutzscheibe war, in den Laster; man fand eine *unglaubliche* Menge Blut. Der Zahnarzt in der Corvette kam unbeschadet davon. Der LKW-Fahrer stieg aus und wollte nachsehen, was gegen sein Fahrzeug geknallt war, entdeckte Mom, fiel auf der Straße in Ohnmacht und wurde von einem Schulbuschauffeur angefahren, der ihn übersah, weil er auf die Unfallstelle gaffte. Der LKW-Fahrer hatte zwei gebrochene Beine. Unterdessen war ich der Szene zehn Minuten und siebenundvierzig Sekunden lang völlig fern. Ich weiß nicht, wohin ich ging; vielleicht waren es für mich nur eine oder zwei Sekunden. Der Verkehr kam zum Stillstand. Aus drei verschiedenen Richtungen versuchten Krankenwagen zu uns durchzukommen und schafften es erst nach einer halben Stunde. Die Sanitäter rannten zu Fuß herbei. Ich tauchte am Seitenstreifen auf. Die einzige Person, die mich sah, war ein kleines Mädchen auf dem Rücksitz eines grünen Chevrolet Kombi. Sie riss den Mund auf und starrte mich endlos an.«

»Aber… Henry, du warst doch … du hast gesagt, du kannst dich nicht erinnern. Und woher willst du das überhaupt wissen? Dass es genau zehn Minuten und siebenundvierzig Sekunden waren?«

Ich schweige eine Weile und überlege, wie ich es ihr am besten erklären kann. »Du weißt, was Schwerkraft ist, oder? Je größer etwas ist, umso mehr Masse hat es und umso größer ist seine Anziehungskraft. Es zieht kleinere Dinge an, die es dann ständig umkreisen.«

»Ja…«

»Der Tod meiner Mutter … er ist das Entscheidende, alles andere dreht sich um ihn herum… Ich träume davon und reise auch durch die Zeit zu ihm. Immer wieder. Wenn du dort sein und über der Unfallszene schweben könntest, wenn du jede Kleinigkeit, alle Menschen, Autos, Bäume, Schneewehen erfassen könntest – wenn du genug Zeit hättest und dir alles genau ansehen könntest, würdest du mich entdecken. Ich bin in Autos, hinter Büschen, auf der Brücke, in einem Baum. Aus jedem Blickwinkel habe ich den Unfall gesehen und selbst in das spätere Geschehen bin ich verwickelt: Von einer nahe gelegenen Tankstelle aus rief ich am Flughafen an und ließ meinen Vater mit der Botschaft ausrufen, er möge sofort ins Krankenhaus kommen. Ich saß im Wartezimmer und sah, wie mein Vater hereinkommt und mich sucht. Er sieht grau und mitgenommen aus. Ich bin am Seitenstreifen entlanggelaufen und habe gewartet, dass mein junges Ich erscheint, ich habe eine Decke um meine dünnen kindlichen Schultern gelegt. Ich habe in mein kleines verständnisloses Gesicht gesehen und gedacht ... ich dachte...« An dieser Stelle muss ich weinen. Clare umarmt mich, und ich weine lautlos an ihrer Brust.

»Was? Was hast du gedacht, Henry?«

»Dass ich auch hätte sterben sollen.«

Wir liegen uns in den Armen. Langsam gewinne ich meine Fassung zurück. Clares Mohairpullover ist ruiniert. Sie geht in die Waschküche und kommt in einer weißen Synthetikbluse zurück, wie Alicia sie immer beim Kammermusikspielen trägt. Alicia ist erst vierzehn, aber schon größer und kräftiger als Clare. Ich sehe Clare an, die vor mir steht, und bedaure sehr, dass ich hier bin und ihr den Weihnachtsabend verderbe.

»Tut mir Leid, Clare. Ich hatte nicht vorgehabt, meine traurige Geschichte bei dir abzuladen. Ich finde Weihnachten nur sehr ... schwierig.«

»Ach, Henry! Ich bin so froh, dass du hier bist, und weißt du, mir ist lieber, ich ... na ja, meistens kommst du einfach aus dem Nichts und verschwindest wieder, und wenn ich Dinge aus deinem Leben weiß, wirst du irgendwie ... realer. Auch wenn es schreckliche Dinge sind, ich möchte so viel wie möglich von dir erfahren.«

Alicia ruft die Kellertreppe herunter nach Clare. Es wird Zeit für sie, in den Kreis der Familie zurückzukehren und Weihnachten zu feiern. Ich stehe auf, wir küssen uns behutsam, und Clare ruft »Komme schon!«, lächelt mich an und rennt dann die Treppe hoch. Ich stelle den Stuhl wieder unter den Türknopf und richte mich auf eine lange Nacht ein.

HEILIGABEND, ZWEI

Samstag, 24. Dezember 1988 (Henry ist 25)

HENRY: Ich rufe Dad an und frage ihn, ob ich nach dem Weihnachtsmatineekonzert zum Essen kommen soll. Er ringt sich zu einer halbherzigen Einladung durch, aber zu seiner großen Erleichterung kneife ich. In diesem Jahr wird der offizielle Trauertag der DeTambles an verschiedenen Orten begangen. Mrs Kim besucht ihre Schwestern in Korea; in der Zwischenzeit gieße ich ihre Blumen und leere den Briefkasten. Ich rufe Ingrid Carmichel an und frage sie, ob sie mit mir ausgehen möchte, aber sie erinnert mich kurz angebunden, dass Heiligabend ist und manche Leute eine Familie haben, die sie beehren müssen. Ich blättere mein Adressbuch durch. Alle sind weggefahren oder haben Besuch von Verwandten. Ich hätte zu Gram und Gramps gehen sollen. Dann fällt mir ein, dass sie in Florida sind. Es ist 14.53 Uhr nachmittags, langsam schließen die Geschäfte. Ich kaufe eine Flasche Schnaps bei Al und verstaue sie in meiner Manteltasche. Dann springe ich an der Haltestelle Belmont in die Hochbahn und fahre in Richtung Innenstadt. Es ist ein grauer, kalter Tag. In der halb gefüllten Bahn sind hauptsächlich Eltern mit Kindern, die sich bei Marshall Field's die Weihnachtsdekoration in den Schaufenstern ansehen und im Water Tower Place letzte Besorgungen machen wollen. An der Randolph

Street steige ich aus und gehe in östlicher Richtung zum Grant Park. Auf der Bahnüberführung bleibe ich eine Weile stehen, trinke einen Schluck und schlendere dann zur Eisbahn hinunter, auf der nur einige Pärchen und kleine Kinder Schlittschuh laufen. Die Kinder jagen einander hinterher, laufen rückwärts und fahren Achten. Ich leihe mir ein Paar einigermaßen passende Schlittschuhe aus, binde sie zu und stapfe aufs Eis. Ruhig und ohne viel nachzudenken gleite ich an der Bande entlang. Wiederholung, Bewegung, Gleichgewicht, kalte Luft. Herrlich. Die Sonne geht unter. Ich laufe ungefähr eine Stunde, gebe die Schlittschuhe ab, ziehe meine Stiefel an und mache mich wieder auf den Weg.

Ich schlendere die Randolph Street entlang in Richtung Westen, dann die Michigan Avenue nach Süden, vorbei am Art Institute. Die Löwen sind mit Weihnachtsgirlanden geschmückt. Ich biege in den Columbus Drive. Der Grant Park ist wie ausgestorben, bis auf die Krähen, die auf dem abendblauen Schnee herumstolzieren und ihre Runden drehen. Die Straßenlampen färben den Himmel über mir orange, über dem See ist er ein tiefes Blau. Am Buckingham Fountain bleibe ich stehen und beobachte, wie die Möwen kreisen, im Sturzflug herabsausen und sich um ein Stück Brot streiten, das ihnen jemand dagelassen hat, bis die Kälte schließlich unerträglich wird. Ein Polizist zu Pferd reitet langsam um den Brunnen und zieht dann gemächlich südwärts.

Ich gehe weiter. Meine Stiefel sind nicht ganz wasserdicht, und mein Mantel ist, trotz diverser Pullover, zu dünn für die sinkende Temperatur. Mangelndes Körperfett: Von November bis April friere ich fast immerzu. Über die Harrison Avenue gehe ich zur State Street, vorbei an der Pacific Garden Mission, wo sich die Obdachlosen versammelt haben, um ein schützendes Dach und etwas zu essen zu finden. Ich frage mich, was man ihnen wohl vorsetzt und ob es dort, unter dem Dach, so etwas wie Festlichkeit gibt. Es sind kaum Autos unterwegs. Ich habe keine Uhr, schätze aber, es ist gegen sieben. Seit kurzem ist mir aufgefallen, dass sich mein Zeitgefühl von dem anderer Leute unterscheidet, mir scheint die Zeit langsamer zu vergehen. Ein Nachmittag kommt mir manchmal wie ein ganzer Tag vor, eine Fahrt mit der El kann eine lange Abenteuerreise werden. Heute ist endlos. Tagsüber ist es mir einigermaßen gelungen, nicht allzu oft an Mom, an den Unfall, an all das zu denken ... nun aber, auf meinem abendlichen Spaziergang, holt es mich wieder ein. Die Wirkung des Alkohols hat nachgelassen. Fast an der Adams Street angelangt, überschlage ich im Kopf, wie viel Geld ich bei mir habe, und beschließe, mir ein Essen im Berghoff, einem ehrwürdigen deutschen Restaurant, das für seine Brauerei berühmt ist, zu gönnen.

Das Berghoff ist warm und laut. Es sind ziemlich viele Leute hier, die essen und herumstehen. Die legendären Berghoff-Kellner sausen geschäftig zwischen Küche und Tischen hin und her. Unter plaudernden Familien und Pärchen stehe ich in der Schlange und taue langsam auf. Schließlich werde ich an einen Tisch etwas weiter hinten im großen Speisesaal geführt. Ich bestelle ein dunkles Bier und einen Teller Entenwurst mit Spätzle. Als das Essen kommt, nehme ich mir Zeit. Ich verputze auch das Brot und stelle fest, dass ich nicht mehr weiß, ob ich mittags etwas gegessen habe. Das ist gut, ich achte auf mich, ich bin also kein Idiot, ich denke daran, abends etwas zu essen. Ich lehne mich im Stuhl zurück und lasse den Blick durch den Raum schweifen. Unter der hohen eichengetäfelten Decke und umgeben von Wandgemälden mit Schiffen speisen Paare mittleren Alters. Nachmittags waren sie einkaufen oder im Symphony Center, und nun reden sie gut gelaunt über die erworbenen Geschenke, ihre Enkel, Flugtickets und Ankunftszeiten, über Mozart. Ich verspüre das Bedürfnis, ins Symphony Center zu gehen, jetzt sofort, aber es gibt kein Abendprogramm. Dad ist wahrscheinlich gerade auf dem Heimweg von der Orchestra Hall. Ich würde mich in den oberen Bereich des obersten Balkons setzen (dort ist die Akustik am besten) und mir *Das Lied von der Erde* anhören, oder Beethoven, oder etwas ähnlich Un-Weihnachtliches. Nun gut. Vielleicht nächstes Jahr. Plötzlich sehe ich alle Weihnachtsabende meines Lebens hintereinander aufgereiht, sie warten und wollen durchgestanden sein; eine große Verzweiflung durchströmt mich. Nein. Ich wünsche mir kurz, dass die Zeit mich aus diesem Tag herausholen und in einen milderen versetzen möge. Und schon habe ich ein schlechtes Gewissen, weil ich mich der

Trauer entziehen will; wir müssen uns an unsere Toten erinnern, auch wenn es uns verzehrt, und wir letztendlich nur sagen können *Es tut mir Leid*, bis es banal wird wie Luft. Ich will dieses warme, festliche Restaurant nicht mit Kummer befrachten, an den ich mich bei meinem nächsten Besuch hier mit meinen Großeltern erinnern muss, also zahle ich und gehe.

Auf der Straße stehe ich unschlüssig da. Nach Hause will ich nicht. Ich will unter Leuten sein, will abgelenkt werden. Plötzlich fällt mir die Get Me High Lounge ein, eine Bar, in der nichts unmöglich ist, eine Zufluchtsstätte für Exzentriker. Genau. Ich gehe zum Water Tower Place, fahre im 66er-Bus die Chicago Avenue entlang, steige an der Damen aus und fahre mit dem 50er in Richtung Norden. Im Bus riecht es nach Erbrochenem, ich bin der einzige Fahrgast. Der Fahrer singt *Stille Nacht* in einem ruhigen Kirchentenor, und als ich an der Wabansia aussteige, wünsche ich ihm frohe Weihnachten. Beim Fix-It-Laden beginnt es zu schneien, ich fange die großen nassen Flocken mit den Fingerspitzen auf. Ich höre Musik aus der Bar sickern. Die verlassene Bahntrasse ragt im grellen Licht der Natriumdampflampen über der Straße auf. Als ich die Tür öffne, setzt gerade ein Trompeter ein, und der heiße Jazz trifft mich voll ins Herz. Ich tauche ein wie ein Ertrinkender, genau der Zustand, den ich hier erreichen will.

Ungefähr zehn Leute sind da, einschließlich der Bardame Mia. Drei Musiker – Trompete, Bass und Klarinette – stehen auf der winzigen Bühne, die Gäste sitzen alle an der Bar. Die Musiker spielen ungehemmt, fetzen mit voller Lautstärke wie lärmende Derwische, und im Sitzen, bei genauerem Zuhören, erkenne ich die Melodie von *White Christmas*. Mia kommt vorbei, sieht mich an, und ich rufe so laut ich kann: »Whiskey Soda!«, worauf sie brüllt: »Hausmarke?«, und ich zurückbrülle: »Ja!«, und sie sich umdreht, um es mir zu mischen. Dann bricht die Musik unvermittelt ab. Das Telefon klingelt, Mia hebt ab und sagt: »Get Me Hiiiiiigh!« Sie stellt den Drink vor mich hin, und ich lege einen Zwanziger auf die Theke. »Nein«, sagt sie in den Hörer. »Ach, verfluuuucht. Du mich auch.« Sie knallt den Hörer in die Gabel, wie man einen Basketball versenkt. Eine Weile sieht Mia ziemlich entnervt aus, dann zündet sie sich eine Pall Mall an und bläst eine große Rauchwolke zu mir. »Oh, Entschuldigung.« Die Musiker trotten zur Theke herüber, sie bringt ihnen Bier. Da sich die Toilettentür auf der Bühne befindet, nutze ich die Pause zwischen den Sets zum Pinkeln. Als ich zurückkomme, steht ein neuer Drink vor meinem Barhocker. »Du musst übersinnliche Kräfte haben«, sage ich zu Mia.

»Du machst es mir nicht schwer.« Sie knallt ihren Aschenbecher hin, lehnt sich innen an die Bar und überlegt. »Was hast du später vor?«

Ich gehe meine Möglichkeiten durch. Es stimmt, dass ich ein paar Mal mit Mia nach Hause gegangen bin, sie ist sehr amüsant und alles, aber im Moment bin ich wirklich nicht in Stimmung für flüchtige Frivolitäten. Andererseits ist ein warmer Körper nicht das Schlechteste, wenn man bedrückt ist. »Ich habe vor, mich sinnlos zu betrinken. Woran hattest du gedacht?«

»Also, wenn du nicht zu hinüber bist, könntest du mit zu mir. Und wenn du morgen dann noch lebst, könntest du mir einen Riesengefallen tun und mich zum Weihnachtsessen bei meinen Eltern in Glencoe begleiten und auf den Namen Rafe hören.«

»O Gott, Mia. Allein die Vorstellung bringt mich schon auf Selbstmordgedanken. Sorry.«

Sie beugt sich über die Bar, redet beschwörend auf mich ein. »Komm schon, Henry. Steh mir bei. Du bist ein vorzeigbarer junger Mensch männlichen Geschlechts. Verdammt, du bist sogar *Bibliothekar*. Du wirst nicht gleich panisch, wenn meine Eltern anfangen zu fragen, wer deine Eltern sind und auf welchem College du warst.«

»Ich fürchte doch. Ich werde auf der Stelle zur Damentoilette rennen und mir die Halsschlagader aufschneiden. Was bringt das denn schon? Selbst wenn sie mich mögen, heißt das nur, dass sie dich in den nächsten Jahren mit der Frage quälen, was eigentlich aus dem netten jungen Bibliothekar geworden ist. Und was passiert, wenn sie den echten Rafe kennen lernen?«

»Darüber muss ich mir bestimmt keine Sorgen mehr machen. Ach komm. Ich beglücke dich auch mit Akrobatensex, dass dir Hören und Sehen vergeht.«

Seit Monaten weigere ich mich, Ingrids Eltern kennen zu lernen. Ich habe mich geweigert, morgen zum Weihnachtsessen bei ihnen zu erscheinen. Ich denke nicht im Traum daran, es für Mia zu tun, zumal ich sie kaum kenne. »Mia. An jedem anderen Tag im Jahr gern – aber mein Ziel heute Abend ist, einen Grad der Trunkenheit zu erreichen, dass ich kaum noch hochkomme, geschweige denn, dass er noch hochkommt. Ruf deine Eltern an und sag ihnen, Rafe muss sich die Mandeln rausnehmen lassen oder so was.«

Sie geht ans andere Ende der Bar, um drei verdächtig junge Collegebübchen abzufertigen. Dann hantiert sie eine Weile mit Flaschen herum, mixt etwas Kompliziertes und stellt ein großes Glas vor mich hin. »Da. Geht aufs Haus.« Der Drink ist erdbeerfarben.

»Was ist das?« Ich trinke einen kleinen Schluck. Schmeckt wie 7-Up.

Mia schenkt mir ein boshaftes kleines Lächeln. »Eine Erfindung von mir. Wenn du dich betrinken willst, das ist der schnellste Weg.«

»Aha. Gut, vielen Dank.« Ich proste ihr zu und trinke das Glas leer. Ein Gefühl der Wärme und des absoluten Wohlgefühls durchströmt mich. »Meine Güte. Mia, das musst du dir patentieren lassen. Du könntest in ganz Chicago kleine Limonadenstände aufmachen und das Zeug in Pappbechern verkaufen. Damit wirst du Millionärin.«

»Noch einen?«

»Klar.«

Als vielversprechender Juniorpartner im Familienbetrieb DeTamble & DeTamble – Alkoholiker auf freiem Fuß, ist es mir bisher nicht gelungen herauszufinden, wo das äußerste Limit meiner Alkoholverträglichkeit liegt. Ein paar Drinks später sieht Mia mich besorgt über die Bar hinweg an.

»Henry?«

»Jaha?«

»Es reicht.« Vermutlich hat sie Recht. Ich will ihr nickend zustimmen, aber es ist zu anstrengend. Stattdessen gleite ich langsam und beinahe anmutig zu Boden.

Viel später erwache ich im Mercy Hospital. Mia sitzt neben mir am Bett. Ihre Wimperntusche ist übers ganze Gesicht verlaufen. Ich hänge am Tropf und es geht mir schlecht. Sehr schlecht. Um nicht zu sagen, schlechter als schlecht. Ich drehe den Kopf und übergebe mich in eine Schüssel. Mia wischt mir den Mund ab.

»Henry...«, flüstert Mia.

»Hey. Was zum Teufel.«

»Henry, tut mir ehrlich Leid...«

»War nicht deine Schuld. Was ist passiert?«

»Du bist ohnmächtig geworden, und da hab ich nachgerechnet – wie viel wiegst du?«

»Achtzig Kilo.«

»Das darf nicht wahr sein. Hattest du was zu Abend gegessen?«

Ich überlege kurz. »Ja.«

»Na ja, das Zeug, das du getrunken hast, hatte zwanzig Prozent. Und dann waren noch die zwei Whiskey ... aber irgendwie warst du topfit, und plötzlich hast du schrecklich ausgesehen und bist umgekippt, und dann dachte ich nach, und mir wurde klar, dass du ziemlich viel Alkohol intus hast. Also rief ich einen Krankenwagen, und nun bist du hier.«

»Vielen Dank. Oder auch nicht.«

»Henry, könnte es sein, dass dir irgendwie nicht viel am Leben liegt?«

Ich überlege. »Ja.« Ich wende mich zur Wand und tue, als ob ich schlafe.

Samstag, 8. April 1989 (Clare ist 17, Henry 40)

CLARE: Ich sitze in Grandma Meagrams Zimmer und löse mit ihr das Kreuzworträtsel in der *New York Times*. Es ist ein schöner kühler Aprilmorgen, im Garten kann ich die roten Tulpen im Wind wippen sehen. Mama ist auch draußen, sie pflanzt drüben bei den Forsythien etwas kleines Weißes ein. Ihr Hut fliegt beinahe davon, und sie klatscht sich ständig mit der Hand auf den Kopf, damit er nicht wegweht, bis sie ihn schließlich abnimmt und ihren Korb darauf stellt.

Henry war seit fast zwei Monaten nicht mehr hier; bis zum nächsten Datum auf der Liste sind es noch drei Wochen hin. Wir nähern uns der Zeit, in der ich ihn über zwei Jahre nicht sehen werde. Früher, als ich klein war, ging ich mit Henry ganz ungezwungen um, ihn zu sehen war nichts Besonderes. Nun aber bedeutet jeder seiner Besuche, dass er einmal weniger hier ist. Außerdem hat sich zwischen uns etwas geändert. Ich will etwas von ihm ... ich will, dass Henry etwas sagt oder tut, was mir zeigt, dass nicht alles nur ein ausgemachter Witz war. Das will ich. Mehr nicht. Das und nichts anderes.

Grandma Meagram sitzt in ihrem blauen Ohrensessel am Fenster, ich sitze mit der Zeitung im Schoß auf der Fensterbank. Wir haben das Rätsel etwa zur Hälfte gelöst. Meine Aufmerksamkeit lässt nach.

»Lies das noch mal, Kind«, sagt Grandma.

»Zwanzig senkrecht. Frommer Vogel. Acht Buchstaben, der zweite ist ein ›a‹, der letzte ein ›l‹.

»Kardinal.« Sie lächelt, ihren starren Blick auf mich richtend. Für Grandma bin ich ein dunkler Schatten vor einem etwas lichteren Hintergrund. »Gar nicht schlecht, was?«

»Ja, großartig. So, probier mal das: neunzehn senkrecht, ›Streck den Ellbogen nicht so weit hinaus.‹ Zehn Buchstaben. Der zweite ist ein ›u‹.«

»*Burma Shave*. War vor deiner Zeit.«

»Arrgh. Ich krieg das nie fertig.« Ich stehe auf und strecke mich. Ich muss unbedingt einen Spaziergang machen. Das Zimmer meiner Großmutter ist zwar gemütlich, aber man fühlt sich schnell beengt. Die Decke ist niedrig, die Tapete mit blauen Blümchen gemustert, die Tagesdecke aus blauem Chintz, der Teppich ist weiß und es riecht nach Puder, Gebiss und alter Haut. Grandma Meagram sitzt gepflegt und kerzengerade da. Ihre Haare sind wunderschön, weiß, aber noch mit einem Hauch von dem Rot, das ich von ihr geerbt habe, und zu einem perfekten Nackenknoten eingerollt und gesteckt. Grandmas Augen sind wie blaue Wolken. Seit neun Jahren ist sie nun blind, sie hat sich gut daran gewöhnt; solange sie im Haus ist, kommt sie zurecht. Sie wollte mir schon öfter die Kunst des Kreuzworträsellösens beibringen, aber mir mangelt es an Interesse, um mich allein bis zum Ende durchzukämpfen. Früher schrieb Grandma die Lösungen mit Tinte. Henry liebt Kreuzwort-rätsel.

»Heute ist ein schöner Tag«, sagt Grandma, lehnt sich im Sessel zurück und reibt sich die Knöchel.

Ich nicke und sage dann: »Ja, aber ein bisschen windig. Mama ist unten im Garten, ihr fliegt ständig etwas weg.«

»Typisch Lucille«, sagt Grandma, ihre Mutter. »Weißt du was, Kind, ich möchte einen Spaziergang machen.«

»Genau das hab ich eben auch gedacht«, sage ich. Lächelnd streckt sie mir die Hände entgegen, und ich ziehe sie sanft aus dem Sessel. Ich hole unsere Mäntel und binde Grandma einen Schal ums Haar, damit der Wind es nicht zerzaust. Dann gehen wir langsam die Treppe hinunter und zur Haustür hinaus. Auf der Einfahrt wende ich mich zu Grandma. »Wohin möchtest du?«

»Gehen wir zum Obstgarten«, sagt sie.

»Das ist ziemlich weit. Da, Mama winkt uns, wink mal zurück.« Wir winken Mama zu, die jetzt ganz hinten am Brunnen steht. Unser Gärtner Peter ist bei ihr. Er schweigt und blickt zu uns, wartet darauf, dass wir weitergehen, damit sie ihre Diskussion, in der es vermutlich um Narzissen und Pfingstrosen geht, zu Ende führen können. Peter streitet gern mit Mama, letztendlich aber setzt sie immer ihren Willen durch. »Bis zum Obstgarten sind es anderthalb Kilometer.«

»Aber Clare, mit meinen Füßen ist alles in Ordnung.«

»Gut, dann gehen wir zum Obstgarten.« Ich hake sie unter und wir machen uns auf den Weg. Am Wiesenrand angelangt, frage ich: »Schatten oder Sonne?«, und sie antwortet: »Oh, natürlich Sonne«, also nehmen wir den Weg, der quer durch die Wiese zur Lichtung führt. Im Gehen beschreibe ich ihr die Umgebung.

»Wir kommen am Feuerhaufen vorbei. Ein paar Vögel sind drin – oh, jetzt fliegen sie davon!«

»Krähen. Stare. Und Tauben«, sagt sie.

»Ja. Jetzt sind wir an der Pforte. Vorsicht, der Weg ist ein bisschen matschig. Da sind Hundespuren, ein ziemlich großer Hund, vielleicht Joey von den Allinghams. Inzwischen ist alles schon ziemlich grün. Hier ist die Heckenrose.«

»Wie hoch ist das Gras auf der Wiese?«

»Ungefähr dreißig Zentimeter. Es ist noch ganz hellgrün. Hier sind die kleinen Eichen.«

Sie wendet mir ihr Gesicht zu und lächelt. »Dann los, sagen wir ihnen hallo.« Ich führe sie zu den drei Eichen, die ziemlich nah am Weg wachsen. Mein Großvater pflanzte sie in den 40er Jahren zum Andenken an meinen Großonkel Teddy, Grandmas Bruder, der im Zweiten Weltkrieg gefallen war. Sie sind immer noch nicht sehr groß, keine fünf Meter hoch. Grandma legt ihre Hand auf den mittleren Stamm und sagt: »Hallo.« Ich weiß nicht, ob sie den Baum meint oder ihren Bruder.

Wir gehen weiter. Auf der Anhöhe sehe ich die Wiese vor uns ausgebreitet; Henry steht auf der Lichtung. Ich bleibe stehen. »Was ist?«, fragt Grandma. »Nichts«, erwidere ich und führe sie den Pfad entlang. »Was siehst du?«, will sie wissen. »Über dem Wald kreist ein Habicht«, sage ich. »Wie spät ist es?« Ich sehe auf meine Uhr. »Fast Mittag.«

Wir betreten die Lichtung. Henry steht völlig reglos da. Er lächelt mich an, aber er sieht müde aus. Seine Haare werden grau. Er trägt seinen schwarzen Mantel, hebt sich dunkel vor der hellen Wiese ab. »Wo ist der Stein?«, sagt Grandma. »Ich will mich setzen.« Ich führe sie zum Stein, helfe ihr beim Hinsetzen. Sie dreht den Kopf in Henrys Richtung und erstarrt. »Wer ist da?«, fragt sie mit Nachdruck. »Niemand«, lüge ich.

»Dort drüben steht ein Mann«, sagt sie, in Henrys Richtung nickend. Er sieht mich mit einem Ausdruck an, der zu sagen scheint *Nur zu, sag's ihr*. Im Wald bellt ein Hund. Ich zögere.

»Clare«, sagt Grandma. Sie klingt verängstigt.

»Wieso stellst du uns nicht vor«, sagt Henry ruhig.

Grandma sitzt ruhig da und wartet. Ich lege ihr den Arm um die Schultern. »Schon gut, Grandma«, sage ich. »Das ist mein Freund Henry. Der, von dem ich dir erzählt habe.« Henry kommt zu uns herüber und streckt die Hand aus. Ich lege Grandmas Hand in die seine. »Elizabeth Meagram«, stellte ich sie Henry vor.

»Sie sind also der Auserwählte«, sagt Grandma.

»Ja«, erwidert Henry, und sein *Ja* klingt wie Balsam in meinen Ohren. Ja.

»Darf ich?« Sie gestikuliert mit den Händen nach Henry.

»Soll ich zu Ihnen kommen?« Henry setzt sich neben sie auf den Stein. Ich führe Grandmas Hand zu seinem Gesicht. Er beobachtet mein Gesicht, während sie seines ertastet. »Das kitzelt«, sagt Henry zu Grandma.

»Wie Schmirgelpapier«, sagt sie und fährt ihm mit den Fingerspitzen übers unrasierte Gesicht. »Sie sind kein Junge mehr.«

»Nein.«

»Wie alt sind Sie?«

»Acht Jahre älter als Clare.«

Sie sieht verblüfft aus. »Fünfundzwanzig?« Ich betrachte Henrys grau durchsetzte Haare, die Falten an seinen Augen. Er sieht aus wie vierzig, wenn nicht noch älter.

»Fünfundzwanzig«, sagt er bestimmt. Irgendwo dort draußen stimmt es.

»Clare hat mir erzählt, dass sie Sie heiraten wird«, sagt meine Großmutter zu Henry.

Er lächelt mich an. »Ja, wir werden heiraten. In ein paar Jahren, wenn Clare mit der Schule fertig ist.«

»Zu meiner Zeit kamen die Herren zum Dinner und lernten die Familie kennen.«

»Unser Fall ist ... komplizierter. Bisher war das nicht möglich.«

»Aber warum denn nicht? Wenn Sie sich mit meiner Enkelin auf Wiesen vergnügen, können Sie sehr wohl auf einen Sprung ins Haus kommen und sich von ihren Eltern begutachten lassen.«

»Nichts lieber als das«, sagt Henry und steht auf, »aber ich fürchte, gerade jetzt muss ich noch einen Zug erwischen.«

»Moment mal, junger Mann«, setzt Grandma an, als Henry sagt: »Auf Wiedersehen, Mrs Meagram. Es war schön, Sie endlich kennen zu lernen. Clare, tut mir Leid, dass ich nicht länger bleiben kann ...« Ich greife nach Henry, aber da ist nur das Geräusch, als würde jeglicher Ton aus der Welt gesaugt, und schon ist er fort. Ich wende mich zu Grandma. Sie sitzt auf dem Stein, die Hände ausgestreckt, ihr Gesicht ist ein einziges Fragezeichen.

»Was ist passiert?«, fragt sie mich, und ich versuche, ihr alles zu erklären. Als ich fertig bin, sitzt sie mit gesenktem Kopf da und verdreht ihre arthritischen Finger in seltsame Formen. Schließlich hebt sie den Kopf in meine Richtung. »Aber Clare«, sagt meine Großmutter, »er muss ein Dämon sein.« Sie klingt sachlich, wie wenn sie mir erzählen würde, dass mein Mantel falsch zugeknöpft oder dass Essenszeit ist.

Was soll ich dazu sagen? »Das dachte ich auch schon«, beruhige ich sie und nehme ihre Hände, damit sie aufhört, sie rot zu reiben. »Aber Henry ist lieb. Er fühlt sich nicht an wie ein *Dämon*.«

Grandma lächelt. »Du redest, als wären dir schon einige begegnet.«

»Meinst du nicht, ein echter Dämon wäre irgendwie – dämonisch?«

»Ich glaube, wenn er's drauf anlegt, könnte er zuckersüß sein.«

Ich wähle meine Worte mit Bedacht. »Henry hat mir einmal erzählt, dass ihn sein Arzt für eine neue Art von Mensch hält. Weißt du, gewissermaßen der nächste Schritt in der Evolution.«

Grandma schüttelt den Kopf. »Das ist genauso schlimm wie ein Dämon. Guter Gott, Clare, warum in aller Welt willst du so einen Mann heiraten? Denk nur an eure Kinder! Verschwinden mal eben in die nächste Woche und kommen zum Frühstück zurück!«

Ich muss lachen. »Aber das wäre doch aufregend! Wie bei Mary Poppins oder Peter Pan.«

Sie drückt ganz leicht meine Hände. »Denk doch mal nach, Liebes. In Märchen sind es immer Kinder, die die schönen Abenteuer erleben. Die Mütter müssen daheim bleiben und warten, bis die Kinder zum Fenster hereinfliegen.«

Ich betrachte den zerknitterten Kleiderhaufen, den Henry auf der Erde zurückgelassen hat. Ich hebe die Sachen auf und lege sie zusammen. »Sekunde noch«, sage ich, hole die Kleiderschachtel und lege alles hinein. »Gehen wir zurück. Es ist schon nach Mittag.« Ich helfe ihr vom Stein auf. Der Wind pfeift durchs Gras, und wir stemmen uns ihm entgegen und kämpfen uns in Richtung Haus zurück. Auf der Anhöhe drehe ich mich um und werfe einen Blick über die Lichtung. Sie ist leer.

Ein paar Abende später sitze ich bei Grandma am Bett und lese ihr *Mrs Dalloway* vor. Ich blicke auf, Grandma scheint zu schlafen. Ich höre zu lesen auf und schließe das Buch. Sie öffnet die Augen.

»Hallo«, sage ich.

»Fehlt er dir manchmal?«, fragt sie mich.

»Immer. Jeden Tag. Jede Minute.«

»Jede Minute«, wiederholt sie. »Ja. So ist das nun mal, nicht wahr?« Sie dreht sich auf die Seite und vergräbt sich in ihr Kissen.

»Gute Nacht«, sage ich und schalte die Lampe aus. Im Dunkeln blicke ich auf Grandma in ihrem Bett hinab, und plötzlich durchströmt mich Selbstmitleid, als hätte man mir eine Spritze davon verpasst. *So ist das nun mal, nicht wahr?* Nicht wahr.

FRESSEN ODER GEFRESSEN
WERDEN

Samstag, 30. November 1991 (Henry ist 28, Clare 20)

HENRY: Clare hat mich zum Essen in ihre Wohnung eingeladen. Ihre Mitbewohnerin Charisse und deren Freund Gomez werden auch da sein. Um 18.59 Uhr Weltzeit stehe ich in meiner feinsten Sonntagskluft in Clares Vorraum, den Finger auf ihrem Summer, duftende Freesien und einen australischen Cabernet im anderen Arm, und das Herz schlägt mir bis zum Hals. Bisher bin ich weder bei Clare gewesen noch habe ich einen ihrer Freunde kennen gelernt. Keine Ahnung, was mich erwartet.

Der Summer macht ein grässliches Geräusch, und ich öffne die Tür. »Ganz oben!«, brüllt eine tiefe männliche Stimme. Ich kämpfe mich vier Stockwerke hoch. Die zu der Stimme gehörende Person ist groß und blond, hat die formvollendetste Schmachtlocke der Welt, raucht und trägt ein Solidarnocz-T-Shirt. Er kommt mir bekannt vor, aber ich kann ihn nicht einordnen. Für jemand namens Gomez sieht er sehr ... polnisch aus. Später stellt sich heraus, dass er eigentlich Jan Gomolinski heißt.

»Willkommen, Bücherknecht!«, dröhnt Gomez.

»Genosse!«, entgegne ich und reiche ihm Blumen und Wein. Wir beäugen uns misstrauisch, schaffen *détente*, und Gomez bittet mich mit einer schwungvollen Gebärde herein.

Es ist eine dieser herrlich endlosen Schlauchwohnungen aus den Zwanzigern – ein langer Flur, in dem die Zimmer wie nachträglich angebaut wirken. Zwei ästhetische Welten prallen aufeinander, Pop und viktorianisch. Ausdruck findet das in sehenswerten antiken Petit-point-Stühlen mit schweren geschnitzten Beinen neben Elvis-Bildern auf Samt. Am anderen Ende des Flurs läuft Duke Ellingtons *I Got It Bad and That Ain't Good*, und in diese Richtung führt mich Gomez.

Clare und Charisse sind in der Küche. »Kätzchen, ich hab euch ein neues Spielzeug mitgebracht«, intoniert Gomez. »Es hört auf den Namen Henry, aber ihr könnt es auch Bücherknecht nennen.« Ich begegne Clares Blick. Sie zuckt die Schultern und hält mir ihr Gesicht zum Kuss hin. Ich gebe ihr ein keusches Küsschen, bevor ich mich umdrehe und Charisse die Hand gebe; Charisse ist klein und auf eine sehr angenehme Art rundlich, sie besteht nur aus Kurven und langem schwarzem Haar. Ihr Gesicht wirkt so freundlich, dass ich das Bedürfnis verspüre, ihr etwas anzuvertrauen, irgendetwas, nur um ihre Reaktion zu sehen. Sie ist eine kleine philippinische Madonna. In einem liebenswürdigen, keinen Widerspruch duldenden Tonfall sagt sie: »Ach, Gomez, halt endlich die Klappe. Hallo Henry. Ich bin Charisse Bonavant. Hör nicht auf Gomez, den halt ich mir nur, um schwere Sachen zu tragen.«

»Und wegen Sex. Vergiss den Sex nicht«, erinnert Gomez sie, dann sieht er mich an. »Bier?«

»Gern.« Er forscht im Kühlschrank und reicht mir ein Blatz. Ich öffne den Deckel und nehme einen langen Schluck. Die Küche sieht aus, als wäre eine Mehlbombe darin explodiert. Clare bemerkt die Richtung meines Blicks. Plötzlich fällt mir ein, dass sie gar nicht kochen kann.

»Das Werk ist noch im Entstehen«, sagt Clare.

»Ein Installationsstück«, ergänzt Charisse.

»Kann man es essen?«, fragt Gomez.

Ich sehe sie nacheinander an, dann brechen wir alle in schallendes Gelächter aus. »Wer von euch kann eigentlich kochen?«

»Niemand.«

»Gomez kann Reis machen.«

»Aber nur als Fertiggericht.«

»Clare weiß, wie man Pizza bestellt.«

»Und Thai – Thai kann ich auch bestellen.«

»Und Charisse versteht sich aufs Essen.«

»Klappe, Gomez«, sagen Charisse und Clare unisono.

»Tja, was sollte es denn werden?«, erkundige ich mich und nicke zur Katastrophe in der Küche hin. Clare zeigt mir einen Zeitschriftenausschnitt mit einem Rezept für Hühnchen-Shitake-Risotto mit Kürbis und Pinienkerndressing. Es stammt aus *Gourmand* und enthält ungefähr zwanzig Zutaten. »Hast du alles da?«

Clare nickt. »Einkaufen kann ich problemlos. Nur beim Zusammensetzen wird's schwierig.«

Ich sehe mir das Chaos genauer an. »Daraus ließe sich etwas machen.«

»Du kannst kochen?«

Ich nicke.

»Er kocht! Das Essen ist gerettet! Trink noch ein Bier!«, ruft Gomez. Charisse wirkt erleichtert und lächelt mich herzlich an. Clare, die sich fast ängstlich im Hintergrund gehalten hat, kommt seitlich zu mir und flüstert: »Du bist nicht sauer?« Ich küsse sie einen kleinen Tick länger, als es sich in Anwesenheit anderer eigentlich schickt. Dann richte ich mich auf, ziehe die Jacke aus und rolle die Ärmel hoch. »Gebt mir eine Schürze«, befehle ich. »Du, Gomez, machst den Wein auf. Clare, putz bitte das verschüttete Zeug weg, sonst wird es Beton. Und Charisse, würdest du den Tisch decken?«

Eine Stunde und dreiundvierzig Minuten später sitzen wir um den Esstisch und lassen uns Hühnchen-Risotto-Eintopf mit püriertem Kürbis schmecken. Das Ganze enthält viel Butter. Und wir sind sturzbetrunken.

CLARE: Die ganze Zeit, während Henry kocht, steht Gomez in der Küche und reißt Witze, raucht, trinkt Bier, und immer wenn es niemand sieht, schneidet er mir hässliche Grimassen. Schließlich erwischt Charisse ihn, fährt sich mit dem Finger über den Hals, und er hört auf. Wir unterhalten uns über ganz banale Sachen: Arbeit, Schule, wo wir aufgewachsen sind und die üblichen Themen, über die man redet, wenn man sich zum ersten Mal sieht. Gomez erzählt Henry von seinem Job als Anwalt, er vertritt missbrauchte und vernachlässigte Kinder, die unter staatlicher Vormundschaft stehen. Charisse ergötzt uns mit Erzählungen von ihren Abenteuern bei Lusus Naturae, einem winzigen Software-Unternehmen, das versucht, Computern beizubringen, die menschliche Sprache zu begreifen, und von ihrer Kunst, die darin besteht, Computerbilder zu schaffen. Henry erzählt Geschichten von der Newberry Library und den sonderbaren Menschen, die kommen und Bücher studieren.

»Gibt es in der Newberry wirklich ein Buch aus menschlicher Haut?«, fragt Charisse Henry.

»Ja. *The Chronicles of Nawat Wuzeer Hyderabed.* Es wurde 1857 im Palast des Königs von Delhi gefunden. Komm irgendwann vorbei, dann hol ich's dir heraus.«

Charisse erschaudert und grinst. Henry rührt weiter den Eintopf. Als er »Futterzeit« sagt, stürzen wir alle an den Tisch. Gomez und Henry haben ständig Bier getrunken, während Charisse und ich an unseren Weingläsern genippt haben, die Gomez ständig nachgefüllt hat. Wir hatten alle nicht viel gegessen, aber wie betrunken wir sind, merke ich erst, als ich beinahe den Stuhl verfehle, den Henry mir hinhält, und Gomez sich beim Kerzenanzünden beinahe die Haare verbrennt.

Gomez hält sein Glas hoch. »Auf die Revolution!«

Charisse und ich heben unser Glas, und Henry schließlich auch. »Auf die Revolution!« Begeistert beginnen wir zu essen. Das Risotto ist sämig und mild, der Kürbis süß, das Hühnchen schwimmt in Butter. Es schmeckt so gut, ich möchte am liebsten weinen.

Henry nimmt einen Bissen, dann zeigt er mit der Gabel auf Gomez. »Welche Revolution eigentlich?«

»Wie bitte?«

»Auf welche Revolution wir anstoßen?« Charisse und ich sehen uns beunruhigt an, aber es ist zu spät.

Gomez lächelt, und mein Mut sinkt. »Auf die Nächste.«

»Bei der sich das Proletariat erhebt und die Reichen gefressen werden und der Kapitalismus zugunsten einer klassenlosen Gesellschaft bezwungen wird?«

»Genau die.«

Henry zwinkert mir zu. »Dann wird es ziemlich eng für Clare. Und was hast du mit der Intelligenzia vor?«

»Ach«, sagt Gomez, »die fressen wir wahrscheinlich auch. Aber dich behalten wir, du wirst unser Koch. Das Zeug schmeckt hervorragend.«

Charisse berührt Henry vertraulich am Arm. »Natürlich wollen wir nicht wirklich jemanden essen«, sagt sie. »Wir wollen nur Vermögen umverteilen.«

»Da bin ich aber erleichtert«, erwidert Henry. »Die Aussicht, Clare kochen zu müssen, hätte mir gar nicht gefallen.«

»Eigentlich schade«, kontert Gomez. »Clare wäre bestimmt sehr schmackhaft.«

»Mich würde interessieren, was die Kannibalenküche so bietet«, sage ich. »Gibt es eigentlich ein Kannibalenkochbuch?«

»*Das Rohe und das Gekochte*«, sagt Charisse.

»Das gehört aber weniger in diese Ecke«, widerspricht Henry. »Ich kann mir nicht vorstellen, dass Lévi-Strauss Rezepte liefert.«

»Wir könnten auch ein Rezept abändern«, schlägt Gomez vor und nimmt noch einen Nachschlag Hühnchen. »Ihr wisst schon, Clare mit Steinpilzen und Marinarasauce zu Linguini. Oder Brust von Clare *à la* Orange. Oder…«

»Hey«, sage ich. »Wenn ich aber *nicht* gefressen werden will?«

»Tut mir Leid, Clare«, sagt Gomez ernst. »Ich fürchte, du musst für die größere Sache dran glauben.«

Henry fängt meinen Blick auf und lächelt. »Nur keine Angst, Clare, wenn die Revolution kommt, versteck ich dich in der Newberry. Du kannst im Magazin wohnen, ich füttere dich mit Schokoriegeln und Tortilla-Chips aus unserer Kantine. Da finden sie dich nie.«

Ich schüttle den Kopf. »Und wie wär's mit: ›Als Erstes bringen wir alle Anwälte um‹?«

»Nein«, sagt Gomez. »Ohne Anwälte läuft gar nichts. Die Revolution liefe innerhalb von zehn Minuten aus dem Ruder, wenn sie nicht von Anwälten auf Linie gebracht würde.«

»Aber mein Dad ist auch Anwalt«, sage ich zu ihm, »ihr dürft uns also doch nicht fressen.«

»Er ist die falsche Sorte Anwalt«, sagt Gomez. »Er ordnet Nachlässe für die Reichen. Ich dagegen vertrete arme unterdrückte Kinder…«

»Ach, halt die Klappe, Gomez«, sagt Charisse. »Du verletzt Clares Gefühle.«

»Tu ich nicht! Clare opfert sich gern für die Revolution, hab ich Recht, Clare?«

»Nein.«

»Oh.«

»Und was ist mit dem kategorischen Imperativ?«, fragt Henry.

»Bitte, was?«

»Na ja, die goldene Regel. Du sollst nicht andere Leute fressen, solange du nicht willens bist, selbst gefressen zu werden.«

Gomez putzt sich die Fingernägel mit den Zinken der Gabel. »Meint ihr nicht, dass es das Prinzip Fressen oder Gefressen werden ist, das die Welt eigentlich am Laufen hält?«

»Im Wesentlichen schon. Aber bist du nicht der Beweis dafür, dass es Menschen gibt, die Gutes tun?«, fragt Henry.

»Sicher, aber ich gelte in weiten Kreisen als gefährlicher Spinner.« Gomez sagt das mit geheuchelter Gleichgültigkeit, aber ich merke, dass Henry ihm Rätsel aufgibt. »Clare«, sagt er, »wo bleibt der Nachtisch?«

»Ach herrje, den hab ich fast vergessen«, sage ich, stehe etwas zu schnell auf und muss mich am Tisch festhalten, damit ich das Gleichgewicht finde. »Ich geh ihn holen.«

»Ich helf dir«, sagt Gomez und folgt mir. Auf dem Weg in die Küche bleibe ich mit meinen hohen Absätzen an der Türschwelle hängen, stolpere vorwärts, und Gomez fängt mich auf. Einen Augenblick lang stehen wir eng aneinander gepresst da, und ich spüre seine Hand auf meiner Hüfte, aber er lässt mich los. »Du bist betrunken, Clare«, stellt Gomez fest.

»Ich weiß. Du auch.« Ich drücke den Knopf an der Kaffeemaschine, und langsam tropft Kaffee in die Kanne. An die Theke gelehnt, ziehe ich vorsichtig die Plastikfolie von den Brownies. Gomez, der dicht hinter mir steht, beugt sich vor, so dass sein Atem an meinem Ohr kitzelt, und sagt ganz leise: »Es ist der Gleiche.«

»Wovon redest du?«

»Von dem Kerl, vor dem ich dich gewarnt habe. Henry, das ist er…«

Charisse kommt in die Küche, und Gomez weicht schnell von mir zurück und öffnet den Kühlschrank. »Hey«, sagt sie. »Kann ich helfen?«

»Hier, nimm die Tassen…« Beladen mit Tassen, Untertassen, Tellern und Brownies schaffen wir es sicher an den Tisch zurück. Henry sitzt da und wartet mit geduldiger und sorgenvoller Miene, als wäre er beim Zahnarzt. Ich muss lachen, denn es ist genau der Ausdruck, den er immer hatte, wenn ich ihm etwas zu Essen auf die Wiese brachte … aber er erinnert sich nicht, er ist noch nicht dort gewesen. »Entspann dich«, sage ich. »Sind bloß Brownies. Und die kann sogar ich.« Wir lachen alle und setzen uns. Die Brownies erweisen sich als nicht ganz durchgebacken. »Brownies-Tartar«, sagt Charisse. »Salmonellen-Fudge«, sagt Gomez. Und Henry sagt: »Teig war schon immer meine Leidenschaft«, und leckt sich die Finger. Gomez rollt sich eine Zigarette, zündet sie an und nimmt einen tiefen Zug.

HENRY: Gomez zündet sich eine Zigarette an und lehnt sich im Stuhl zurück. Etwas an diesem Mann stört mich. Vielleicht liegt es an der lässigen, Besitz ergreifenden Art gegenüber Clare oder seinem Wald-und-Wiesen-Marxismus. Ich bin sicher, ihm schon begegnet zu sein. Vergangenheit oder Zukunft? Mal sehen. »Du kommst mir sehr bekannt vor«, sage ich zu ihm.

»Ja, ich glaube, wir sind uns schon mal begegnet.«

Ich hab's. »Iggy Pop im Riviera Theater?«

Er sieht verdutzt aus. »Klar. Du warst mit der blonden Frau da, Ingrid Carmichel, ich hab dich immer mit ihr gesehen.« Gomez und ich blicken beide auf Clare. Sie mustert Gomez interessiert, er lächelt ihr zu. Sie schaut weg, aber nicht in meine Richtung.

Charisse kommt mir zu Hilfe. »Du hast Iggy ohne mich gesehen?«

»Du warst ja nicht da«, erwidert Gomez.

Charisse schmollt. »Immer verpass ich alles«, sagt sie zu mir. »Ich hab Patti Smith verpasst, und jetzt hat sie sich zur Ruhe gesetzt. Die Talking Heads hab ich auch verpasst, als sie zuletzt hier waren.«

»Patti Smith wird wieder auf Tour gehen«, sage ich.

»Wirklich? Woher weißt du das?«, fragt Charisse. Clare und ich wechseln Blicke.

»Bloß so eine Vermutung«, antworte ich. Wir fangen an, die musikalischen Vorlieben des jeweils anderen zu erforschen und stellen fest, dass wir alle ergebene Punkfans sind. Gomez sah die New York Dolls in Florida, bevor Johnny Thunders die Band verließ. Ich beschreibe ein Konzert von Lene Lovich, das ich auf einer meiner Zeitreisen besuchen konnte. Charisse und Clare sind schon ganz aufgeregt, weil die Violent Femmes in ein paar Wochen im Aragon Ballroom spielen und Charisse Freikarten ergattert hat. Der Abend geht im Handumdrehen zu Ende. Clare bringt mich nach unten. Wir stehen im Vorraum, zwischen der äußeren und inneren Tür.

»Tut mir Leid«, sagt sie.

»Aber warum denn? Hat doch Spaß gemacht, ich koche wirklich gern.«

»Nein«, sagt Clare mit gesenktem Blick, »wegen Gomez.«

Es ist kalt. Ich nehme Clare in den Arm, und sie lehnt sich an mich. »Was ist mit Gomez?«, frage ich sie. Etwas macht ihr Probleme. Aber sie zuckt nur die Schultern. »Schon gut«, meint sie, und ich nehme sie beim Wort. Wir küssen uns. Ich öffne die äußere Tür, Clare die innere. Auf dem Gehweg drehe ich mich noch einmal um. Clare steht immer noch im halb offenen Eingang und beobachtet mich. Ich bleibe stehen, möchte am liebsten umkehren und sie in die Arme schließen, möchte mit ihr wieder nach oben gehen. Sie dreht sich um und steigt langsam die Treppe hoch; ich blicke ihr nach, bis sie außer Sichtweite ist.

Samstag, 14. Dezember 1991, Dienstag, 9. Mai 2000
(Henry ist 36)

HENRY: Ich bin gerade dabei, einen großen betrunkenen Spießer grün und blau zu schlagen, der die Frechheit besaß, mich Schwuchtel zu nennen und mich dann, nur um etwas zu beweisen, verprügeln wollte. Wir sind in der Gasse neben dem Vic Theater. Der Bass der Smoking Popes quillt aus den Seitenausgängen, während ich dem Idioten systematisch die Nase zerschmettere und mich anschließend um seine Rippen kümmere. Ich hatte einen miesen Abend, und dieser Trottel kriegt die volle Wucht meiner Frustration ab.

»Hey, Bücherknecht.« Ich wende mich von meinem stöhnenden schwulenhassenden Yuppie ab und sehe Gomez, er lehnt mit finsterer Miene an einer Mülltonne.

»Genosse.« Ich trete einen Schritt zurück, und der von mir verprügelte Typ schiebt sich gekrümmt, aber dankbar, von dannen. »Wie geht's so?« Ich bin sehr erleichtert, Gomez zu treffen: Um nicht zu sagen, hocherfreut. Er allerdings scheint meine Freude nicht zu teilen.

»Mann, ich will dich ja nicht stören und gar nichts, aber du zerstückelst da gerade einen Freund von mir.«

Oh, das darf nicht wahr sein. »Aber er hat es so gewollt. Kommt einfach auf mich zu und sagt, ›Du, ich muss dringend vermöbelt werden.‹«

»Ach so, na dann, gut gemacht. Verdammt kunstvoll, echt.«

»Vielen Dank.«

»Was dagegen, wenn ich den guten alten Nick aufklaube und ins Krankenhaus bringe?«

»Tu, was du nicht lassen kannst.« Mist. Ich hatte vor, Nicks Klamotten zu beschlagnahmen, vor allem die Schuhe, nagelneue Doc Martens, dunkelrot, kaum getragen. »Gomez.«

»Ja?« Er bückt sich und will seinen Freund hochheben, der sich einen Zahn in den eigenen Schoß spuckt.

»Welches Datum haben wir heute?«

»Den 14. Dezember.«

»Welches Jahr?«

Er blickt zu mir auf wie jemand, der Wichtigeres zu tun hat, als sich auf einen Irren einzulassen, und packt Nick im Feuerwehrmannsgriff, was scheußlich wehtun muss. Nick fängt an zu wimmern. »1991. Du musst betrunkener sein, als du aussiehst.« Er geht die Gasse entlang und verschwindet in Richtung des Theatereingangs. Ich rechne schnell nach. Es ist noch nicht lange her, seit Clare und ich ein Paar sind, Gomez und ich können uns also kaum kennen. Kein Wunder, dass er mich so kalt beäugt hat.

Er kommt ohne Last zurück. »Ich hab ihn Trent übergeben. Nicks Bruder. Er war nicht sehr begeistert.« Wir gehen in östlicher Richtung die Gasse hinunter. »Verzeih mir die Frage, lieber Bücherknecht, aber wieso um Himmels willen bist du so angezogen?«

Ich trage Jeans, einen hellblauen, mit kleinen gelben Enten gemusterten Pullover und eine neonrote Daunenweste mit rosa Turnschuhen. Im Grunde überrascht es nicht, dass es manch einen in den Fingern juckt, mich zu verprügeln.

»Etwas Besseres konnte ich nicht auftreiben.« Ich hoffe nur, der Kerl, dem ich die Sachen weggenommen habe, hatte es nicht weit nach Hause. Es hat etwa minus fünf Grad. »Warum verkehrst du mit Typen, die Verbindungen angehören?«

»Na ja, wir haben zusammen Jura studiert.« Wir gehen an der Hintertür eines Army-Shop vorbei, und ich verspüre den dringenden Wunsch nach normaler Kleidung. Ich beschließe, das Risiko einzugehen, Gomez vor den Kopf zu stoßen, denn ich weiß, er wird es verwinden. Ich bleibe stehen. »Genosse. Es wird nicht lange dauern, ich muss nur eine Kleinigkeit erledigen. Könntest du am Ende der Gasse warten?«

»Was hast du vor?«

»Nichts. Einbruchdiebstahl. Beachte nicht den Mann hinterm Vorhang.«

»Was dagegen, wenn ich mitkomme?«

»Ja.« Er wirkt geknickt. »Na gut. Wenn's sein muss.« Ich trete in die Nische, die den Hintereingang verdeckt. Es ist mein dritter Einbruch in diesem Laden, obwohl die beiden anderen Male noch in der Zukunft liegen. Ich beherrsche die Sache schon aus dem Effeff. Erst öffne ich das belanglose Kombinationsschloss, mit dem das Gitter gesichert ist, das ich nunmehr zurückschiebe, knacke das Sicherheitsschloss mit dem Inneren eines alten Füllers und einer Sicherheitsnadel, die ich vorhin auf der Belmont gefunden habe, und benutze ein Stück Aluminium, um den Innenriegel zwischen der Doppeltür zu heben. Voilà. Alles in allem dauert das Ganze etwa drei Minuten. Gomez sieht mit beinahe religiöser Ehrfurcht zu.

»*Wo* hast du das bloß gelernt?«

»Ist nur ein Trick«, erwidere ich bescheiden. Wir gehen in den Laden. Da ist eine Tafel mit blinkenden roten Lichtern, die eine Alarmanlage vortäuschen will, aber ich weiß es besser. Es ist hier ziemlich dunkel. In Gedanken gehe ich die Raumaufteilung und Waren durch. »Fass nichts an, Gomez.« Ich möchte warm und unauffällig angezogen sein. Vorsichtig schleiche ich durch die Gänge, und meine Augen gewöhnen sich bald an die Finsternis. Ich beginne mit der Hose: schwarze Levi's. Dann wähle ich ein dunkelblaues Flanellhemd aus, einen dicken schwarzen Wollmantel mit kräftigem Futter, Wollsocken, Boxershorts, dicke Bergsteigerhandschuhe und eine Mütze mit Ohrenklappen. In der Schuhabteilung finde ich, zu meiner großen Freude, genau die gleichen Docs wie mein Freund Nick sie anhatte. Ich bin einsatzbereit.

Unterdessen schnüffelt Gomez hinter der Ladentheke herum. »Spar dir die Mühe«, sage ich zu ihm. »Hier nehmen sie über Nacht das Geld aus der Kasse. Gehen wir.« Wir verlassen den Laden auf dem gleichen Weg, den wir gekommen sind. Leise schließe ich die Tür und schiebe wieder das Gitter vor. Meine alten Sachen sind in einer Einkaufstüte. Später will ich versuchen, einen Kleidercontainer der Heilsarmee zu finden. Gomez sieht mich erwartungsvoll an, wie ein großer Hund, der gespannt ist, ob ich noch ein Stück Fleisch habe.

Wobei mir einfällt. »Ich sterbe vor Hunger. Gehen wir zu Ann Sather.«

»Ann Sather? Ich dachte, du schlägst einen Banküberfall vor oder wenigstens Totschlag. Du bist gerade so in Schwung, Mann, da kannst du nicht aufhören.«

»Ich muss die Arbeit unterbrechen, um aufzutanken. Komm schon.« Von der Gasse aus gehen wir über den Parkplatz des schwedischen Restaurants Ann Sather's. Der Wärter beäugt uns stumm beim Durchqueren seines Königreichs. Wir laufen schräg hinüber zur Belmont Avenue. Es ist erst neun, und auf der Straße drängelt sich die übliche Mischung aus durchgeknallten Obdachlosen, Ausreißern, Clubgängern und spießigen Kicksuchern. Ann Sather's ragt wie eine Insel der Normalität inmitten der Tattoo-Studios und Kondomboutiquen hervor. Wir treten ein und warten an der Bäckerei, bis man uns einen Platz zuweist. Mein Magen knurrt. Die schwedische Ausstattung wirkt beruhigend, der ganze Raum besteht aus Holztäfelung und roter Marmorierung. Wir werden in die Raucherzone geführt, direkt vor den Kamin. Es geht bergauf. Wir ziehen unsere Mäntel aus, machen es uns bequem, studieren die Speisekarte, auch wenn wir sie, als ewige Chicagoer, vermutlich auswendig singen könnten, allerdings zweistimmig. Gomez legt seine Rauchutensilien neben das Besteck.

»Stört es dich?«

»Ja. Aber mach ruhig.« Der Preis für Gomez' Gesellschaft ist ein ständiges Umhülltsein von waberndem Zigarettenqualm, der ihm aus der Nase strömt. Seine Finger, die vom Nikotin ganz dunkelgelb sind, flattern geschickt über das dünne Papierchen, wenn er den Tabak zu einem dicken Zylinder dreht, dann leckt er das Papier an, klebt es fest, steckt sich die Zigarette zwischen die Lippen und zündet sie an. »Ahh.« Eine halbe Stunde ohne Nikotin ist für Gomez nicht normal. Ich sehe es immer gern, wenn Leute ihre Gelüste befriedigen, auch wenn ich selbst sie nicht teile.

»Rauchst du nicht? Auch nichts anderes?«

»Ich laufe.«

»Klar, stimmt, du bist in Bestform. Ich dachte schon, du hättest Nick umgebracht, dabei warst du nicht mal aus der Puste.«

»Der war zu betrunken, um zu kämpfen. Ein großer besoffener Sandsack.«

»Und wieso hast du ihm dann so zugesetzt?«

»Es war seine eigene Blödheit.« Der Kellner kommt, sagt uns, er heiße Lance, und das Tagesgericht sei Lachs mit Erbsenpüree. Er nimmt unsere Getränkebestellung auf und saust davon. Ich spiele mit dem Milchspender. »Er sah, was ich anhatte, zog den Schluss, dass ich leichte Beute bin, wurde widerwärtig, wollte mich zusammenschlagen, mochte nicht glauben, dass er lieber die Finger davon lassen sollte und hat eine Überraschung erlebt. Ich habe nur meine eigenen Interessen vertreten, ehrlich.«

Gomez macht ein nachdenkliches Gesicht. »Und die wären?«

»Wie bitte?«

»Henry. Ich mag vielleicht wie ein Hornochse aussehen, aber in Wirklichkeit ist dein alter Onkel Gomez nicht ganz ahnungslos. Du bist mir seit einiger Zeit aufgefallen, und zwar bevor unsere kleine Clare dich mit nach Hause genommen hat. Vielleicht bist du dir darüber nicht im Klaren, aber in gewissen Kreisen genießt du einen bescheidenen Ruf. Ich kenne viele Leute, die dich kennen. Oder sagen wir lieber: Frauen. Frauen, die dich kennen.« Er sieht mich mit zusammengekniffenen Augen durch den Dunst seiner Zigarette an. »Sie erzählen reichlich seltsame Sachen.« Lance bringt meinen Kaffee und Gomez' Milch. Wir bestellen: für Gomez einen Cheeseburger und Pommes, für mich Erbsensuppe, den Lachs, Süßkartoffeln und Obstsalat. Mir ist, als würde ich gleich umkippen, wenn ich nicht schnell viele Kalorien bekomme. Lance entfernt sich eilends. Es fällt mir schwer, Interesse für die Missetaten meines früheren Ichs aufzubringen, geschweige denn, sie vor Gomez zu rechtfertigen. Geht ihn schließlich nichts an. Aber er wartet auf meine Antwort. Ich verrühre die Sahne im Kaffee und sehe zu, wie der leichte weiße Schaum sich in Wolken auflöst. Ich schlage alle Vorsicht in den Wind. Spielt ohnehin keine Rolle.

»Was möchtest du denn wissen, Genosse?«

»Alles. Ich möchte wissen, warum ein scheinbar freundlicher Bibliothekar einen Kerl wegen nichts krankenhausreif schlägt und dabei Kindergärtnerkleidung trägt. Ich möchte wissen, warum sich Ingrid Carmichel vor acht Tagen das Leben nehmen wollte. Ich möchte wissen, warum du im Moment zehn Jahre älter aussiehst als bei unserer letzten Begegnung. Deine Haare werden schon grau. Ich möchte wissen, warum du ein Sicherheitsschloss knacken kannst. Ich möchte wissen, warum Clare ein Foto von dir hatte, noch bevor sie dich überhaupt kennen gelernt hat.«

Clare hatte ein Foto von mir, das vor 1991 entstanden ist? Das ist mir neu. »Wie sehe ich auf dem Foto aus?«

Gomez mustert mich. »Eher wie jetzt, nicht wie vor zwei Wochen, als du bei uns zum Essen warst.« Vor zwei Wochen? Gütiger Himmel, dann sind Gomez und ich uns erst zweimal begegnet.

»Das Bild wurde im Freien aufgenommen. Du lächelst. Auf der Rückseite steht Juni 1988.« Das Essen kommt, und wir unterbrechen unsere Unterhaltung, um alles auf dem kleinen Tisch unterzubringen. Dann fange ich zu essen an, als gäbe es kein Morgen.

Gomez sitzt da, sieht mir zu, rührt seinen Teller nicht an. Im Gerichtssaal habe ich erlebt, wie Gomez unwillige Zeugen auf genau diese Weise ansieht. Er zwingt sie förmlich, etwas auszuspucken. Mir macht es nichts aus, ihm alles zu erzählen, aber erst will ich essen. Im Grunde muss Gomez sogar die Wahrheit kennen, denn in den folgenden Jahren wird er immer wieder meinen Arsch retten.

Ich bin mit meinem Lachs halb fertig, und er sitzt immer noch da. »Iss doch, iss«, sage ich in meiner besten Imitation von Mrs Kim. Er stippt eine Fritte in Ketchup und kaut darauf herum. »Keine Angst, ich werde gestehen. Ich möchte nur noch mein letztes Mahl in Frieden genießen.« Da kapituliert er und isst endlich seinen Burger. Wir sagen beide nichts mehr, bis ich mit dem Obstsalat fertig bin. Lance bringt mir noch mal Kaffee. Ich gebe Milch dazu und rühre um. Gomez sieht mich an, als würde er mich am liebsten schütteln. Ich beschließe, mich auf seine Kosten zu amüsieren.

»Gut. Die Lösung lautet: Zeitreisen.«

Gomez verdreht die Augen und verzieht sein Gesicht, sagt aber nichts.

»Ich reise durch die Zeit. Im Augenblick bin ich sechsunddreißig Jahre alt. Heute Nachmittag war der 9. Mai 2000, ein Dienstag. Ich war bei der Arbeit, hatte gerade eine Präsentation für eine Gruppe des bibliophilen Caxton Clubs beendet und war ins Magazin gegangen, um Bücher in die Regale zurückzuräumen, als ich mich plötzlich in der School Street im Jahr 1991 wiederfand. Wie immer war mein Problem, mir etwas zum Anziehen zu besorgen. Ich versteckte mich eine Weile unter einer Veranda. Mir war kalt, aber es kam niemand vorbei, bis schließlich ein junger Typ auftauchte, der wie ein bunter – nun, du hast gesehen, wie ich angezogen war. Ich hab ihn überfallen, ihm sein Geld und alles, was er am Leib trug, abgenommen, außer der Unterwäsche. Er hatte eine Heidenangst. Ich glaube, er dachte, ich will ihn vergewaltigen oder so. Jedenfalls hatte ich was zum Anziehen. Gut. Aber in einem solchen Viertel kannst du dich nicht so zeigen, ohne gewisse Missverständnisse auszulösen. Ich musste mir also den ganzen Abend von diversen Leuten dummes Zeug anhören, und dein Freund hat zufällig das Fass zum Überlaufen gebracht. Es tut mir Leid, wenn es ihn schlimm erwischt hat. Ich wollte einfach nur seine Kleidung, vor allem die Schuhe.« Gomez wirft einen Blick unter den Tisch auf meine Füße. »In solche Situationen gerate ich ständig. Im Ernst. Irgendwas stimmt nicht mit mir. Ich verirre mich in der Zeit, ohne jeden Grund. Ich kann es nicht kontrollieren, weiß nie, wann es passiert, oder wo und wann ich ankomme. Um mir zu helfen, knacke ich also Schlösser, begehe Ladendiebstahl, stehle Brieftaschen und Geldbörsen, überfalle Leute, geh schnorren, breche ein, klaue Autos, lüge, haue, steche und verstümmle. Es gibt nichts, was ich nicht schon getan hätte.«

»Mord.«

»Na ja, jedenfalls nicht dass ich wüsste. Auch missbraucht habe ich noch nie jemanden.« Ich beobachte ihn beim Sprechen. Sein Gesicht verrät nichts. »Ingrid. Kennst du Ingrid näher?«

»Ich kenne Celia Attley.«

»Oje. Du pflegst vielleicht seltsame Bekanntschaften. Wie wollte Ingrid sich denn umbringen?«

»Mit einer Überdosis Valium.«

»1991? Ja, klar. Das wäre Ingrids vierter Selbstmordversuch.«

»Was?«

»Ach, das hast du also nicht gewusst? Celia streut offenbar nur gezielt Informationen. Am 2. Januar 1994 gelang es Ingrid übrigens doch, sich um die Ecke zu bringen. Mit einem Schuss in die Brust.«

»Henry…«

»Du musst wissen, das war vor sechs Jahren, und ich bin immer noch wütend auf sie. So eine Verschwendung. Aber sie war schwer depressiv, schon sehr lange, sie ist einfach darin versunken. Ich konnte ihr nicht helfen. Das war einer unserer häufigen Streitpunkte.«

»Das ist ein ziemlich kranker Witz, Bücherknecht.«

»Willst du Beweise?«

Er lächelt nur.

»Was ist mit dem Foto? Von dem du sagst, dass Clare es hat.«

Das Lächeln verschwindet. »Gut. Ich gebe zu, dass mich das ein klein wenig verwirrt.«

»Ich traf Clare zum ersten Mal im Oktober 1991. Sie traf mich zum ersten Mal im September 1977; sie war sechs, ich werde achtunddreißig sein. Sie kennt mich schon ihr ganzes Leben lang. 1991 haben wir uns gerade kennen gelernt. Im Übrigen solltest du Clare das alles selbst fragen. Sie wird es dir erzählen.«

»Schon geschehen. Sie hat es mir erzählt.«

»Also wirklich, Gomez. Du stiehlst mir wertvolle Zeit, lässt mich alles wiederholen. Hast du ihr nicht geglaubt?«

»Nein. Hättest du ihr geglaubt?«

»Natürlich. Clare ist sehr ehrlich. Das liegt an ihrer katholischen Erziehung.« Lance kommt erneut mit Kaffee vorbei. Ich bin zwar schon ziemlich koffeiniert, aber mehr kann nie schaden. »Und? Nach welchem Beweis suchst du?«

»Clare sagt, du verschwindest.«

»Ja, das ist einer meiner dramatischeren Taschenspielertricks. Häng dich an meine Fersen, und früher oder später verdufte ich. Es kann Minuten, Stunden oder Tage dauern, aber was das angeht, bin ich sehr verlässlich.«

»Kennen wir uns im Jahr 2000?«

»Klar.« Ich grinse ihn an. »Wir sind gute Freunde.«

»Sag mir meine Zukunft.«

Oh, nein. Eine schlechte Idee. »Kommt nicht in Frage.«

»Warum nicht?«

»Gomez. Dinge geschehen. Sie im Voraus zu wissen macht alles … komisch. Du kannst sowieso nichts ändern.«

»Warum nicht?«

»Kausalität ist nur vorwärts gerichtet. Alles geschieht nur einmal, ein einziges Mal. Wenn du alles weißt … kommst du dir vor wie in einer Falle. Wenn du einfach in der Zeit lebst, offen für alles … bist du frei. Glaub mir.« Er macht ein frustriertes Gesicht. »Bei unserer Hochzeit wirst du mein Trauzeuge sein. Und ich werde deiner sein. Du hast ein schönes Leben, Gomez. Aber Einzelheiten erzähle ich dir nicht.«

»Börsentipps?«

Klar, warum nicht. Im Jahr 2000 steht der Aktienmarkt Kopf, aber man kann erstaunliche Gewinne erzielen, und Gomez wird zu den Glückspilzen zählen. »Schon mal vom Internet gehört?«

»Nein.«

»Hat was mit Computern zu tun. Ein riesiges weltweites Netz, an das normale Leute angeschlossen sind, die über Telefonleitungen per Computer kommunizieren. In diese Technologie solltest du investieren. Netscape, America Online, Sun Microsystems, Yahoo!, Microsoft, Amazon.com.« Er macht sich Notizen.

»Dotcom?«

»Zerbrich dir nicht den Kopf darüber. Kauf sie einfach beim ersten Börsengang.« Ich muss lächeln. »Ein ganz heißer Tip.«

»Und ich dachte, du rastest aus, wenn heute Abend jemand von heißen Typen redet.«

»Ach Gomez.« Plötzlich wird mir übel. Ich verspüre wenig Lust, hier, in diesem Augenblick, großes Aufsehen zu erwecken, und springe auf. »Folge mir«, sage ich und renne zur Herrentoilette, Gomez dicht hinter mir. Dort stürme ich in die wunderbarerweise leere Kabine. Schweiß rinnt mein Gesicht hinab, ich übergebe mich ins Klo. »Verdammter Mist«, sagt Gomez. »Was ist los, Bücher...«, doch was er noch sagen will, erreicht mich nicht, denn ich liege auf der Seite, nackt, auf einem kalten Linoleumboden, in völliger Dunkelheit. Mir ist schwindlig, darum bleibe ich eine Weile liegen. Ich strecke die Hand aus und ertaste die Rücken von Büchern. Ich befinde mich im Magazin der Newberry. Mühsam komme ich auf die Füße, wanke ans Ende des Gangs und knipse den Schalter an; Licht durchflutet die Reihe, in der ich stehe, und blendet mich. Meine Kleidung und der Wagen mit den Büchern, die ich zurückstellen wollte, sind im nächsten Gang. Ich ziehe mich an, ordne die Bücher ein und öffne behutsam die Sicherheitstür, die zum Magazin führt. Ich weiß nicht, wie spät es ist, die Alarmanlage könnte eingeschaltet sein. Aber nein, alles ist wie gehabt. Isabelle weist einen neuen Nutzer in die Gepflogenheiten des Lesesaals ein, Matt geht vorbei und winkt. Sonnenlicht fällt durch die Fenster, und die Zeiger der Lesesaaluhr weisen auf 16.15 Uhr.

Ich bin keine fünfzehn Minuten weg gewesen. Amelia sieht mich und zeigt auf die Tür. »Ich gehe eben zu Starbucks. Willst du Kaffee?«

»Nein, lieber nicht. Aber vielen Dank.« Ich habe entsetzliche Kopfschmerzen. Ich strecke den Kopf in Robertos Büro und sage ihm, dass ich mich nicht wohl fühle. Er nickt mitfühlend, gestikuliert zum Telefonhörer, aus dem ihm in Lichtgeschwindigkeit Italienisch ins Ohr strömt. Ich packe meine Sachen und gehe.

Für den Bücherknecht nur ein ganz normaler Bürotag.

Sonntag, 15. Dezember 1991 (Clare ist 20)

CLARE: Es ist ein wunderschöner Sonntagmorgen, und ich bin auf dem Heimweg von Henrys Wohnung. Die Straßen sind vereist, es liegen ein paar Zentimeter Neuschnee. Alles ist blendend weiß und sauber. Ich singe mit Aretha Franklin »R-E-S-P-E-C-T!«, biege von der Addison auf die Hoyne Avenue und siehe da, direkt vor dem Haus ist ein Parkplatz. Ein Glückstag. Ich parke ein, überwinde den glatten Gehweg und schließe, noch immer summend, die Tür zum Vorraum auf. Ich spüre dieses traumhafte Gefühl von Losgelöstheit, das ich allmählich mit Sex verbinde, mit dem Aufwachen im Bett neben Henry, mit dem Nach-Hause-Kommen zu allen erdenklichen Morgenstunden. Ich schwebe die Treppe hoch. Charisse wird in der Kirche sein. Ich freue mich schon auf ein langes Bad und die *New York Times*. Kaum öffne ich unsere Tür, wird mir klar, dass ich nicht allein bin. Gomez sitzt, eingehüllt in eine Rauchwolke, bei geschlossenen Jalousien im Wohnzimmer. Im Widerschein der roten Velourstapete und der roten Samtmöbel und des Qualms sieht er aus wie ein blonder polnischer Elvis Satan. Da er einfach nur dasitzt, gehe ich ohne ein Wort nach hinten zu meinem Zimmer. Ich bin immer noch sauer auf ihn.

»Clare.«

Ich drehe mich um. »Was?«

»Tut mir Leid. Ich hatte Unrecht.« Zum ersten Mal erlebe ich, dass Gomez nicht die päpstliche Unfehlbarkeit für sich beansprucht. Seine Stimme ist ein tiefes Krächzen.

Ich gehe ins Wohnzimmer und öffne die Jalousien. Die Sonne hat Mühe, durch den Qualm zu dringen, also kippe ich ein Fenster auf. »Mir ist schleierhaft, wie du soviel paffen kannst, ohne den Rauchmelder auszulösen.«

Gomez hält eine Neun-Volt-Batterie hoch. »Ich steck sie wieder rein, wenn ich gehe.«

Ich setze mich auf das Sofa und warte, dass Gomez mir den Grund für seinen Gesinnungswandel eröffnet. Er dreht sich wieder eine Zigarette. Schließlich zündet er sie an und mustert mich.

»Gestern Abend war ich mit deinem Freund Henry zusammen.«

»Ich auch.«

»Ach. Was habt ihr gemacht?«

»Wir waren im Facets, haben uns einen Film von Peter Greenaway angesehen, marokkanisch gegessen, sind zu ihm gegangen.«

»Und du kommst gerade von ihm.«

»Genau.«

»Nun ja. Mein Abend verlief weniger kulturell, dafür aber ereignisreicher. Ich hab deinen strahlenden Freund in der Gasse beim Vic überrascht, als er Nick gerade zu Brei geschlagen hat. Heute früh hat mir Trent erzählt, dass Nick eine gebrochene Nase hat, drei gebrochene Rippen, fünf gebrochene Handknochen, Weichteilverletzungen und sechsundvierzig Stiche. Und einen neuen Schneidezahn braucht er auch.« Ich bin ungerührt. Nick ist ein aufgeblasener Grobian. »Du hättest das sehen sollen, Clare. Dein Freund hat Nick wie einen leblosen Gegenstand behandelt. Als wäre Nick eine Skulptur, die er bearbeitet. Völlig systematisch. Nur überlegt, wo die größte Wirkung erzielt werden kann, und zack. Normalerweise wär ich absolut begeistert gewesen, wenn es nicht Nick getroffen hätte.«

»Und warum hat Henry Nick verprügelt?«

Gomez ist unbehaglich zumute. »Es könnte Nicks Fehler gewesen sein. Er hackt gern auf... Schwulen rum, und Henry war angezogen wie die kleine Miss Mückel.« Ich sehe es vor mir. Armer Henry.

»Und dann?«

»Dann sind wir in den Army-Shop eingebrochen.« So weit, so gut.

»Und?«

»Und dann haben wir bei Ann Sather zu Abend gegessen.«

Ich muss lauthals lachen. Gomez grinst. »Und er hat mir die gleiche vortreffliche Geschichte erzählt wie du.«

»Und warum glaubst du ihm?«

»Na ja, er ist so verdammt lässig. Ich hab gemerkt, dass er mich in- und auswendig kennt. Er hat mich durchschaut, aber es war ihm egal. Und dann ist er – verschwunden, und ich stand da und musste es einfach glauben.«

Ich nicke voller Mitgefühl. »Sein Verschwinden ist ziemlich beeindruckend. Das weiß ich noch von früher, als ich es zum ersten Mal sah, damals war ich noch klein. Er schüttelte mir die Hand und *Puff*! war er weg. Hey, aus welcher Zeit kam er?«

»Aus dem Jahr 2000. Er sah viel älter aus.«

»Er macht viel durch.« Irgendwie nett, hier zu sitzen und mit jemandem über Henry zu reden, der ihn kennt. Mich überkommt eine Welle der Dankbarkeit für Gomez, die verebbt, als er sich vorbeugt und ganz ernst sagt: »Heirate ihn nicht, Clare.«

»Er hat mich noch gar nicht gefragt.«

»Du weißt genau, was ich meine.«

Ich sitze reglos da und betrachte meine im Schoß gefalteten Hände. Mir ist kalt, ich bin wütend. Ich blicke auf. Gomez betrachtet mich nervös.

»Ich liebe ihn. Er ist mein Ein und Alles. Mein ganzes Leben lang hab ich auf ihn gewartet, und jetzt ist er da.« Ich weiß nicht, wie ich es erklären soll. »Bei Henry sehe ich alles ganz klar, wie auf einer Landkarte, Vergangenheit und Zukunft, alles auf einmal, wie bei einem Engel…« Ich schüttle den Kopf, ich kann es nicht in Worte fassen. »Ich kann ihn ertasten und die Zeit spüren. Er liebt mich. Wir heiraten, weil wir zueinander gehören…« Ich stocke. »Es ist schon geschehen. Alles auf einmal.« Ich blicke zu Gomez, ob er mich verstanden hat.

»Clare. Ich *mag* ihn wirklich sehr. Er ist faszinierend. Aber auch gefährlich. Alle Frauen, mit denen er zusammen gewesen ist, zerbrechen irgendwie. Ich möchte nur nicht, dass du blindlings in die Arme dieses charmanten Soziopathen läufst…«

»Merkst du nicht, dass du zu spät kommst? Du redest von jemandem, den ich seit meinem sechsten Lebensjahr kenne. Ich *kenne* ihn. Du bist ihm gerade zweimal begegnet und willst mir einreden, ich soll vom Zug abspringen. Aber das geht nicht. Ich hab meine Zukunft gesehen; ich kann sie nicht ändern, und selbst wenn ich es könnte, würde ich es nicht tun.«

Gomez wirkt nachdenklich. »Mir wollte er nichts über meine Zukunft sagen.«

»Henry mag dich, er will dir das nicht antun.«

»Bei dir hat er offenbar eine Ausnahme gemacht.«

»Es ging nicht anders, unsere Lebensgeschichten sind miteinander verwoben. Meine ganze Kindheit war seinetwegen anders, und er konnte nichts daran ändern. Er hat sich große Mühe gegeben.« Charisses Schlüssel dreht sich im Schloss.

»Clare, sei nicht böse, ich versuche dir nur zu helfen ...«

Ich lächle ihn an. »Du kannst uns helfen. Wart's ab.«

Charisse kommt hustend herein. »Na, Süßer. Du hast lange warten müssen.«

»Ich hab mit Clare geplaudert. Über Henry.«

»Du hast ihr bestimmt gesagt, wie sehr du ihn verehrst«, sagt Charisse mit einem drohenden Unterton.

»Ich hab ihr gesagt, sie soll so schnell wie möglich in die andere Richtung fliehen.«

»Ach, Gomez. Clare, hör nicht auf ihn. Sein Männergeschmack ist schrecklich.« Charisse setzt sich steif hin, ein Stück von Gomez entfernt, der nach ihr greift und sie auf seinen Schoß zieht. Sie wirft ihm einen stechenden Blick zu.

»So ist sie immer nach der Kirche.«

»Ich will frühstücken.«

»Natürlich willst du das, mein Täubchen.« Sie stehen auf und huschen durch den Flur zur Küche. Wenig später stößt Charisse spitze Schreie aus, als Gomez ihr mit dem *Times Magazine* den Hintern versohlen will. Seufzend gehe ich in mein Zimmer. Die Sonne scheint immer noch. Im Bad lasse ich heißes Wasser in die große alte Wanne ein und lege die Kleider der letzten Nacht ab. Beim Hineinsteigen erhasche ich einen Blick von mir im Spiegel. Ich wirke fast etwas rundlich. Das freut mich grenzenlos; ich lasse mich ins Wasser sinken und komme mir vor wie eine Odaliske von Ingres. *Henry liebt mich. Henry ist hier, endlich, jetzt, endlich. Und ich liebe ihn.* Ich streiche mit den Händen über meine Brüste, und ein dünner Speichelfilm verflüssigt sich im Wasser und löst sich auf. *Warum muss alles kompliziert sein? Liegt der komplizierte Teil nicht langsam hinter uns?* Ich tauche meine Haare ein und beobachte, wie sie mich umschweben, dunkel und netzartig. *Ich habe Henry nie gewählt, er hat mich nie gewählt. Wie könnte es also ein Fehler sein?* Wieder muss ich mich mit der Tatsache abfinden, dass wir es nicht wissen können. Ich liege in der Wanne und starre auf die Kacheln über meinen Füßen, bis das Wasser fast kalt ist. Charisse klopft an die Tür und fragt, ob ich ertrunken bin und ob sie sich bitte die Zähne putzen kann. Als ich mir ein Handtuch um die Haare schlinge, erblicke ich mich durch den Dampf verschwommen im Spiegel, und die Zeit scheint sich übereinander zu falten, ich sehe mich als Anhäufung meiner gelebten Tage und Jahre sowie der Zeit, die noch kommt, und plötzlich ist mir, als wäre ich unsichtbar geworden. Dann aber ist das Gefühl genauso schnell wieder vorbei, ich bleibe noch eine Weile still stehen, ziehe dann meinen Bademantel an, öffne die Tür und gehe weiter.

Samstag, 22. Dezember 1991
(Henry ist 28 und 33)

HENRY: Um 5.25 Uhr klingelt die Türglocke, immer ein schlechtes Omen. Ich wanke zur Sprechanlage und drücke auf den Knopf.

»Ja?«

»Hey. Lass mich rein.« Wieder drücke ich den Knopf, und der grässliche Summton, der den Besucher in meinem trauten Heim willkommen heißt, wird durch die Leitung übertragen. Fünfundvierzig Sekunden später ruckelt der Aufzug und hangelt sich röchelnd herauf. Ich ziehe mir den Bademantel über, gehe in den Flur hinaus und beobachte, wie sich die Fahrstuhlkabel in dem kleinen Sicherheitsfenster bewegen. Dann schwebt die Kabine in Sicht, bleibt stehen, und natürlich, es ist niemand anders als ich.

Er stößt die Tür auf und tritt in den Flur, nackt, unrasiert und mit sehr kurzem Haar. Rasch gehen wir durch den leeren Flur und huschen in die Wohnung. Ich schließe die Tür, und einen Augenblick lang stehen wir da und mustern uns.

»Na«, sage ich, nur um das Schweigen zu brechen. »Wie geht's?«

»Nicht sehr gut. Den wievielten haben wir heute?«

»Den 22. Dezember 1991. Samstag.«

»Oh, spielen heute Abend die Violent Femmes im Aragon?«

»Ja.«

Er lacht. »Mann. Das war vielleicht ein entsetzlicher Abend.« Er geht hinüber zum Bett – meinem Bett, wohlgemerkt – legt sich hin und zieht sich die Decke über den Kopf. Ich setze mich neben ihn.

»Hey.« Keine Antwort. »Von wann kommst du?«

»13. November 1996. Ich wollte gerade ins Bett. Also lass mich eine Runde schlafen, sonst wird es dir in fünf Jahren aufrichtig Leid tun.«

Das erscheint mir einleuchtend. Ich ziehe den Bademantel aus und lege mich wieder ins Bett. Allerdings bin ich nun auf der falschen Seite, nämlich Clares, wie ich es mittlerweile sehe, weil mein Doppelgänger meinen Platz in Beschlag nimmt. Alles auf dieser Seite ist fast unmerklich anders. Wie wenn man ein Auge schließt, etwas aus der Nähe betrachtet und es dann mit dem anderen Auge anblickt. Genau das mache ich jetzt, ich betrachte den Sessel, auf dem meine Kleider verstreut liegen, einen pfirsichfarbenen Rest am Grund eines Weinglases, das auf dem Fenstersims steht, die Rückseite meiner rechten Hand. Meine Fingernägel müssten geschnitten werden, und die Wohnung erfüllt wahrscheinlich die Bedingungen für Bundesgelder zum Katastrophenschutz. Vielleicht erklärt sich mein anderes Ich ja bereit mit anzupacken und hilft ein wenig im Haushalt, um sich seinen Unterhalt zu verdienen. Im Kopf gehe ich den Inhalt des Kühlschranks und der Speisekammer durch und komme zu dem Schluss, dass wir gut eingedeckt sind. Ich habe vor, Clare heute Abend mitzubringen, und bin mir nicht sicher, wohin mit meinem überflüssigen Körper. Mir geht durch den Kopf, dass Clare es vorziehen könnte, mit dieser späteren Ausgabe von mir zusammen zu sein, denn immerhin kennen die beiden sich besser. Irgendwie deprimiert mich diese Vorstellung. Ich versuche mir in Erinnerung zu rufen, dass alles, was jetzt abgezogen wird, später hinzukommt, bin aber dennoch besorgt und wünschte, einer von uns würde gehen.

Ich denke über mein Double nach. Eingerollt liegt er da, wie ein Igel, das Gesicht von mir abgewandt, offenbar schlafend. Ich beneide ihn. Er ist ich, aber ich bin noch nicht er. Er hat fünf Jahre eines Lebens hinter sich, die ich noch nicht kenne, die noch fest eingerollt sind und darauf warten, aufzuspringen und zuzubeißen. Und alle Freuden, die bereitlagen – er hat sie genossen; auf mich warten sie noch wie eine Schachtel unangetasteter Pralinen.

Ich versuche, ihn durch Clares Augen zu sehen. Warum das kurze Haar? Ich fand meine schwarzen, gewellten, schulterlangen Haare immer schön, seit der Highschoolzeit habe ich sie so getragen. Aber früher oder später lasse ich sie wohl abschneiden. Mir kommt in den Sinn, dass meine Frisur zu den vielen Dingen gehört, die Clare daran erinnern müssten, dass ich nicht genau der Mann bin, den sie seit ihrer frühesten Kindheit kennt. Ich bin eine Annäherung, die sie verstohlen an das Ich heranführt, das in ihrem Kopf existiert. Was wäre ich ohne sie?

Jedenfalls nicht der Mann, der auf der anderen Bettseite langsam und tief atmet. Auf Hals und Rücken erstrecken sich in sanften Wellenlinien Wirbel und Rippen. Seine Haut ist glatt, kaum behaart, spannt sich fest über Muskeln und Knochen. Er ist erschöpft, schläft aber dennoch so, als könnte er jeden Augenblick aufspringen und davonrennen. Strahle ich wirklich so viel Anspannung aus? Wahrscheinlich. Clare beklagt sich manchmal, dass ich erst locker werde, wenn ich todmüde bin, dabei bin ich in ihrer Nähe meistens entspannt. Dieses ältere Ich wirkt hagerer und erschöpfter, fester und sicherer. Aber bei mir kann er es sich leisten anzugeben: Er hat mich so gründlich durchschaut, dass ich mich ihm in meinem eigenen Interesse nur fügen kann.

Es ist 7.14 Uhr, und wie es aussieht, werde ich nicht mehr schlafen. Ich stehe auf und schalte die Kaffeemaschine ein. Ich ziehe Unterwäsche und Trainingshose an, strecke mich. In letzter Zeit habe ich Probleme mit den Knien, also streife ich Knieschützer über, ziehe Socken an, schnüre meine ausgelatschten Turnschuhe zu, vermutlich die Ursache für die schlechten Knie, und schwöre mir, morgen neue Schuhe zu kaufen. Ich hätte meinen Gast fragen sollen, wie das Wetter draußen ist. Egal, Dezember in Chicago: Da ist schreckliches Wetter *de rigueur*. Ich ziehe mein uraltes T-Shirt vom Chicago-Film-Festival an, ein schwarzes Sweatshirt, ein dickes orangefarbenes Sweatshirt mit Kapuze, auf dem vorn und hinten ein großes reflektierendes X prangt. Handschuhe und Schlüssel, und schon gehe ich hinaus in den Tag.

Gar nicht übel, für einen frühen Wintertag. Es liegt nur wenig Schnee, und der Wind spielt damit, weht ihn hierhin und dorthin. Auf der Dearborn Street staut sich der Verkehr, ein Konzert aus Motorbrummen, und der Himmel ist grau, hellt sich ins Graue auf.

Ich schnüre meine Schlüssel auf den Schuh und beschließe, am See entlangzulaufen. Langsam renne ich auf der Delaware zur Michigan Avenue in Richtung Osten, nehme die Überführung und laufe dann neben dem Fahrradweg her, der nordwärts am Oak Street Beach entlangführt. Nur hart gesottene Jogger und Radfahrer sind heute unterwegs. Der Lake Michigan ist dunkelgrau gefärbt, es ist Ebbe, man sieht einen feuchten braunen Sandstreifen. Über mir und weit draußen auf dem Wasser kreisen Möwen. Ich bewege mich steif; Kälte ist nicht gut für die Gelenke, und allmählich merke ich, wie eisig es hier am See ist, vermutlich um minus fünf Grad. Ich laufe also etwas langsamer als gewöhnlich, wärme mich auf, schärfe meinen armen Knien und Knöcheln ein, dass ihr Lebenswerk darin besteht, mich bei Bedarf schnell und weit zu tragen. Ich spüre die kalte trockene Luft in der Lunge, spüre mein Herz schneller schlagen, und an der North Avenue fühle ich mich gut und steigere mein Tempo. Laufen bedeutet für mich vieles: Überleben, Ruhe, Euphorie, Einsamkeit. Es ist der Beweis meiner körperlichen Existenz und der Fähigkeit, dass ich meine Bewegung durch den Raum, wenn auch nicht in der Zeit, unter Kontrolle habe, es ist ein Ausdruck der Unterwerfung meines Körpers unter den Willen. Beim Laufen verdränge ich Luft, die Dinge um mich herum kommen und gehen, und der Weg unter meinen Füßen bewegt sich wie ein Filmstreifen.

Ich weiß noch, wie ich als Kind, lange bevor es Videospiele und Internet gab, Filmstreifen in den kleinen Projektor in der Schulbücherei fädelte und sie anschaute, indem ich den Knopf drehte, der die einzelnen Bilder mit einem Piepton weitertransportierte. Ich weiß nicht mehr, wie sie aussahen und was abgebildet war, aber ich erinnere mich noch genau an den Geruch in der Bücherei und wie mich der Piepton jedes Mal erschrecken ließ. Nun fliege ich dahin, ein herrliches Gefühl, als könnte ich direkt in die Luft rennen, und ich bin unbesiegbar, nichts kann mich aufhalten. Nichts, absolut nichts.

Am Abend des gleichen Tages: (Henry ist 28 und 33, Clare 20)

CLARE: Wir sind unterwegs zum Konzert der Violent Femmes im Aragon Ballroom. Nach einigem Widerstand seitens Henry, was ich nicht verstehe, weil er die *Femmes* über alles liebt, fahren wir durch Uptown und suchen einen Parkplatz. Ich drehe Runde um Runde, vorbei am Green Mill, an den Bars, den düster beleuchteten Wohnhäusern und Waschsalons, die aussehen wie Bühnenbilder. Schließlich parke ich in der Argyle, und wir gehen schlotternd den spiegelglatten gerissenen Gehweg entlang. Henry läuft schnell, ich bin immer leicht außer Atem, wenn wir gemeinsam zu Fuß gehen. Mir ist aufgefallen, dass er im Moment versucht, sich meinem Schritt anzupassen. Ich ziehe einen Handschuh aus und schiebe meine Hand in seine Manteltasche, worauf er mir den Arm um die Schultern legt. Ich bin ziemlich aufgeregt, denn Henry und ich sind noch nie tanzen gewesen, außerdem liebe ich das Aragon in seiner ganzen verfallenden kitschigen spanischen Pracht. Meine Grandma Meagram erzählte oft, wie sie hier in den dreißiger Jahren zur Musik der Bigbands tanzte, als alles noch neu und hübsch war und es noch keine Leute gab, die auf den Balkonen fixten, oder Urinlachen in den Männertoiletten. Aber *c'est la vie*, die Zeiten ändern sich, und so ist es eben jetzt.

Ein paar Minuten lang stehen wir in der Schlange. Henry wirkt angespannt, auf der Hut. Er hält meine Hand, blickt aber suchend über die Menge. Ich nutze die Gelegenheit, ihn mir genauer anzusehen. Henry ist schön. Seine Haare sind schulterlang, zurück-gekämmt, schwarz und glänzend. Er ist katzenhaft, dünn, sprüht vor Unruhe und Kraft. Er sieht aus, als könnte er zubeißen. Henry trägt einen schwarzen Mantel und ein weißes Baumwollhemd mit Doppelmanschetten, die offen unter seinen Mantelärmeln bau-meln, eine hübsche grell grüne Seidenkrawatte, die er gerade locker genug trägt, dass ich die Muskeln in seinem Hals sehen kann, schwarze Jeans und schwarze Baseballschuhe. Er fasst meine Haare zusammen und schlingt sie sich ums Handgelenk. Einen kurzen Moment lang bin ich seine Gefangene, dann bewegt die Reihe sich vorwärts, und er lässt mich los.

Wir werden eingelassen und strömen mit Massen von Menschen ins Gebäude. Im Aragon gibt es viele lange Gänge, Nischen und Bal-kone, die sich um den Hauptsaal ziehen und bestens dazu eignen, um sich zu verlaufen oder zu verstecken. Henry und ich gehen oben zu einem Balkon dicht bei der Bühne und setzen uns an einen winzi-gen Tisch. Wir ziehen die Mäntel aus. Henry schaut mich erstaunt an.

»Gut siehst du aus. Ein tolles Kleid, aber kannst du darin auch tanzen?«

Mein Kleid ist aus hautenger fliederfarbener Seide, aber es ist elas-tisch genug, um sich darin zu bewegen. Als ich es heute Nachmittag vor dem Spiegel ausprobierte, fand ich es schön. Sorgen dagegen machen mir meine Haare, denn durch die trockene Winterluft scheinen sie sich verdoppelt zu haben. Ich fange an, sie zu flechten, aber Henry hält mich auf.

»Bitte nicht, ich will dich mit offenen Haaren sehen.«

Die Vorgruppe beginnt mit ihrem Set. Wir hören geduldig zu. Alle schlendern umher, reden, rauchen. Im Hauptsaal gibt es keine Sitzplätze. Der Lärmpegel ist phänomenal.

Henry beugt sich vor und brüllt mir ins Ohr: »Willst du was trin-ken?«

»Nur eine Cola.«

Er verschwindet zur Bar. Ich stütze die Arme aufs Balkongelän-der und beobachte die Menge. Mädchen in Vintage-Kleidern, Mäd-chen in Kampfmontur, Typen mit Irokesenschnitt, Typen in Flanellhemden. Leute beiden Geschlechts in T-Shirts und Jeans. College-Kids und Anfang Zwanzigjährige, dazwischen ein paar vereinzelte Oldies.

Henry bleibt ziemlich lange weg. Die Vorgruppe hört auf, spärlicher Applaus, und Roadies fangen an, die Sachen der Band abzubauen und durch halbwegs identische Instrumente zu ersetzen. Schließlich bin ich das Warten leid, lasse Tisch und Mäntel im Stich und zwänge mich durch das dichte Gedränge auf dem Balkon die Treppe hinunter in die lange düstere Halle, in der sich die Bar befindet. Henry ist nicht zu sehen. Langsam schlendere ich durch die Gänge und Nischen, blicke mich suchend um und bemühe mich, nicht so auszusehen, als würde ich suchen.

Dann entdecke ich ihn am Ende des Gangs. Er steht so dicht vor einer Frau, dass ich im ersten Moment meine, sie umarmen sich. Sie lehnt mit dem Rücken an der Wand, und Henry beugt sich über sie, eine Hand über ihrer Schulter an die Wand gestützt. Die Intimität ihrer Haltung verschlägt mir den Atem. Sie ist blond und auf eine sehr deutsche Art schön, groß und dramatisch.

Als ich näher komme, sehe ich, dass sie sich nicht küssen, sondern streiten. Henry benutzt seine freie Hand, um allem, was er der Frau ins Gesicht schreit, Nachdruck zu verleihen. Plötzlich weicht ihre gelassene Miene und sie wird wütend, bricht fast in Tränen aus. Sie schreit ihm etwas ins Gesicht. Henry tritt einen Schritt zurück und wirft ungeduldig die Hände hoch. Ich höre gerade noch den Schluss, als er von ihr weggeht:

»Ich kann nicht, Ingrid, ich kann einfach nicht! Tut mir wirklich Leid.«

»Henry!« Sie rennt hinter ihm her, da sehen sie beide, wie ich völlig reglos mitten im Gang stehe. Henry packt mich grimmig am Arm und zieht mich schnell zur Treppe. Nach drei Stufen drehe ich mich um: Sie steht da und schaut uns nach, die Arme an den Seiten, hilflos und angespannt. Auch Henry blickt kurz zurück, dann drehen wir uns um und gehen auf der Treppe weiter.

Unser Tisch ist erstaunlicherweise immer noch frei, auch die Mäntel liegen noch da. Die Lichter werden schwächer, und Henry sagt über den Krach der Menge hinweg: »Tut mir Leid. Bis zur Bar bin ich gar nicht durchgedrungen, Ingrid ist mir über den Weg gelaufen...«

Wer ist Ingrid? Ich entsinne mich, wie ich in Henrys Bad stand, in der Hand einen Lippenstift, ich muss es jetzt wissen, aber Dunkelheit senkt sich herab, und die Violent Femmes kommen auf die Bühne.

Gordon Gano steht am Mikrophon und starrt in die Menge, ein paar drohende Akkorde krachen los, er beugt sich vor, intoniert die ersten Zeilen von *Blister in the Sun*, und alles Weitere ergibt sich von selbst. Wir sitzen da und hören zu, bis Henry sich zu mir beugt und brüllt: »Willst du gehen?« Die Tanzfläche ist eine brodelnde Masse von zuckenden Menschen.

»Ich will tanzen!«

Henry wirkt erleichtert. »Toll! Ja! Komm mit!« Er streift seine Krawatte ab und steckt sie in die Manteltasche. Dann gehen wir nach unten in den Hauptsaal. Ich sehe Charisse und Gomez, die mehr oder weniger zusammen tanzen. Charisse wirkt selbstvergessen und wie im Fieber, Gomez bewegt sich kaum, eine Zigarette steckt kerzengerade zwischen seinen Lippen. Er sieht mich und winkt mir kurz zu. Sich durch die Menge zu schlagen ist wie Waten im Lake Michigan; wir werden aufgesogen und weiter getragen, schwemmen auf die Bühne zu. Die Menge brüllt *Add it up! Add it up!* und die Femmes antworten, indem sie ihre Instrumente mit irrsinniger Energie attackieren.

Henry bewegt sich, er bebt mit dem Bass. Wir bleiben kurz vor dem wilden Hexenkessel vor der Bühne stehen, auf der einen Seite werfen sich Tänzer in vollem Tempo aufeinander, auf der anderen schwenken sie Hüften, wedeln mit den Armen und bewegen sich im Takt zur Musik.

Wir tanzen. Die Musik durchströmt mich in Klangwellen, die mein Rückgrat packen und Füße, Hüften und Schultern steuern, ohne mein Hirn zu befragen. (*Beautiful girl, love your dress, high school smile, oh yes, where she is now, I can only guess.*) Ich öffne die Augen und sehe, wie Henry mich, während er tanzt, beobachtet. Als ich die Arme hebe, fasst er mich um die Taille, und ich springe hoch. Eine ganze Ewigkeit bietet sich mir ein Blick auf die Tanzfläche. Jemand winkt mir zu, aber noch bevor ich erkenne, wer es ist, hat Henry mich wieder abgesetzt. Wir tanzen zusammen, wir tanzen getrennt. (*How can I explain personal pain?*) Mir läuft der Schweiß herunter. Henry schüttelt den Kopf, seine Haare sind ein schwarzer Schleier, überall trifft mich sein Schweiß. Die Musik ist aggressiv und zynisch. (*I ain't had much to live for I ain't had much to live for I ain't had much to live for*). Wir stürzen uns hinein. Mein Körper ist elastisch, meine Beine wie taub, etwas wie weiße Hitze wandert mir vom Schritt bis unter die Kopfhaut. Die Haare hängen mir in feuchten Strähnen auf Armen, Hals, Gesicht und Rücken. Dann bricht die Musik ab, als würde sie in eine Wand krachen. Mein Herz rast. Ich lege meine Hand auf Henrys Brust und stelle erstaunt fest, dass seines nur minimal schneller schlägt.

Wenig später gehe ich auf die Damentoilette und sehe Ingrid weinend auf einem Waschbecken sitzen. Eine kleine schwarze Frau mit wunderschönen langen Dreads steht vor ihr, spricht leise auf sie ein und streichelt ihr über die Haare. Ingrids Schluchzen hallt von den feuchten gelben Kacheln wider. Ich versuche mich rückwärts aus dem Raum zu stehlen, aber meine Bewegung weckt ihre Aufmerksamkeit. Sie mustern mich. Ingrid sieht schrecklich aus. Verschwunden ist die germanische Kühlheit, ihr Gesicht ist rot und verquollen, das Make-up verschmiert. Sie starrt mich trostlos und verloren an. Die schwarze Frau kommt zu mir herüber. Sie ist schön, zerbrechlich, dunkel und traurig. Dicht vor mir bleibt sie stehen.

»Schwester«, sagt sie, »wie heißt du?«

Ich zögere. »Clare«, antworte ich schließlich.

Sie dreht sich zu Ingrid um. »Clare. Lass dir einen klugen Rat geben. Du mischst dich in etwas ein, wo du nicht erwünscht bist. Henry ist ein Problem, aber er ist Ingrids Problem, also sei nicht dumm und lass die Finger von ihm. Hast du mich verstanden?«

Eigentlich will ich es nicht wissen, aber ich kann mich nicht beherrschen. »Wovon redest du überhaupt?«

»Sie hatten vor zu heiraten. Dann schmeißt Henry alles hin, sagt zu Ingrid, tut mir Leid, war ein Fehler, vergiss es einfach. Ich finde, ohne ihn ist sie besser bedient, aber sie will nichts davon wissen. Er behandelt sie schlecht, trinkt als gäbe es kein Morgen mehr, verschwindet tagelang und kreuzt dann wieder auf, als wär nichts gewesen, schläft mit allem, was lang genug stillhält. So ist Henry. Wenn du also irgendwann heulst und flennst, sag nicht, keiner hätte dich vor ihm gewarnt.« Sie dreht sich abrupt um und geht zu Ingrid zurück, die mich immer noch anstarrt, mit einem Blick der blanken Verzweiflung.

Wahrscheinlich gaffe ich die beiden an. »Tut mir Leid«, sage ich und fliehe.

Ich streife durch die Gänge und finde schließlich eine fast leere Nische mit einem Kunstledersofa, auf dem nur ein Grufti-Mädchen liegt, das mit einer brennenden Zigarette in der Hand den Geist aufgegeben hat. Ich nehme ihr die Kippe aus der Hand und drücke sie auf dem schmutzigen Kachelboden aus. Ich setze mich auf die Sofalehne, und die Musik vibriert durch mein Steißbein die Wirbelsäule hoch, ich spüre sie bis in die Zähne. Ich muss immer noch pinkeln, und der Kopf tut mir weh. Am liebsten würde ich heulen. Ich begreife einfach nicht, was da eben geschehen ist. Das heißt, ich begreife es schon, aber ich weiß nicht, wie ich mich verhalten soll. Soll ich es einfach ignorieren, oder soll ich mich aufregen und eine Erklärung von Henry verlangen, oder was? Aber was hatte ich denn erwartet? Ich wünschte, ich könnte eine Karte in die Vergangenheit schicken, an Henry, diesen Schuft, den ich offenbar nicht kenne: *Tu nichts. Warte auf mich. Ich wünschte, du wärst hier.*

Henry streckt den Kopf um die Ecke. »Da bist du ja. Ich dachte schon, ich hätte dich verloren.«

Kurzer Haarschnitt. Henry hat sich entweder in der letzten halben Stunde die Haare schneiden lassen, oder aber er ist wieder durch die Zeit gereist und vor mir steht die Henry-Version, die ich am liebsten mag. Ich springe auf und falle ihm um den Hals.

»Hey, freut mich auch sehr ...«

»Du hast mir so gefehlt ...«, und jetzt heule ich wirklich.

»Aber du bist seit Wochen fast ununterbrochen mit mir zusammen.«

»Ich weiß, aber ... irgendwie bist du noch nicht du ... um ehrlich zu sein, du bist anders. Verdammt.« Ich lehne mich an die Wand, und Henry presst sich an mich. Wir küssen uns, und dann schleckt er mir das Gesicht wie eine Katzenmama. Ich versuche zu schnurren und muss lachen. »Mistkerl. Du willst nur von deinem ruchlosen Verhalten ablenken...«

»Welchem Verhalten? Ich wusste doch nicht, dass es dich gibt. Ich war unglücklich mit Ingrid. Ich bin dir begegnet. Keine vierundzwanzig Stunden später hab ich mit ihr Schluss gemacht. Oder kann man rückwirkend untreu sein?«

»Sie hat gesagt...«

»Wer hat gesagt?«

»Die schwarze Frau.« Ich zeige lange Haare an. »Klein, große Augen, Dreads...«

»Guter Gott. Celia Attley. Die verabscheut mich. Sie ist in Ingrid verknallt.«

»Sie sagt, dass du Ingrid heiraten wolltest. Dass du dich ständig betrinkst, durch die Gegend vögelst und überhaupt ein grottenschlechter Mensch bist, vor dem ich mich hüten sollte. Genau das hat sie gesagt.«

Henry ist hin- und hergerissen zwischen Freude und Ungläubigkeit. »Nun, manches davon stimmt tatsächlich. Ich hab wahllos durch die Gegend gevögelt, und es stimmt zweifellos, dass ich mich oft maßlos betrunken habe. Aber wir waren nicht mal *verlobt*. Ich wäre nie so bescheuert gewesen, Ingrid zu *heiraten*. Wir waren todunglücklich zusammen.«

»Aber warum ist...«

»Clare, es kommt nicht oft vor, dass man seinen Seelengefährten im zarten Alter von sechs kennen lernt. Irgendwie musste ich mir die Zeit vertreiben. Und Ingrid war sehr – geduldig. Viel zu geduldig. Meine Marotten hat sie in Kauf genommen und gehofft, dass ich irgendwann Vernunft annehme und ihren gequälten Arsch heirate. Aber wenn jemand so geduldig ist, muss man ihm dankbar sein, und dafür will man ihm irgendwann wehtun. Kannst du das nachvollziehen?«

»Glaub schon. Das heißt, nein, eigentlich nicht, aber ich denke auch nicht so.«

Henry seufzt. »Ich finde es überaus rührend, wie fremd dir die verdrehte Logik der meisten Beziehungen ist. Vertrau mir. Als wir uns begegnet sind, war ich kaputt, abgedreht und am Ende, aber langsam reiße ich mich zusammen, weil ich begreife, dass du ein guter Mensch bist und ich auch gern so wäre. Ich wollte mich bessern, ohne dass du meine Bemühungen merkst, weil ich offenbar immer noch nicht begriffen habe, dass Heuchelei zwischen uns zwecklos ist. Aber es ist ein langer Weg von dem Ich, mit dem du es 1991 zu tun hast, bis hin zu dem Ich von 1996, vor dem du gerade stehst. Du musst an mir arbeiten, allein schaff ich es nicht.«

»Ja, aber es ist schwer. Ich bin nicht gewöhnt, Lehrerin zu spielen.«

»Wenn du irgendwann mutlos bist, denk an die vielen Stunden, die ich mit deinem kleinen Ich verbracht habe und noch verbringe. Mit Mathe und Pflanzenkunde, Rechtschreibung und amerikanischer Geschichte. Im Ernst, du kannst doch nur französische Frechheiten zu mir sagen, weil ich sie mit dir gepaukt habe.«

»Wie wahr. *Il a les défauts de ses qualités.* Aber das alles ist vermutlich leichter zu vermitteln als jemandem beizubringen – glücklich zu sein.«

»Du machst mich glücklich. Das Schwierige ist nur, seinem Glück gerecht zu werden.« Henry spielt mit meinen Haaren, zwirbelt sie in kleine Knoten. »Pass auf, Clare. Ich überlasse dich jetzt wieder dem armen *imbécile*, mit dem du gekommen bist. Er sitzt deprimiert oben und fragt sich, wo du bleibst.«

Mir wird klar, dass ich in meiner Freude über das Wiedersehen mit meinem früheren und künftigen Henry den aktuellen völlig vergessen habe. Ich schäme mich und verspüre den beinahe mütterlichen Wunsch, loszugehen und den seltsamen Jungen zu trösten, der sich zu dem Mann vor mir entwickelt, dem Mann, der mich küsst und mit der Mahnung zurücklässt, nett zu sein. Auf der Treppe sehe ich dem Henry meiner Zukunft nach, der sich in das Gedränge der zuckenden Tänzer stürzt, und bewege mich wie im Traum auf den Henry zu, der mein Hier und Jetzt ist.

HEILIGABEND, DREI

Dienstag, Mittwoch, Donnerstag, 24., 25., 26. Dezember 1991
(Clare ist 20, Henry 28)

CLARE: Es ist 8.32 Uhr am vierundzwanzigsten Dezember. Henry
und ich sind unterwegs nach Meadowlark und wollen dort Weihnachten feiern. Hier in Chicago ist ein schöner klarer Tag, es hat
nicht geschneit, aber in South Haven liegen fünfzehn Zentimeter
Schnee. Bevor wir aufgebrochen sind, hat Henry eine Weile das Gepäck umgeräumt, die Reifen überprüft, einen Blick unter die Haube
geworfen. Ich glaube nicht, dass er auch nur die geringste Ahnung
von dem hatte, was er vor sich sah. Mein Auto ist ein süßer kleiner
weißer Honda Civic, Baujahr 1990, und ich liebe ihn, Henry aber
hasst Autofahrten, vor allem in kleinen Modellen. Er ist ein schrecklicher Beifahrer, klammert sich an der Armlehne fest und bremst
immer mit. Würde er selbst am Steuer sitzen, hätte er wahrscheinlich weniger Angst, aber aus verständlichen Gründen besitzt Henry
keinen Führerschein. Wir schnurren also an diesem schönen Wintertag die Indiana Toll Road entlang; ich bin gelassen und freue
mich auf meine Familie, Henry dagegen ist ein Nervenbündel. Dass
er heute früh nicht gelaufen ist, macht die Sache nicht leichter; mir
ist aufgefallen, dass Henry, um glücklich zu sein, unglaublich viel
körperliche Bewegung braucht. Es ist, als hätte man einen Wind-

hund um sich. Das Leben mit Henry in der wirklichen Zeit ist anders. Als ich aufwuchs, kam und ging er, aber unsere Treffen waren konzentriert, dramatisch und beklemmend. Henry wollte mir viele Sachen nicht erzählen, und die meiste Zeit durfte ich ihm nicht zu nahe kommen, so dass ich mich immer sehr unzufrieden fühlte. Als ich ihn endlich in der Gegenwart fand, dachte ich erst, es wäre genauso. Aber es ist weitaus besser, und zwar in vielerlei Hinsicht. Vor allem wehrt er sich nicht mehr gegen meine Nähe, ganz im Gegenteil, Henry berührt mich ständig, küsst mich, schläft mit mir. Ich fühle mich wie neu geboren, wie ein Mensch, der in einem warmen Teich der Lust schwimmt. Und er erzählt mir alles! Was ich ihn auch frage, über sein Leben oder seine Familie, er antwortet mir, nennt Namen, Orte, Daten. Begebenheiten, die mir als Kind völlig rätselhaft schienen, erweisen sich plötzlich als völlig logisch. Am schönsten aber ist, dass ich lange Zeitabschnitte mit ihm verbringe – Stunden, Tage. Ich weiß, wo ich ihn finden kann. Er geht zur Arbeit, kommt nach Hause. Manchmal schlage ich mein Adressbuch auf und lese einfach nur den Eintrag: Henry DeTamble, 714 Dearborn, 11e, Chicago, IL 60610, 312-431-8313. Ein Nachname, eine Adresse, eine Telefonnummer. *Ich kann ihn einfach anrufen.* Ein Wunder. Ich fühle mich wie Dorothy, als ihr Haus in Oz bruchlandete und die Welt von Schwarzweiß auf Farbe wechselte. Nur sind wir nicht mehr in Kansas.

Vielmehr überqueren wir gerade die Grenze nach Michigan, und da ist eine Raststätte. Ich fahre auf den Parkplatz, wir steigen aus und vertreten uns die Beine. Dann gehen wir in das Gebäude, in dem sich die üblichen Landkarten und Broschüren für Touristen befinden, dazu eine lange Reihe von Münzautomaten.

»Mann«, sagt Henry und geht hinüber, um das viele Junkfood zu besichtigen, danach studiert er die Broschüren. »Hey, wir fahren nach Frankenmuth! ›Bei uns ist das ganze Jahr Weihnachten!‹ Mein Gott, eine Stunde dort, und ich würde *hara-kiri* machen. Hast du Kleingeld?«

In den Tiefen meiner Tasche finde ich eine Handvoll Münzen, die wir fröhlich für zwei Cola, eine Schachtel Lakritzbonbons und einen Schokoriegel ausgeben. Anschließend gehen wir Arm in Arm durch die trockene kalte Luft zum Wagen zurück, wo wir unsere Cola öffnen und Zucker verzehren. Henry schaut auf meine Uhr. »Was für ein Abstieg. Erst 9.15 Uhr.«

»Komm, in ein paar Minuten ist es schon 10.15 Uhr!«

»Ja, richtig, Michigan ist eine Stunde voraus. Irgendwie surreal.«

Ich blicke zu ihm hinüber. »Alles ist surreal. Ich kann es kaum fassen, dass du endlich meine Familie kennen lernst. Die meiste Zeit habe ich damit zugebracht, dich vor ihr zu verstecken.«

»Nur weil ich dich grenzenlos verehre, lasse ich mich auf das Ganze ein. *Ich* habe nämlich viel Zeit damit verbracht, Autofahrten zu vermeiden, die Familien meiner Freundinnen nicht kennen zu lernen und Weihnachten nicht zu feiern. Dass ich alles drei gleichzeitig auf mich nehme, ist ein Beweis meiner Liebe.«

»Henry...« Ich drehe mich zu ihm, und wir küssen uns. Aus dem Kuss entwickelt sich langsam etwas mehr, da entdecke ich aus dem Augenwinkel drei vorpubertäre Jungen mit einem großen Hund, die in ungefähr einem Meter Entfernung interessiert zusehen. Als Henry sich umdreht, um festzustellen, was ich anblicke, grinsen alle drei und heben anerkennend die Daumen. Dann schlendern sie zum Auto ihrer Eltern.

»Übrigens, wie schlafen wir eigentlich bei euch?«

»Oje. Etta rief mich gestern deswegen an. Ich bin in meinem und du im blauen Zimmer, uns trennt also ein langer Flur, und dazwischen sind meine Eltern und Alicia.«

»Und wie verpflichtet fühlen wir uns, diese Trennung einzuhalten?«

Ich starte den Motor, und wir fahren wieder auf die Straße. »Weiß ich nicht, für mich ist es ja das erste Mal. Mark geht immer mit seinen Freundinnen unten in den Freizeitraum, dort vernascht er sie in den frühen Morgenstunden auf dem Sofa, und wir tun alle so, als würden wir nichts merken. Im Notfall können wir immer nach unten in den Leseraum; dort hab ich dich früher manchmal versteckt.«

»Na gut.« Henry sieht eine Weile aus dem Fenster. »Weißt du, im Grunde ist es gar nicht so übel.«

»Was?«

»Fahren. In einem Auto. Auf der Straße.«

»Donnerwetter. Demnächst steigst du noch in ein Flugzeug.«

»Niemals.«

»Paris. Kairo. London. Kyoto.«

»Kommt nicht in Frage. Ich bin sicher, ich würde durch die Zeit reisen, und wie soll ich dann in eine Maschine zurückkommen, die mit 350 Meilen pro Stunde durch die Luft fliegt? Am Ende würde ich wie Ikarus vom Himmel fallen.«

»Im Ernst?«

»Ich habe nicht vor, es auszuprobieren.«

»Könntest du durch die Zeit in diese Städte reisen?«

»Tja. Ich hab da meine eigene Theorie. Allerdings ist es die Spezialtheorie des Zeitreisens von Henry DeTamble und keine allgemeine Theorie.«

»Schon gut.«

»Zunächst glaube ich, es hängt mit dem Gehirn zusammen. In vielerlei Hinsicht ist es wie Epilepsie, denn meistens passiert es, wenn ich gestresst bin, und physikalische Reize wie etwa Blitzlicht können es auslösen. Dinge wie Laufen, Sex und Meditation dagegen erleichtern es mir, in der Gegenwart zu bleiben. Zweitens fehlt mir jede bewusste Kontrolle darüber, wann oder wohin ich gehe, wie lange ich bleibe oder wann ich zurückkehre. Eine Urlaubszeitreise an die Riviera ist also ziemlich unwahrscheinlich. Außerdem scheint mein Unterbewusstsein eine große Rolle zu spielen, denn ich verbringe viel Zeit in der Vergangenheit, kehre zu interessanten oder wichtigen Ereignissen zurück, und einen großen Teil meiner Zeit nehmen die Besuche bei dir ein, worauf ich mich unglaublich freue. Vorzugsweise suche ich Orte auf, die ich bereits aus der wirklichen Zeit kenne, aber bisweilen finde ich mich auch an einem unverhofften Ort oder in einer unbekannten Zeit wieder. Ich reise häufiger in die Vergangenheit als in die Zukunft.«

»Du warst in der Zukunft? Ich wusste gar nicht, dass du das kannst.«

Henry wirkt ungemein zufrieden mit sich. »Meine Spannbreite umfasst etwa fünfzig Jahre in jede Richtung. Aber ich reise nur selten in die Zukunft, und bislang habe ich dort nichts gefunden, was ich nützlich fand. Außerdem sind meine Ausflüge meist sehr kurz. Und vielleicht verstehe ich auch nicht so recht, was ich dort sehe. Die Vergangenheit dagegen übt eine große Faszination aus. In der Vergangenheit fühle ich mich sicherer. Vielleicht ist die Zukunft an sich weniger substantiell. Keine Ahnung. In der Zukunft habe ich immer das Gefühl, als würde ich dünne Luft atmen. Daran erkenne ich mitunter überhaupt, dass es sich um die Zukunft handelt. Außerdem fällt mir das Laufen dort schwerer.« Henry wirkt nachdenklich, und mit einem Mal kann ich mir vage vorstellen, wie beängstigend es sein muss, sich in einer fremden Zeit, an einem unbekannten Ort zu befinden, ohne Kleidung, ohne Freunde.

»Deswegen sind deine Füße...«

»Wie Leder.« An Henrys Füßen wächst eine dicke Hornhaut, wie wenn sie Schuhe ersetzen wollte. »Ich bin ein Huftier. Sollte meinen Füßen irgendwann mal etwas zustoßen, kannst du mich genauso gut erschießen.«

Eine Weile fahren wir stumm weiter. Die Straße steigt an und fällt ab, öde Felder mit Maisstoppeln sausen vorbei. Bauernhäuser stehen verwaschen in der Wintersonne, vor jedem parken Lieferwagen, Pferdeanhänger und amerikanische Autos auf der langen Auffahrt. Ich seufze. Nach Hause zu kommen ist für mich mit gemischten Gefühlen verbunden. Ich kann es kaum erwarten, Alicia und Etta zu sehen, und meine Mutter macht mir Sorgen, während ich auf meinen Vater und Mark gut verzichten könnte. Aber ich bin neugierig, wie sie auf Henry reagieren, und er auf sie. Es macht mich stolz, dass ich ihn so lange geheim halten konnte. Vierzehn Jahre. Wenn man Kind ist, sind vierzehn Jahre eine Ewigkeit.

Wir kommen an einem Wal-Mart vorbei, einem Dairy Queen, McDonald's. Und wieder Maisfelder. Ein Obstgarten. Erdbeeren und Blaubeeren zum Selberpflücken. Im Sommer ist diese Straße ein langer Korridor aus Obst, Getreide und Kapitalismus. Nun aber sind die leeren Felder vertrocknet, und die Autos jagen auf der sonnigen kalten Straße entlang und übersehen die einladenden Parkplätze.

Bevor ich nach Chicago zog, machte ich mir nie viel Gedanken über South Haven. Unser Haus, das außerhalb der südlichen Stadtgrenze liegt, erschien mir immer wie eine Insel, umgeben von der Wiese, Obstgärten, Wald und Farmen. South Haven war einfach die Stadt, wie man eben sagt, *gehen wir in der Stadt ein Eis essen*. Die Stadt, das waren Lebensmittelgeschäfte und Eisenwaren und Mackenzies Bäckerei und die Notenblätter und Platten im Music Emporium, Alicias Lieblingsladen. Wir standen oft vor dem Fotostudio Appleyard und dachten uns Geschichten über die Bräute und Kleinkinder und Familien aus, die hässlich aus dem Schaufenster lachten. Wir fanden nicht, dass die Bücherei in ihrer imitierten griechischen Pracht komisch aussah, dass die Küche in der Region beschränkt war und fad schmeckte, oder dass die Filme im Michigan Theater gnadenlos amerikanisch und geistlos waren. Zu diesen Ansichten gelangte ich erst später, als ich Einwohnerin einer Großstadt wurde, eine freiwillig im Exil Lebende und ängstlich darauf bedacht, die ländlichen Gepflogenheiten ihrer Jugend abzustreifen. Plötzlich sehne ich mich nach dem kleinen Mädchen, das ich einstmals war, das die Felder liebte und an Gott glaubte, das die Wintertage, an denen es krank war und nicht zur Schule ging, zu Hause verbrachte und Mentholhustenbonbons lutschend Nancy Drew las, das Mädchen, das ein Geheimnis bewahren konnte. Ich schaue zu Henry hinüber und stelle fest, er ist eingeschlafen.

South Haven, achtzig Kilometer.

Vierzig, zwanzig, zwei.

Phoenix Road.

Blue Star Highway.

Und dann: Meagram Lane. Ich greife nach Henry und will ihn wecken, aber er ist schon wach. Er lacht nervös und blickt aus dem Fenster auf den endlosen Tunnel aus kahlen Winterbäumen, an denen wir vorbeirasen, und als das Tor in Sicht kommt, stöbere ich im Handschuhfach nach dem Öffner, die Torhälften teilen sich und wir fahren durch.

Das Haus erscheint wie eine Hochklappfigur in einem Bilderbuch. Henry schnappt nach Luft und fängt an zu lachen.

»Was denn?«, sage ich defensiv.

»Mir war nicht klar, dass es so *riesig* ist. Wie viel Zimmer hat denn das Monstrum?«

»Vierundzwanzig«, erwidere ich und fahre auf der geschwungenen Auffahrt vors Haus. Etta winkt aus dem Fenster in der Eingangshalle. Ihr Haar ist grauer als bei meinem letzten Besuch, aber ihr Gesicht ist vor Freude gerötet. Noch während wir aussteigen, tastet sie sich vorsichtig die vereisten Stufen herunter, ohne Mantel, in ihrem guten marineblauen Kleid mit dem Spitzenkragen, sie balanciert ihre füllige Figur sorgsam über den empfindlichen Schuhen, und als ich zu ihr renne, um sie unterzuhaken, scheucht sie mich weg, bis sie unten ist, erst dann nimmt sie mich in den Arm und küsst mich (es ist so schön, Ettas Duft nach Hautcreme und Puder einzuatmen), während Henry daneben steht und wartet. »Und wen haben wir denn da?«, sagt sie, als wäre Henry ein kleines Kind, das ich unangemeldet mitgebracht habe. »Etta Milbauer, Henry DeTamble«, stelle ich die beiden vor. Auf Henrys Gesicht ist ein kleines ›Oh‹ zu erkennen, und ich frage mich, wie er sie sich wohl vorgestellt hatte. Etta strahlt ihn an, und wir steigen die Treppe hoch. Sie öffnet die Haustür. Henry fragt mich mit gesenkter Stimme: »Was ist mit unserem Gepäck?«, und ich sage ihm, dass Peter sich darum kümmert. »Wo sind denn alle?«, will ich wissen, worauf Etta entgegnet, dass in einer Viertelstunde gegessen wird, wir sollen unsere Mäntel ausziehen, uns waschen und gleich reingehen. Damit lässt sie uns in der Eingangshalle stehen und geht wieder in die Küche. Ich drehe mich um, ziehe meinen Mantel aus und hänge ihn in den Schrank. Als ich mich wieder zu Henry wende, winkt er jemandem zu. Ich spähe an ihm vorbei und entdecke Nell, die ihr breites, stupsnasiges Gesicht aus der Esszimmertür streckt und grinst, und ich renne auf sie zu, verpasse ihr einen dicken feuchten Kuss, worauf sie mich anlacht und sagt: »Schöner Mann, kleines Mädchen«, dann verzieht sie sich schnell ins andere Zimmer, bevor Henry bei uns ist.

»Nell?«, rät er, und ich nicke. »Sie ist nicht schüchtern, nur sehr beschäftigt«, erkläre ich ihm. Ich führe ihn die hintere Treppe hinauf in den ersten Stock. »Du schläfst hier.« Ich öffne die Tür zum blauen Schlafzimmer. Er wirft einen Blick hinein und folgt mir durch den Flur. »Und das ist mein Zimmer«, sage ich ängstlich. Henry schlüpft an mir vorbei, bleibt mitten auf dem Teppich stehen, sieht sich um, und ich merke, dass er gar nichts erkennt; nichts in diesem Zimmer kommt ihm bekannt vor, und das Messer der Erkenntnis dringt noch tiefer: Die vielen kleinen Gesten und Souvenirs im Museum unserer Vergangenheit sind wie Liebesbriefe an einen Analphabeten. Henry nimmt ein Zaunkönignest (zufällig das erste von vielen Vogelnestern, die er mir im Laufe der Jahre geschenkt hat) und sagt: »Hübsch.« Ich nicke und setze an, will es ihm erzählen, da legt er das Nest aufs Regalbord zurück und fragt: »Lässt sich die Tür absperren?«, worauf ich sie absperre, und wir zu spät zum Essen kommen.

HENRY: Fast gelassen folge ich Clare die Treppe hinunter durch den dunklen kalten Flur und ins Esszimmer. Alle sitzen schon da und haben angefangen. Der Raum mit seiner niedrigen Decke wirkt anheimelnd und gemütlich, wie aus einem Gedicht von William Morrisy; das knisternde Feuer in dem kleinen Kamin wärmt die Luft, und die Fenster sind so mit Frost überzogen, dass man nicht hinaussehen kann. Clare geht zu einer dünnen Frau mit hellroten Haaren, wahrscheinlich ihre Mutter, die ihren Kopf zur Seite neigt, um Clares Kuss zu empfangen, und sich halb erhebt, als sie mir die Hand gibt. Clare stellt sie mir als »meine Mutter« vor, und ich nenne sie »Mrs Abshire«, was sie sogleich zu der Bemerkung veranlasst »Oh, aber Sie müssen mich Lucille nennen, das tun alle«, und sie lächelt erschöpft, aber auf eine herzliche Art, wie eine strahlende Sonne in einer anderen Galaxie. Wir nehmen unsere Plätze gegenüber am Tisch ein. Clare sitzt zwischen Mark und einer älteren Frau, die sich als ihre Großtante Dulcie erweist; ich sitze zwischen Alicia und einer rundlichen hübschen Blondine, die als Sharon vorgestellt wird und offenbar Marks Freundin ist. Clares Vater sitzt an der Stirnseite des Tisches, und mein erster Eindruck sagt mir, dass ich ihn zutiefst verstöre. Mark, gut aussehend und wild, wirkt genauso entnervt. Sie haben mich schon irgendwo gesehen. Ich überlege, was sie veranlasst haben könnte, mich zu erkennen, sich an mich zu erinnen, vor Abneigung ganz leicht zurückzuschrecken, als Clare mich vorstellt. Doch Philip Abshire ist Anwalt, ein Meister seiner Mimik, und nach einer Minute ist er umgänglich und lächelt, ganz Gastgeber, der Dad meiner Freundin, ein Mann mittleren Alters, der eine Glatze bekommt, mit Brille und einem sportlichen Körper, mittlerweile etwas schlaff und dick geworden, aber mit kräftigen Händen, Tennisspielerhänden, grauen Augen, die mich trotz des vertrauensseligen Lächelns weiterhin argwöhnisch begutachten. Mark fällt es nicht so leicht, sein Unwohlsein zu verbergen, und immer wenn ich seinen Blick auffange, schaut er schnell auf den Teller. Alicia hatte ich mir anders vorgestellt, sie ist sachlich und nett, aber ein bisschen sonderbar und geistesabwesend. Sie hat das dunkle Haar von Philip, genau wie Mark, und Lucilles Gesichtszüge, jedenfalls fast; Alicia sieht aus, als hätte jemand versucht, Clare und Mark miteinander zu kreuzen, es dann jedoch aufgegeben und einen Hauch Eleanor Roosevelt beigemischt, um die Lücken zu füllen. Philip sagt etwas, worauf Alicia lacht, und plötzlich wird sie nett, so dass ich mich überrascht zu ihr wende, als sie vom Tisch aufsteht.

»Ich muss nach St. Basil«, klärt sie mich auf. »Zu einer Probe. Kommst du mit in die Kirche?« Ich werfe Clare einen Blick zu, die leicht nickt, und sage zu Alicia »Natürlich«, und alle seufzen vor – was? Erleichterung? Immerhin ist Weihnachten ein christlicher Feiertag und mein eigener, ganz persönlicher Tag der Buße. Alicia verabschiedet sich. Ich stelle mir vor, wie meine Mutter mich auslachen und ihre perfekt gezupften Brauen hochziehen würde, wenn sie ihren halbjüdischen Sohn inmitten eines Weihnachten in Goiland gestrandet sähe, und im Geist drohe ich ihr mit dem Finger. *Du musst reden*, sage ich zu ihr. *Immerhin hast du einen Episkopalen geheiratet.* Ich blicke auf meinen Teller, es gibt Schinken mit Erbsen und einen harmlosen kleinen Salat. Ich esse kein Schwein und hasse Erbsen.

»Clare sagt, Sie sind Bibliothekar«, versucht sich Philip, und ich bestätige ihm, dass es so ist. Wir führen eine lebhafte kleine Unterhaltung über die Newberry und Leute, die dort im Vorstand sitzen und zugleich Klienten in Philips Kanzlei sind, offenbar mit Sitz in Chicago, wobei mir dann nicht ganz einleuchtet, weshalb Clares Familie hier oben in Michigan wohnt.

»Sommerhäuser«, sagt er, und ich erinnere mich, dass Clare mir erzählt hat, ihr Vater sei auf Erbrecht spezialisiert. Ich stelle mir betagte reiche Leute vor, die an ihren Privatstränden liegen, dick eingeschmiert mit Sonnencreme, und beschließen, den Junior aus dem Testament zu streichen und nach ihrem Handy greifen, um Philip anzurufen. Ich entsinne mich, dass Avi, der im Chicago Symphony Orchestra neben meinem Vater sitzt und erste Geige spielt, hier irgendwo in der Umgebung ein Haus besitzt. Als ich das erwähne, spitzen alle die Ohren.

»Sie kennen ihn persönlich?«, fragt Lucille.

»Klar. Er und mein Dad sitzen nebeneinander.«

»Sitzen nebeneinander?«

»Na ja, Sie wissen doch. Erste und zweite Geige.«

»Ihr Vater ist Geiger?«

»Ja.« Ich sehe Clare an, die ihre Mutter mit einem Blick bedenkt, der besagt, *blamier mich bitte nicht.*

»Und er spielt im Chicago Symphony Orchestra?«

»Ja.«

Lucilles Gesicht ist von Röte überzogen; nun weiß ich, woher Clare ihr Erröten hat. »Meinen Sie, er würde sich anhören, wie Alicia spielt? Wir könnten ihm ein Band geben.«

Ich kann nur hoffen, dass Alicia sehr, sehr gut ist, denn meinem Vater werden ständig Bänder zugesteckt. Aber mir fällt etwas Besseres ein.

»Spielt Alicia nicht Cello?«

»Ja.«

»Sucht sie zufällig einen Lehrer?«

Philip wirft ein: »Sie studiert bei Frank Wainwright in Kalamazoo.«

»Ich könnte nämlich Yoshi Akawa die Kassette geben. Einer seiner Schüler ist gerade nach Paris gezogen, hat dort ein Engagement angenommen.« Yoshi ist ein prima Mensch und spielt das erste Cello. Er würde sich das Band bestimmt anhören; mein Dad dagegen, der nicht unterrichtet, würde es einfach wegwerfen. Lucille ist ganz euphorisch, und sogar Philip macht einen zufriedenen Eindruck. Clare wirkt erleichtert. Mark isst. Großtante Dulcie, winzig und mit rosanen Haaren, hat nichts von dem ganzen Wortwechsel mitbekommen. Ob sie taub ist? Sharon, die zu meiner Linken sitzt, hat bisher noch kein Wort gesagt. Sie sieht elend aus. Philip und Lucille diskutieren, welches Band sie mir mitgeben oder ob Alicia vielleicht doch ein neues aufnehmen sollte. Ich frage Sharon, ob sie zum ersten Mal hier oben ist, und sie nickt. Eben will ich zu einer zweiten Frage ansetzen, da will Philip wissen, was meine Mutter macht; ich werfe Clare einen Blick zu, der besagt *Hast du ihnen denn gar nichts erzählt?*

»Meine Mutter war Sängerin. Sie ist tot.«

Clare sagt ruhig: »Henrys Mutter war Annette Lyn Robinson.« Ebenso gut hätte sie ihnen erzählen können, dass meine Mutter die Jungfrau Maria war; Philips Miene hellt sich auf. Lucille macht eine kleine Flatterbewegung mit den Händen.

»Unglaublich – fantastisch! Wir haben alle Platten von ihr...« und so weiter. Doch dann sagt Lucille: »Als kleines Mädchen bin ich ihr mal begegnet. Mein Vater nahm mich mit zu *Madame Butterfly*, und er kannte jemanden, der uns nach der Vorstellung hinter die Bühne mitnahm. Wir gingen in ihre Garderobe, und da war sie, umgeben von Blumen, und sie hatte ihren kleinen Sohn dabei – aber das müssen Sie ja gewesen sein!«

Ich nicke und versuche, meine Stimme wiederzufinden. Clare sagt: »Wie sah sie aus?« Mark fragt: »Gehen wir heute Nachmittag Ski fahren?« Philip nickt. Lucille lächelt, ganz in Erinnerung versunken. »Sie war *so* schön – hatte noch die Perücke auf, diese langen schwarzen Haare, und damit neckte sie den kleinen Jungen, kitzelte ihn, er tanzte um sie herum. Ihre Hände waren sehr hübsch, sie hatte etwa meine Größe, gertenschlank, eigentlich war sie Jüdin, wisst ihr, aber ich fand, sie wirkte eher ein bisschen italienisch...« Lucille bricht ab, ihre Hand fliegt zum Mund, und ihr Blick schweift auf meinen Teller, der bis auf ein paar Erbsen leer ist.

»Sind Sie Jude?«, fragt Mark freundlich.

»Könnte ich wohl sein, wenn ich wollte, aber bei uns hat niemand Wert darauf gelegt. Sie starb, als ich sechs war, und mein Dad ist ein abtrünniger Episkopale.«

»Sie sehen ihr unglaublich ähnlich«, meldet sich Lucille, und ich danke ihr. Etta, die unsere Teller abräumt, fragt Sharon und mich, ob wir Kaffee möchten. Beide sagen wir gleichzeitig *Ja*, und das so begeistert, dass Clares ganze Familie lacht. Etta lächelt uns mütterlich an, und wenig später stellt sie dampfende Kaffeetassen vor uns hin, und ich sage mir *So schlimm war das doch gar nicht*. Alle reden über Skifahren und das Wetter, dann stehen wir gemeinsam auf, und Philip geht mit Mark in die Eingangshalle. Ich frage Clare, ob sie mit den anderen Ski fährt, aber sie zuckt mit den Achseln und will wissen, ob ich Lust habe, worauf ich erkläre, dass ich weder Ski fahre noch interessiert bin, es zu lernen. Sie entschließt sich dennoch, mit den anderen zu gehen, weil Lucille sagt, sie brauche jemanden, der ihr bei den Bindungen hilft. Als wir die Treppe hinaufgehen, höre ich wie Mark sagt »...eine unglaubliche Ähnlichkeit...« und muss insgeheim schmunzeln.

Später, als alle weg sind und im Haus Ruhe herrscht, wage ich mich aus meinem kalten Zimmer nach unten, auf der Suche nach Wärme und noch mehr Kaffee. Ich gehe durchs Esszimmer in die Küche, einem Raum mit einem erstaunlichen Aufgebot an Glassachen, Besteck, Kuchen, geputztem Gemüse und Bratpfannen, wie man es sich in einem Vier-Sterne-Restaurant vorstellt. Inmitten alldem steht Nell mit dem Rücken zu mir, singt *Rudolph the Red Nosed Reindeer* und wackelt mit ihren ausladenden Hüften, während sie einem kleinen schwarzen Mädchen, das stumm auf mich zeigt, mit einer Bratensaftspritze winkt. Nell dreht sich um, schenkt mir ein breites, Zahnlücken entblößendes Lächeln, und sagt: »Was tun Sie denn in meiner Küche, Mister Freund der Miss?«

»Ich dachte, Sie haben vielleicht noch etwas Kaffee übrig.«

»Übrig? Ja, glauben Sie denn, ich lass den Kaffee den ganzen Tag rumstehen und schau zu, wie er bitter wird? Huschhusch, raus mit Ihnen, junger Mann, Sie setzen sich jetzt mal schön ins Wohnzimmer und ziehen an der Klingel, und dann bring ich Ihnen einen frischen Kaffee. Haben Sie bei Ihrer Mutter vielleicht nicht gelernt, was ein anständiger Kaffee ist?«

»Tja, meine Mutter war tatsächlich keine begnadete Köchin«, erwidere ich und wage mich näher an das Zentrum des Sogs. Etwas duftet hier unwiderstehlich. »Was machen Sie da?«

»Das ist ein Thompson-Truthahn, was da so duftet«, sagt Nell. Sie öffnet den Herd und zeigt mir einen riesenhaften Truthahn, der aussieht wie ein Überbleibsel aus dem Großen Feuer von Chicago: vollkommen schwarz. »Sie brauchen gar nicht so skeptisch zu schauen, junger Mann. Unter der Kruste schmort der saftigste Truthahn der Welt.«

Das glaube ich ihr gern, der Duft ist berauschend. »Was ist ein Thompson-Truthahn?«, frage ich, und Nell hält mir einen Vortrag über die wunderbaren Eigenschaften des Thompson-Truthahns, erfunden von Morton Thompson, einem Zeitungsverleger, in den 1930er Jahren. Anscheinend erfordert die Zubereitung dieses herrlichen Bratens eine Menge Füllung, Bestreichen und Wenden. Nell erlaubt mir, in der Küche zu bleiben, während sie Kaffee kocht und den Truthahn aus dem Herd holt, ihn mühevoll auf den Rücken dreht und dann überall raffiniert mit Cidresauce beträufelt, bevor sie ihn wieder in die Röhre schiebt. In einer großen, mit Wasser gefüllten Plastikwanne neben der Spüle krabbeln zwölf Hummer. »Haustiere?«, ziehe ich sie auf, und sie erwidert: »Das ist Ihr Weihnachtsschmaus, junger Mann. Wollen Sie sich einen raussuchen? Oder sind Sie vielleicht Vegetarier?« Mitnichten, versichere ich ihr, ich sei ein braver Junge, der isst, was man ihm vorsetzt.

»Dafür sind Sie aber ganz schön mager«, sagt Nell. »Na, ich werde Sie schon mästen.«

»Deswegen hat Clare mich mitgebracht.«

»Soso«, sagt Nell sichtlich erfreut. »Na schön. Aber jetzt raus mit Ihnen, ich hab hier noch zu tun.« Mit einem großen Becher duftenden Kaffees in der Hand begebe ich mich ins Wohnzimmer, in dem ein gewaltiger Christbaum steht und ein Feuer brennt. Es sieht aus wie eine Werbung für Pottery Barn. Ich mache es mir in einem orangen Ohrensessel am Kamin bequem und gehe den Zeitungsstapel durch, als jemand sagt: »Woher hast du den Kaffee?« Ich blicke auf und sehe Sharon, die mir gegenüber in einem blauen Sessel sitzt, der genau zu ihrem Pullover passt.

»Hallo«, sage ich. »Tut mir Leid…«

»Schon gut«, erwidert sie.

»Ich war in der Küche, aber ich glaube, wir sollen die Klingel benutzen, wo immer die ist.« Wir überfliegen das Zimmer und tatsächlich, in der Ecke ist ein Klingelzug.

»Hier ist alles so schräg«, sagt Sharon. »Seit gestern sind wir jetzt da, und die ganze Zeit schleiche ich nur herum, verstehst du, hab Angst, die falsche Gabel zu benutzen oder so ...«

»Woher kommst du?«

»Aus Florida.« Sie lacht. »Bevor ich nach Harvard ging, hatte ich noch nie weiße Weihnachten erlebt. Mein Dad hat eine Tankstelle in Jacksonville. Nach dem Studium wollte ich eigentlich wieder zurück, weißt du, ich mag nämlich die Kälte nicht, aber jetzt sitz ich wohl fest.«

»Wie das?«

Sharon macht ein erstauntes Gesicht. »Haben sie euch nichts erzählt? Mark und ich wollen heiraten.«

Ich frage mich, ob Clare davon weiß; immerhin hört es sich wichtig genug an, dass sie es mir gesagt hätte. Dann bemerke ich den Diamant an Sharons Finger. »Herzlichen Glückwunsch.«

»Hoffentlich. Ich meine, vielen Dank.«

»Bist du dir nicht sicher? Mit dem Heiraten?« Genau genommen sieht Sharon aus, als ob sie geweint hätte, um die Augen ist sie ganz verquollen.

»Na ja, ich bin schwanger. Deshalb ...«

»Aber das muss doch nicht unbedingt eine ...«

»Tut es aber. Wenn man katholisch ist.« Sharon lässt sich seufzend in den Sessel fallen. Ich kenne einige katholische Mädchen, die eine Abtreibung hatten und trotzdem nicht vom Blitz erschlagen wurden, aber Sharons Glaube ist offenbar weniger entgegenkommend.

»Na egal, herzlichen Glückwunsch. Und wann ...?«

»Am elften Januar.« Als sie meine überraschte Miene sieht, sagt sie: »Ach, du meinst das Baby. Im April.« Sie verzieht das Gesicht. »Hoffentlich kommt es in den Frühjahrsferien, weil ich sonst nicht weiß, wie ich es schaffen soll ... nicht dass es jetzt noch wichtig wäre ...«

»Was studierst du?«

»Medizin. Meine Eltern toben. Sie beknien mich, es zur Adoption freizugeben.«

»Mögen sie Mark nicht?«

»Sie haben ihn noch nicht mal kennen gelernt, nein, daran liegt es nicht, sie haben nur Angst, dass ich nicht fertig studiere und alles umsonst war.« Die Haustür wird geöffnet, die Skifahrer kommen zurück. Ein kalter Luftschwall dringt bis ins Wohnzimmer und weht über uns hinweg. Das tut gut, und ich merke, dass ich hier am Feuer geröstet werde wie Nells Truthahn. »Wann gibt's Abendessen?«, frage ich Sharon.

»Um sieben, aber gestern Abend traf man sich hier vorher zum Aperitif. Mark hatte es seinen Eltern gerade verkündet, und sie sind mir nicht gerade um den Hals gefallen. Ich meine, sie waren nett, verstehst du, manche Leute können ja zugleich nett und gemein sein. Es war, als hätte ich mich selber geschwängert und Mark hat nichts damit zu tun.«

Ich bin froh, als Clare hereinkommt. Sie trägt eine lustige grüne Zipfelmütze, an der eine große Quaste herunterhängt, und einen hässlichen gelben Skipullover über blauen Jeans. Ihre Haare sind nass, sie ist rot von der Kälte. Wie sie lächelnd und gut gelaunt über den pompösen Perserteppich auf Strümpfen zu mir kommt, merke ich, dass sie hierher gehört, sie ist kein Irrtum, sie hat einfach nur ein anderes Leben gewählt, und das freut mich. Ich stehe auf, und sie fliegt mir um den Hals, dann aber dreht sie sich ebenso schnell zu Sharon um und sagt: »Ich hab's eben erfahren! Herzlichen Glückwunsch!«, und schon umarmt sie Sharon, die mich überrascht, aber lächelnd über Clares Schulter hinweg ansieht. Später sagt Sharon zu mir: »Ich glaube, du hast hier die einzige Nette erwischt.« Ich schüttle den Kopf, aber ich weiß, was sie meint.

CLARE: Bis zum Abendessen ist es noch eine Stunde hin, niemand wird merken, wenn wir weg sind. »Komm mit«, sage ich zu Henry. »Wir gehen nach draußen.«

»Muss das sein?«, brummt er.

»Ich will dir was zeigen.«

Wir ziehen unsere Mäntel, Stiefel, Hüte und Handschuhe an, trampeln durchs Haus und zur Hintertür hinaus. Am Himmel strahlt ein klares Ultramarinblau, das vom Schnee auf der Wiese heller reflektiert wird, und in der dunklen Baumlinie, die den Anfang des Waldes markiert, stoßen die beiden Blaus aufeinander. Für Sterne ist es noch zu früh, aber ein Flugzeug bahnt sich blinkend seinen Weg durch den Weltraum. Vom Flugzeug aus stelle ich mir unser Haus als winzigen Lichtpunkt vor, wie einen Stern.

»Hier lang.« Auf dem Weg zur Lichtung liegen fünfzehn Zentimeter Schnee. Ich muss daran denken, wie oft ich über die nackten Fußabdrücke getreten bin, damit niemand die Spur entdeckte, die sie auf dem Weg zum Haus hinterlassen hatten. Jetzt sind hier Rehspuren und die Abdrücke von einem großen Hund.

Die Stoppeln von toten Pflanzen unter Schnee, Wind, das Knirschen unserer Stiefel. Die Lichtung ist eine glatte Schale aus blauem Schnee, der Stein eine Insel mit einer Pilzkappe. »Das ist es.«

Henry steht da, die Hände in den Manteltaschen. Er dreht sich um und lässt den Blick in die Runde schweifen. »Das ist es also«, sagt er.

Ich suche in seinem Gesicht nach einem Zeichen des Erkennens. Nichts. »Hast du manchmal ein *déjà vu*?«, frage ich ihn.

Henry seufzt. »Mein Leben ist ein einziges langes *déjà vu*.«

Wir kehren um, gehen auf unseren eigenen Spuren zurück zum Haus.

Später:

Ich hatte Henry vorgewarnt, dass wir uns zum Essen am Weihnachtsabend schön machen. Als ich ihn jetzt in der Eingangshalle treffe, glänzt er in einem schwarzen Anzug, weißem Hemd, kastanienbrauner Krawatte mit Nadel aus Perlmutt. »Guter Gott«, sage ich. »Sogar deine Schuhe sind geputzt!«

»Stimmt«, gibt er zu. »Lächerlich, oder?«

»Du siehst perfekt aus: ein netter junger Mann.«

»Dabei bin ich doch der Inbegriff des schändlichen Bibliothekars. Eltern, nehmt euch in Acht.«

»Sie werden dir zu Füßen liegen.«

»Ich liege dir zu Füßen. Komm her.« Henry und ich stehen oben an der Treppe vor dem großen Spiegel und bewundern uns. Ich trage ein hellgrünes schulterfreies Seidenkleid, das einst meiner

Großmutter gehört hat. Ich habe ein Foto von ihr, auf dem sie es am Silvesterabend 1941 trägt. Sie lacht. Ihre Lippen sind dunkelrot, in der Hand hält sie eine Zigarette. Der Mann auf dem Foto ist ihr Bruder Teddy, er fiel sechs Monate später in Frankreich. Auch er lacht. Henry legt mir die Hand um die Taille und zeigt sich erstaunt über die vielen Stäbchen und Mieder. Ich erzähle ihm von Grandma. »Sie war kleiner als ich. Es tut nur weh, wenn ich mich setze, dann piksen mich die Enden der Stahldinger in die Hüften.« Henry küsst meinen Hals, da hustet jemand und wir springen auseinander.

Mark und Sharon stehen in der Tür von Marks Zimmer, das sie teilen dürfen, nachdem unsere Eltern die Sinnlosigkeit getrennter Betten widerstrebend eingesehen haben.

»Schluss damit jetzt«, sagt Mark mit seiner ärgerlichen Oberlehrerstimme. »Habt ihr denn gar nichts aus den schmerzvollen Erfahrungen eurer älteren Geschwister gelernt, Kinder?«

»Doch«, erwidert Henry. »Allzeit bereit.« Lächelnd klopft er auf seine Hosentasche (die derzeit leer ist), Sharon kichert, und wir segeln die Treppe hinunter.

Im Wohnzimmer haben alle schon ein paar Drinks hinter sich. Alicia gibt mir unser heimliches Handzeichen: *Nimm dich vor Mama in Acht, sie ist auf hundertachtzig.* Mama sitzt ganz harmlos auf dem Sofa, ihre Haare sind zu einem Chignon aufgetürmt, sie trägt ihre Perlenkette und das pfirsichfarbene Samtkleid mit den Spitzenärmeln. Sie macht ein erfreutes Gesicht, weil Mark zu ihr geht und sich neben sie setzt, lacht sogar, als er einen kleinen Witz reißt, und ich frage mich kurz, ob Alicia sich irrt. Dann aber sehe ich, wie Daddy sie im Auge behält, und mir wird klar, dass sie vor unserem Eintreten vermutlich etwas Hässliches gesagt hat. Daddy steht am Getränkewagen, dreht sich erleichtert zu mir, schenkt mir eine Cola ein und gibt Mark ein Bier samt Glas. Dann fragt er Sharon und Henry, was sie trinken möchten. Sharon will ein Mineralwasser. Henry entscheidet sich nach kurzer Überlegung für Scotch mit Wasser. Mein Vater mixt umständlich die Drinks und verfolgt mit großen Augen, wie Henry seinen Scotch mühelos in einem Zug kippt.

»Noch einen?«

»Nein, vielen Dank.« Mittlerweile weiß ich, dass Henry sich am liebsten die Flasche und ein Glas schnappen und mit einem Buch im Bett verkriechen würde, und dass er einen zweiten nur ablehnt, weil dann bedenkenlos der dritte und vierte folgen würde. Sharon hält sich an Henry, und ich lasse die beiden allein, gehe durchs Zimmer und setze mich zu Tante Dulcie auf die Erkerbank.

»Oh, Kind, wie hübsch – das Kleid hab ich nicht mehr gesehen, seit Elizabeth es auf der Party der Lichts anhatte, damals im Planetarium...« Alicia gesellt sich zu uns; sie trägt einen marineblauen Rollkragenpulli mit einem kleinen Loch in der Naht zwischen Ärmel und Oberteil, dazu einen alten beschmutzten Kilt mit Wollstrümpfen, die an den Knöcheln Falten werfen wie bei einer alten Frau. Ich weiß, sie macht das nur, um Dad zu ärgern, aber trotzdem.

»Was ist denn mit Mama los?«, frage ich sie.

Alicia zuckt die Achseln. »Sie ist sauer wegen Sharon.«

»Was ist denn mit Sharon?«, erkundigt sich Dulcie, die uns von den Lippen abliest. »Sie scheint sehr nett zu sein. Netter als Mark, wenn ihr mich fragt.«

»Sie ist schwanger«, sage ich zu Dulcie. »Sie wollen heiraten. Mama hält Sharon für den größten Abschaum, weil sie die erste in ihrer Familie ist, die auf ein College geht.«

Dulcie sieht mich scharf an und begreift, dass ich weiß, was sie weiß. »Ausgerechnet Lucille sollte dem Mädchen ein bisschen Verständnis entgegenbringen.« Alicia will Dulcie fragen, was sie damit meint, als die Essensglocke läutet, und wir alle, dem pawlowschen Reflex folgend, in Richtung Esszimmer defilieren. Flüsternd frage ich Alicia: »Ist sie betrunken?«, und Alicia flüstert zurück: »Ich glaube, sie hat vor dem Essen schon in ihrem Zimmer ein paar gehoben.« Ich drücke Alicias Hand, und Henry bleibt ein wenig hinter uns. Im Esszimmer nehmen wir unsere Plätze ein: Dad und Mama an den Stirnseiten des Tisches, Dulcie, Sharon und Mark auf einer Seite, mit Mark neben Mama, und gegenüber Alicia, Henry und ich, mit Alicia neben Daddy. Überall im Raum brennen Kerzen, kleine Blumen schwimmen in Schalen aus Kristallglas, und Etta hat Grandmas besticktes Tischtuch von den Nonnen in der Provence ausgebreitet und unser Silber und Porzellan aufgedeckt. Kurzum, es ist Heiligabend, genau wie jeder Heiligabend, an den ich mich entsinnen kann, nur dass Henry an meiner Seite sitzt und verlegen den Kopf senkt, als mein Vater das Tischgebet spricht.

»Himmlischer Vater, wir danken dir an diesem Heiligen Abend für deine Gnade und dein Wohlwollen, für ein weiteres Jahr der Gesundheit und des Glücks, für den Trost der Familie und neue Freunde. Wir danken dir, dass du deinen Sohn in Gestalt eines unschuldigen Kindes geschickt hast, damit er uns den Weg weise und erlöse, und wir danken dir für das Kind, dass Mark und Sharon in unsere Familie bringen werden. Wir bitten um mehr Vollkommenheit in unserer Liebe und um mehr Geduld im Umgang miteinander. Amen.« *Oje*, denke ich. *Jetzt hat er's geschafft.* Ich sehe zu Mama, sie schäumt vor Wut. Wenn man sie nicht kennt, würde man es nicht merken: Sie sitzt ganz still da und starrt auf ihren Teller. Die Küchentür öffnet sich, Etta bringt die Suppe und stellt vor jeden eine kleine Schale hin. Ich fange Marks Blick auf, und er neigt den Kopf leicht zu Mama, hebt dabei die Brauen, und ich nicke nur knapp. Er stellt ihr eine Frage über die diesjährige Apfelernte, und sie antwortet. Alicia und ich werden etwas lockerer. Sharon beobachtet mich, und ich zwinkere ihr zu. Es gibt Kastanien-Pastinaken-Suppe, was normalerweise schrecklich sein könnte, solange man nicht Nells Version probiert. »Mann«, sagt Henry, und alle lachen wir und essen unsere Suppe. Kaum hat Etta die Schalen abgeräumt, kommt Nell mit dem Truthahn herein, einem Riesenvieh, goldbraun und dampfend, und wir klatschen alle begeistert, wie wir es jedes Jahr tun. Nell strahlt und sagt: »Tja, nun«, wie sie es auch jedes Jahr tut. »Oh, Nell, der ist *traumhaft*«, sagt meine Mutter mit Tränen in den Augen. Nell sieht sie streng an, dann Dad, und sagt: »Vielen Dank, Miz Lucille.« Etta serviert uns Füllung, glasierte Karotten, Kartoffelpüree und Zitronenquark, dann geben wir unsere Teller an Daddy weiter, der sie mit Truthahn überhäuft. Ich beobachte, wie Henry den ersten Happen von Nells Truthahn isst: Überraschung, dann Glück. »Ich habe meine Zukunft gesehen«, verkündet er, und ich erstarre. »Ich werde dem Bibliothekswesen Adieu sagen und hierher ziehen, mich in eurer Küche niederlassen und Nell zu Füßen liegen. Oder ich werde sie gleich heiraten.«

»Zu spät«, sagt Mark. »Nell ist schon verheiratet.«

»Schade. Dann muss ich mich wohl mit ihren Füßen begnügen. Wieso wiegt ihr eigentlich nicht alle zwei Zentner?«

»Ich arbeite gerade daran«, sagt mein Vater und klopft sich auf den Bauch.

»Ich werde zwei Zentner wiegen, wenn ich alt bin und mein Cello nicht mehr durch die Gegend schleppen muss«, sagt Alicia zu Henry. »Dann zieh ich nach Paris und werde nur noch Schokolade essen und Zigarren rauchen und Heroin spritzen, dazu höre ich Jimi Hendrix und die Doors. Stimmt's, Mama?«

»Ich begleite dich«, entgegnet Mama würdevoll. »Allerdings würde ich lieber Johnny Mathis hören.«

»Wenn du Heroin spritzt, wirst du nicht mehr viel Appetit haben«, klärt Henry Alicia auf, die ihn grüblerisch betrachtet. »Probier's lieber mit Marihuana.« Daddy runzelt die Stirn. Mark wechselt das Thema: »Laut Radio soll es heute Nacht zwanzig Zentimeter schneien.«

»Zwanzig!«, entfährt es uns im Chor.

»I'm dreaming of a white Christmas...«, stimmt Sharon nicht sehr überzeugend an.

»Hoffentlich schneit es nicht nur, wenn wir in der Kirche sind«, sagt Alicia mürrisch. »Nach der Messe bin ich immer so müde.« Wir plaudern weiter über Schneestürme, die wir erlebt haben. Dulcie erzählt, wie sie 1967 in dem großen Blizzard in Chicago stecken blieb. »Ich musste mein Auto am Lake Shore Drive stehen lassen und die ganze Strecke von der Adams Street bis zur Belmont Avenue zu Fuß gehen.«

»In dem saß ich auch fest«, sagt Henry. »Ich wäre fast erfroren, und am Ende bin ich im Pfarrhaus der Vierten Presbyterianerkirche an der Michigan Avenue gelandet.«

»Wie alt waren Sie da?«, fragt Daddy, und Henry zögert, bevor er antwortet: »Drei.« Er blickt zu mir, und ich begreife, dass er von einem Erlebnis auf einer seiner Zeitreisen spricht. »Ich war mit meinem Vater unterwegs«, fügt er hinzu. Für mich ist klar erkenntlich, dass er lügt, aber niemand scheint es zu bemerken. Etta kommt herein, räumt unser Geschirr ab und verteilt die Dessertteller. Nach einer leichten Verzögerung tritt Nell mit dem flambierten Plumpudding ein. »Puh!«, sagt Henry. Sie stellt den Pudding vor Mama ab, und einen Moment lang färben die Flammen ihre hellen Haare kupferrot wie meine und erlöschen dann. Daddy öffnet den Sekt (unter einem Geschirrtuch, damit der Korken keinem ein Auge ausschießt). Dann reichen wir ihm alle unsere Gläser, er schenkt ein, wir reichen sie zurück. Mama schneidet den Plumpudding in dünne Scheiben, und Etta legt jedem auf. Es gibt zwei zusätzliche Gläser, eins für Etta und eins für Nell, dann stehen wir alle auf, um unseren Toast auszubringen.

Mein Vater beginnt: »Auf die Familie.«

»Auf Nell und Etta, die fast zur Familie gehören und so hart arbeiten und uns ein Zuhause schaffen und die so vielseitig begabt sind«, sagt meine Mutter leise, außer Atem.

»Auf Frieden und Gerechtigkeit«, sagt Dulcie.

»Auf die Familie«, sagt Etta.

»Auf Anfänge«, sagt Mark und prostet Sharon zu.

»Auf das Schicksal«, entgegnet sie.

Nun bin ich an der Reihe. Ich sehe Henry an. »Auf das Glück. Auf das Hier und Jetzt.«

Henry erwidert ernst: »Auf Welt genug und Zeit.« Mein Herz macht einen Satz, und ich frage mich, woher er das weiß, doch dann fällt mir ein, dass Andrew Marvell einer seiner Lieblingsdichter ist und Henry sich einzig und allein auf die Zukunft bezieht.

»Auf Schnee und Jesus und Mama und Daddy und Katgut und meine neuen Basketballschuhe von Converse«, sagt Alicia, und alle müssen wir lachen.

»Auf die Liebe«, sagt Nell und sieht mich mit ihrem breiten Lächeln unverwandt an. »Und auf Morton Thompson, den Erfinder vom saftigsten Truthahn der Welt.«

HENRY: Während des gesamten Essens ist Lucille wie wild zwischen Traurigkeit, Hochgefühl und Verzweiflung hin und her geschwankt. Die Familie hat ihre Stimmung vorsichtig umschifft, hat Lucille immer wieder auf neutralen Boden gelenkt, sie abgefangen und beschützt. Als wir uns jedoch hinsetzen und mit dem Nachtisch beginnen, bricht sie zusammen und schluchzt lautlos, ihre Schultern beben, und sie wendet den Kopf ab, als wollte sie ihn unter einen Flügel stecken wie ein schlafender Vogel. Anfangs fällt es nur mir auf, und ich sitze entsetzt da, unsicher, was ich tun soll. Dann sieht Philip sie, und schließlich verstummt der ganze Tisch. Schon ist er auf den Füßen und an ihrer Seite. »Lucy?«, flüstert er. »Lucy, was ist denn?« Clare eilt ebenfalls zu ihr und sagt: »Ach komm, Mama, ist schon gut, Mama...« Lucille schüttelt den Kopf, nein, nein, nein, und ringt die Hände. Philip weicht zurück, und Clare sagt: »Scht!«, worauf Lucille eindringlich, aber nicht sehr deutlich spricht: Ich höre einen Schwall von Unverständlichem, dann »Völlig falsch«, und dann »Ruiniert seine Chancen«, und schließlich »In dieser Familie hört einfach niemand auf mich« und »Scheinheilig«, und dann Schluchzen. Zu meiner Überraschung bricht Großtante Dulcie das verstörte Schweigen. »Kind, wenn hier jemand scheinheilig ist, dann du. Du hast damals genau das Gleiche getan und ich wüsste nicht, dass es Philips Karriere auch nur im Geringsten geschadet hätte. Im Gegenteil, es hat ihr genützt, wenn du mich fragst.« Lucille hört auf zu weinen und starrt ihre Tante an, stumm vor Schock. Mark sieht zu seinem Vater, der einmal nickt, und dann zu Sharon, die grinst, als hätte sie beim Bingo gewonnen. Clare scheint nicht sonderlich erstaunt zu sein, und ich frage mich, warum sie es wusste und Mark nicht, ich frage mich, was sie sonst noch weiß, ohne es mir zu erzählen, und dann wird mir klar, dass Clare alles weiß, sie kennt unsere Zukunft, unsere Vergangenheit, alles, und ich erschaudere in dem warmen Raum. Etta serviert den Kaffee, und wir trinken ihn ziemlich schnell.

CLARE: Etta und ich haben Mama zu Bett gebracht. Ständig hat sie sich entschuldigt, so wie sie es immer macht, und wollte uns einreden, dass sie sich gut genug fühlt, um in die Messe zu gehen, aber schließlich hat sie sich doch hingelegt und ist fast augenblicklich eingeschlafen. Etta meint, sie würde zu Hause bleiben, falls Mama aufwacht, und ich sage ihr, sie soll nicht albern sein, ich würde bleiben, aber Etta ist stur, und so lasse ich sie, im Matthäus-Evangelium lesend, am Bett meiner Mutter zurück. Ich gehe durch den Flur und spähe in Henrys Zimmer, aber es ist dunkel. Als ich meine Tür öffne, liegt Henry rücklings auf dem Bett und liest *A Wrinkle in Time*. Ich sperre die Tür ab und lege mich zu ihm.

»Was ist denn mit deiner Mom?«, fragt er, während ich mich vorsichtig neben ihm ausstrecke und versuche, nicht von meinem Kleid aufgespießt zu werden.

»Sie ist manisch-depressiv.«

»Schon immer?«

»Als ich klein war, ging es ihr besser. Sie hat ein Baby verloren, als ich sieben war, das war schlimm. Sie wollte sich umbringen. Ich hab sie gefunden.« Ich erinnere mich noch an das Blut überall, an die Badewanne mit dem blutigen Wasser, die voll gesogenen roten Handtücher. Ich schrie um Hilfe, aber niemand war da. Henry sagt nichts, und ich verrenke mir den Hals, er starrt an die Decke.

»Clare«, sagt er schließlich.

»Was?«

»Wieso hast du mir das nicht erzählt? Ich meine, in deiner Familie ist einiges am Laufen, es wäre gut gewesen, vorher Bescheid zu wissen.«

»Aber du wusstest…«, ich lasse den Satz in der Luft hängen. Er wusste es nicht. Woher auch? »Tut mir Leid. Es ist nur – ich hatte es dir erzählt, als es passiert ist, aber ich hab vergessen, dass jetzt vor damals ist, darum dachte ich, du wüsstest alles…«

Henry überlegt und sagt dann: »Also, was meine Familie betrifft, sind alle Katzen aus dem Sack, alle Schränke und Leichen wurden dir zur Besichtigung präsentiert, und ich war einfach überrascht… ich weiß nicht.«

»Aber du hast mich ihm noch nie vorgestellt.« Ich brenne darauf, Henrys Dad kennen zu lernen, hatte aber Angst, das Thema anzuschneiden.

»Nein, noch nicht.«

»Und wirst du?«

»Irgendwann.«

»Wann?« Ich rechne schon damit, dass Henry wieder sagt, ich würde es zu weit treiben, so wie früher immer, wenn ich ihn mit

Fragen löcherte, doch stattdessen setzt er sich auf und schwingt die Beine vom Bett. Sein Hemdrücken ist ganz zerknittert.

»Ich weiß nicht, Clare. Wenn ich es ertragen kann, nehme ich an.«

Vor der Tür sind Schritte zu hören, die stehen bleiben, und der Türknopf wackelt hin und her. »Clare?«, ruft mein Vater. »Warum ist die Tür abgesperrt?« Ich stehe auf und öffne die Tür. Daddy will etwas sagen, sieht Henry und winkt mich in den Flur.

»Clare, du weißt, deine Mutter und ich sehen es nicht gern, wenn du deinen Freund in dein Zimmer mitnimmst«, sagt er ruhig. »In diesem Haus gibt es genügend andere Möglichkeiten ...«

»Wir haben uns nur unterhalten ...«

»Das könnt ihr auch im Wohnzimmer.«

»Ich hab ihm die Sache mit Mama erklärt, und das wollte ich nicht im Wohnzimmer, klar?«

»Liebes, ich halte es wirklich nicht für notwendig, dass du ihm etwas über deine Mutter erzählst ...«

»Was soll ich denn sonst machen, nach dem Auftritt, den sie eben geliefert hat? Henry merkt von allein, dass sie durchgeknallt ist, er ist ja nicht blöd ...« Meine Stimme wird lauter, so dass Alicia ihre Tür öffnet und einen Finger auf den Mund legt.

»Deine Mutter ist nicht ›durchgeknallt‹«, sagt mein Vater streng.

»Doch, ist sie«, bestätigt Alicia und schaltet sich in den Streit ein.

»*Du* hältst dich da raus ...«

»Den Teufel werd ich ...«

»Alicia!« Daddys Gesicht läuft dunkelrot an, seine Augen treten vor, und seine Stimme ist sehr laut. Etta öffnet Mamas Tür und schaut uns alle drei entnervt an. »Geht nach unten, wenn ihr brüllen müsst«, faucht sie und schließt die Tür. Wir sehen uns beschämt an.

»Später«, vertröste ich Daddy. »Du kannst mir später deine Meinung sagen.« Henry hat die ganze Zeit auf dem Bett gesessen und versucht, so zu tun, als wäre er nicht da. »Komm, Henry. Setzen wir uns in ein anderes Zimmer.« Henry steht auf, sanftmütig wie ein kleiner gerüffelter Junge, und folgt mir nach unten. Alicia schreitet triumphierend hinter uns her. Unten an der Treppe schaue ich zu

Daddy hoch, der hilflos zu uns herabblickt. Er dreht sich um, geht zu Mamas Tür und klopft.

»Wir sehen uns *Ist das Leben nicht schön?* an«, sagt Alicia mit einem Blick auf ihre Uhr. »Fängt in fünf Minuten auf Channel 60 an.«

»Schon wieder? Den Streifen hast du doch bestimmt fast hundert Mal gesehen.« Alicia steht auf Jimmy Stewart.

»Ich kenne ihn nicht«, sagt Henry.

Alicia spielt die Geschockte. »Nein? Wie kommt das denn?«

»Ich besitze keinen Fernseher.«

Das schockiert Alicia nun wirklich. »Ist er kaputtgegangen oder was?«

Henry lacht. »Nein. Fernsehen ist mir ein Gräuel. Ich bekomme davon Kopfschmerzen.« Sie führen dazu, dass er durch die Zeit reist. Das liegt an den flackernden Bildern.

Alicia ist enttäuscht. »Du willst ihn also nicht sehen?«

Henry sieht mich an, aber mir ist es egal. »Klar«, sage ich. »Ein bisschen. Aber den Schluss sehen wir ohnehin nicht, wir müssen uns für die Kirche fertig machen.«

Wir marschieren ins Fernsehzimmer, das von der Küche abgeht. Alicia schaltet den Apparat ein. Ein Chor singt *It Came Upon the Midnight Clear*. »Igitt«, sagt sie verächtlich. »Schaut euch die hässlichen gelben Plastikgewänder an. Sehen aus wie Regenpelerinen.« Sie lässt sich auf dem Boden nieder, Henry setzt sich auf die Couch und ich mich neben ihn. Seit unserer Ankunft mache ich mir ständig Gedanken darüber, wie ich mich, was Henry betrifft, vor den verschiedenen Mitgliedern meiner Familie verhalten soll. Wie nah darf ich bei ihm sitzen? Wäre Alicia nicht hier, würde ich mich auf die Couch legen, mit dem Kopf auf Henrys Schoß. Henry löst mein Problem, indem er schnell näher rutscht und einen Arm um mich legt, einen etwas gehemmten Arm: In einer anderen Umgebung würden wir nie so dasitzen. Wobei wir natürlich auch nie fernsehen. Aber wenn wir es täten, würden wir vielleicht so dasitzen. Der Chor verschwindet zugunsten eines Werbeblocks. McDonald's, ein Buick-Händler aus der Gegend, Pillsbury, Red Lobster: Alle wünschen sie uns frohe Weihnachten. Ich sehe Henry an, in dessen Gesicht sich blankes Entsetzen spiegelt.

»Was ist?«, frage ich ihn leise.

»Die Geschwindigkeit. Die Bilder springen alle paar Sekunden, das macht mich ganz krank.« Henry reibt sich mit den Fingern über die Augen. »Ich glaube, ich geh eine Runde lesen.« Er steht auf, verlässt das Zimmer, und kurz darauf höre ich seine Schritte auf der Treppe. Ich spreche rasch ein Gebet: Bitte, Gott, lass Henry nicht durch die Zeit reisen, vor allem nicht, wenn wir in die Kirche gehen wollen und mir keine Erklärung einfällt. Der Vorspann erscheint auf dem Bildschirm, Alicia klettert auf die Couch.

»Henry hat aber nicht lang durchgehalten«, bemerkt sie.

»Manchmal hat er sehr starke Kopfschmerzen. Die Sorte, bei der man sich im Dunkeln, ohne sich zu bewegen, hinlegen muss, und wenn jemand buh sagt, explodiert einem der Schädel.«

»Oh.« James Stewart sieht ein paar Reisebroschüren durch, aber seine Abreise wird durchkreuzt, weil er einen Ball besuchen muss. »Er ist echt süß.«

»Jimmy Stewart?«

»Der auch. Nein, ich meine deinen Freund. Henry.«

Ich grinse, stolz wie ein Pfau, als hätte ich Henry selbst gemacht. »Klar.«

Donna Reed lächelt Jimmy Stewart in einem gedrängt vollen Raum strahlend an. Nun tanzen sie, und Jimmy Stewarts Rivale hat den Schalter umgelegt, der die Tanzfläche über einem Schwimmbecken öffnet. »Mama mag ihn auch gern.«

»Halleluja.« Donna und Jimmy tanzen rückwärts ins Schwimmbecken, und während die Band weiterspielt, springen bald alle Pärchen in Abendgarderobe hinter ihnen her.

»Nell und Etta mögen ihn auch.«

»Na großartig. Jetzt müssen wir nur noch die nächsten sechsunddreißig Stunden überstehen, ohne den guten ersten Eindruck zu zerstören.«

»Das kann doch wohl nicht so schwer sein. Außer – nein, so dumm wärst du nie...« Alicia sieht mich unschlüssig an. »Oder doch?«

»Natürlich nicht.«

»Natürlich nicht«, echot sie. »Mein Gott, ich kann Mark nicht verstehen. So ein dummer Arsch.« Jimmy und Donna singen *Buffalo Girls, won't you come out tonight* und spazieren die Straßen in Bedford Falls entlang, angetan mit einer Footballmontur beziehungsweise einem Bademantel. »Du hättest gestern hier sein sollen. Ich dachte wirklich, Daddy kriegt unmittelbar vorm Weihnachtsbaum einen Herzinfarkt. Ich sah ihn schon vor mir, wie er umkippt und der Baum auf ihn fällt und die Sanitäter den ganzen Christbaumschmuck und die Geschenke von ihm wegräumen müssen, bevor sie erste Hilfe leisten können...« Jimmy bietet Donna den Mond, und sie nimmt großzügig an.

»Hattest du nicht einen Erste-Hilfe-Kurs in der Schule?«

»Ich hätte alle Hände voll zu tun gehabt, um Mama wiederzubeleben. Es war schlimm, Clare. Ein einziges Gebrüll.«

»War Sharon da?«

Alicia lacht bitter. »Soll das ein Scherz sein? Sharon und ich wollten hier nett miteinander plaudern, verstehst du, und im Wohnzimmer haben sich Mark und die Eltern angebrüllt. Nach einer Weile saßen wir nur noch da und haben zugehört.«

Alicia und ich wechseln einen Blick, der nur besagt *Gibt es sonst noch was Neues?* Seit ewigen Zeiten hören wir unsere Eltern brüllen, mit sich, mit uns. Manchmal denke ich, wenn ich noch einmal mit ansehen muss, wie Mama weint, gehe ich für immer fort und komme nie wieder zurück. Im Moment würde ich am liebsten Henry schnappen und wieder nach Chicago fahren, wo niemand brüllt und so tun kann, als wenn alles in Ordnung, als wenn nichts gewesen wäre. Ein entnervter, dicker Mann im Unterhemd ruft James Stewart zu, er soll endlich aufhören, Donna Reed vollzuquatschen und sie einfach küssen. Ich kann ihm nur Recht geben, aber er tut es nicht. Stattdessen tritt er auf ihr Abendkleid, sie geht selbstvergessen weiter, und im nächsten Moment versteckt sie sich nackt hinter einem großen Hortensienbusch.

Eine Werbung für Pizza Hut kommt, und Alicia stellt den Ton ab. »Sag mal, Clare?«

»Ja?«

»Ist Henry schon mal hier gewesen?«

Oje. »Nein, nicht dass ich wüsste, wieso?«

Sie rutscht unruhig herum und blickt kurz zur Seite. »Wenn ich dir das erzähle, hältst du mich wahrscheinlich für bescheuert.«

»Was?«

»Weißt du, mir ist da eine komische Sache passiert. Es ist lange her, ich war, na, ungefähr zwölf, und sollte eigentlich Cello üben, aber dann fiel mir ein, dass ich kein sauberes Hemd für dieses Vorspiel oder was das war hatte, Etta und alle waren irgendwo unterwegs, bis auf Mark, der eigentlich Babysitter spielen sollte, aber er war in seinem Zimmer und rauchte Bong oder was auch immer... Jedenfalls ging ich runter in die Waschküche, wo ich mein Hemd suchte, und da hörte ich ein Geräusch, du weißt schon, wie wenn die Tür auf der Südseite vom Keller aufgeht, die in den Raum mit den Fahrrädern führt, so ein leichtes Zischen. Erst dachte ich, es ist Peter. Ich stehe also in der Tür zur Waschküche, horche ein bisschen, und da geht die Tür zum Fahrradkeller auf, und Clare, du wirst es nicht glauben, da war ein total nackter Mann, der genauso aussah wie Henry.«

Ich fange an zu lachen, aber es klingt falsch. »Also wirklich.«

Alicia grinst. »Siehst du, ich wusste, du würdest mich für bescheuert halten. Aber ich schwöre, es ist wahr. Der Kerl guckt nur ein bisschen überrascht, verstehst du, ich meine, mir fällt die Kinnlade runter und ich überlege, ob er mich, na ja, vergewaltigen, umbringen oder sonst was will, und er schaut mich bloß an und sagt, ›Oh, hi, Alicia‹, geht in den Leseraum und macht die Tür zu.«

»Mmh?«

»Ich renne also nach oben, hämmere gegen Marks Tür, und er sagt, ich soll verduften, bis ich ihn schließlich dazu bringe, die Tür zu öffnen, und er so stoned ist, dass es eine Weile dauert, bis er kapiert, wovon ich rede, und dann glaubt er mir natürlich nicht, aber endlich geht er doch mit nach unten und klopft an die Tür zum Leseraum, wir haben beide große Angst, es ist wie in den Detektivromanen von Nancy Drew, weißt du, in denen man immer denkt, ›Die Mädchen sind echt dumm, wieso rufen sie nicht einfach die Polizei‹, aber es tut sich nichts, und dann stößt Mark die Tür auf und keiner ist drin, und er ist sauer auf mich, weil, na ja, er tut, als wenn ich alles erfunden hätte, aber dann überlegen wir, dass der

Mann vielleicht nach oben gegangen ist, also rennen wir beide in die Küche und setzen uns ans Telefon, neben uns auf der Anrichte Nells großes Schneidemesser.«

»Wieso hast du mir das nie erzählt?«

»Ach, als alle zu Hause waren, kam ich mir albern vor, und ich wusste, Daddy würde deswegen ein Mordstheater veranstalten, und es war ja nichts passiert. Aber lustig war es auch nicht, und ich hatte keine Lust, darüber zu reden.« Alicia lacht. »Einmal wollte ich von Grandma wissen, ob es Geister im Haus gibt, aber sie meinte, nicht dass sie wüsste.«

»Und dieser Kerl oder Geist sah aus wie Henry?«

»Ja! Ich schwöre, Clare, ich bin fast gestorben, als ihr hier wart und ich ihn sah, ich meine, das ist er! Auch die Stimme ist die gleiche. Gut, der im Keller hatte kürzere Haare, er war auch älter, vielleicht um die vierzig...«

»Aber wenn der Mann vierzig war, und die Sache fünf Jahre zurückliegt... Henry ist erst achtundzwanzig, dann wäre er damals also dreiundzwanzig gewesen, Alicia.«

»Ach, Clare, es ist zu komisch. Hat er einen Bruder?«

»Nein. Und sein Dad sieht ihm auch nicht sehr ähnlich.«

»Vielleicht war es, du weißt schon, astrale Projektion oder so.«

»Oder er ist durch die Zeit gereist«, schlage ich lächelnd vor.

»Ja, klar, natürlich. Gott, wie absurd.« Der Bildschirm wird kurz dunkel, dann sind wir wieder bei Donna im Hortensienbusch und Jimmy Stewart, der sich ihr, mit ihrem Bademantel über einem Arm, langsam nähert. Er ärgert sie und sagt, manch einer würde Eintritt zahlen für diesen Anblick. Der Schuft, denke ich, und werde rot bei dem Gedanken an die viel schlimmeren Sachen, die ich Henry bezüglich des Themas Kleidung und Nacktheit schon gesagt und angetan habe. Dann aber rollt ein Auto heran, und Jimmy Stewart wirft Donna ihren Bademantel zu. »Dein Vater hat einen Schlaganfall gehabt!«, sagt jemand aus dem Auto, und schon ist er fort, dreht sich kaum noch einmal nach Donna Reed um, die hilflos und allein in ihrem Laubkostüm dasteht. Mir steigen Tränen in die Augen. »Mann, Clare, ist ja gut, er kommt doch wieder«, erinnert mich Alicia. Ich muss lächeln, und wir machen es uns bequem und sehen uns an, wie der böse Mr Potter den armen Jimmy Stewart dazu zwingt, seinen Traum vom College aufzugeben, um eine marode Spar- und Darlehensklitsche zu leiten. »Mistkerl«, sagt Alicia.

»Mistkerl«, stimme ich ihr zu.

HENRY: Mir dreht sich der Magen, als wir von der kalten Nachtluft in die Wärme und Helligkeit der Kirche treten. Ich habe noch nie eine katholische Messe besucht. Der letzte mehr oder minder religiöse Gottesdienst, an dem ich teilgenommen habe, war die Beerdigung meiner Mutter. Wie ein Blinder klammere ich mich an Clares Arm, die uns den Mittelgang entlangführt, bis wir hintereinander in eine leere Reihe gehen. Clare und ihre Familie knien sich auf das Kniepolster, während ich mich, wie Clare es mir gesagt hat, auf die Bank setze. Wir sind noch zu früh. Alicia ist verschwunden. Nell sitzt mit ihrem Mann und ihrem Sohn, der von der Navy beurlaubt ist, hinter uns. Dulcie hat sich einer ihrer Altersgenossinnen angeschlossen. Clare, Mark, Sharon und Philip knien in unterschiedlicher Haltung Seite an Seite: Clare ist gehemmt, Mark sorglos, Sharon ruhig und in Gedanken vertieft, Philip erschöpft. Die Kirche ist mit Weihnachtssternen geschmückt. Es riecht nach Wachs und feuchten Mänteln. Rechts vom Altar steht eine aufwendige Krippenszene mit Maria und Joseph samt Gefolge. Nach und nach strömen die Leute herein, wählen Plätze, begrüßen einander. Clare setzt sich neben mich, Mark und Philip tun es ihr gleich; Sharon bleibt noch einige Minunten auf den Knien, und dann sitzen wir alle ruhig in einer Reihe und warten. Ein Mann im Anzug tritt auf die Bühne – Altar, egal – und testet die Mikrophone, die an den kleinen Lesepulten befestigt sind, dann verschwindet er wieder nach hinten. Mittlerweile sind sehr viel mehr Menschen gekommen, die Kirche ist voll. Alicia und zwei weitere Frauen und ein Mann erscheinen mit ihren Instrumenten auf der linken Altarseite. Die blonde Frau ist eine Geigerin, die unscheinbare braunhaarige Frau spielt Bratsche, und der Mann, so alt, dass er gebeugt geht und schlurft, spielt ebenfalls Geige. Alle sind sie schwarz gekleidet. Sie setzen sich auf ihre Klappstühle, knipsen das Licht über den Pulten an, rascheln mit den Notenblättern, zupfen verschiedene Saiten und sehen sich dabei, um übereinzustimmen, immer wieder an. Auf einmal sind die Kirchgänger still, und in diese Stille dringt ein langer, langsamer, tiefer Ton, der den Raum erfüllt, der keinem bekannten Musikstück entspringt, sondern schlicht existiert und trägt. Alicia streicht den Bogen so langsam wie es einem Menschen nur möglich ist, und der Ton, den sie dabei erzeugt, scheint aus dem Nichts zu kommen, scheint zwischen meinen Ohren zu entstehen, hallt in meinem Schädel wider, als würden Finger mein Gehirn streicheln. Dann hört sie auf. Das darauf folgende Schweigen ist kurz, aber absolut. Dann treten alle vier Musiker in Aktion. Nach der Schlichtheit dieses einzigen Tons klingt ihre Musik disharmonisch, modern und störend, könnte es Bartók sein? Dann aber zerlege ich, was ich höre, und erkenne, dass sie *Stille Nacht* spielen. Ich komme nicht dahinter, warum es so komisch klingt, bis ich sehe, wie die blonde Geigerin gegen Alicias Stuhl tritt, und einen Takt später kristallisiert sich das Stück deutlich heraus. Clare sieht mich kurz an und grinst. Alle in der Kirche sind erleichtert. Auf *Stille Nacht* folgt ein mir unbekanntes Kirchenlied. Dann stehen alle auf und wenden sich dem Kircheneingang zu, in dem der Pfarrer mit einem großen Gefolge von kleinen Jungen und ein paar Männern in Anzügen erscheint. Feierlich schreiten sie den Mittelgang entlang zum Altar und nehmen ihre Plätze ein. Die Musik bricht abrupt ab. Oh, nein, denke ich, was kommt jetzt? Clare nimmt meine Hand, und wir stehen zusammen da, in der Menge, und wenn es einen Gott gibt, dann Gott, lass mich ruhig und unauffällig hier stehen bleiben, hier und jetzt, bitte.

CLARE: Henry sieht aus, als würde er jeden Moment umkippen. Lieber Gott, bitte lass ihn jetzt nicht verschwinden. Pfarrer Compton heißt uns mit seiner Radiosprecherstimme willkommen. Ich greife in Henrys Manteltasche, schiebe meine Finger durch das Loch unten, suche seinen Schwanz und drücke ihn. Er zuckt zusammen, als hätte ich ihm einen Elektroschock versetzt. »Der Herr sei mit euch«, sagt der Pfarrer. »Und mit deinem Geiste«, erwidern alle gleichmütig. Das Gleiche, alles ist gleich geblieben. Aber wir sind hier, endlich für alle sichtbar. Ich spüre, wie sich Helens Augen in meinen Rücken bohren. Ruth sitzt mit ihren Brüdern und Eltern fünf Reihen hinter uns. Nancy, Laura, Mary Christina, Patty, Dave und Chris, ja sogar Jason Everleigh – wie es aussieht, sind heute Abend alle da, mit denen ich einst zur Schule ging. Ich blicke zu Henry, der von alldem nichts bemerkt. Er schwitzt, sieht mich an, hebt eine Braue. Die Messe geht weiter. Die Lesungen, das Kyrie eleison, *Friede sei mit euch: und mit deinem Geiste.* Zum Evangelium, Lukas, Kapitel 2, stehen wir alle auf. Ein jeglicher im Römischen Reich ging, um geschätzt zu werden, in seine Stadt, auch Joseph und Maria, *die schwanger war,* die Geburt, wundersam, bescheiden. Die Windeln, die Krippe. Die Logik des Ganzen hat sich mir nie erschlossen, doch die Schönheit der Geschichte ist unbestreitbar. Die auf dem Feld weilenden Hirten. Und der Engel: *Fürchtet euch nicht! Siehe, ich verkündige euch große Freude…* Henry wackelt wie wahnsinnig mit dem Bein. Er hat die Augen geschlossen und beißt sich auf die Lippe. Heerscharen von Engeln. Pfarrer Compton intoniert: »*Maria aber behielt alle diese Worte und bewegte sie in ihrem Herzen.*« »Amen«, sagen wir und setzen uns zur Predigt. Henry beugt sich herüber und flüstert: »Wo ist die Toilette?« »Durch die Tür dort«, antworte ich und zeige auf die Tür, durch die Alicia, Frank und die anderen hereingekommen sind. »Wie komme ich da hin?« »Geh nach hinten und nimm dann den Seitengang.« »Wenn ich nicht zurückkomme…« »Du musst zurückkommen.« Als der Pfarrer sagt: »In dieser freudenreichen Nacht…«, steht Henry auf und entfernt sich schnell. Der Blick des Pfarrers folgt ihm. Ich sehe noch, wie er zur Tür hinaushuscht und sie hinter ihm zuschwenkt.

HENRY: Ich stehe in einem Gang, der mich an eine Grundschule erinnert. Nur keine Panik, schärfe ich mir immer wieder ein. Keiner sieht dich. Versteck dich irgendwo. Nervös sehe ich mich um, dort ist eine Tür: JUNGEN. Ich öffne sie und bin in einer zwergenhaften Männertoilette, braune Kacheln, die ganze Ausstattung winzig und niedrig am Boden, ein voll aufgedrehter Heizkörper, der den Geruch nach Behördenseife verstärkt. Ich öffne das Fenster ein wenig und halte mein Gesicht über den Spalt. Nadelbäume versperren die Aussicht, und so riecht die kalte Luft, die ich tief einsauge, nach

Kiefern. Wenig später fühle ich mich nicht mehr so schwach. Ich lege mich auf den Kachelboden, eingerollt, Knie am Kinn. Das bin ich. Fest und solide. Jetzt. Hier auf diesen braunen Kacheln. Ist es wirklich zu viel verlangt? Kontinuität. Wenn es einen Gott gibt, will er bestimmt, dass wir gut sind, und es wäre unvernünftig zu erwarten, dass jemand ohne Ansporn gut ist, aber Clare ist gut, sehr gut sogar, und sie glaubt auch an Gott, warum also sollte er sie vor allen Leuten bloßstellen wollen?

Ich öffne die Augen. Die winzigen Porzellanbecken sind alle von einer schimmernden Aura umgeben, himmelblau, grün und purpurrot. Ich finde mich mit meinem Verschwinden ab, nun ist es nicht mehr aufzuhalten, und ich zittere: »Nein!«, doch ich bin schon fort.

CLARE: Der Pfarrer beendet seine Predigt, die vom Frieden in der Welt handelt, und Daddy beugt sich über Sharon und Mark und flüstert: »Ist dein Freund krank?« »Ja«, flüstere ich zurück, »er hat Kopfschmerzen und manchmal wird ihm dann schwindlig.« »Soll ich nachsehen, ob ich ihm helfen kann?« »Nein! Er kommt schon klar.« Daddy wirkt nicht überzeugt, bleibt aber sitzen. Der Pfarrer segnet die Gemeinde. Am liebsten würde ich hinausrennen und Henry selbst suchen, aber ich beherrsche mich. Die ersten Reihen stehen zur Kommunion an. Alicia spielt die Cello Suite Nr. 2 von Bach. Sie klingt traurig und schön. Komm zurück, Henry. Bitte komm zurück.

HENRY: Ich bin in meiner Wohnung in Chicago. Es ist dunkel, ich knie im Wohnzimmer. Mühsam richte ich mich auf und stoße mir den Ellbogen am Bücherregal. »Mist!« Ich kann es nicht fassen. Nicht einen einzigen Tag kann ich bei Clares Familie durchstehen, ohne dass ich aufgesogen und wie ein beschissener Tischtennisball in meiner beschissenen Wohnung ausgespuckt werde.

»Hey.« Ich drehe mich um, und da, auf dem Schlafsofa, bin ich und setze mich schläfrig auf.

»Der wievielte ist heute?«, will ich wissen.

»28. Dezember 1991.« Heute in vier Tagen.

Ich setze mich aufs Bett. »Das halt ich nicht aus.«

»Bleib locker. In ein paar Minuten bist du wieder dort. Keiner wird etwas merken. Der Rest deines Besuches wird wie geschmiert laufen.«

»Wirklich?«

»Ja. Hör auf zu heulen«, sagt mein Ich in einer perfekten Imitation meines Vaters. Am liebsten würde ich ihn verprügeln, aber was würde das bringen? Im Hintergrund läuft leise Musik.

»Ist das Bach?«

»Klar, in deinem Kopf. Du hörst Alicia.«

»Das ist komisch. Oh!« Ich renne ins Bad und schaffe es fast.

CLARE: Die letzten Gläubigen empfangen die Kommunion, als Henry an der Tür erscheint, ein wenig blass, aber immerhin kommt er. Er geht nach hinten und dann den Gang entlang und zwängt sich neben mich. »Die Messe ist vorbei, ziehet hin in Frieden«, sagt Pfarrer Compton. »Amen«, erwidern wir im Chor. Kaum haben sich die Ministranten wie ein Fischschwarm um den Pfarrer versammelt, schreiten sie schwungvoll den Gang entlang, und wir hinter ihnen her. Ich höre, wie Sharon Henry fragt, ob alles in Ordnung ist, aber ich kann seine Antwort nicht verstehen, weil Helen und Ruth uns abfangen, und ich Henry vorstelle.

Helen säuselt: »Aber wir kennen uns doch!«

Henry blickt mich erschreckt an. Ich sehe Helen an und schüttle den Kopf, aber sie grinst nur hämisch. »Na, vielleicht auch nicht«, sagt sie. »Freut mich sehr... Henry.« Ruth hält Henry schüchtern die Hand hin. Zu meiner Überraschung hält er sie eine Weile und sagt dann »Hallo, Ruth«, bevor ich sie vorgestellt habe, soweit ich es aber beurteilen kann, erkennt sie ihn nicht. Laura gesellt sich zu uns, und Alicia, die mit ihrem Cellokasten durch die Menge holpert, nähert sich uns ebenfalls. »Kommt morgen zu mir«, sagt Laura. »Meine Eltern brechen um vier zu den Bahamas auf.« Wir nehmen die Einladung alle begeistert an; Jahr für Jahr fahren Lauras Eltern, sobald die Geschenke ausgepackt sind, an irgendeinen exotischen Ort, und kaum ist ihr Auto hinter der Auffahrt verschwunden, rücken wir regelmäßig bei ihr an. Unter einem Chor von

»Frohe Weihnachten!«, gehen wir auseinander, und auf dem Weg durch die Seitentür der Kirche zum Parkplatz sagt Alicia: »Grrr, ich wusste es!« Über allem liegt eine dicke Schneedecke, eine neue weiße Welt ist entstanden. Ich bleibe stehen und blicke auf die Bäume, die Autos, über die Straße in Richtung See, der am Strand, tief unterhalb der Kirche, unsichtbar an den Steilhang schlägt. Henry steht neben mir und wartet. Dann sagt Mark: »Komm schon, Clare«, und ich gehe weiter.

HENRY: Gegen 1.30 Uhr in der Nacht kommen wir nach Meadowlark zurück. Auf der ganzen Heimfahrt hat Philip mit Alicia wegen ihres ›Fehlers‹ am Anfang von *Stille Nacht* geschimpft, aber sie saß nur stumm da, sah aus dem Fenster auf die dunklen Häuser und Bäume. Nun geht jeder, nachdem er ungefähr fünfzig Mal ›frohe Weihnachten‹ gewünscht hat, oben in sein Zimmer, außer Alicia und Clare, die in einem Raum am Ende des Flurs im Erdgeschoss verschwinden. Ich überlege, was ich mit mir anfangen soll, und folge ihnen dann spontan.

»... ein totaler Arsch«, sagt Alicia, als ich den Kopf zur Tür hineinstrecke. In der Mitte des Zimmers steht ein gewaltiger Billardtisch, der vom grellen Licht einer darüber hängenden Lampe überflutet wird. Clare setzt die Kugeln im Dreieck auf, und Alicia geht im Dunkeln, am Rand des Lichtkegels, aufgeregt hin und her.

»Also, wenn du ihn absichtlich ärgern willst, und er sich dann ärgert, verstehe ich nicht, warum du dich aufregst«, sagt Clare.

»Er ist so *selbstgefällig*«, entgegnet Alicia und boxt mit beiden Fäusten in die Luft. Ich huste. Die beiden zucken zusammen, und dann sagt Clare: »Ach, Henry, Gott sei Dank. Ich dachte schon, du wärst Daddy.«

»Willst du spielen?«, fragt mich Alicia.

»Nein, ich schau lieber zu.« Neben dem Tisch steht ein Hocker, auf den ich mich setze.

Clare reicht Alicia ein Queue. Sie reibt es mit Kreide ein und stößt so kräftig an, dass zwei Halbe in die Ecktaschen fallen. Alicia versenkt zwei weitere Kugeln, bevor sie das Loch mit einem Stoß über Bande und Fremdkugel knapp verfehlt. »Oje«, sagt Clare. »Das wird schwer.« Clare trifft eine leichte Ganze, die 2er-Kugel, die am Rand einer Ecktasche lag. Beim nächsten Stoß schießt sie die Weiße mit der 3er-Kugel ins Loch. Alicia fischt beide Kugeln heraus und legt sich die Weiße zurecht, bevor sie die Halben ohne große Anstrengung nacheinander versenkt. »Die Schwarze in die Seitentasche«, sagt Alicia an, und das war's. »Aua«, stöhnt Clare. »Willst du wirklich nicht spielen?« Sie hält mir das Queue hin.

»Komm schon, Henry«, fordert Alicia mich auf. »Hey, will einer von euch was trinken?«

»Nein«, sagt Clare.

»Was hast du zu bieten?«, frage ich. Alicia knipst ein Licht an, und hinten im Raum erscheint eine wunderschöne alte Bar. Alicia und ich zwängen uns hinter sie, und siehe da, es gibt so gut wie alles, was man sich in Form von Alkohol vorstellen kann. Alicia mixt sich einen Rum mit Cola. Ich zögere noch vor der Fülle, gieße mir aber schließlich einen strammen Whiskey ein. Clare möchte nun auch etwas Alkoholisches haben, und während sie für ihren Kahlua Eiswürfel aus dem Minibehälter in ein Glas bricht, geht die Tür auf, und wir erstarren alle.

Es ist Mark. »Wo ist Sharon?«, fragt Clare. »Sperr die Tür ab«, befiehlt Alicia.

Er dreht das Schloss um und kommt hinter die Bar. »Sharon schläft schon«, antwortet er, holt sich ein Heineken aus dem winzigen Kühlschrank, entfernt den Kronkorken und schlendert zum Billardtisch. »Wer spielt?«

»Alicia und Henry«, erwidert Clare.

»Hat man ihn gewarnt?«

»Halt die Klappe, Mark«, sagt Alicia.

»Sie ist ein getarnter Jackie Gleason«, versichert Mark mir.

Ich wende mich zu Alicia. »Mögen die Spiele beginnen.« Clare baut die Kugeln wieder im Dreieck auf, und Alicia macht den Eröffnungsstoß. Der Whiskey hat alle meine Synapsen überzogen, jeder Gegenstand ist scharf und klar. Die Kugeln explodieren wie ein Feuerwerk und erblühen zu einem neuen Muster. Die Dreizehn schaukelt am Rand einer Ecktasche und fällt. »Wieder die Halben«, sagt Alicia. Sie versenkt die Fünfzehn, die Zwölf und die Neun, bevor eine schlechte Ablage sie zwingt, einen unmöglichen Zweibänder zu versuchen.

Clare steht genau an der Grenze zum Licht, ihr Gesicht ist im Dunkeln, aber ihr Körper schwebt aus der Schwärze, ihre Arme sind vor der Brust verschränkt. Ich wende meine Aufmerksamkeit dem Tisch zu. Es ist schon einige Zeit her seit meinem letzten Spiel. Mühelos versenke ich die Zwei, Drei und Sechs, dann suche ich nach einem anderem Erfolg versprechendem Stoß. Die Eins liegt genau vor der Ecktasche am anderen Tischende, und ich spiele mit der Weißen die Sieben an, die die Eins ins Loch schiebt. Ich versenke die Vierer über Bande in der Seitentasche und habe Glück, dass die Fünfer durch einen Abpraller in die hintere Ecktasche fällt. Reiner Zufall, aber Alicia pfeift dennoch anerkennend. Die Sieben verschwindet ohne Malheur in der Tiefe. »Die Schwarze ins Eckloch.« Ich zeige es mit meinem Queue an, und schon ist sie drin. Ein Seufzer entfährt der Runde um den Tisch.

»Ach, war das schön«, sagt Alicia. »Mach das noch mal.« Clare lächelt im Dunkeln.

»Du bist nicht in Bestform«, sagt Mark zu Alicia.

»Ich bin zu müde, um mich zu konzentrieren. Und zu wütend.«

»Wegen Dad?«

»Ja.«

»Na hör mal, wenn du ihn piesackst, dann piesackt er zurück.« Alicia schmollt. »Jedem kann mal ein Fehler unterlaufen.«

»Einen Moment lang hat das Ganze nach Terry Riley geklungen«, sage ich zu Alicia.

Sie lächelt. »War ja auch Terry Riley. Aus *Salome Dances for Peace.*«

Clare lacht. »Und was macht Salome in *Stille Nacht*?«

»Na ja, ihr wisst doch, Johannes der Täufer, ich dachte, das müsste als Verbindung genügen, und wenn man den ersten Geigenpart nach unten oktaviert, klingt es nicht schlecht, so ähnlich wie la la la LA...«

»Aber du kannst ihm nicht verübeln, dass er wütend wurde«, sagt Mark. »Er weiß doch genau, dass du nicht versehentlich etwas spielst, das sich so schräg anhört.«

Ich schenke mir einen zweiten Drink ein.

»Was hat Frank dazu gesagt?«, fragt Clare.

»Ach, der findet das in Ordnung. Er wollte irgendwie dahinter kommen, wie man ein ganz neues Stück daraus machen kann, ihr wisst schon, *Stille Nacht* meets Strawinsky. Im Ernst, Frank ist siebenundachtzig, den stört es nicht, wenn ich rumspinne, solange er seinen Spaß hat. Arabella und Ashley waren hinterher allerdings ziemlich verschnupft.«

»Ist ja auch nicht sehr professionell«, sagt Mark.

»Und wenn schon. War ja nur in der St. Basil, oder?« Alicia sieht mich an. »Was meinst du?«

Ich zögere. »Mir ist das ziemlich egal«, sage ich schließlich. »Aber wenn mein Dad dich gehört hätte, wäre er sehr wütend gewesen.«

»Echt? Wieso?«

»Er vertritt die Ansicht, dass jedes Musikstück mit Respekt behandelt werden sollte, auch wenn man es nicht besonders mag. Ihm gefallen beispielsweise Tschaikowsky und Strauß nicht, aber er spielt sie sehr ernsthaft. Und darum ist er großartig; er spielt jede Musik so, als würde er sie lieben.«

»Oh.« Alicia geht hinter die Bar, mixt sich noch einen Drink, denkt darüber nach. »Tja, du hast Glück, dass du einen großartigen Dad hast, der nicht nur Geld liebt.«

Ich stehe hinter Clare und fahre ihr im Dunkeln mit den Fingern die Wirbelsäule entlang. Sie hält ihre Hand hinter den Rücken, und ich ergreife sie. »Das würdest du wahrscheinlich nicht sagen, wenn du meine Familie kennen würdest. Im Übrigen scheint deinem Dad sehr viel an dir zu liegen.«

»Nein.« Sie schüttelt den Kopf. »Er will nur, dass ich vor seinen Freunden glänze. Aber an mir liegt ihm gar nichts.« Alicia baut die Kugeln im Dreieck auf und legt sie in Position. »Wer will spielen?«

»Ich«, sagt Mark. »Henry?«

»Klar.« Mark und ich reiben unsere Queues mit Kreide ein und sehen uns über den Tisch hinweg an.

Ich stoße an. Die Vier und die Fünf versinken. »Die Vollen«, sage ich, weil die Zweier vor der Ecktasche liegt. Ich versenke sie, und haue dann bei der Dreier völlig daneben. Langsam werde ich müde, meine Koordinationsgabe ist vom Whiskey gedämpft. Mark spielt entschlossen, aber phantasielos, er locht die Zehner und Elfer ein. Wir spielen unermüdlich weiter, und schon bald habe ich alle Vollen versenkt. Marks Dreizehner liegt am Rand einer Ecktasche. »Die Schwarze«, sage ich, auf die Kugel zeigend. »Du weißt, du darfst Marks Kugel nicht versenken, sonst hast du verloren«, sagt Alicia. »Schon gut«, beruhige ich sie. Dann stoße ich die Weiße sanft über den Tisch, und sie küsst zärtlich die Schwarze, die sanft und mühelos auf die Dreizehner zurollt und sie beinahe wie auf Schienen zu umgehen scheint, um geziemend ins Loch zu ploppen, und Clare lacht, aber dann wackelt die Dreizehn und fällt hinterher.

»Na, egal«, sage ich. »Wie gewonnen, so zerronnen.«

»Gutes Spiel«, lobt Mark.

»Mein Gott, wo hast du denn so gut spielen gelernt?«, fragt Alicia.

»Das gehört mit zu den Dingen, die ich im College gelernt habe.« Neben Trinken, englischer und deutscher Lyrik und Drogen. Wir stellen die Queues beiseite, nehmen die Gläser und Flaschen.

»Was war dein Hauptfach?« Mark sperrt die Tür auf, und wir gehen alle durch den Flur in die Küche.

»Englische Literatur.«

»Und warum nicht Musik?« Alicia balanciert ihr und Clares Glas in einer Hand und schiebt die Esszimmertür auf.

Ich lache. »Du kannst dir nicht vorstellen, wie unmusikalisch ich bin. Meine Eltern waren sicher, dass sie das falsche Kind aus dem Krankenhaus mitgenommen haben.«

»Das muss eine Belastung gewesen sein«, sagt Mark. »Dad drängt dich wenigstens nicht, Anwältin zu werden«, sagt er zu Alicia. Wir treten in die Küche, und Clare knipst das Licht an.

»Aber dich drängt er auch nicht dazu«, gibt sie scharf zurück. »Dir gefällt es.«

»Genau das meine ich doch. Er zwingt keinen von uns zu etwas, was wir nicht wollen.«

»War es eine Belastung?«, fragt Alicia mich. »Ich hätte es genossen.«

»Na ja, bevor meine Mom starb, war alles großartig. Danach

wurde es schrecklich. Wäre ich ein Wunderkind an der Geige gewesen, vielleicht ... keine Ahnung.« Ich sehe Clare an und zucke die Schultern. »Jedenfalls kommen mein Dad und ich nicht miteinander klar. Absolut nicht.«

»Und wieso nicht?«

Clare sagt: »Schlafenszeit.« Und meint damit, das war mehr als genug. Doch Alicia erwartet eine Antwort.

Ich wende mich ihr zu. »Hast du mal ein Bild von meiner Mom gesehen?« Sie nickt. »Ich bin ihr Ebenbild.«

»Und?« Alicia wäscht die Gläser unterm Wasserhahn, Clare trocknet ab.

»Und deshalb erträgt er meinen Anblick nicht. Wobei das nur ein Grund von vielen ist.«

»Aber ...«

»Alicia ...«, versucht Clare es erneut, aber Alicia ist nicht aufzuhalten.

»Aber er ist dein *Dad*.«

Ich muss lächeln. »Was du tust, um deinen Vater zu ärgern, ist eine Kleinigkeit verglichen mit dem, was mein Dad und ich einander angetan haben.«

»Zum Beispiel?«

»Zum Beispiel die vielen Male, die er mich aus unserer Wohnung ausgeschlossen hat, bei jedem Wetter. Oder als ich seinen Autoschlüssel in den Fluss warf. Solche Sachen.«

»Warum hast du so was gemacht?«

»Er war betrunken, und ich wollte nicht, dass er einen Unfall baut.«

Alicia, Mark und Clare sehen mich an und nicken. Das verstehen sie gut.

»Schlafenszeit«, sagt Alicia, und wir verlassen die Küche und gehen, ohne noch viel zu sagen, außer »Gute Nacht«, in unsere Zimmer.

CLARE: Mein Wecker zeigt 3.14 Uhr, und langsam wird mir warm in meinem kalten Bett, als die Tür sich öffnet und Henry ganz leise hereinkommt. Ich schlage die Decke zurück, und er schlüpft zu mir. Das Bett quietscht, während wir es uns bequem machen.

»Hallo«, flüstere ich.

»Hallo«, flüstert Henry zurück.

»Das ist keine gute Idee.«

»In meinem Zimmer war es eiskalt.«

»Oh.« Henry berührt meine Wange, und ich muss einen Schrei unterdrücken. Seine Finger sind eisig. Ich reibe sie zwischen meinen Handflächen. Henry wühlt sich tiefer unter die Decke. Ich presse mich an ihn, um wieder warm zu werden.

»Hast du Socken an?«, fragt er leise.

»Ja.« Er greift nach unten und zieht sie mir von den Füßen. Nach ein paar Minuten und einigem Quietschen und *Scht!* sind wir beide nackt.

»Wo warst du, als du die Kirche verlassen hast?«

»In meiner Wohnung. Ungefähr fünf Minuten lang, heute in vier Tagen.«

»Warum?«

»Ich war müde. Vielleicht auch der Stress.«

»Nein, warum deine Wohnung?«

»Keine Ahnung. Irgendein innerer Mechanismus. Vielleicht dachten die zeitreisenden Luftfahrtkontrolleure, ich würde mich dort ganz gut machen.« Henry vergräbt seine Hand in meinen Haaren.

Draußen wird es schon hell. »Frohe Weihnachten«, flüstere ich. Henry antwortet nicht, und ich liege wach in seinen Armen da, denke an Heerscharen von Engeln, lausche seinem gleichmäßigem Atem und bewege alles in meinem Herzen.

HENRY: In den frühen Morgenstunden stehe ich auf, um zu pinkeln, und als ich im Widerschein des Tinkerbell-Nachtlichts in Clares Badezimmer stehe und verschlafen uriniere, höre ich eine Mädchenstimme »Clare?« sagen, und noch ehe ich herausfinden kann, woher die Stimme kommt, öffnet sich eine Tür, die ich für einen Schrank gehalten hatte, und finde mich splitternackt vor Alicia wieder. »Oh«, flüstert sie, und ich greife etwas verspätet zu einem Handtuch, um mich zu bedecken. »Hallo, Alicia«, flüstere ich, und wir beide müssen grinsen. Dann verschwindet sie ebenso unvermittelt wie sie gekommen ist.

CLARE: Im Halbschlaf horche ich, wie das Haus allmählich erwacht. Nell singt unten in der Küche und klappert mit den Pfannen. Jemand geht im Flur an meiner Tür vorbei. Ich blicke zu Henry, der noch tief und fest schläft, und mit einem Mal wird mir klar, dass ich ihn hier unbemerkt hinausschaffen muss.

Vorsichtig befreie ich mich von ihm und den Decken und steige aus dem Bett. Ich hebe mein Nachthemd vom Boden auf und streife es mir gerade über den Kopf, da sagt Etta: »Clare! Raus aus den Federn, es ist Weihnachten!«, und schon streckt sie den Kopf zur Tür herein. Ich höre, wie Etta von Alicia gerufen wird, und als mein Kopf aus dem Nachthemd lugt, wendet Etta sich gerade ab, um Alicia zu antworten, und ich werfe einen Blick zum Bett und sehe Henry nicht mehr. Schnell trete ich seine Schlafanzughose, die auf dem Teppich liegt, unters Bett. Etta kommt in ihrem gelben Bademantel ins Zimmer, die Zöpfe hängen ihr über die Schultern. Ich wünsche ihr frohe Weihnachten, worauf sie mir etwas von Mama erzählt, aber ich kann ihr nicht zuhören, weil ich mir vorstelle, wie Henry vor ihr Gestalt annimmt. »Clare?« Etta sieht mich besorgt an.

»Oh, Entschuldigung. Ich glaube, ich bin noch ganz verschlafen.«

»Unten gibt es Kaffee.« Etta macht das Bett. Sie sieht leicht verwirrt aus.

»Ich mach das schon, Etta. Geh du ruhig nach unten.« Etta geht um das Bett herum auf die andere Seite. Mama streckt den Kopf zur Tür herein. Wunderschön sieht sie aus, gut gelaunt nach dem Sturm von gestern Abend. »Frohe Weihnachten, Liebes.«

Ich trete zu ihr und küsse sie leicht auf die Wange. »Frohe Weihnachten, Mama.« Es ist so schwer, wütend zu bleiben, wenn sie wieder meine vertraute, liebe Mama ist.

»Etta, kommst du mit mir nach unten?«, fragt Mama. Etta klopft auf die Kissen, bis die beiden Abdrücke unserer Köpfe verschwinden. Sie sieht mich kurz an, hebt die Brauen, sagt aber nichts.

»Etta?«

»Komme schon…« Sie hastet hinter Mama hinaus. Ich schließe die Tür hinter ihnen und lehne mich dagegen, um gerade noch zu sehen, wie Henry unterm Bett hervorrollt. Er steht auf und zieht wieder seinen Schlafanzug an. Ich sperre die Tür ab.

»Wo warst du?«, flüstere ich.

»Unterm Bett«, flüstert Henry zurück, als wäre das ja wohl offensichtlich.

»Die ganze Zeit?«

»Klar.« Aus irgendeinem Grund finde ich das urkomisch und muss kichern. Henry legt mir seine Hand auf den Mund, und bald schütteln wir uns beide vor stummem Gelächter.

HENRY: Der erste Weihnachtstag verläuft eigenartig ruhig nach der hohen See von gestern. Leicht gehemmt versammeln wir uns in Bademänteln und Hausschuhen um den Christbaum, Geschenke werden geöffnet und mit Freudenrufen bedacht. Nach überschwänglichem Dank auf allen Seiten gehen wir frühstücken. Es folgt eine Pause, danach essen wir das Weihnachtsmahl unter großem Lob für Nell und die Hummer. Alle lächeln, zeigen gute Manieren und sehen schön aus. Wir sind eine glückliche Vorzeigefamilie, ein Aushängeschild für die Bourgeoisie. Wir sind alles, wonach ich mich jedes Jahr am ersten Weihnachtstag gesehnt habe, wenn ich mit Dad und Mrs und Mr Kim im Restaurant Lucky Wok essen war und mich unter den ängstlichen Blicken der Erwachsenen bemühte, so zu tun, als würde ich mich freuen. Aber wenngleich wir nach dem Essen wohlgenährt im Wohnzimmer faulenzen, uns ein Footballspiel ansehen, in den Büchern schmökern, die wir einander geschenkt haben, und versuchen, einige Geschenke mit Batterien zu bestücken oder zusammenzubauen, damit sie funktionieren, herrscht eine unterschwellige Spannung. Es ist, als wäre irgendwo in einem der entfernteren Zimmer im Haus ein Waffenstillstand unterzeichnet worden und alle Parteien bemühen sich nun, ihn zu respektieren, zumindest bis morgen, zumindest so lange, bis die nächste Waffenlieferung kommt. Alle schauspielern wir, geben uns völlig entspannt, mimen die ideale Mutter, den idealen Vater, Schwester, Bruder, Freund, Verlobte. Und so ist es eine Erleichterung, als Clare auf die Uhr sieht, von der Couch aufsteht und sagt: »Komm, es ist Zeit, wir gehen zu Laura.«

CLARE: Bei unserer Ankunft ist Lauras Party schon voll im Gang. Henry, der angespannt und blass wirkt, steuert sofort auf den Alkohol zu, sobald wir die Mäntel ausgezogen haben. Da ich noch vom Wein von heute Mittag müde bin, lehne ich kopfschüttelnd ab, als er mich fragt, was ich trinken möchte, und er bringt mir eine Cola. Er klammert sich an sein Bier, als wäre es Ballast. »Lass mich jetzt auf keinen Fall allein«, bittet Henry mich mit einem Blick über meine Schulter, und noch bevor ich mich umdrehen kann, steht Helen bei uns. Ein kurzes, verlegenes Schweigen tritt ein.

»Na, Henry«, sagt Helen, »wir haben gehört, dass du Bibliothekar bist. Du siehst aber gar nicht so aus.«

»Eigentlich bin ich Model für Calvin-Klein-Unterwäsche. Die Bibliothekarsnummer dient nur zur Tarnung.«

Bisher habe ich Helen noch nie in Verlegenheit gesehen. Ich wünschte, ich hätte eine Kamera. Aber sie gewinnt schnell wieder ihre Fassung, mustert Henry von oben bis unten und lächelt. »Gut, Clare, du darfst ihn behalten«, sagt sie.

»Da bin ich aber erleichtert«, entgegne ich. »Ich hab nämlich das Rezept verloren.« Laura, Ruth und Nancy strömen von verschiedenen Seiten auf uns zu, sie wirken entschlossen und nehmen uns ins Verhör: Wie haben wir uns kennen gelernt, womit verdient Henry sein Geld, wo hat er studiert, bla, bla, bla. Nie hätte ich mir träumen lassen, dass unser erster gemeinsamer Auftritt in der Öffentlichkeit zugleich so nervenaufreibend und langweilig wird. Ich schalte mich wieder ein, als Nancy gerade sagt: »Wirklich seltsam, dass du Henry heißt.«

»Ach?«, sagt Henry. »Wieso das?«

Nancy erzählt ihm von der Schlafanzugparty bei Mary Christina, von der Oujatafel und ihrer Prophezeiung, ich würde einen Mann namens Henry heiraten. Henry wirkt beeindruckt. »Tatsächlich?«, fragt er mich.

»Ja.« Plötzlich muss ich dringend auf die Toilette. »Entschuldigt mich«, sage ich, löse mich von der Gruppe und übersehe Henrys flehentliche Miene. Helen heftet sich an meine Fersen, als ich nach oben renne. Ich muss ihr geradezu die Badezimmertür vor der Nase zuknallen, damit sie nicht mit hereinkommt.

»Mach auf, Clare«, sagt sie und rüttelt am Türknopf. Ich lasse mir Zeit, gehe auf die Toilette, wasche mir die Hände, lege frischen Lippenstift auf. »Clare«, grummelt Helen, »ich geh nach unten und erzähle deinem Freund jede einzelne Sünde, die du in deinem Leben begangen hast, wenn du diese Tür nicht sof...« Ich reiße die Tür auf, und Helen fällt fast ins Zimmer.

»Na schön, Clare Abshire«, sagt Helen drohend und schließt die Tür. Ich setze mich auf den Badewannenrand, sie baut sich, ans Waschbecken gelehnt, in ihren Pumps vor mir auf. »Gib's zu. Was läuft eigentlich mit dir und diesem Henry? Im Ernst, du stellst dich hin und tischst uns einen dicken Haufen Lügen auf. Du hast diesen Kerl nicht vor drei Monaten kennen gelernt, du kennst ihn schon seit Jahren! Worin liegt das große Geheimnis?«

Ich weiß wirklich nicht, wo ich anfangen soll. Sollte ich Helen die Wahrheit erzählen? Nein. Aber warum nicht? Wenn ich mich recht entsinne, hat Helen Henry nur einmal gesehen, und da sah er nicht viel anders aus als jetzt. Ich mag Helen sehr gern. Sie ist stark, sie ist verrückt, sie lässt sich nicht so leicht täuschen. Aber sie würde mir nie glauben, wenn ich ihr sagen würde, er reist durch die Zeit. Um das zu glauben, muss man es sehen.

»Gut«, sage ich und nehme meine Sinne zusammen. »Ja, ich kenne ihn schon sehr lange.«

»Wie lange?«

»Seit meinem sechsten Lebensjahr.«

Helens Augen treten hervor wie bei einer Comicfigur. Ich muss lachen.

»Warum ... wie kommt es ... und seit wann gehst du *richtig* mit ihm?«

»Keine Ahnung. Ich meine, es gab eine Phase, als alles irgendwie auf der Kippe stand, aber richtig gelaufen ist nichts, verstehst du; Henry war ziemlich unnachgiebig, er wollte nicht mit einem kleinen Mädchen rummachen, was dazu geführt hat, dass ich hoffnungslos verrückt nach ihm war.«

»Aber warum hast du uns nie von ihm erzählt? Mir ist unbegreiflich, wozu diese Heimlichtuerei gut sein sollte. Mir hättest du's doch erzählen können.«

»Na ja, du wusstest es ja irgendwie.« Eine lahme Ausrede, ich weiß.

Helen macht ein gekränktes Gesicht. »Das ist anders, als wenn du es mir sagst.«

»Ich weiß. Tut mir Leid.«

»Pfff. Also warum?«

»Er ist acht Jahre älter als ich.«

»Na und?«

»Als ich zwölf war und er zwanzig, war das ein Problem.« Ganz zu schweigen von der Zeit, als ich sechs war und er vierzig.

»Mir will es immer noch nicht in den Kopf. Ich kann ja verstehen, wenn du vor deinen Eltern verheimlichen willst, dass du die Lolita zu seinem Humbert Humbert spielst, aber ich kapier nicht, warum du es *uns* nicht erzählen konntest. *Wir* wären total auf deiner Seite gewesen. Ich meine, du hast uns so oft Leid getan, wir haben uns deinetwegen Sorgen gemacht und uns gefragt, warum du so eine *Nonne* bist...« Helen schüttelt den Kopf. »Und du hast dich die ganze Zeit von deinem Bücherwurm anbohren lassen...«

Ich merke, wie ich rot werde. »Das stimmt gar nicht.«

»Ach, komm schon.«

»Ehrlich! Wir haben gewartet, bis ich achtzehn war. An meinem Geburtstag haben wir es gemacht.«

»Trotzdem, Clare«, setzt Helen an, aber jemand klopft laut an die Tür, und eine tiefe Männerstimme fragt: »Seid ihr Mädels da drin vielleicht bald fertig?«

»Fortsetzung folgt«, zischt Helen mir zu, als wir unter dem Applaus der fünf Typen, die im Flur Schlange stehen, aus dem Badezimmer treten.

Henry ist in der Küche und lauscht geduldig einem von Lauras unglaublich sportlichen Freunden, der sich über ein Footballspiel ereifert. Kaum stelle ich Blickkontakt zu seiner blonden stupsnasigen Freundin her, schleppt sie ihn weg, um sich noch einen Drink zu holen.

Henry sagt: »Sieh mal, Clare, da drüben sind kleine Punks!« Er zeigt auf Jodie, Lauras vierzehn Jahre alte Schwester, und ihren Freund, Bobby Hardgrove. Bobby trägt einen grünen Irokesenschnitt und das volle Zerrissenes-T-Shirt-Sicherheitsnadel-Programm; Jodie versucht eine Lydia Lunch zu sein, sieht aber lediglich aus wie ein schlecht frisierter Waschbär. Irgendwie würden sie eher auf eine Halloween-Party passen als auf eine Weihnachtsfete. Sie wirken verloren und zurückgezogen. Henry dagegen ist begeistert.

»Mann. Wie alt sind die beiden wohl? Um die zwölf?«

»Vierzehn.«

»Moment, vierzehn, gerechnet von 1991, dann müssen sie ... du lieber Himmel, 1977 geboren. Wie alt ich mir vorkomme. Ich brauche noch einen Drink.« Laura kommt durch die Küche und trägt ein Tablett mit Wodka-Wackelpudding in Schnapsgläsern. Henry nimmt sich zwei und kippt sie in rascher Folge hinunter, dann verzieht er das Gesicht. »Igitt. Scheußlich.« Ich muss lachen. »Was meinst du, welche Musik sie wohl hören?«, fragt Henry.

»Keine Ahnung. Wieso gehst du nicht rüber und fragst sie?«

Henry macht ein erschrecktes Gesicht. »Ach, das geht doch nicht. Sie hätten Angst vor mir.«

»Ich glaube eher, du hast Angst vor ihnen.«

»Vielleicht hast du Recht. Sie sehen so zart und frisch und grün aus, wie junge Erbsen oder so.«

»Warst du früher so angezogen?«

Henry schnaubt verächtlich. »Wo denkst du hin? Natürlich nicht. Diese Kinder eifern dem britischen Punk nach. Ich bin ein amerikanischer Punk. Nein, ich stand eher auf den Richard-Hell-Look.«

»Warum unterhältst du dich nicht mit ihnen? Sie wirken so einsam.«

»Aber du musst mitkommen und uns vorstellen und meine Hand halten.« Vorsichtig schleichen wir durch die Küche, als wären wir Lévi-Strauss, der sich zwei Kannibalen nähert. Jodie und Bobby haben diesen Kämpfe-oder-Fliehe-Blick, wie man ihn von Rehen aus Naturfilmen kennt.

»Hallo, Jodie, Bobby.«

»Hallo, Clare«, sagt Jodie. Obwohl ich Jodie schon ihr ganzes Leben lang kenne, wirkt sie plötzlich schüchtern, woraus ich schließe, dass die Neo-Punk-Montur wohl Bobbys Idee ist.

»Ihr zwei seht irgendwie aus, als würdet ihr euch langweilen, deshalb möchte ich euch Henry vorstellen. Ihm gefällt euer Outfit.«

»Hallo«, sagt Henry zutiefst verlegen. »Mich würde nur interessieren ... also, ich habe überlegt, was ihr euch so anhört.«

»Anhören?«, wiederholt Bobby.

»Du weißt schon, Musik. Auf welche Musik steht ihr?«

Bobbys Miene erhellt sich. »Also, die Sex Pistols«, sagt er und überlegt.

»Natürlich«, erwidert Henry und nickt. »Und Clash?«

»Klar. Und, ähm, Nirvana ...«

»Nirvana ist gut«, bestätigt Henry.

»Blondie?«, sagt Jodie, als könnte sie mit ihrer Antwort falsch liegen.

»Mir gefällt Blondie«, sage ich. »Und Henry findet Deborah Harry gut.«

»Ramones?«, fragt Henry. Sie nicken beide. »Was ist mit Patti Smith?«

Jodie und Bobby blicken ausdruckslos drein.

»Iggy Pop?«

Bobby schüttelt den Kopf. »Pearl Jam«, schlägt er vor.

Ich setze mich für die beiden ein. »Hier oben gibt es keinen vernünftigen Radiosender«, erkläre ich Henry. »Sie haben keine Möglichkeit, solche Gruppen zu hören.«

»Ach so«, sagt Henry und überlegt. »Pass auf, soll ich dir ein paar Sachen aufschreiben, die du dir anhören solltest?« Jodie zuckt mit den Schultern. Bobby nickt, er wirkt ernst und aufgeregt. Ich stöbere in meiner Handtasche nach Papier und Stift. Henry setzt sich an den Küchentisch, Bobby lässt sich ihm gegenüber nieder. »Gut«, sagt Henry. »Du musst bis in die sechziger Jahre zurück, klar? Du fängst mit Velvet Underground an, in New York. Dann hast du MC5, gleich hier bei uns in Detroit, und Iggy Pop and The Stooges. Dann geht's wieder nach New York, zu den New York Dolls und The Heartbreakers ...«

»Tom Petty?«, fragt Jodie. »Von dem haben wir schon gehört.«

»Nein, das war eine ganz andere Band«, erklärt Henry. »Die meisten von ihnen sind in den 80er Jahren gestorben.«

»Flugzeugabsturz?«, fragt Bobby.

»Heroin«, berichtet Henry. »Jedenfalls waren da noch Television, Richard Hell and the Voidoids und Patti Smith.«

»Die Talking Heads«, füge ich hinzu.

»Weiß nicht. Zählst du die wirklich zum Punk?«

»Sie waren dabei.«

»Na gut.« Henry setzt sie auf die Liste. »Talking Heads. Und dann zieht die Szene nach England...«

»Ich dachte, Punk fing in London an«, sagt Bobby.

»Nein«, entgegnet Henry und schiebt seinen Stuhl zurück. »Natürlich glauben manche, ich eingeschlossen, dass Punk bloß der aktuelle Ausdruck von einem, na, einem Geist, einem Gefühl ist, dass einiges falsch läuft, um nicht zu sagen, alles läuft so falsch, dass wir nur sagen können Scheiß drauf, immer und immer wieder, ganz laut, bis uns jemand aufhält.«

«Ja«, sagt Bobby ruhig, und das Gesicht unter seinen Stoppelhaaren leuchtet von beinahe religiöser Inbrunst. »Ja.«

»Du verdirbst gerade einen Minderjährigen«, ermahne ich Henry.

»Ach, darauf würde er auch von alleine kommen, ohne mich. Stimmt's?«

»Ich hab's versucht, aber es ist nicht einfach hier oben.«

»Das kann ich mir vorstellen«, bestätigt Henry. Er ergänzt die Liste. Ich blicke ihm über die Schulter: Sex Pistols, The Clash, Gang of Four, Buzzcocks, Dead Kennedys, X, The Mekons, The Raincoats, The Dead Boys, New Order, The Smiths, Lora Logic, The Au Pairs, Big Black, PiL, The Pixies, The Breeders, Sonic Youth...

»Henry, hier oben können sie sich keine dieser Gruppen besorgen.« Er nickt und schreibt unten auf die Seite Telefonnummer und Adresse von Vintage Vinyl. »Aber einen Plattenspieler hast du doch, oder?«

»Meine Eltern haben einen«, sagt Bobby. Henry zieht eine Grimasse.

»Was gefällt dir denn richtig gut?«, frage ich Jodie, die während des männlichen Verbrüderungsrituals, das zwischen Henry und Bobby stattfindet, aus der Unterhaltung gefallen ist.

»Prince«, gibt sie zu. Henry und ich stoßen ein begeistertes *Huu!* aus, und ich fange an, so laut ich kann 1999 zu singen, dann springt Henry auf, und wir tanzen mit erotischen Zuckungen durch die Küche. Laura, die uns gehört hat, rennt los, um die echte Platte aufzulegen, und mit einem Mal, einfach so, sind wir auf einer Tanzparty.

HENRY: Auf der Heimfahrt von Lauras Party zu Clares Elternhaus sagt Clare: »Du bist ungewöhnlich ruhig.«
»Ich denke über die beiden Teenies nach. Die kleinen Punks.«
»Ach so. Was ist mit ihnen?«
»Mich würde interessieren, was diesen Jungen...«
»Bobby.«
»...was Bobby dazu bewegt, so weit zurückzukehren und sich an eine Musik zu hängen, die im Jahr seiner Geburt entstand...«
»Na ja, ich war ein echter Beatles-Fan«, gibt Clare zu bedenken. »Und die haben sich ein Jahr vor meiner Geburt getrennt.«
»Ja, schon, aber woran liegt das? Ich meine, du hättest eigentlich bei Depeche Mode, Sting oder sonst wem dahinschmelzen müssen. Wenn Bobby und seine Freundin sich gern verkleiden, sollten sie The Cure hören. Aber stattdessen sind sie in diese Punk-Sache gestolpert, von der sie keine Ahnung haben...«
»Ich bin sicher, damit wollen sie vor allem ihre Eltern ärgern. Laura hat mir erzählt, dass ihr Dad Jodie in diesem Aufzug nicht aus dem Haus lässt. Sie packt alles in ihren Rucksack und zieht sich in der Schule auf der Toilette um«, sagt Clare.
»Aber das haben doch damals alle gemacht. Natürlich geht es darum, den eigenen Individualismus geltend zu machen, das leuchtet mir ein, aber warum muss es der Individualismus von 1977 sein? Sie sollten karierte Flanellhemden tragen.«
»Und warum ist dir das so wichtig?«
»Es deprimiert mich. Es erinnert mich daran, dass die Zeit, in die ich gehörte, tot ist, und nicht nur das, sie ist in Vergessenheit geraten. Keines der Stücke wird jemals im Radio gespielt, frag mich nicht warum. Als hätte das alles nie stattgefunden. Deshalb werd ich ganz kribbelig, wenn ich Teenies sehe, die sich als Punks verkaufen, weil ich nicht will, dass diese Zeit einfach verschwindet.«

»Aber«, sagt Clare, »du kannst ja jederzeit zurück, während die meisten Leute in der Gegenwart festsitzen; du kannst immer wieder dort sein.«

Ich denke darüber nach. »Trotzdem, Clare, es ist traurig. Auch wenn ich etwas Tolles mache, wie, sagen wir, ich geh in ein Konzert, das ich beim ersten Mal verpasst habe, vielleicht mit einer Band, die sich zwischenzeitlich aufgelöst hat oder bei der ein Mitglied gestorben ist, dann ist es traurig, das Ganze zu sehen, weil ich weiß, was geschehen wird.«

»Aber verhält es sich nicht mit allem in deinem Leben so?«

»Doch, natürlich.« Wir sind an die Privatstraße gelangt, die zu Clares Haus führt. Sie biegt ein.

»Henry?«

»Ja?«

»Wenn du jetzt damit aufhören könntest ... wenn du nicht mehr durch die Zeit reisen könntest, ohne dass es Folgen hätte, würdest du es dann tun?«

»Wenn ich jetzt aufhören könnte und dich trotzdem kennen lernen würde?«

»Du hast mich schon kennen gelernt.«

»Ja. Dann würde ich aufhören.« Ich sehe Clare an, düster im dunklen Auto.

»Das wäre lustig«, sagt sie. »Dann könnte ich in Erinnerungen schwelgen, die du nie haben würdest. Es wäre so, als – nein, es ist so, als wäre man mit jemandem zusammen, der an Gedächtnisschwund leidet. Seit wir hier sind, habe ich dieses Gefühl.«

Ich muss lachen. »In Zukunft kannst du also beobachten, wie ich in jede Erinnerung hineinstolpere, bis ich sie alle zusammen habe. Heb sie gut auf.«

Sie lächelt. »Wahrscheinlich.« Clare biegt in die geschwungene Auffahrt vor dem Haus ein. »Trautes Heim, Glück allein.«

Später, nachdem wir oben in unsere getrennten Zimmer geschlüpft sind, ich meinen Schlafanzug angezogen und mir die Zähne geputzt habe und dann in Clares Zimmer geschlichen bin, ohne diesmal zu vergessen, die Tür abzusperren, liegen wir warm in ihrem Bett, und sie flüstert: ›Ich möchte nicht, dass du etwas verpasst.‹

»Was verpasst?«

»Alles, was geschehen ist. Als ich noch ein Kind war. Bisher hat sich ja erst die Hälfte zugetragen, weil du bei vielem nicht dabei warst. Erst wenn du eine Sache erlebst, wird sie wahr.«

»Bin schon unterwegs.« Ich streiche mit der Hand über ihren Bauch und weiter hinunter zwischen die Beine. Clare stößt einen leisen Schrei aus.

»*Scht.*«

»Deine Hand ist *eisig.*«

»Entschuldigung.« Wir machen es ganz vorsichtig, still. Als ich schließlich komme, ist es so intensiv, dass mich rasende Kopfschmerzen plagen, und einen Augenblick lang befürchte ich schon, ich verschwinde gleich, aber nein. Stattdessen liege ich in Clares Armen, verdrehe die Augen vor Schmerzen. Clare schnarcht, ruhige animalische Schnarcher, die sich in meinem Kopf wie donnernde Bulldozer anfühlen. Ich sehne mich nach meinem eigenen Bett, meiner eigenen Wohnung. Trautes Heim, Glück allein. Zu Hause ist es am schönsten. Zu Hause ist, wo mein Herz ist. Aber mein Herz ist hier. Ich muss also zu Hause sein. Clare seufzt, dreht ihren Kopf, ist wieder still. Hallo, Liebes, ich bin zu Hause. Endlich zu Hause.

CLARE: Es ist ein klarer, kalter Morgen. Wir haben schon gefrühstückt. Das Auto ist gepackt. Mark und Sharon sind bereits mit Daddy zum Flughafen in Kalamazoo aufgebrochen. Henry verabschiedet sich in der Eingangshalle von Alicia; ich renne nach oben in Mamas Zimmer.

»Ach, ist es schon so spät?«, fragt sie, als sie mich in Mantel und Stiefeln sieht. »Ich dachte, ihr bleibt bis zum Mittagessen.« Mama sitzt an ihrem Schreibtisch, der wie immer mit Papierblättern, die mit ihrer extravaganten Handschrift beschrieben sind, übersät ist.

»Woran arbeitest du gerade?« Was es auch sein mag, es ist voll durchgestrichener Wörter und Gekritzel.

Mama dreht die Seite um. Ihr Schreiben hütet sie wie ein Geheimnis. »Nichts. Ein Gedicht über den Garten im Schnee. Aber es will mir irgendwie nicht gelingen.« Mama steht auf, geht hinüber zum Fenster. »Schon komisch, dass Gedichte nie so schön sind wie der echte Garten. Jedenfalls meine Gedichte.«

Dazu kann ich mich nicht äußern, denn Mama hat mich noch nie eins ihrer Gedichte lesen lassen, deshalb sage ich nur: »Ja, dein Garten ist wunderschön«, aber sie wischt das Kompliment mit der Hand beiseite. Lob bedeutet Mama nichts, sie glaubt es einfach nicht. Nur Kritik lässt ihre Wangen erröten und fesselt ihre Aufmerksamkeit. An eine geringschätzige Bemerkung würde sie sich ewig erinnern. Es entsteht ein verlegenes Schweigen. Ich merke, wie sie darauf wartet, dass ich gehe, damit sie weiterschreiben kann.

»Wiedersehen, Mama.« Ich küsse ihr kühles Gesicht und entfliehe.

HENRY: Seit ungefähr einer Stunde sind wir unterwegs. Kilometerlang war die Straße nur von Kiefern gesäumt, nun fahren wir durch flaches Land voll Stacheldrahtzäunen. Seit einiger Zeit hat keiner von uns etwas gesagt. Sobald mir das auffällt, empfinde ich unser Schweigen als seltsam, also sage ich etwas.

»War alles gar nicht so schlimm.« Meine Stimme klingt zu fröhlich, zu laut in dem kleinen Auto. Clare antwortet nicht, und ich blicke zu ihr hinüber. Sie weint, und während sie fährt und so tut, als würde sie nicht weinen, laufen ihr Tränen über die Wangen. Noch nie habe ich Clare weinen sehen, und etwas an ihren stummen stoischen Tränen irritiert mich. »Clare. Clare, vielleicht ... könntest du vielleicht mal kurz anhalten?« Ohne mich anzusehen, fährt sie langsamer und steuert auf den Seitenstreifen, bleibt stehen. Wir sind irgendwo in Indiana. Der Himmel ist blau, auf dem Feld an der Straße sind viele Krähen. Clare lehnt die Stirn ans Steuer und atmet einmal lang und abgehackt durch.

»Clare.« Ich rede mit ihrem Hinterkopf. »Clare, es tut mir Leid. Liegt es ... hab ich was falsch gemacht? Was ist los? Ich ...«

»An dir liegt es nicht«, sagt sie unter ihrem Haarschleier. Wir sitzen eine ganze Weile so da.

»Was ist dann los?« Clare schüttelt den Kopf, ich starre sie an. Schließlich nehme ich meinen ganzen Mut zusammen und berühre sie. Ich streiche ihr über die Haare, und durch die dicken schimmernden Wellen spüre ich die Knochen in Nacken und Rückgrat. Sie dreht sich zu mir, und ich nehme sie über die getrennten Sitze hinweg unbeholfen in den Arm; Clare weint jetzt so heftig, dass sie zittert.

Dann verstummt sie und sagt: »Zum Teufel mit Mama.«

Später stehen wir auf dem Dan Ryan Expressway in einem Verkehrsstau und hören Irma Thomas. »Henry? War es ... hat es dir viel ausgemacht?«

»Was ausgemacht?«, frage ich und denke, sie redet von ihrem Weinen.

Aber sie sagt: »Meine Familie? War sie ... kam sie dir ...?«

»Sie war in Ordnung, Clare. Ich mochte sie wirklich. Vor allem Alicia.«

»Manchmal möchte ich sie alle in den Lake Michigan stoßen und zusehen, wie sie versinken.«

»Das Gefühl kenn ich gut. Übrigens, ich glaube, dein Vater und dein Bruder haben mich irgendwann gesehen. Und beim Abschied hat Alicia etwas sehr Merkwürdiges gesagt.«

»Einmal hab ich dich mit Dad und Mark gesehen. Und Alicia ist dir mit zwölf definitiv einmal im Keller begegnet.«

»Könnte das ein Problem werden?«

»Nein, denn die Erklärung ist zu abwegig, um sie zu glauben.« Wir beide müssen lachen, und die Spannung, die uns auf der gesamten Fahrt nach Chicago beherrscht hat, löst sich auf. Der Verkehr wird wieder schneller. Schon bald hält Clare vor meinem Wohnhaus. Ich hole meine Tasche aus dem Kofferraum, und während ich beobachte, wie Clare losfährt und die Dearborn Street entlangrollt, schnürt sich mir der Hals zu. Stunden später weiß ich, dass es sich bei meinem Gefühl um Einsamkeit handelt; offiziell ist Weihnachten wieder für ein Jahr vorbei.

HOME IS ANYWHERE YOU HANG
YOUR HEAD

Samstag, 9. Mai 1992 (Henry ist 28)

HENRY: Ich habe beschlossen, dass die beste Strategie ist, ihn direkt zu fragen: Entweder er sagt Ja oder Nein. Ich nehme die Ravenswood-Linie zu Dads Wohnung, dem Zuhause meiner Jugend. In letzter Zeit bin ich nicht oft dort gewesen. Dad lädt mich selten ein, und es ist nicht meine Art, unangekündigt aufzutauchen, wie ich es jetzt gerade tue. Aber wenn er nicht ans Telefon geht, kann er nichts anderes erwarten. An der Western Avenue steige ich aus und gehe die Lawrence entlang in westlicher Richtung. Das Haus mit den zwei Wohnungen liegt an der Virginia Road; die hintere Veranda schaut auf den Chicago River. Als ich im Foyer stehend nach dem Schlüssel suche, späht Mrs Kim aus ihrer Tür und winkt mich verstohlen zu sich herein. Ich bin beunruhigt, denn normalerweise ist Kimy sehr herzlich, laut und liebevoll, und obwohl sie alles weiß, was es über uns zu wissen gibt, mischt sie sich nie ein. Oder besser, fast nie. Um genau zu sein, nimmt sie regen Anteil an unserem Leben, aber uns stört es nicht. Ich merke, dass sie äußerst besorgt ist.

»Willst du eine Cola?« Sie marschiert bereits in die Küche.

»Gern.« Ich stelle meinen Rucksack neben der Eingangstür ab und gehe hinter ihr her. In der Küche hebelt sie krachend das Metallgitter einer altmodischen Eiswürfelschale. Kimys Kraft bringt mich immer wieder zum Staunen. Mittlerweile muss sie siebzig sein, doch auf mich wirkt sie noch genauso wie früher, als ich klein war. Hier unten habe ich viel Zeit verbracht, ihr beim Essen kochen für Mr Kim (der vor fünf Jahren starb) geholfen, gelesen, Hausaufgaben gemacht und ferngesehen. Ich setze mich an den Küchentisch, und sie stellt mir ein Glas Cola hin, bis zum Rand mit Eis gefüllt. Sie hat eine halb ausgetrunkene Tasse Instantkaffee, eine der feinen Porzellantassen, um deren Rand Kolibris gemalt sind. Ich erinnere mich noch, als ich das erste Mal Kaffee aus einer dieser Tassen trinken durfte: Ich war dreizehn und fühlte mich sehr erwachsen.

»Lange nicht gesehen, Freund.«

Aua. »Ich weiß. Tut mir Leid ... aber irgendwie ist mir die Zeit davongelaufen.«

Sie taxiert mich. Kimy hat durchdringende schwarze Augen, mit denen sie bis in den letzten Winkel meines Gehirns sehen kann. Ihr flaches koreanisches Gesicht verbirgt jegliche Emotion, es sei denn, sie will, dass man sie sieht. Kimy ist eine fantastische Bridge-Spielerin.

»Bist du wieder durch die Zeit gereist?«

»Nein. Im Gegenteil, ich bin seit Monaten nicht mehr unterwegs gewesen. Das war schön.«

»Hast du eine Freundin?«

Ich grinse.

»Ho ho. Gut, ich weiß Bescheid. Wie heißt sie? Und warum bringst du sie nicht mit?«

»Sie heißt Clare. Ich wollte sie schon einige Male mitbringen, aber er lehnt immer ab.«

»Mich hast du nie gefragt. Bring sie mit zu mir, dann kommt Richard auch. Wir essen Ente almondine.«

Wie immer bin ich von meiner eigenen Beschränktheit beeindruckt. Mrs Kim weiß für jedes private Problem stets die ideale Lösung. Mein Vater, der nicht die geringsten Skrupel hat, mir gegenüber den Muffel herauszukehren, würde sich für Mrs Kim jederzeit ins Zeug legen, und das sollte er auch, denn immerhin hat sie sein Kind weitgehend allein groß gezogen und berechnet ihm vermutlich auch nicht die übliche Marktmiete.

»Du bist ein Genie.«

»Ja. Wie kommt es, dass mir die MacArthur Foundation nie einen Zuschuss für Frieden stiftende Arbeit gewährt? Kannst du mir das sagen?«

»Nein. Vielleicht gehst du nicht oft genug aus dem Haus. Ich kann mir nicht vorstellen, dass man den MacArthur-Leuten bei Bingo World begegnet.«

»Nein, die haben schon genug Geld. Und wann heiratest du?«

Ich muss so lachen, dass mir etwas Cola durch die Nase läuft. Kimy fährt hoch und klopft mir auf den Rücken. Als es besser wird, setzt sie sich brummelig wieder hin. »Was ist so lustig? Ich frag ja bloß. Fragen darf ich doch wohl, oder?«

»Nein, daran liegt es nicht ... ich meine, ich lache nicht, weil es so abwegig ist, sondern weil du meine Gedanken liest. Ich bin hier, um Dad zu fragen, ob er mir Moms Ringe gibt.«

»Ohhhh. Junge, ich weiß nicht. Du willst also heiraten. Hey! Das ist großartig! Wird sie ja sagen?«

»Glaub schon. Zu neunundneunzig Prozent bin ich mir sicher.«

»Na, ist doch gut. Aber mit den Ringen deiner Mutter, das kann ich nicht beurteilen. Also, was ich dir sagen will« – ihre Augen blicken zur Decke –, »deinem Dad, dem geht's nicht sehr gut. Er brüllt oft und schmeißt Sachen, und er übt nicht mehr.«

»Ach. Das kommt nicht völlig überraschend. Aber gut ist es nicht. Warst du in letzter Zeit oben?« Normalerweise ist Kim oft in Dads Wohnung. Ich glaube, sie macht dort heimlich sauber. Ich habe schon gesehen, wie sie trotzig seine Anzughemden gebügelt und sich jeden Kommentar meinerseits verbeten hat.

»Er lässt mich ja nicht rein!« Sie ist den Tränen nahe. Das allerdings ist schlimm. Mein Dad hat gewiss seine Probleme, aber dass er sie an Kimy auslässt, ist einfach schändlich.

»Aber wenn er nicht da ist?« Gewöhnlich tue ich so, als wüsste ich nicht, dass Kimy ohne Dads Wissen in seiner Wohnung ein- und ausgeht, und sie tut so, als würde sie so etwas niemals wagen. Aber im Grunde bin ich ihr jetzt, da ich nicht mehr hier wohne, dafür dankbar. Jemand muss ja ein Auge auf ihn haben.

Auf meine Bemerkung hin macht sie ein schuldbewusstes und

leicht erschrockenes Gesicht. »Gut. Klar, gelegentlich seh ich schon mal nach, weil ich mir Sorgen um ihn mache. Überall liegt Müll herum, wenn er so weitermacht, kriegen wir noch Ungeziefer. In seinem Kühlschrank ist nichts außer Bier und Zitronen. Auf dem Bett liegen so viele Kleider, dass er meiner Meinung nach nicht darin schlafen kann. Ich weiß nicht, was er macht. In einem so schlechten Zustand hab ich ihn seit dem Tod deiner Mutter nicht gesehen.«

»O Mann. Was meinst du?« Über uns kracht es gewaltig, was bedeutet, dass Dad etwas auf den Küchenboden hat fallen lassen. Wahrscheinlich steht er gerade auf. »Ich sollte wohl lieber mal hoch gehen.«

»Ja.« Kimy wird ganz schwermütig. »So ein netter Mann, dein Dad. Ich weiß nicht, warum er sich so gehen lässt.«

»Er ist Alkoholiker. Und Alkoholiker verhalten sich so. Das steht so in ihrer Jobbeschreibung: Zerfall, und danach weiterer Zerfall.«

Sie wirft mir einen vernichtenden Blick zu. »Wo wir gerade bei Jobs sind...«

»Ja?« O Mist.

»Ich glaube, er geht nicht mehr zur Arbeit.«

»Na ja, es ist keine Saison. Im Mai arbeitet er nie.«

»Sie sind in Europa auf Tournee, und er ist nicht dabei. Außerdem hat er die letzten zwei Monate keine Miete gezahlt.«

Verdammt, verdammt, verdammt. »Kimy, wieso hast du mich nicht angerufen? Das ist schlimm. Mann.« Schon bin ich auf den Füßen und laufe in den Flur, packe meinen Rucksack, gehe in die Küche zurück und forsche darin nach meinem Scheckbuch. »Wieviel schuldet er dir?«

Mrs Kim ist das Ganze sehr peinlich. »Nein, Henry, nicht – er zahlt schon noch.«

»Er kann mir das Geld zurückgeben. Also, Kumpel, ist schon gut. Jetzt spuck's aus, wie viel?«

Sie sieht mich nicht an. »Tausendzweihundert Dollar«, sagt sie kleinlaut.

»Mehr nicht? Was machst du, leitest du die philantropische Gesellschaft zur Unterstützung von unberechenbaren DeTambles?«

Ich schreibe den Scheck aus und stecke ihn unter ihre Untertasse. »Den solltest du lieber einlösen, sonst komme ich wieder.«

»Also, dann lös ich ihn nicht ein und du musst mich besuchen.«

»Das wollte ich sowieso.« Ich habe ein überaus schlechtes Gewissen. »Dann bringe ich Clare mit.«

Kimy strahlt mich an. »Das will ich hoffen. Ich werde deine Brautjungfer sein, einverstanden?«

»Wenn es mit Dad nicht besser wird, darfst du mich meiner Zukünftigen übergeben. Überhaupt, die Idee ist großartig: Du führst mich den Gang entlang, Clare wartet im Frack, und der Organist spielt Lohengrin...«

»Ich sollte mir lieber ein Kleid kaufen.«

»Halt. Kleider werden erst gekauft, wenn ich dir sage, dass es beschlossene Sache ist.« Ich seufze. »Jetzt werde ich besser mal hoch gehen und mit ihm reden.« Ich stehe auf. Mit einem Mal komme ich mir in Mrs Kims Küche riesig vor, als wäre ich in meiner alten Grundschule und staunte über die Größe der Tische. Langsam kommt sie auf die Füße und folgt mir zur Eingangstür. Ich nehme sie in die Arme. Einen Moment lang wirkt sie zerbrechlich und verloren, und ich stelle mir ihr Leben vor, die ineinander übergehenden Tage, in denen sie putzt, gärtnert und Bridge spielt, dann aber holen mich meine eigenen Sorgen wieder gewaltsam ein. Ich werde bald wiederkommen, ich kann mich nicht mein ganzes Leben lang mit Clare im Bett verstecken. Kimy beobachtet, wie ich Dads Tür öffne.

»Hey, Dad? Bist du da?«

Eine Pause, und dann: »VERSCHWINDE.«

Ich gehe die Treppe hinauf, und Mrs Kim schließt die Tür.

Als Erstes schlägt mir der Geruch entgegen: Da ist irgendwas am Verrotten. Das Wohnzimmer ist verwüstet. Wo sind die vielen Bücher geblieben? Meine Eltern besaßen tonnenweise Bücher, über Musik, über Geschichte, Romane, auf Französisch, auf Deutsch, auf Italienisch: Wo sind sie? Auch die Platten- und CD-Sammlung erscheint mir kleiner. Überall auf dem Boden liegen Papiere, Werbung, Zeitungen, Notenblätter. Das Klavier meiner Mutter ist mit

Staub überzogen, und auf dem Fenstersims steht eine Vase mit längst vertrockneten Gladiolen. Ich gehe durch den Flur, sehe kurz in die Schlafzimmer. Totales Chaos: Kleider, Müll, noch mehr Zeitungen. Im Bad liegt eine Flasche Michelob unterm Waschbecken, und davor glänzt eine vertrocknete Bierlache auf den Kacheln.

In der Küche sitzt mein Vater mit dem Rücken zu mir am Tisch und blickt aus dem Fenster zum Fluss hinaus. Er dreht sich nicht um, als ich eintrete, sieht mich nicht an, als ich mich setze. Aber er steht auch nicht auf und geht, also vielleicht ein Zeichen, dass ein Gespräch in Gang kommt.

»Hallo, Dad.«

Schweigen.

»Eben war ich bei Mrs Kim. Sie sagt, dir geht es nicht besonders gut.«

Schweigen.

»Wie ich höre, arbeitest du nicht.«

»Es ist Mai.«

»Und wieso bist du nicht auf Tournee?«

Schließlich sieht er mich an. Unter seiner sturen Miene verbirgt sich Angst. »Ich bin krankgeschrieben.«

»Seit wann?«

»März.«

»Wird dein Gehalt weiter gezahlt?«

Schweigen.

»Bist du krank? Was fehlt dir?«

Ich glaube schon, er ignoriert meine Frage, da antwortet er, indem er seine Hände ausstreckt. Sie zittern, als fände ein eigenes kleines Erdbeben in ihnen statt. Endlich hat er es geschafft. Dreiundzwanzig Jahre entschlossenen Trinkens, und er hat seine Fähigkeit Geige zu spielen ruiniert.

»Oh, Dad. Mein Gott. Was sagt Stan dazu?«

»Er sagt weiter nichts. Die Nerven sind kaputt, und das wird auch nicht wieder.«

»Lieber Himmel.« Eine unerträgliche Minute lang sehen wir uns an. Seine Miene ist verzweifelt, und allmählich dämmert mir: Er hat nichts mehr. Ihm bleibt nichts, was ihn stützt, was ihm Halt gibt, was seinem Leben einen Sinn verleiht. Erst Mom, dann seine Musik – weg, alles weg. Ich war ihm ohnehin nie wichtig, meine verspäteten Bemühungen werden also unerheblich sein. »Und was geschieht jetzt?«

Schweigen. Nichts geschieht jetzt.

»Du kannst nicht hier oben bleiben und die nächsten zwanzig Jahre trinken.«

Er starrt auf den Tisch.

»Was ist mit deiner Rente? Arbeitslosengeld? Krankenversicherung? Anonyme Alkoholiker?«

Er hat sich um nichts gekümmert, hat alles schleifen lassen. Wo bin ich nur gewesen?

»Ich hab deine Miete bezahlt.«

»Ach.« Er ist verwirrt. »Hatte ich sie denn nicht bezahlt?«

»Nein. Du warst ihr zwei Monate schuldig. Mrs Kim war das sehr peinlich. Sie wollte es mir nicht sagen und wollte mein Geld nicht annehmen, aber es ist sinnlos, deine Probleme zu ihren zu machen.«

»Arme Mrs Kim.« Tränen laufen meinem Vater die Wangen hinab. Er ist alt. Anders kann man es nicht ausdrücken. Mit siebenundfünfzig ist er ein alter Mann. Mittlerweile bin ich nicht mehr wütend. Mir tut er Leid und ich habe Angst um ihn.

»Dad.« Er sieht mich wieder an. »Hör mal. Du musst mich ein paar Dinge für dich regeln lassen, ja?« Er blickt beiseite, schaut wieder zum Fenster hinaus auf die unendlich viel interessanteren Bäume am gegenüberliegenden Ufer. »Du musst mir deine Rentenunterlagen und Kontoauszüge und das alles zeigen. Du musst Mrs Kim und mich die Wohnung sauber machen lassen. Und du musst aufhören zu trinken.«

»Nein.«

»Was nein? Alles oder nur etwas Bestimmtes?«

Schweigen. Allmählich verliere ich die Geduld, also wechsle ich das Thema. »Dad, ich will heiraten.«

Damit habe ich seine Aufmerksamkeit.

»Und wen? Wer sollte dich schon heiraten?« Er sagt das, glaube ich, ohne Boshaftigkeit. Er ist wirklich neugierig. Ich ziehe meine Brieftasche hervor und hole das Foto von Clare aus der Plastikhülle.

Auf dem Bild blickt sie gelassen über den Lighthouse Beach. Ihre Haare wehen wie ein Banner im Wind, im frühen Morgenlicht scheint sie vor dem Hintergrund aus dunklen Bäumen zu leuchten. Dad nimmt das Bild und betrachtet es sorgsam.

»Sie heißt Clare Abshire und ist Künstlerin.«

»Tja. Hübsch ist sie«, sagt er widerstrebend. Das ist fast schon ein väterlicher Segen.

»Ich möchte ... ich würde ihr gern Moms Ehe- und Verlobungsring schenken. Ich glaube, Mom hätte es gutgeheißen.«

»Woher willst du das wissen? Vermutlich erinnerst du dich kaum noch an sie.«

Im Grunde möchte ich nicht darüber diskutieren, aber plötzlich bin ich entschlossen, mich durchzusetzen. »Ich sehe sie regelmäßig. Seit ihrem Tod habe ich sie Hunderte von Malen gesehen. Ich sehe sie im Viertel umherlaufen, mit dir, mit mir. Sie geht in den Park und lernt Partituren, sie kauft ein, sie trinkt Kaffee mit Mara im Tia's. Ich sehe sie mit Onkel Ish. Ich sehe sie an der Juilliard School. *Ich höre sie sogar singen*!« Dad starrt mich entgeistert an. Mir ist klar, ich richte ihn zugrunde, aber irgendwie kann ich nicht aufhören. »Ich hab mit ihr gesprochen. Einmal stand ich neben ihr in einem überfüllten Zug und hab sie berührt.« Dad fängt zu weinen an. »Ich empfinde es nicht nur als Fluch, verstehst du? Manchmal ist es wunderschön, durch die Zeit zu reisen. Ich *musste* sie sehen, und manchmal sehe ich sie eben. Sie hätte Clare *gemocht*, sie hätte sich *gewünscht*, dass ich glücklich bin, und sie würde es *bedauern*, wie du alles verpfuschst, nur weil sie gestorben ist.«

Er sitzt am Küchentisch und heult. Er weint, ohne sein Gesicht zu verbergen, hält nur den Kopf gesenkt und lässt den Tränen freien Lauf. Ich beobachte ihn eine Weile, der Preis für meine Unbeherrschtheit. Dann gehe ich ins Bad und komme mit einer Rolle Klopapier zurück. Blindlings greift er danach und putzt sich die Nase. Dann sitzen wir ein paar Minuten ratlos da.

»Warum hast du mir das nicht gesagt?«

»Wie meinst du das?«

»Warum hast du mir nicht gesagt, dass du sie siehst? Ich hätte das ... gern gewusst.«

Warum ich es ihm nicht gesagt habe? Weil jeder normale Vater längst herausgefunden hätte, dass der Fremde, der in ihren frühen Ehejahren immer wieder auftauchte, in Wirklichkeit sein anormaler, durch die Zeit reisender Sohn war. Weil ich Angst davor hatte: Weil er mich, den Überlebenden, gehasst hat. Weil ich mich ihm insgeheim für etwas, das in seinen Augen ein Mangel ist, überlegen fühlen konnte. Aus hässlichen Gründen wie diesen.

»Weil ich dachte, es würde dir wehtun.«

»Oh, nein. Das tut mir nicht weh. Ich ... es ist schön, zu wissen, dass sie da ist, irgendwo. Ich meine ... das Schlimmste ist doch, dass sie fort ist. Darum ist es schön, wenn sie irgendwo draußen ist. Auch wenn ich sie nicht sehen kann.«

»Meistens wirkt sie glücklich.«

»Ja, sie war sehr glücklich ... wir waren glücklich.«

»Sicher. Du warst ein ganz anderer Mensch. Ich hab mich oft gefragt, wie es gewesen wäre, wenn ich so mit dir aufgewachsen wäre, wie du damals warst.«

Langsam steht er auf. Ich bleibe sitzen, während er schwankend durch den Flur in sein Schlafzimmer geht. Ich höre ihn herumwühlen, dann kommt er zurück, in der Hand einen kleinen Beutel aus Satin. Er greift hinein, holt ein dunkelblaues Schmuckkästchen hervor, öffnet es und nimmt die beiden dünnen Ringe heraus. Wie Samen liegen sie in seiner langen, zitternden Hand. Dad legt die linke Hand über die rechte mit den Ringen und sitzt eine Weile so da, als wären die Ringe gefangene Leuchtkäfer. Seine Augen sind geschlossen. Dann öffnet er sie wieder und streckt die rechte Hand aus: Ich lege meine Hände aneinander, und er gibt mir die Ringe.

Der Verlobungsring ist ein Smaragd, das düstere Licht vom Fenster bricht sich darin grün und weiß. Die Ringe sind aus Silber, sie müssen geputzt werden. Außerdem müssen sie getragen werden, und ich kenne das Mädchen, zu dem sie am besten passen.

GEBURTSTAG

Sonntag, 24., Mai 1992 (Clare ist 21, Henry 28)

CLARE: Mein einundzwanzigster Geburtstag. Es ist ein herrlicher
Sommerabend. Ich bin in Henrys Wohnung, liege in seinem Bett
und lese *Der Monddiamant* von Wilkie Collins. Henry kocht uns in
der winzigen Kitchenette etwas zu essen. Ich ziehe seinen Bademantel an, und auf dem Weg ins Bad höre ich, wie er auf den Mixer
schimpft. Ich lasse mir Zeit, wasche mir die Haare, beschlage den
Spiegel mit Dampf. Manchmal denke ich daran, mir die Haare
schneiden zu lassen. Es könnte so schön sein, sie zu waschen,
schnell mit dem Kamm durchzufahren, und presto!, alles sitzt, es
kann losgehen. Ich seufze. Aber Henry liebt meine Haare fast so, als
wären sie ein selbständiges Wesen, als hätten sie eine eigene Seele,
als könnten sie seine Liebe erwidern. Mir ist klar, er liebt sie als
einen Teil von mir, aber ich weiß auch, er wäre zutiefst enttäuscht,
wenn ich sie abschneiden ließe. Und auch mir würden sie fehlen ...
wenn nur nicht alles so mühsam wäre; manchmal würde ich sie am
liebsten wie eine Perücke abnehmen und beiseite legen, bevor ich
nach draußen gehe und spiele. Vorsichtig kämme ich sie durch, ent-
wirre die verhedderten Strähnen. Meine Haare sind schwer, wenn
sie nass sind. Sie ziehen an der Kopfhaut. Ich öffne die Tür einen
Spalt, um den Dampf zu verteilen. Henry singt etwas aus der *Car-*

mina Burana, es klingt komisch und falsch. Als ich aus dem Bad komme, deckt er gerade den Tisch.

»Perfekt abgepasst, das Essen wird serviert.«

»Einen Augenblick noch, ich will mich schnell anziehen.«

»Du bist schön, wie du bist. Ehrlich.« Henry kommt um den Tisch herum, öffnet den Bademantel und streicht mit den Händen zärtlich über meine Brüste.

»Das Essen wird kalt.«

»Das Essen *ist* kalt. Ich meine, es soll kalt sein.«

»Oh... Na, dann lass uns essen.« Plötzlich bin ich erschöpft und nörgelig.

»Gut.« Henry lässt mich ohne Kommentar los und widmet sich wieder dem Verteilen von Besteck. Ich sehe ihm kurz zu, hebe dann meine Kleider an verschiedenen Stellen vom Boden auf und ziehe mich an. Anschließend setze ich mich an den Tisch, und Henry bringt zwei Schalen mit einer hellen, dicken Suppe heraus. »Selleriesuppe. Nach dem Rezept meiner Großmutter.« Ich probiere ein bisschen. Sie ist wunderbar cremig und kühl. Als nächsten Gang gibt es Lachs mit Spargel in einer Marinade aus Olivenöl und Rosmarin. Ich möchte eine nette Bemerkung zum Essen machen, aber stattdessen sage ich: »Henry, ob andere Leute auch so viel Sex haben wie wir?«

Henry denkt nach. »Die meisten ... nein, ich glaube nicht. Höchstens Leute, die sich nicht sehr lange kennen und ihr Glück noch nicht fassen können, würde ich sagen. Wird es dir zu viel?«

»Ich weiß nicht. Vielleicht.« Ich blicke auf meinen Teller. Mir ist unbegreiflich, warum ich das sage. Meine ganze Pubertät über habe ich Henry angefleht, mit mir zu schlafen, und nun erzähle ich ihm, es sei zu viel. Henry sitzt reglos da.

»Clare, es tut mir Leid. Mir war das nicht bewusst, ich hab nicht nachgedacht.«

Ich blicke auf, Henry sieht aus wie ein geprügelter Hund. Plötzlich muss ich lauthals lachen. Henry lächelt, ein wenig schuldbewusst, aber seine Augen blitzen.

»Es ist nur – weißt du, an manchen Tagen kann ich kaum sitzen.«

»Also ... du musst es doch nur sagen. Sag ›Nicht heute Abend,

Liebster, wir haben es heute schon dreiundzwanzig Mal getan und ich würde lieber Dickens' *Bleakhaus* lesen.‹«

»Und dann hörst du brav auf und nimmst dich zurück?«

»Eben hab ich doch genau das getan, oder? Das war ziemlich brav.«

»Ja. Aber ich hatte dann ein schlechtes Gewissen.«

Henry lacht. »Erwarte bitte nicht, dass ich dir das auch noch nehme. Es könnte meine einzige Hoffnung werden: Tag für Tag, Woche um Woche werde ich verkümmern, mich nach einem Kuss verzehren, vor Verlangen nach einem Blow job dahinwelken, und du blickst irgendwann von deinem Buch auf und merkst, dass ich dir zu Füßen elend zugrunde gehe, wenn du nicht auf der Stelle mit mir schläfst, aber ich sage kein Wort. Vielleicht nur ein leises Wimmern.«

»Aber – ich weiß nicht, ich meine, ich bin erschöpft, und du bist irgendwie ... frisch. Bin ich anormal oder was?«

Henry beugt sich über den Tisch und streckt mir seine Hände entgegen. Ich lege meine hinein.

»Clare.«

»Ja?«

»Es mag geschmacklos sein, aber verzeih mir, wenn ich dir sage, dass dein Sextrieb den von *nahezu* allen Frauen, mit denen ich zusammen war, bei weitem übertrifft. Die meisten hätten schon vor Monaten aufgegeben und den Anrufbeantworter eingeschaltet. Aber ich dachte ... irgendwie wolltest du immer. Wenn es dir allerdings zu viel ist oder du keine Lust hast, musst du es mir sagen, weil ich sonst auf Zehenspitzen durch die Gegend laufe und mich ständig frage, ob ich dich mit meinen frevelhaften Forderungen überlaste.«

»Aber wie viel Sex ist genug?«

»Für mich? O Gott. Meine Vorstellung von einem idealen Leben wäre, wenn wir die ganze Zeit im Bett blieben. Wir könnten uns mehr oder minder pausenlos lieben und bräuchten nur aufzustehen, um Nachschub zu holen, verstehst du, oder frisches Wasser und Obst, um Skorbut vorzubeugen, dann vielleicht ein gelegentlicher Abstecher ins Bad zum Rasieren, bevor wir uns wieder ins Bett stürzen. Hin und wieder könnten wir auch die Bettwäsche wechseln. Oder ins Kino gehen, damit wir uns nicht wund liegen. Und laufen. Laufen müsste ich trotzdem jeden Morgen.« Für Henry ist Laufen wie eine Religion.

»Wieso musst du laufen? Dann hättest du doch genug Bewegung.«

Henry wird unerwartet ernst. »Weil mein Leben nicht selten davon abhängt, dass ich schneller laufe als mein Verfolger.«

»Oh.« Jetzt bin ich es, die sich schämen muss, weil ich das eigentlich wusste. »Aber – wie soll ich sagen – du scheinst nicht mehr woandershin zu gehen, das heißt, seit wir uns in der Gegenwart begegnet sind, bist du kaum noch durch die Zeit gereist. Oder?«

»Na ja, an Weihnachten, wie du weißt. Und um Thanksgiving. Du warst in Michigan, und ich wollte es nicht erzählen, weil es so deprimierend war.«

»Du hast den Unfall gesehen.«

Henry starrt mich an. »Ja, genau. Woher weißt du das?«

»Vor einigen Jahren warst du am Weihnachtsabend in Meadowlark und hast mir davon erzählt. Du warst sehr aufgewühlt.«

»Ja. Ich weiß noch, wie unglücklich ich allein schon war, als ich das Datum auf der Liste las und dachte, Mann, ein zusätzlicher Weihnachtsabend, den ich durchstehen muss. Zumal schon der in der regulären Zeit schlimm genug war. Ich endete mit einer Alkoholvergiftung und musste mir den Magen auspumpen lassen. Hoffentlich hab ich dir dein Weihnachten nicht ruiniert.«

»Nein ... ich war froh, dich zu sehen. Und du hast mir etwas Wichtiges über dich erzählt, auch wenn du dich bemüht hast, keine Namen und Orte zu verraten. Immerhin war es dein Leben, und ich griff nach allem, was mich in dem Glauben bestärkt hat, dass du real bist und nicht eine Psychose von mir. Deswegen wollte ich dich auch ständig berühren.« Ich muss lachen. »Mir war nie bewusst, wie schwer ich dir damit das Leben gemacht habe. Und wie du weißt, hab ich mir einiges einfallen lassen, aber du warst immer besonnen wie man nur sein kann. Dabei musst du dich verzehrt haben.«

»Zum Beispiel?«

»Was gibt's als Nachtisch?«

Henry erhebt sich gehorsam und bringt den Nachtisch: Mangoeis mit Himbeeren. Es steckt nur eine Kerze darin. Henry singt *Happy Birthday*, und ich kichere, weil es so falsch klingt, dann wünsche ich mir etwas und blase die Kerze aus. Das Eis schmeckt hervorragend. In bester Laune forsche ich in meiner Erinnerung nach einem besonders niederträchtigen Versuch meinerseits, Henry zu ködern.

»Okay. Das war am schlimmsten: Mit sechzehn hab ich einmal spätabends auf dich gewartet. Es war ungefähr elf, Neumond, auf der Lichtung war es also ziemlich dunkel. Irgendwie war ich sauer auf dich, weil du mich immerzu wie ein Kind oder einen Kumpel oder so behandelt hast, während ich total darauf fixiert war, meine Unschuld zu verlieren. Da kam mir plötzlich die Idee, deine Kleider zu verstecken...«

»Oh, nein.«

»Doch. Ich packte sie also an eine andere Stelle...« Die Geschichte ist mir eigentlich ein bisschen peinlich, aber nun ist es zu spät.

»Und?«

»Du bist aufgetaucht, und ich hab dich so lange gereizt, bis du es nicht mehr aushalten konntest.«

»Und?«

»Und du hast dich auf mich gestürzt und mich festgehalten, und ungefähr dreißig Sekunden lang dachten wir beide ›Es ist so weit.‹ Du hättest mich nicht mal vergewaltigt, denn ich hab es ja geradezu herausgefordert. Aber dann trat dieser gewisse Ausdruck in dein Gesicht und du hast ›Nein‹ gesagt, bist aufgestanden und davonmarschiert. Du bist einfach durch die Wiese gelaufen und in den Bäumen verschwunden, und erst drei Wochen später hab ich dich wieder gesehen.«

»Donnerwetter. Das war ein besserer Mann als ich.«

»Nach diesem Vorfall war ich so geläutert, dass ich mich in den folgenden zwei Jahren mächtig angestrengt habe, anständig zu sein.«

»Gott sei Dank. Ich kann mir nicht vorstellen, dass ich auf Dauer so viel Willenskraft aufgebracht hätte.«

»Aber genau das tust du, das ist das Erstaunliche an der Sache. Eine Zeit lang dachte ich sogar, du fühlst dich nicht von mir angezogen. Wenn wir allerdings unser ganzes Leben im Bett verbringen, kannst du dich natürlich bei deinen Ausflügen in meine Vergangenheit ruhig ein bisschen in Selbstbeherrschung üben.«

»Aber weißt du, dass ich so viel Sex möchte, ist kein Witz. Natürlich ist mir klar, dass es nicht praktisch ist. Aber ich wollte dir schon immer sagen: Ich fühle mich anders. Irgendwie habe ich mit dir so ein Gefühl des... Verbundenseins. Und ich glaube, das hält mich hier in der Gegenwart. Durch die körperliche Bindung, wie wir sie haben, wird mein Hirn irgendwie neu verkabelt.« Henry streichelt meine Hand mit den Fingerspitzen. »Ich hab was für dich. Komm, setz dich hier rüber.«

Ich stehe auf und folge ihm ins Wohnzimmer. Er hat das Bett zum Sofa verwandelt, ich setze mich. Die Sonne geht unter und taucht das Zimmer in rosarotes und orangefarbenes Licht. Henry öffnet seinen Schreibtisch, greift in ein Fach und holt einen kleinen Satinbeutel heraus. Dann setzt er sich mit etwas Abstand zu mir, nur unsere Knie berühren sich. *Er muss mein Herz klopfen hören*, denke ich. *An diesem Punkt sind wir jetzt*, denke ich. Henry nimmt meine Hände und sieht mich ernst an. *Auf diesen Augenblick hab ich so lange gewartet, und jetzt ist er da und er macht mir Angst.*

»Clare?«

»Ja?« Meine Stimme klingt piepsig und ängstlich.

»Du weißt, wie ich dich liebe. Willst du meine Frau werden?«

»Ja, Henry.« Mich überkommt ein beunruhigendes Déjà-vu-Gefühl. »Weißt du, Henry, eigentlich ... bin ich das schon.«

Sonntag, 31. Mai 1992 (Clare ist 21, Henry 28)

CLARE: Henry und ich stehen im Vorraum des Hauses, in dem er groß wurde. Obwohl wir schon etwas spät dran sind, stehen wir einfach da. Henry lehnt am Briefkasten, die Augen geschlossen, und atmet tief durch.

»Keine Sorge«, sage ich. »Schlimmer als die Begegnung mit meiner Mutter kann es nicht werden.«

»Deine Eltern waren sehr nett zu mir.«

»Aber Mama ist unberechenbar.«

»Dad auch.« Henry steckt seinen Schlüssel ins Haustürschloss, dann gehen wir eine Treppe nach oben, und er klopft an eine Wohnungstür, die unverzüglich von einer winzigen alten Koreanerin geöffnet wird: Kimy. Sie trägt ein blaues Seidenkleid und leuchtend roten Lippenstift, ihre Augenbrauen sind ein bisschen schief nachgezogen. Ihr von grauen Strähnen durchzogenes Haar ist geflochten und an den Ohren jeweils zu einem Knoten eingerollt. Aus irgendeinem Grund erinnert sie mich an Ruth Gordon. Sie reicht mir bis zu den Schultern, neigt den Kopf zurück und sagt: »Ohhh, Henry, sie ist sooo schööön!« Ich merke, wie ich rot werde. Henry sagt: »Kimy, wo bleiben deine guten Manieren?«, worauf Kimy lacht und sagt: »Hallo, Miss Clare Abshire!«, und ich »Hallo, Mrs Kim« erwidere. Wir lächeln uns an, und sie sagt: »Oh, Sie müssen mich Kimy nennen, alle nennen mich Kimy.« Ich nicke und folge ihr ins Wohnzimmer, wo Henrys Dad in einem Sessel sitzt.

Er sagt nichts, sieht mich nur an. Henrys Dad ist dünn, groß, knochig und müde. Er sieht seinem Sohn nicht sehr ähnlich. Er hat kurze graue Haare, dunkle Augen, eine lange Nase und einen schmalen Mund, dessen Winkel leicht abwärts geneigt sind. Völlig zusammengesunken sitzt er im Sessel, mir fallen seine Hände auf, lange elegante Hände, die in seinem Schoß liegen wie eine schlafende Katze.

Henry hustet und sagt: »Dad, das ist Clare Abshire. Clare, mein Vater, Richard DeTamble.«

Mr DeTamble streckt zögernd die Hand aus, und ich trete einen Schritt vor und nehme sie. Sie ist eiskalt. »Hallo, Mr DeTamble. Freut mich, Sie kennen zu lernen.«

»Tatsächlich? Dann kann Ihnen Henry nicht viel über mich erzählt haben.« Seine Stimme klingt heiser und vergnügt. »Ich werde aus ihrem Optimismus Kapital schlagen. Kommen Sie, setzen Sie sich zu mir. Kimy, können wir etwas zu trinken haben?«

»Ich wollte gerade fragen. Clare, was möchten Sie? Ich habe Sangria gemacht, mögen Sie das? Henry, was ist mit dir? Sangria? Gut. Richard, willst du ein Bier?«

Einen Augenblick scheinen alle innezuhalten. Dann sagt Mr De-Tamble: »Nein, Kimy, ich glaube, ich trinke nur Tee, wenn es dir nichts ausmacht, welchen zu kochen.« Kimy verschwindet lächelnd in der Küche, und Mr DeTamble wendet sich zu mir. »Ich bin ein bisschen erkältet. Ich habe zwar etwas gegen Grippe genommen, aber ich fürchte, es macht mich nur müde.«

Henry sitzt auf dem Sofa und beobachtet uns. Das gesamte Mobiliar ist weiß und sieht nach Kaufhaus aus, als wäre es um 1945 bei JCPenney gekauft worden. Die Polster sind mit durchsichtigem Plastik geschützt, auf dem weißen Teppich liegen Läufer aus Kunststoff. Über dem Kamin, der offenbar nie benutzt wird, hängt eine wunderschöne Tuschezeichnung von Bambus im Wind.

»Ein wunderschönes Bild«, sage ich, weil sonst niemand etwas sagt.

Mr DeTamble scheint sich über mein Lob zu freuen. »Gefällt es Ihnen? Annette und ich haben es 1962 aus Japan mitgebracht. Wir haben es in Kyoto gekauft, aber das Original stammt aus China. Wir dachten uns, Kimy und Dong würde es gefallen. Es ist eine Kopie aus dem siebzehnten Jahrhundert von einem Bild, das noch viel älter ist.«

»Erzähl Clare von dem Gedicht«, sagt Henry.

»Natürlich. Das Gedicht geht ungefähr so: Bambus ist nur eine Hülle, und doch lässt er Gedanken mit den Wolken schweifen. Wie er einsam auf dem Berg steht, still und würdevoll, symbolisiert er das Gebaren eines Edlen. – Gezeichnet und geschrieben mit einem heiteren Herzen, Wu Chen.«

»Wie schön«, sage ich. Kimy kommt mit den Getränken auf einem Tablett herein, Henry und ich nehmen jeweils ein Glas Sangria, während Mr DeTamble mit beiden Händen vorsichtig nach seinem Tee greift; die Tasse klappert auf der Untertasse, als er beides neben sich auf den Tisch stellt. Kimy sitzt in einem kleinen Sessel am Kamin und nippt an ihrem Sangria. Ich probiere einen Schluck und stelle fest, dass er ziemlich stark ist. Henry sieht mich an und zieht die Brauen hoch.

»Mögen Sie Gärten, Clare?«, fragt Kimy.

»Ja«, sage ich. »Meine Mutter ist Gärtnerin.«

»Vor dem Essen müssen Sie mitkommen und sich hinten den Garten ansehen. Meine Pfingstrosen blühen alle, und wir müssen Ihnen den Fluss zeigen.«

»Das klingt gut.« Wir trotten alle in den Garten hinaus. Ich bewundere den Chicago River, der am Fuß einer gefährlichen Treppe friedlich vorbeiströmt, dann bewundere ich die Pfingstrosen. Kimy fragt: »Was für einen Garten hat Ihre Mutter? Pflanzt sie Rosen?« Kimy besitzt einen winzigen, aber wohl geordneten Rosengarten, alles Teerosen-Hybriden, soweit ich es beurteilen kann.

»Sie hat einen Rosengarten. Aber ihre wahre Leidenschaft sind Schwertlilien.«

»Oh. Schwertlilien hab ich auch. Dort drüben.« Kimy zeigt auf einen Büschel Schwertlilien. »Ich muss sie versetzen, meinen Sie, Ihre Mutter möchte ein paar haben?«

»Ich weiß nicht. Ich könnte fragen.« Mama hat über zweihundert Arten von Schwertlilien. Ich ertappe Henry, der hinter Kimys Rücken grinst, und sehe ihn finster an. »Ich könnte fragen, ob sie ein paar gegen Ihre tauschen möchte; sie hat ein paar selbst gezüchtete, die sie gern an Freunde verschenkt.«

»Ihre Mutter züchtet Schwertlilien?«, fragt Mr DeTamble.

»Sie züchtet auch Tulpen, aber Schwertlilien mag sie am liebsten.«

»Ist sie von Beruf Gärtnerin?«

»Nein«, entgegne ich. »Sie betreibt es nur als Hobby. Wir haben einen Gärtner, der den Großteil der Arbeit erledigt, und dann kommen noch ein paar Leute, die mähen und Unkraut jäten und das alles.«

»Muss ein großer Garten sein«, sagt Kimy und führt uns zurück in die Wohnung. In der Küche klingelt eine Schaltuhr. »Gut«, sagt Kimy. »Zeit zum Essen.« Ich frage, ob ich ihr helfen kann, aber sie verweist mich auf einen Stuhl. Ich setze mich Henry gegenüber. Sein Dad ist zu meiner Rechten, und Kimys leerer Stuhl zu meiner Linken. Mir fällt auf, dass Mr DeTamble einen Pullover trägt, obwohl es hier ziemlich warm ist. Kimy hat sehr hübsches, mit Kolibris bemaltes Porzellan. Vor jedem steht ein beschlagenes Glas mit eiskaltem Wasser. Kimy schenkt uns Weißwein ein. Bei Mr DeTambles Glas zögert sie, übergeht ihn aber, als er den Kopf schüttelt. Dann bringt sie den Salat und setzt sich. Mr DeTamble hebt sein Wasserglas. »Auf das glückliche Paar«, sagt er. »Das glückliche Paar«, echot Kimy, und wir stoßen alle an und trinken. Dann wendet sich Kimy an mich. »Also, Clare, Henry hat erzählt, Sie sind Künstlerin. Welche Art von Künstlerin?«

»Ich schöpfe Papier. Mache Papierskulpturen.«

»Oh. Irgendwann müssen Sie mir das zeigen, denn davon verstehe ich überhaupt nichts. So wie Origami?«

»Nein.«

Henry springt mir zur Seite. »Ihre Werke haben Ähnlichkeit mit den Sachen von dem deutschen Künstler, den wir im Art Institute gesehen haben, erinnerst du dich, Anselm Kiefer? Große dunkle unheimliche Papierskulpturen.«

Kimy sieht verblüfft aus. »Aber warum macht ein hübsches Mädchen wie Sie solche hässlichen Sachen?«

Henry lacht. »Das ist Kunst, Kimy. Außerdem sind ihre Sachen wunderschön.«

»Ich verwende ganz viele Blumen«, erkläre ich Kimy. »Wenn Sie mir Ihre verwelkten Rosen geben, nehme ich sie in das Werk mit auf, an dem ich gerade arbeite.«

»In Ordnung«, sagt sie. »Und was ist Ihr Werk?«

»Eine riesige Krähe aus Rosen, Haaren und Taglilienfasern.«

»Huch. Ausgerechnet eine Krähe? Krähen bedeuten Unglück.«

»Tatsächlich? Ich finde sie herrlich.«

Mr DeTamble hebt eine Braue, und einen Moment sieht er aus wie Henry. »Sie haben eine sonderbare Vorstellung von Schönheit«, sagt er.

Kimy steht auf, räumt unsere Salatteller ab und bringt eine Schüssel mit grünen Bohnen herein und eine dampfende Platte »Röstente mit Himbeeren und rosa Pfeffersauce«. Es schmeckt himmlisch. Mir wird klar, wo Henry kochen gelernt hat. »Was meinen Sie?«, fragt Kimy. »Einfach köstlich, Kimy«, sagt Mr DeTamble, und ich kann sein Lob nur bestätigen. »Vielleicht etwas weniger Zucker?«, fragt Henry. »Ja, ich finde auch«, gibt Kimy zu. »Aber sie ist wirklich zart«, sagt Henry, und Kimy grinst. Als ich nach meinem Weinglas greife, nickt Mr DeTamble mir zu und meint: »Annettes Ring steht Ihnen gut.«

»Er ist wunderschön. Danke, dass ich ihn tragen darf.«

»Mit diesem Ring und dem dazugehörigen Ehering ist eine lange Geschichte verbunden. Er wurde 1823 in Paris für meine Urururgroßmutter gemacht, sie hieß Jeanne. Meine Großmutter Yvette brachte ihn 1920 mit nach Amerika, und seit 1969, als Annette starb, hat er in einer Schublade gelegen. Es ist schön, ihn wieder bei Tageslicht zu sehen.«

Ich betrachte den Ring und denke mir, *Henrys Mom hat diesen Ring getragen, als sie starb.* Ich sehe schnell zu Henry, den offenbar der gleiche Gedanke bewegt, dann zu Mr DeTamble, der seine Ente verspeist. »Erzählen Sie mir von Annette«, bitte ich Mr DeTamble.

Er legt die Gabel hin, stützt die Ellbogen auf den Tisch, legt die Hände an die Stirn. Hinter den Händen späht er zu mir. »Nun, Henry hat ihnen doch sicher einiges erzählt.«

»Ja. Ein bisschen. Ich bin mit ihren Platten aufgewachsen, meine Eltern sind Fans von ihr.«

Mr DeTamble lächelt. »Ah. Na, dann wissen Sie ja, dass Annette die wundervollste Stimme hatte ... kräftig und rein, ein tolles Timbre, und dieser Umfang. Mit der Stimme brachte sie ihr Inneres zum Ausdruck, jedes Mal, wenn ich sie hörte, hatte ich das Gefühl, mein Leben ist mehr als bloße Biologie. Sie hatte ein gutes Ohr, sie erfasste Strukturen und konnte das Besondere an einem Musikstück, das nur so interpretiert werden durfte, genauestens analysieren. Annette war ein sehr emotionaler Mensch. Und diese Eigenschaft brachte sie auch bei anderen zum Vorschein.«

Er macht eine Pause. Ich kann Mr DeTamble nicht ansehen, also schaue ich zu Henry. Er betrachtet seinen Vater mit einer solchen Traurigkeit, dass ich den Blick auf meinen Teller senke.

Mr DeTamble sagt: »Aber Sie wollten etwas von Annette hören und nicht von mir. Sie war gut, und sie war eine große Künstlerin; es kommt nicht oft vor, dass man beides zusammen antrifft. Annette hat andere Menschen glücklich gemacht, und sie selbst war auch glücklich. Sie hatte Freude am Leben. Ich sah sie nur zweimal weinen: Einmal, als ich ihr diesen Ring schenkte, und das zweite Mal, als sie Henry zur Welt brachte.«

Wieder eine Pause. Schließlich sage ich: »Sie waren sehr glücklich.«

Er lächelt, schirmt das Gesicht noch immer mit den Händen ab. »Ja, das waren wir und waren es auch wieder nicht. Eben noch hatten wir alles, wovon wir träumen konnten, und im nächsten Moment lag sie zerfetzt auf der Schnellstraße.« Henry zuckt zusammen.

»Aber finden Sie nicht«, beharre ich, »dass es besser ist, nur eine kurze Zeit sehr glücklich zu sein, auch wenn man dieses Glück verliert, als sein ganzes Leben nur einigermaßen über die Runden zu bringen?«

Mr DeTamble mustert mich. Er nimmt die Hände vom Gesicht und starrt vor sich hin. Dann sagt er: »Genau das habe ich mich oft gefragt. Glauben Sie das?«

Ich denke an meine Kindheit, an das viele Warten und Wundern, an die Freude, Henry über die Wiese gehen zu sehen, nachdem ich ihn Wochen oder Monate nicht gesehen hatte, und ich denke daran, wie es war, ihn zwei Jahre lang nicht zu sehen und ihn dann wieder zu finden, im Lesesaal der Newberry Bibliothek: Die Freude, ihn berühren zu können, der Luxus, zu wissen, wo er ist, zu wissen, er liebt mich. »Ja«, antworte ich. »Ja, das glaube ich.« Ich begegne Henrys Blick und muss lächeln.

Mr DeTamble nickt. »Henry hat eine gute Wahl getroffen.« Kimy steht auf, um den Kaffee zu holen, und während sie in der Küche ist, fährt Mr DeTamble fort: »Er ist nicht darauf geeicht, Frieden in das Leben anderer zu bringen. Genau genommen ist er in vielerlei Hinsicht das Gegenteil seiner Mutter: unzuverlässig, sprunghaft und nur an sich selbst interessiert. Sagen Sie, Clare: Wieso um alles in der Welt will ein nettes Mädchen wie Sie Henry heiraten?«

Alles im Raum scheint die Luft anzuhalten. Henry erstarrt, sagt aber nichts. Ich beuge mich vor, lächle Mr DeTamble an und sage völlig euphorisch, so als hätte er mich nach meiner liebsten Eissorte gefragt: »Weil er im Bett absolut spitze ist.« In der Küche bricht brüllendes Gelächter aus. Mr DeTamble blickt kurz zu Henry, der grinsend die Brauen hebt, und schließlich schmunzelt Mr DeTamble und sagt: »*Touché*, meine Liebe.«

Später, nachdem wir unseren Kaffee getrunken und Kimys himmlische Mandeltorte verspeist haben, nachdem Kimy mir Fotos von Henry als Baby, Kleinkind, Highschool-Absolvent gezeigt hat (was ihm ungemein peinlich war), nachdem Kimy mir weitere Informationen über meine Familie entlockt hat (»Wie viele Zimmer? So viele! Hey, Kumpel, wieso hast du mir denn nicht gesagt, dass sie schön *und* reich ist?«), stehen wir alle an der Eingangstür, und ich danke Kimy für das Essen und wünsche Mr DeTamble eine gute Nacht.

»War mir ein Vergnügen, Clare«, sagt er. »Aber Sie müssen mich Richard nennen.«

»Danke... Richard.« Er hält meine Hand einen Moment lang, und in diesem Moment sehe ich ihn so, wie Annette ihn vor vielen Jahren gesehen haben muss – und dann ist es vorbei, er nickt verlegen zu Henry, der Kimy küsst, und wir gehen die Treppe hinunter in den Sommerabend. Mir ist, als wären wir vor Jahren hineingegangen.

»Puuuh«, sagt Henry. »Allein schon als Zuschauer bin ich tausend Tode gestorben.«

»War ich gut?«

»Gut? Du warst brillant! Er vergöttert dich!«

Hand in Hand schlendern wir die Straße entlang. Am Ende des Blocks ist ein Spielplatz, und ich renne zu den Schaukeln, setze mich auf eine, und Henry nimmt die neben mir, blickt in die entgegengesetzte Richtung, und wir schaukeln höher und höher, sausen aneinander vorbei, manchmal im Takt und dann wieder fliegen wir so schnell an uns vorbei, dass man meinen könnte, wir stoßen gleich zusammen, und wir lachen ohne Ende, nichts kann jemals traurig sein, keiner kann verloren gehen oder sterben oder weit weg sein: Im Moment sind wir hier, und nichts kann unsere Vollkommenheit stören, uns das Glück dieses herrlichen Augenblicks stehlen.

CLARE: Ich sitze allein an einem winzigen Fenstertischchen im Café Peregolisi, einem ehrwürdigen kleinen Rattenloch mit hervorragendem Kaffee. Eigentlich sollte ich für das Seminar ›Die Geschichte des Grotesken‹, das ich in diesem Sommer belegt habe, ein Referat über *Alice im Wunderland* ausarbeiten, doch stattdessen träume ich vor mich hin, starre müßig auf die Einheimischen, die am frühen Abend auf der Halsted Street geschäftig umherwuseln. Ich komme nicht oft nach Boy's Town. Aber ich dachte, ich könnte besser arbeiten, wenn ich irgendwo bin, wo keiner meiner Bekannten auf die Idee kommt, mich zu suchen. Henry ist verschwunden. Er ist nicht zu Hause und war heute nicht bei der Arbeit. Ich bemühe mich, mir deswegen keine Sorgen zu machen. Ich versuche, eine lässige und unbeschwerte Haltung an den Tag zu legen. Henry kann für sich selbst sorgen. Nur weil ich nicht weiß, wo er ist, heißt das noch lange nicht, dass etwas nicht stimmt. Wer weiß? Vielleicht ist er ja bei mir.

Auf der anderen Straßenseite steht jemand und winkt. Ich kneife die Augen zusammen, sehe genauer hin und erkenne die kleine schwarze Frau, die zusammen mit Ingrid an dem Abend im Aragon war. Celia. Ich winke zurück, und sie kommt über die Straße. Plötzlich steht sie vor mir. Sie ist so klein, dass ihr Gesicht sich auf einer Höhe mit meinem befindet, obwohl ich sitze und sie steht.

»Hi, Clare«, sagt Celia. Ihre Stimme ist weich wie Butter. Am liebsten würde ich mich in diese Stimme hüllen und einschlafen.

»Hallo, Celia. Setz dich doch.« Als sie mir gegenüber Platz nimmt, merke ich, dass offenbar nur ihre Beine so kurz sind, denn im Sitzen wirkt sie fast normal groß.

»Wie ich höre, hast du dich verlobt«, sagt sie.

Ich halte meine linke Hand hoch, zeige ihr den Ring. Der Kellner zockelt zu uns herüber und Celia bestellt türkischen Kaffee. Sie mustert mich, lächelt mich verschmitzt an. Ihre weißen Zähne sind lang und schief. Ihre Augen sind groß, die Lider halb geschlossen, als würde sie gleich einschlafen. Ihre Dreadlocks, die sie hoch aufgetürmt trägt, sind mit rosa Essstäbchen geschmückt, passend zu ihrem glänzenden rosa Kleid.

»Entweder bist du mutig oder verrückt«, sagt sie.

»Manch einer behauptet das.«

»Nun ja, inzwischen solltest du es wissen.«

Ich lächle, zucke die Achseln und trinke einen Schluck Kaffee, der Zimmertemperatur hat und zu süß ist.

»Weißt du, wo Henry gerade ist?«, fragt Celia.

»Nein. Weißt du, wo Ingrid gerade ist?«

»Mhm«, sagt Celia. »Ingrid sitzt auf einem Barhocker in Berlin und wartet auf mich.« Sie sieht auf die Uhr. »Ich komme zu spät.« Das Licht von der Straße lässt ihren umbrafarbenen Teint erst blau und dann purpurrot schimmern. Sie sieht aus wie eine glamouröse Marsbewohnerin. Sie grinst mich an. »Henry rennt gerade in seinem Geburtsanzug den Broadway entlang und ein Rudel Skinheads ist ihm dicht auf den Fersen.« Oh, nein.

Der Kellner bringt Celias Kaffee, und ich zeige auf meine Tasse. Er schenkt nach, ich messe vorsichtig einen Teelöffel Zucker ab und rühre um. Celia stellt einen Mokkalöffel in die winzige Tasse türkischen Kaffees. Er ist schwarz und dick wie Melasse. *Es waren einmal drei kleine Schwestern ... und die lebten in einem Mühlrad ... Warum lebten sie denn in einem Mühlrad? ... Es war eine Karamellmühle.*

Celia wartet, dass ich etwas sage. *Verbeuge dich, während du überlegst, was du sagen sollst. Damit gewinnst du Zeit.* »Wirklich?«, sage ich. Oh, genial, Clare.

»Das scheint dich nicht zu berunruhigen. Wenn mein Mann im Adamskostüm durch die Gegend laufen würde, hätte ich persönlich schon ein paar Bedenken.«

»Klar, aber Henry ist eben nicht gerade der Durchschnittstyp.«

Celia lacht. »Das kannst du aber laut sagen, Schwester.« Was weiß sie von ihm? Weiß Ingrid es auch? Celia beugt sich zu mir, nippt an ihrem Kaffee, öffnet die Augen weit, hebt ihre Brauen und spitzt die Lippen. »Du willst ihn wirklich *heiraten*?«

Eine verrückte Eingebung verleitet mich zu sagen: »Wenn du es mir nicht glaubst, kannst du mir dabei zusehen. Komm doch zur Hochzeit.«

Celia schüttelt den Kopf. »Ich? Du weißt, Henry kann mich absolut nicht leiden. Kein bisschen.«

»Aber du bist offenbar auch kein großer Fan von ihm.«

Celia grinst. »*Inzwischen* schon. Er hat Miss Ingrid *hart* fallen lassen, und ich lese die einzelnen Teile auf.« Sie blickt wieder auf die Uhr. »Wo wir gerade bei ihr sind, ich komme zu spät zu meiner Verabredung.« Celia steht auf und sagt: »Komm doch einfach mit!«

»Oh, nein danke.«

»Komm schon, Mädchen. Du und Ingrid, ihr solltet euch kennen lernen. Ihr habt so viel gemeinsam. Wir feiern eine kleine Junggesellinnenparty.«

»In Berlin?«

Celia lacht. »Nicht die Stadt. Ich spreche von der Bar.« Ihr Karamelllachen klingt, als käme es aus dem Körper einer viel größeren Person. Ich will nicht, dass sie geht, aber ...

»Nein, das halte ich für keine gute Idee.« Ich schaue ihr in die Augen. »Das wäre gemein.« Sie sieht mich unverwandt an, und ich denke an Schlangen, an Katzen. *Fressen Katzen Fledermäuse? ... Fressen Fledermäuse Katzen?* »Außerdem muss ich das hier fertig machen.«

Celias Blick huscht zu meinem Notizblock. »Was, du machst Hausaufgaben? Ach so, morgen ist ein Schultag! Jetzt hör mal auf deine große Schwester Celia, die weiß genau, was für kleine Schulmädchen am besten ist – hey, darfst du überhaupt schon Alkohol trinken?«

»Ja«, sage ich stolz zu ihr. »Seit drei Wochen.«

Celia beugt sich dicht zu mir heran. Sie riecht nach Zimt. »Komm schon komm schon komm schon. Lass noch ein bisschen die Puppen tanzen, bevor du dich mit deinem Büchermann niederlässt. Komm schooooooonnnn, Clare. Ehe du dich's versiehst, steckst du bis über beide Ohren in Bücherbabys, die ihre Pampers mit der Dezimalklassifikation voll scheißen.«

»Ich glaube wirklich nicht ...«

»Dann sag doch nichts, komm einfach *mit*.« Celia packt meine Bücher zusammen und schafft es, den kleinen Milchspender umzustoßen. Ich will die Milch aufwischen, aber Celia marschiert einfach mit meinen Büchern in der Hand aus dem Café. Ich eile hinter ihr her.

»Celia, nicht, die brauch ich…« Für jemand mit kurzen Beinen und zehn Zentimeter hohen Absätzen geht sie ziemlich schnell.

»Ich geb sie dir erst, wenn du versprichst, dass du mit mir kommst.«

»Ingrid wird das nicht gut finden.« Wir schreiten im Gleichschritt, gehen die Halsted Street entlang in südlicher Richtung zur Belmont Avenue. Ich will Ingrid nicht sehen. Ich bin ihr zum ersten und letzten Mal beim Konzert der Violent Femmes begegnet, und das reicht mir.

»Natürlich findet sie das gut. Ingrid war sehr neugierig auf dich.« Wir biegen in die Belmont ein, gehen vorbei an Tattoo-Studios, indischen Restaurants, Ledergeschäften und Ladenkirchen. Wir gehen unter der Hochbahn hindurch, und da ist das Berlin. Von außen sieht es nicht sehr verführerisch aus; die Fenster sind schwarz gestrichen, und Discomusik pulsiert aus der Dunkelheit hinter dem dünnen sommersprossigen Kerl, der sich von mir, nicht aber von Celia, den Ausweis zeigen lässt, uns einen Stempel auf die Hand verpasst und gnädigerweise die Hölle betreten lässt.

Kaum haben sich meine Augen angepasst, stelle ich fest, dass der ganze Schuppen voll Frauen ist. Frauen, die sich um die winzige Bühne drängen und zusehen, wie eine Stripperin in einem roten, mit Pailletten besetzten G-String und Nippelquasten umherstolziert. Frauen, die an der Bar lachen und flirten. Es ist Ladys' Night. Celia schleppt mich an einen Tisch. Ingrid sitzt allein da, vor sich ein hohes Glas mit himmelblauer Flüssigkeit. Sie blickt auf, und ich merke, dass meine Anwesenheit sie nicht besonders erfreut. Celia küsst Ingrid und bedeutet mir, mich zu setzen. Ich bleibe stehen.

»Hey, Baby«, sagt Celia zu Ingrid.

»Das soll wohl ein Witz sein«, sagt Ingrid. »Wozu hast du die mitgebracht?« Sie ignorieren mich beide. Celia hat meine Bücher immer noch unterm Arm.

»Schon gut, Ingrid, sie ist in Ordnung. Ich dachte mir, ihr würdet euch vielleicht gern näher kennen lernen, nichts weiter.« Celia klingt fast, als wollte sie sich entschuldigen, aber selbst ich sehe, dass sie Ingrids Unwohlsein auskostet.

Ingrid funkelt mich böse an. »Wieso bist du gekommen? Um

dich zu brüsten?« Sie lehnt sich im Stuhl zurück und reckt ihr Kinn in die Luft. Ingrid sieht aus wie ein blonder Vampir, schwarze Samtjacke und blutrote Lippen. Sie ist hinreißend. Ich komme mir vor wie ein Schulmädchen aus der Kleinstadt. Schließlich strecke ich die Hände zu Celia aus, und sie gibt mir meine Bücher zurück.

»Man hat mich gezwungen. Aber jetzt geh ich.« Ich will mich gerade umdrehen, da schießt Ingrids Hand vor und umklammert meinen Arm.

»Warte mal...« Sie reißt meine linke Hand zu sich, so dass ich stolpere und meine Bücher durch die Luft fliegen. Ich ziehe meine Hand zurück, und Ingrid sagt: »... du bist *verlobt*?«, und da wird mir klar, dass sie Henrys Ring anstarrt.

Ich sage nichts. Ingrid wendet sich an Celia. »Das hast du gewusst, oder?« Celia blickt nach unten auf den Tisch und schweigt. »Du hast sie hierher gebracht, um es mir unter die Nase zu reiben, du Miststück.« Sie spricht leise. Über die pulsierende Musik kann ich sie kaum verstehen.

»Nein, Ing, ich wollte nur...«

»Verfick dich, Celia.« Ingrid steht auf. Einen Augenblick lang ist ihr Gesicht dicht vor meinem, und ich stelle mir vor, wie Henry ihre roten Lippen küsst. Sie starrt mich an und faucht: »Sag Henry, er soll zur Hölle fahren. Und sag ihm, ich werd ihn dort treffen.« Sie schleicht hinaus. Celia sitzt da und hält ihr Gesicht in den Händen.

Langsam sammle ich meine Bücher auf. Als ich mich zum Gehen anschicke, sagt Celia: »Warte.«

Ich warte.

Celia sagt: »Es tut mir Leid, Clare.« Ich zucke mit den Achseln, gehe zur Tür, und als ich mich umdrehe, sitzt Celia allein am Tisch, nippt an Ingrids blauem Drink, ihr Gesicht an eine Hand gelehnt. Sie sieht nicht in meine Richtung.

Auf der Straße gehe ich immer schneller, bis ich bei meinem Auto bin, und dann fahre ich nach Hause, stürze in mein Zimmer, lege mich aufs Bett und wähle Henrys Nummer, aber er ist nicht da. Ich schalte das Licht aus und kann nicht schlafen.

BESSER LEBT SICH'S MIT CHEMIE

Sonntag, 5. September 1993 (Clare ist 22, Henry 30)

CLARE: Henry studiert seine eselsohrige Ausgabe des *Physicians' Desk Reference*. Kein gutes Zeichen.

»Mir war nie klar, dass du so ein Drogenfanatiker bist.«

»Ich bin kein Drogenfanatiker. Ich bin Alkoholiker.«

»Bist du nicht.«

»Doch, natürlich.«

Ich mache mich auf dem Sofa lang und lege die Beine über seinen Schoß. Henry stellt das Buch auf meinen Schienbeinen ab und blättert darin weiter.

»So viel trinkst du gar nicht.«

»Früher schon. Seit der Alkoholvergiftung trete ich etwas kürzer. Außerdem ist mein Dad ein trauriges Beispiel.«

»Was suchst du denn?«

»Ein Mittel, das ich zur Hochzeit nehmen kann. Ich möchte dich nicht vor vierhundert Leuten allein vor dem Altar stehen lassen.«

»Klar. Gute Idee.« Ich stelle mir das Szenario vor und erschaudere. »Wir reißen einfach aus.«

Er begegnet meinem Blick. »Abgemacht. Ich bin dabei.«

»Meine Eltern würden mich verstoßen.«

»Bestimmt nicht.«

»Du hast nicht richtig aufgepasst. Hier geht es um eine große Broadway-Produktion. Für meinen Dad sind wir nur ein Anlass, um großzügig Hof zu halten und Eindruck bei seinen Anwaltskollegen zu schinden. Wenn wir die Biege machen, müssten meine Eltern Schauspieler engagieren, die unsere Rollen übernehmen.«

»Wir gehen ins Rathaus und heiraten vorher. Falls dann was passiert, sind wir wenigstens schon mal verheiratet.«

»Ach, aber das fände ich nicht schön. Das wäre ja gelogen, ich käme mir komisch vor. Wir heben uns das für hinterher auf, falls die richtige Hochzeit irgendwie platzt.«

»Gut. Plan B.« Er hält mir die Hand hin, ich schlage ein.

»Findest du denn was Brauchbares?«

»Tja, ideal wäre ein Neuroleptikum, das sich Risperdal nennt, aber es kommt erst 1994 auf den Markt. Das Nächstbeste wäre Clorazil, und eine dritte Möglichkeit Haldol.«

»Klingt alles nach hochmodernen Hustenmitteln.«

»Sind aber Antipsychotika.«

»Im Ernst?«

»Ja.«

»Du bist doch nicht psychotisch.«

Henry sieht mich an, zieht eine grässliche Fratze und kratzt in die Luft wie ein Werwolf im Stummfilm. Dann sagt er sehr ernst: »Auf einem EEG hab ich das Gehirn eines Schizophrenen. Schon mehrere Ärzte haben behauptet, dass mein kleiner Zeitreisewahn auf Schizophrenie zurückzuführen sei. Diese Mittel blockieren die Dopaminrezeptoren.«

»Nebenwirkungen?«

»Nun... Dystonie, Akathisie, Pseudo-Parkinson. Das heißt, unwillkürliche Muskelkontraktionen, Unruhe, abrupte Bewegungen, Schlaflosigkeit, Teilnahmslosigkeit, mimische Starre. Als dann wären da noch dystone Reaktionen mit chronisch unkontrollierbarer Gesichtsmuskulatur, dann Agranulazytose, also die Unfähigkeit, weiße Blutkörperchen zu produzieren. Nicht zu vergessen eine deutliche Verminderung der Sexualfunktion. Und die Tatsache, dass alle derzeit erhältlichen Medikamente leicht sedativ wirken.«

»Du denkst hoffentlich nicht ernsthaft daran, etwas von dem Zeug zu nehmen, oder?«

»Haldol hab ich früher schon genommen. Und Propafenin.«

»Und...?«

»Ein Horror. Ich war ein totaler Zombie. Mein Gehirn hat sich angefühlt wie eine Schüssel voll Klebstoff.«

»Gibt es denn nichts anderes?«

»Valium. Librium. Xanax.«

»Die nimmt Mama. Xanax und Valium.«

»Klar, das wäre ganz sinnvoll.« Er zieht eine Grimasse, legt den *Physicians' Desk Reference* beiseite und sagt: »Rutsch mal.« Wir rücken auf dem Sofa hin und her, bis wir Seite an Seite liegen. Sehr kuschelig.

»Nimm nichts von den Sachen.«

»Warum nicht?«

»Du bist doch nicht krank.«

Henry lacht. »Genau dafür liebe ich dich: Deine Unfähigkeit, meine grässlichen Fehler wahrzunehmen.« Er knöpft meine Bluse auf, und ich lege meine Hand auf die seine. Er sieht mich an und wartet. Ich bin leicht verärgert.

»Mir will nicht in den Kopf, warum du so redest. Immer sagst du schreckliche Sachen über dich. Dabei bist du gar nicht so. Du bist ein guter Mensch.«

Henry betrachtet meine Hand, befreit sie aus meinem Griff und zieht mich dichter zu sich. »Ich bin kein guter Mensch«, sagt er mir leise ins Ohr. »Aber vielleicht werde ich bald einer sein, hmmm?«

»Wehe wenn nicht.«

»Zu dir bin ich jedenfalls gut.« Das stimmt. »Clare?«

»Hmmm?«

»Liegst du nicht manchmal wach und fragst dich, ob ich nur ein Streich bin, den Gott dir spielt?«

»Nein. Ich liege wach und habe Angst, du könntest verschwinden und nicht mehr wiederkommen. Ich liege wach und grüble über einige Dinge nach, die ich so halbwegs über die Zukunft weiß. Aber ich glaube ganz fest daran, dass wir zusammen gehören.«

»Ganz fest.«

»Du nicht?«

Henry küsst mich. »*Nicht Zeit noch Ort, nicht Zufall und nicht Tod/kann mich in meinen Wünschen schwanken machen.*‹«

»Noch mal?«

»Meinetwegen jederzeit.«

»Angeber.«

»Und wer sagt jetzt schreckliche Dinge über mich?«

Montag, 6. September 1993 (Henry ist 30)

HENRY: Ich sitze auf der Treppe eines schmutzigen weißen, mit Aluminium verkleideten Hauses im Stadtviertel Humboldt Park. Es ist Montagmorgen, gegen zehn. Ich warte, dass Ben von wo immer er gerade ist zurückkommt. Ich mag diese Gegend nicht sehr; irgendwie fühle ich mich ungeschützt, wie ich hier vor Bens Tür sitze, aber da er ein extrem pünktlicher Mensch ist, warte ich weiterhin vertrauensvoll. Zwei junge Latina-Frauen schieben ihre Kinderwagen den unebenen und gerissenen Gehweg entlang. Ich sinniere über die Ungerechtigkeit der Stadtverwaltung nach, da brüllt jemand in der Ferne »Bücherknecht!«. Ein Blick in Richtung der Stimme sagt mir, ja, es ist Gomez. Innerlich knirsche ich mit den Zähnen. Gomez besitzt das erstaunliche Talent, mir über den Weg zu laufen, wenn ich etwas besonders Verruchtes vorhabe. Ich muss ihn loswerden, bevor Ben auftaucht.

Gomez kommt fröhlich auf mich zugerauscht. Er ist in Anwaltskluft und trägt seine Aktentasche. Ich seufze.

»*Ça va*, Genosse.«

»*Ça va.* Was machst du hier?«

Gute Frage. »Auf einen Freund warten. Wie spät ist es?«

»Viertel nach zehn. Der 6. September 1993«, fügt er hilfreich hinzu.

»Ich weiß, Gomez. Trotzdem vielen Dank. Besuchst du einen Klienten?«

»Ja. Ein zehnjähriges Mädchen. Der Freund ihrer Mutter hat sie gezwungen, Abflussreiniger zu trinken. Langsam hab ich die Menschen wirklich satt.«

»Klar. Zu viele Irre, nicht genug Michelangelos.«

»Schon zu Mittag gegessen? Vielmehr gefrühstückt, sollte man wohl sagen?«

»Ja. Ich muss noch ein Weilchen hier bleiben, auf meinen Freund warten.«

»Ich wusste gar nicht, dass du Freunde hast, die in der Gegend wohnen. Ich kenne hier nur Leute, die dringend Rechtsberatung brauchen.«

»Ein alter Freund aus der Bibliothekarsschule.« Und da kommt er auch schon. Ben fährt in seinem silbernen 62er-Mercedes vor. Im Inneren sieht das Auto verheerend aus, aber von außen ist es ein reizendes Modell. Gomez pfeift leise.

»Tut mir Leid, dass ich zu spät komme«, sagt Ben und eilt den Gehweg entlang. »Hausbesuch.«

Gomez mustert mich neugierig, aber ich ignoriere ihn. Ben sieht Gomez an und dann mich.

»Gomez, das ist Ben. Ben, das ist Gomez. Wie schade, dass du gehen musst, Genosse.«

»Um ehrlich zu sein, ich hätte ein paar Stunden frei …«

Ben nimmt die Sache in die Hand. »Gomez. Hat mich wirklich sehr gefreut. Ein andermal, ja?« Ben ist ziemlich kurzsichtig und späht Gomez durch dicke Brillengläser, die seine Augen winzig klein erscheinen lassen, freundlich an. Er klimpert mit den Schlüsseln in der Hand. Mich macht das nervös. Wir stehen beide ruhig da, warten darauf, dass Gomez geht.

»Na schön. Gut. Also, Wiedersehen.« Gomez gibt sich geschlagen.

»Ich ruf dich heute Nachmittag an«, sage ich. Er dreht sich um, ohne mich eines Blickes zu würdigen, und geht weg. Ich fühle mich mies, aber es gibt Dinge, die Gomez nicht unbedingt erfahren muss, und das hier ist eins davon. Ben und ich wenden uns einander zu, wechseln einen Blick, der die Tatsache anerkennt, dass wir einiges voneinander wissen, was nicht ganz unproblematisch ist. Er öffnet die Eingangstür. Mich hat es immer gereizt, mein Glück zu versuchen und in Bens Wohnung einzubrechen, weil er über eine große Anzahl und Vielfalt an Schlössern und Sicherheitsvorrichtungen verfügt. Wir treten in den dunklen schmalen Flur. Immer riecht es hier nach Kohl, obwohl ich ganz sicher weiß, dass Ben nicht oft kocht, geschweige denn Kohl. Wir gehen nach hinten zur Treppe, steigen hoch in einen anderen Flur, durch ein Schlafzimmer und in ein zweites, das Ben als Labor eingerichtet hat. Er stellt seine Tasche ab, hängt die Jacke auf. Ich rechne halbwegs damit, dass er gleich Tennisschuhe anzieht, à la Mr Rogers, doch stattdessen werkelt er an seiner Kaffeemaschine herum. Ich setze mich auf einen Klappstuhl und warte, bis er fertig ist.

Ben sieht, mehr als jeder andere meiner Bekannten, wie ein Bibliothekar aus. Im Übrigen habe ich ihn tatsächlich am Rosary College kennen gelernt, allerdings brach er vor dem Abschluss ab. Seit unserem letzten Treffen ist er dünner geworden, hat er noch mehr Haare verloren. Ben hat Aids, und immer wenn ich ihn treffe, achte ich darauf, weil ich nie weiß, wie's mit ihm weitergeht.

»Du siehst gut aus«, sage ich zu ihm.

»Hohe Dosen Retrovir. Und Vitamine, Yoga, Visualisierungen usw. Wo wir gerade dabei sind. Was kann ich für dich tun?«

»Ich will heiraten.«

Ben sieht überrascht aus, dann freut er sich. »Herzlichen Glückwunsch. Und wen?«

»Clare. Du kennst sie. Das Mädchen mit den langen roten Haaren.«

»Ach, tatsächlich?« Ben macht ein ernstes Gesicht. »Weiß sie Bescheid?«

»Ja.«

»Na, großartig.« Er bedenkt mich mit einem Blick, der sagen will, ist ja alles schön und gut, aber was nun?

»Ihre Eltern haben eine riesige Hochzeit geplant, oben in Michigan. Mit Kirche, Brautjungfern, Reis und dem ganzen Brimborium. Danach gibt es im Yachtclub einen verschwenderischen Empfang. Weiße Krawatte, drunter geht nichts.«

Ben schenkt Kaffee aus und reicht mir einen Becher mit Winnie-the-Pooh-Aufdruck. Ich rühre etwas Milchpulver hinein. Hier oben ist es kalt, und der Kaffee riecht bitter, aber irgendwie gut.

»Ich muss voll da sein. Ich muss ungefähr acht Stunden irrsinnigen Stress durchstehen, ohne zu verschwinden.«

»Ah.« Ben hat eine Art, auf Probleme einzugehen, sie einfach zu akzeptieren, die ich sehr beruhigend finde.

»Ich brauche etwas, das jeden Dopaminrezeptor, den ich besitze, außer Gefecht setzt.«

»Navane, Haldol, Thorazine, Serentil, Mellaril, Stelazine...« Ben putzt sich die Brille mit seinem Pullover. Ohne sie ähnelt er einer großen haarlosen Maus.

»Ich dachte mir, vielleicht könntest du das hier für mich machen.« Ich fische in meiner Jeans nach einem Zettel, finde ihn und gebe ihn Ben. Er kneift die Augen zusammen und liest.

»3-(2-[4(6-Fluor-1,2-benzisoxazol-3-yl)piperidino] ... tetrahydro-2-methyl-4H-pyrido ... pyrimidin...« Er blickt verstört zu mir auf. »Was ist das?«

»Ein neues Antipsychotikum mit dem Wirkstoff Risperidon, das als Risperdal gehandelt wird. Auf den Markt gebracht wird es 1998, aber ich würde es gern schon jetzt ausprobieren. Das Mittel gehört zu einer neuen Klasse von Drogen namens Benzisoxazolderivate.«

»Woher hast du das?«

»Aus dem Handbuch. Ausgabe 2000.«

»Wer stellt es her?«

»Janssen.«

»Henry, wie du weißt, verträgst du Antipsychotika nicht sonderlich gut. Es sei denn, das Mittel wirkt auf eine radikal andere Weise.«

»Man weiß nicht, wie es wirkt. Selektive Monoaminoxydase-Hemmer mit hoher Affinität für Serotonin Typ 2, Dopamin Typ 2, bla, bla, bla.«

»Na ja, alles das Gleiche. Was lässt dich glauben, dass dieses Mittel besser wirkt als Haldol?«

Ich schenke ihm ein geduldiges Lächeln. »Das ist eine begründete Vermutung. Sicher weiß ich es nicht. Kannst du mir das Mittel machen?«

Ben zögert. »Ja, ich *kann*.«

»Wie schnell? Es dauert eine Weile, bis es im Körper anschlägt.«

»Ich geb dir Bescheid. Wann ist die Hochezit?«

»Am 23. Oktober.«

»Mmm. Wie ist die Dosierung?«

»Fängt mit einem Miligramm an und wird dann gesteigert.«

Ben steht auf, streckt sich. Im düsteren Licht des kalten Raums wirkt er alt, gelbsüchtig, dünnhäutig. Einerseits liebt Ben die Herausforderung (*hey, wir kopieren dieses Avantgarte-Medikament, das bisher noch niemand erfunden hat*), und dann wieder scheut er das Risiko. »Henry, du weißt ja nicht mal genau, ob Dopamin wirklich dein Problem ist.«

»Du hast die Bilder gesehen.«

»Ja, schon gut. Warum lebst du nicht einfach damit? Die Heilung könnte schlimmer werden als das Problem.«

»Ben. Wenn ich jetzt, in diesem Augenblick, mit den Fingern schnippen würde« – ich stehe auf, neige mich dicht an ihn heran, schnippe mit den Fingern – »und du dich plötzlich im Zimmer von Allen wiederfinden würdest, im Jahr 1986 ...«

»... würde ich das Arschloch umbringen.«

»Aber es geht nicht, weil du's nicht getan hast.« Ben schließt die Augen, schüttelt den Kopf. »Du kannst nichts ändern: Er wird trotzdem krank, du wirst trotzdem krank, und so weiter. Was wäre, wenn du ihn immer wieder sterben sehen würdest?« Ben sitzt auf dem Klappstuhl, er sieht mich nicht an. »So ergeht es mir, Ben. Im Ernst, manchmal macht es Spaß. Aber meistens bedeutet es, dass ich mich verliere, stehlen muss und einfach nur versuche ...«

»Über die Runden zu kommen.« Ben seufzt. »Mein Gott, ich weiß nicht, warum ich mich mit dir abgebe.«

»Der Reiz des Neuen? Mein jungenhaftes gutes Aussehen?«

»Träum nur weiter. Hey, bin ich zur Hochzeit eingeladen?«

Ben verblüfft mich. Ich hätte nie gedacht, dass er dabei sein möchte. »Klar! Wirklich? Du würdest kommen?«

»Besser als eine Beerdigung.«

»Toll! Meine Seite in der Kirche füllt sich rapide. Du bist schon mein achter Gast.«

Ben lacht. »Lade alle deine Ex-Freundinnen ein. Das füllt die Ränge.«

»Nur würde ich es nicht überleben. Die meisten wollen meinen Kopf auf einem Stock.«

»Mmm.« Ben steht auf und wühlt in einer seiner Schreibtischschubladen herum. Er holt ein leeres Tablettenfläschchen heraus und zieht eine andere Schublade auf, nimmt eine große Flasche mit Kapseln heraus, öffnet sie und gibt drei Pillen in das kleinere Gefäß, bevor er es mir zuwirft.

»Was ist das?«, frage ich, öffne das Fläschchen und kippe mir eine Tablette auf die Handfläche.

»Ein Endorphin-Stabilisator kombiniert mit einem Antidepressivum. Es ist ... hey, nicht ...« Doch die Tablette ist schon in meinem Mund verschwunden und geschluckt. »Auf Morphinbasis.« Ben seufzt. »Deine Einstellung gegenüber Medikamenten ist ziemlich lässig und arrogant.«

»Ich mag eben Opiate.«

»Gewiss doch. Aber du musst nicht glauben, dass ich dir die Dinger tonnenweise gebe. Sag Bescheid, wenn du meinst, damit könntest du die Hochzeit überstehen. Für den Fall, dass es mit der anderen Sache nicht klappt. Sie halten ungefähr vier Stunden vor, du bräuchtest also zwei.« Ben weist nickend auf die beiden verbleibenden Pillen. »Verschling sie nicht einfach zum Spaß, verstanden?«

»Pfadfinderehrenwort.«

Ben schnaubt verächtlich. Ich zahle ihm die Pillen und gehe. Auf dem Weg nach unten spüre ich, wie der Rausch mich packt, und am Fuß der Treppe bleibe ich stehen, um mich darin zu baden. Es ist lange her, seit ich dieses Gefühl hatte. Was immer Ben da hineingemixt hat, es ist phantastisch. Wie ein Orgasmus hoch zehn plus Kokain, und es scheint, als würde es noch stärker. Vor der Haustür stolpere ich praktisch über Gomez. Er hat auf mich gewartet.

»Willst du mitfahren?«

»Klar.« Seine Anteilnahme rührt mich zutiefst. Oder seine Neugier. Oder was immer es sein mag. Wir gehen zu seinem Auto, einem Chevy Nova mit zwei eingeschlagenen Scheinwerfern. Ich setze mich auf den Beifahrersitz. Gomez steigt ein und knallt die Tür zu. Dann bringt er den kleinen Wagen mühsam in Gang, und wir fahren los.

Die Stadt ist grau und schmutzig, es fängt zu regnen an. Fette Tropfen klatschen auf die Windschutzscheibe, wir fliegen an Crackhäusern und leeren Grundstücken vorbei. Gomez schaltet NPR ein, sie spielen Charles Mingus, der mir ein bisschen langsam im Ohr klingt, andererseits warum nicht? Wir leben in einem freien Land. Die Ashland Avenue ist gespickt mit gehirnerschütternden Schlaglöchern, doch ansonsten ist alles gut, um nicht zu sagen sehr gut, mein Kopf ist im Fluss und beweglich, wie flüssiges Quecksilber aus einem zerbrochenen Thermometer, am liebsten würde ich stöhnen vor Glück, die Droge leckt mit winzigen chemischen Zungen an meinen Nervenenden. Wir lassen ESP Psychic Card Reader hinter uns, Pedro's Tire Outlet, Burger King, Pizza Hut, und *I am a Passenger* schwirrt mir durch den Kopf und verschwimmt mit Mingus. Gomez sagt etwas, das ich nicht mitbekomme, und dann noch einmal:

»Henry!«

»Ja?«

»Was hast du genommen?«

»Weiß nicht genau. Ist ein wissenschaftliches Experiment, sozusagen.«

»Warum?«

»Stellare Frage. Komme später darauf zurück.«

Wir sagen nichts mehr, bis das Auto vor Clare und Charisses Haus hält. Verwirrt sehe ich Gomez an.

»Du brauchst Gesellschaft«, sagt er zärtlich. Ich widerspreche nicht. Gomez schließt die Haustür auf, wir gehen nach oben. Clare öffnet die Tür, sieht mich und ist erschüttert, erleichtert, begeistert – alles auf einmal.

CLARE: Ich habe Henry überredet, sich in mein Bett zu legen, und nun sitzen Gomez und ich im Wohnzimmer, trinken Tee und essen Sandwichs mit Erdnussbutter und Kiwigelee.

»Lerne kochen, Frau«, intoniert Gomez. Er klingt wie Charlton Heston, wenn er die Zehn Gebote verkündet.

»Demnächst.« Ich verrühre den Zucker in meinem Tee. »Danke, dass du ihn geholt hast.«

»Für dich tu ich alles, Kätzchen.« Er dreht sich eine Zigarette. Gomez ist der Einzige in meinem Bekanntenkreis, der beim Essen raucht. Ich verkneife mir einen Kommentar. Er zündet sie an, mustert mich, ich bin auf alles gefasst. »Worum ging es eigentlich bei dieser kleinen Episode? Die meisten Leute, die auf Palliativmedizin zurückgreifen, sind Aids-Opfer oder Krebspatienten.«

»Du kennst Ben?« Ich weiß nicht, warum mich das überrascht. Gomez kennt jeden.

»Ich weiß *von* Ben. Meine Mom ging zu ihm, als sie ihre Chemo hatte.«

»Aha.« Ich überdenke die Lage und suche nach etwas Unverfänglichem, das ich sagen kann.

»Was Ben ihm gegeben hat, hat Henry jedenfalls in die Zeitlupenzone verfrachtet.«

»Wir wollen etwas finden, das Henry hilft, in der Gegenwart zu bleiben.«

»Zum täglichen Gebrauch scheint er momentan etwas zu leblos.«

»Klar.« Vielleicht mit einer geringeren Dosis?

»Warum tust du das?«

»Tu ich was?«

»Deinem Mister Selbstverstümmler helfen und ihn unterstützen. Und auch noch heiraten.«

Henry ruft mich, ich stehe auf. Gomez greift nach meiner Hand.

»Clare. Bitte…«

»Gomez. Lass mich.« Ich starre ihn an. Nach einem langen, schrecklichen Moment senkt er den Blick und lässt mich los. Ich eile durch den Flur in mein Zimmer, ziehe die Tür hinter mir zu.

Henry liegt diagonal über dem Bett, Gesicht nach unten, ausgestreckt wie eine Katze. Ich streife meine Schuhe ab und lege mich zu ihm.

»Wie geht's so?«, frage ich ihn.

Henry wälzt sich herum und lächelt. »Himmlisch.« Er streichelt mein Gesicht. »Willst du mir Gesellschaft leisten?«

»Nein.«

Henry seufzt. »Du bist so gut. Ich sollte nicht versuchen, dich zu verderben.«

»Ich bin nicht gut. Ich hab Angst.« Eine ganze Weile liegen wir schweigend da. Inzwischen scheint die Sonne und zeigt mir mein Zimmer im Licht des frühen Nachmittags: Das gebogene Bettgestell aus Walnussholz, der goldviolette Orientteppich, die Haarbürste, Lippenstift und Handlotion auf der Kommode. Eine Ausgabe von *Art in America* mit Leon Golub auf der Titelseite liegt auf dem Polster meines alten Flohmarktsessels, halb verdeckt von Huysmans' *Gegen den Strich*. Henry trägt schwarze Socken. Seine langen knochigen Füße hängen über dem Bettrand. Er kommt mir dünn vor. Seine Augen sind geschlossen; vielleicht spürt er, wie ich ihn anstarre, denn jetzt öffnet er sie und lächelt mich an. Die Haare hängen ihm ins Gesicht, ich streiche sie zurück. Henry nimmt meine Hand und küsst sie innen. Ich knöpfe seine Jeans auf, fahre mit der Hand über seinen Schwanz, aber Henry schüttelt den Kopf, nimmt meine Hand und hält sie fest.

»Tut mir Leid, Clare«, sagt er leise. »In dem Zeug ist etwas, das anscheinend meine Geschlechtsteile kurzgeschlossen hat. Später vielleicht.«

»Das wird ja eine lustige Hochzeitsnacht.«

Henry schüttelt den Kopf. »Bei der Hochzeit kann ich das nicht nehmen. Das wäre zu lustig. Im Ernst, Ben ist ein Genie, aber für gewöhnlich arbeitet er mit Leuten zusammen, die unheilbar krank sind. Ganz gleich, was er in diese Pillen gemischt hat, sie wirken fast wie eine Todeserfahrung.« Er seufzt und stellt die Pillenflasche auf den Nachttisch. »Die sollte ich Ingrid schicken. Es wäre ihre ideale Droge.« Ich höre, wie sich die Eingangstür öffnet und dann zuknallt, Gomez geht.

»Möchtest du etwas essen?«, frage ich.

»Nein danke.«

»Wird Ben dir das andere Mittel mixen?«

»Er will es versuchen.«

»Und wenn es nicht gut ist?«

»Du meinst, wenn Ben Mist baut?«

»Ja.«

Henry sagt: »Was auch geschieht, wir wissen beide, dass ich mindestens dreiundvierzig werde. Zerbrich dir darüber also nicht den Kopf.«

Dreiundvierzig? »Was passiert nach dreiundvierzig?«

»Ich weiß es nicht, Clare. Vielleicht finde ich ja heraus, wie ich in der Gegenwart bleiben kann.« Er nimmt mich in den Arm, und wir liegen ruhig da. Als ich später aufwache, ist es dunkel und Henry schläft neben mir. Die kleine Pillenflasche schimmert rot im Licht der LED-Anzeige des Weckers. Dreiundvierzig?

Montag, 27. September 1993 (Clare ist 22, Henry 30)

CLARE: Ich schließe Henrys Wohnungstür auf und schalte das Licht an. Heute Abend wollen wir in die Oper, es gibt *Die Geister von Versailles.* Zuspätkommende werden in der Lyric Opera nicht mehr eingelassen, daher bin ich nervös und registriere zunächst nicht, dass Henry nicht da sein kann, wenn kein Licht brennt. Und als ich es registriere, ärgere ich mich, weil wir seinetwegen zu spät kommen. Dann frage ich mich, ob er wirklich weg ist. Dann höre ich, wie jemand atmet.

Ich erstarre. Der Atem kommt aus der Küche. Ich renne in die Küche und schalte das Licht an: Henry liegt bekleidet auf dem Boden, in einer seltsam steifen Haltung, und stiert geradeaus. Er gibt ein leises Geräusch von sich, das alles andere als menschlich klingt, ein Ächzen, das in der Kehle rasselt und durch seine zusammengebissenen Zähne dringt.

»O Gott, o Gott.« Ich rufe den Notdienst. Die Vermittlung versichert mir, dass sie in ein paar Minuten kommen. Und während ich auf dem Küchenboden sitze und Henry anstarre, steigt Wut in mir hoch, und ich suche sein Rolodex im Schreibtisch und wähle die Nummer.

»Hallo?« Die Stimme klingt verzagt und weit weg.

»Sind Sie Ben Matteson?«

»Ja. Wer ist da?«

»Clare Abshire. Hören Sie, Ben, Henry liegt hier völlig steif am Boden und kann nicht sprechen. *Was ist los?*«

»Was? Mist? Rufen Sie einen Krankenwagen!«

»Hab ich schon...«

»Das Mittel simuliert Parkinson, er braucht Dopamin! Sagen Sie denen – Mist, rufen Sie mich aus dem Krankenhaus an.«

»Sie sind da.«

»Gut! Rufen Sie mich an.« Ich lege auf und wende mich zu den Sanitätern.

Später, nach der Fahrt im Krankenwagen ins Merci Hospital, wo man Henry aufgenommen, eine Injektion verabreicht und intubiert hat, und er entspannt und schlafend in einem Krankenhausbett liegt, angeschlossen an einen Monitor, blicke ich auf und sehe einen hoch gewachsenen hageren Mann in der Tür zu Henrys Zimmer stehen, was mich daran erinnert, dass ich Ben nicht angerufen habe. Er kommt herein und stellt sich mir gegenüber auf die andere Bettseite. Im Licht aus dem Flur hebt Ben sich als Silhouette ab, er beugt den Kopf und sagt: »Tut mir ehrlich Leid. Wirklich.«

Ich greife übers Bett, nehme seine Hand. »Schon gut. Er wird es überstehen. Bestimmt.«

Ben schüttelt den Kopf. »Es ist allein meine Schuld. Ich hätte ihm das Zeug nie mixen sollen.«

»Was ist geschehen?«

Ben seufzt und lässt sich auf dem Stuhl nieder. Ich setze mich aufs Bett. »Es könnte mehrere Gründe geben«, sagt er. »Vielleicht war es nur eine Nebenwirkung, wie sie bei jedem auftreten kann. Aber vielleicht stimmte auch Henrys Formel nicht ganz. Sie war lang, und er musste sie auswendig behalten. Ich konnte sie nicht überprüfen.«

Wir schweigen beide. Auf Henrys Monitor wird Flüssigkeit in seinen Arm geträufelt. Ein Krankenpfleger schiebt einen Wagen vorbei. Schließlich sage ich: »Ben?«

»Ja, Clare?«

»Würden Sie mir einen Gefallen tun?«

»Jeden.«

»Brechen Sie alles ab. Keine Medikamente mehr. Medikamente helfen ihm nicht.«

Ben grinst mich erleichtert an. »Einfach Nein sagen.«

»Genau.« Wir lachen. Ben bleibt noch eine Weile bei mir sitzen. Bevor er geht, nimmt er meine Hand und sagt: »Vielen Dank, dass Sie so nett reagiert haben. Er hätte leicht sterben können.«

»Ist er aber nicht.«

»Nein. Ist er nicht.«

»Wir sehen uns bei der Hochzeit.«

»Ja.« Wir stehen im Flur. Im grellen Neonlicht wirkt Ben müde und krank. Er zieht den Kopf ein, dreht sich um und geht den Flur entlang. Ich wende mich wieder dem halbdunklen Zimmer zu, in dem Henry schläft.

WENDEPUNKT

Freitag, 22. Oktober 1993 (Henry ist 30)

Ich schlendere die Linden Street in South Haven entlang, habe mindestens eine Stunde frei, während Clare und ihre Mutter etwas beim Blumenhändler besprechen. Morgen ist die Hochzeit, doch als Bräutigam scheine ich nicht viel Verpflichtungen zu haben. Da sein – das ist der Hauptpunkt auf der Liste meiner zu erledigenden Dinge. Clare ist ständig auf dem Sprung zu Anproben, Beratungen, Geschenkpartys mit Freundinnen. Immer wenn ich sie sehe, wirft sie mir sehnsuchtsvolle Blicke zu.

Es ist ein klarer kalter Tag, ich trödle ein wenig. Ich wünschte, in South Haven gäbe es einen vernünftigen Buchladen. Selbst in der Leihbücherei stehen vorwiegend nur Barbara Cartland und John Grisham. Ich habe die Penguin-Ausgabe von Kleist bei mir, bin aber dazu nicht in Stimmung. Ich komme an einem Antiquitätengeschäft vorbei, einer Bäckerei, einer Bank, noch einem Antiquitätengeschäft. Dann gelange ich an einen Friseursalon und spähe hinein: Ein alter Mann wird von einem gepflegten kleinen Friseur mit schütteren Haaren rasiert. Auf einmal weiß ich, was ich tun werde.

Kleine Glocken bimmeln an der Tür, als ich den Laden betrete. Es riecht nach Seife, Dampf, Haarwasser und älteren Leuten. Alles ist hellgrün. Der alte Stuhl ist mit Chrom verziert, und auf den dunklen Holzregalen stehen kunstvolle Flaschen, Tabletts mit Scheren, Kämmen und Rasiermessern. Es wirkt fast klinisch: wie auf einem Foto von Norman Rockwell. Der Friseur blickt zu mir auf. »Haarschnitt?«, frage ich. Er nickt auf die Reihe der leeren geradlehnigen Stühle, an deren einem Ende ein Gestell mit ordentlich aufeinander gestapelten Zeitschriften steht. Im Radio läuft Sinatra. Ich setze mich hin, blättere ein *Reader's-Digest*-Heft durch. Der Friseur wischt dem alten Mann Schaumspuren vom Kinn und trägt Rasierwasser auf. Dann steigt der alte Mann vorsichtig vom Stuhl und zahlt. Der Friseur hilft ihm in den Mantel und reicht ihm den Gehstock. »Bis bald, George«, sagt der alte Mann im Hinausgehen. »Wiedersehen, Ed«, entgegnet der Friseur. Dann schenkt er mir seine Aufmerksamkeit. »Wie soll es denn werden?« Ich hüpfe in den Stuhl, und er pumpt mich ein paar Stufen höher, dreht mich zum Spiegel um. Ich werfe einen langen letzten Blick auf meine Haare. Dann halte ich Daumen und Zeigefinger ungefähr zweieinhalb Zentimeter auseinander. »Schneiden Sie alles ab.« Er nickt beifällig und legt mir einen Plastikumhang um den Hals. Bald schnippt seine Schere mit kleinen Metall-auf-Metallgeräuschen um meinen Kopf, und meine Haare fallen zu Boden. Als er fertig ist, bürstet er mich ab und entfernt den Umhang. Und voilà: Ich bin mein künftiges Ich geworden.

PÜNKTLICH ZUR KIRCHE KOMMEN

Samstag, 23. Oktober 1993 (Henry ist 30, Clare 22)
(6 Uhr)

HENRY: Um sechs Uhr früh wache ich auf, es regnet. Ich liege in einem hübschen kleinen grünen Mansardenzimmer eines gemütlichen kleinen Bed and Breakfast namens Blake's, direkt am Südstrand von South Haven. Clares Eltern haben es ausgesucht. Mein Dad schläft unten in einem ebenso heimeligen rosa Zimmer, neben Mrs Kim, die einen schönen gelben Raum bewohnt. Grandpa und Grams logieren in dem überkuscheligen blauen Elternschlafzimmer. Unter Bettwäsche von Laura Ashley liege ich auf der extraweichen Matratze und lausche dem Wind, der sich gegen das Haus wirft. Es gießt in Strömen. Ich frage mich, ob ich bei diesem Monsun laufen kann. Das Wasser rauscht durch die Rinnen und trommelt aufs Dach, das ungefähr einen halben Meter über meinem Gesicht beginnt. Mein Zimmer gleicht eher einer Dachkammer. Es enthält einen zierlichen kleinen Schreibtisch, für den Fall, dass ich an meinem Hochzeitstag irgendwelche vornehmen Schreiben tätigen muss. Auf der Kommode stehen eine Porzellanschüssel mit passendem Wasserkrug; wollte ich sie tatsächlich benutzen, müsste ich wahrscheinlich erst das Eis auf dem Wasser brechen, denn hier ist es ziemlich kalt. Ich fühle mich wie ein rosa Wurm im Herzen dieses grünen Zimmers, als hätte ich mich hier hereingefressen und sollte nun daran arbeiten, ein Schmetterling oder etwas Ähnliches zu werden. Ich bin noch nicht richtig wach, hier, in diesem Moment. Jemand hustet. Ich höre mein Herz schlagen und den hohen Ton, mit dem mein Nervensystem seine Arbeit verrichtet. Oh, Gott, lass den heutigen Tag normal verlaufen. Lass mich normal verwirrt, normal nervös sein, bring mich pünktlich zur Kirche. Lass mich niemanden verschrecken, besonders nicht mich selbst. Lass mich unseren Hochzeitstag durchstehen so gut ich kann, ohne Spezialeffekte. Erlöse Clare von unerfreulichen Szenen. Amen.

(7 Uhr)

CLARE: Ich erwache in meinem Bett, dem Bett meiner Kindheit. Noch auf der Oberfläche des Wachwerdens schwebend, taste ich mich suchend durch die Zeit: Ist Weihnachten, Thanksgiving? Sitze ich wieder in der dritten Klasse? Bin ich krank? Wieso regnet es? Der Himmel hinter den gelben Vorhängen wirkt wie tot, der Wind reißt das gelbe Laub von der großen Ulme. Die ganze Nacht habe ich geträumt. Jetzt verschmelzen die Träume. Einmal bin ich im Meer geschwommen, ich war eine Nixe. Eine noch sehr unerfahrene Nixe, und eine der anderen Nixen wollte mir alles beibringen: Sie gab mir Nixenunterricht. Ich hatte Angst, unter Wasser zu atmen. Das Wasser drang in meine Lunge, und ich kam nicht dahinter, wie es funktionieren sollte, es fühlte sich schrecklich an, ich musste dauernd an die Oberfläche, um zu atmen, und die andere Nixe sagte immer: *Nein, Clare, das geht so…* bis ich schließlich sah, dass sie Kiemen im Hals hatte, genau wie ich, danach ging es besser. Schwimmen war wie Fliegen, alle Fische waren Vögel… An der Meeresoberfläche war ein Schiff, und wir schwammen nach oben, um das Schiff zu sehen. Es war nur ein kleines Segelschiff, meine Mutter war an Bord, ganz allein. Ich schwamm zu ihr, und mein Anblick überraschte sie, sie sagte *Aber Clare, ich dachte, du willst heute heiraten*, und plötzlich wurde mir klar, wie das in Träumen so geht, dass ich Henry nicht heiraten kann, wenn ich eine Nixe bin. Ich begann zu weinen, und dann wachte ich auf, es war mitten in der

Nacht. Eine Weile lag ich im Dunkeln und beschloss, eine normale Frau zu werden, wie die kleine Meerjungfrau, allerdings ohne den ganzen Unsinn mit grässlichen Schmerzen in den Füßen oder einer herausgeschnittenen Zunge. Hans Christian Andersen muss ein sehr sonderbarer und trauriger Mensch gewesen sein. Dann schlief ich wieder ein, und nun liege ich im Bett, und heute werden Henry und ich heiraten.

(7.16 Uhr)

HENRY: Die Trauung ist um 14 Uhr, zum Anziehen brauche ich ungefähr eine halbe Stunde, und die Fahrt zur St.-Basil-Kirche dauert zwanzig Minuten. Im Moment ist es 7.16 Uhr, mir bleiben also fünf Stunden und vierundvierzig Minuten, die ich totschlagen muss. Ich streife Jeans über, ein vergammeltes altes Flanellhemd und meine Basketballschuhe, dann schleiche ich, auf der Suche nach Kaffee, so leise wie möglich die Treppe hinunter. Aber Dad ist mir zuvorgekommen, er sitzt schon im Frühstücksraum, die Hände um eine zierliche Tasse dampfenden schwarzen Kaffees gelegt. Ich schenke mir auch eine Tasse ein und setze mich ihm gegenüber. Im schwachen Licht, das durch die Spitzenvorhänge an den Fenstern fällt, sieht Dad irgendwie gespenstisch aus, wie eine kolorierte Fassung seiner selbst aus einem Schwarzweißfilm. Seine Haare stehen in alle nur möglichen Richtungen, und ich streiche meine unwillkürlich glatt, so als wäre er ein Spiegel. Er tut es mir gleich, und wir müssen lächeln.

(8.17 Uhr)

CLARE: Alicia sitzt auf meinem Bett und pikst mich. »Komm schon, Clare«, stichelt sie. »Es wird Tag im Sumpf. Die Vögel singen« (gar nicht wahr), »und die Frösche springen und es ist *Zeit zum Aufstehen!*« Alicia kitzelt mich. Sie schlägt die Decke zurück, und wir ringen miteinander, und gerade als ich sie niederdrücke, streckt Etta den Kopf zur Tür herein und faucht: »Mädchen! Was soll dieser Krach. Euer Vater denkt, ein *Baum* ist aufs Haus gefallen, aber nein, ihr albernen Gänse wollt euch gegenseitig *umbringen*. Frühstück ist gleich fertig.« Mit diesen Worten zieht Etta unvermittelt den Kopf zurück, und wir hören, berstend vor Lachen, wie sie die Treppe hinunterpoltert.

(8.32 Uhr)

HENRY: Draußen wütet immer noch der Sturm, aber ich gehe trotzdem laufen. Ich studiere den Stadtplan von South Haven (»Ein leuchtendes Juwel an der Sunset Coast am Lake Michigan!«), mit dem Clare mich versorgt hat. Gestern lief ich am Strand entlang, was angenehm war, aber heute Morgen weniger zu empfehlen ist. Ich kann sehen, wie sich zwei Meter hohe Wellen ans Ufer werfen. Ich messe eine anderthalb Kilometer lange Straßenstrecke ab und denke, ich werde Runden laufen; wenn es dann zu scheußlich wird, kann ich das Ganze abbrechen. Ich strecke mich, und jedes Gelenk knackt. Ich kann die Spannung in den Nerven fast knistern hören, wie Rauschen in einer Telefonleitung. Ich ziehe mich an, und schon gehe ich hinaus in die Welt.

Der Regen trifft mich wie ein Schlag ins Gesicht. Ich bin auf der Stelle bis auf die Haut durchnässt. Stoisch arbeite ich mich mit mäßigem Tempo die Maple Street hinunter. Es ist eine einzige Plackerei, ich kämpfe gegen den Wind an, ohne eine Chance, zu beschleunigen. Ich komme an einer Frau vorbei, die mit ihrer Bulldogge am Randstein steht und mich staunend betrachtet. Das ist nicht nur Training, erkläre ich ihr im Stillen. Das ist pure Verzweiflung.

(8.54 Uhr)

CLARE: Wir sind um den Frühstückstisch versammelt. Von allen Fenstern dringt Kälte herein, und ich kann kaum nach draußen sehen, weil es so stark regnet. Ob Henry bei dieser Sintflut laufen kann?

»Ideales Wetter für eine Hochzeit«, witzelt Mark.

Ich zucke die Achseln. »*Ich* hab's nicht ausgesucht.«

»Nein?«

»*Daddy* hat es ausgesucht.«

»Na ja, ich zahle auch dafür«, sagt Daddy verdrießlich.

»Stimmt.« Ich kaue auf meinem Toast.

Meine Mutter beäugt kritisch meinen Teller. »Herzchen, nimm dir doch etwas von dem guten Schinken. Und den Eiern.«

Allein der Gedanke daran dreht mir den Magen um. »Ich kann nicht. Ehrlich. Bitte.«

»Dann schmier dir wenigstens etwas Erdnussbutter auf den Toast. Du brauchst Protein.« Ich stelle Augenkontakt zu Etta her, die in die Küche eilt und wenig später mit einem winzigen Kristallschälchen voll Erdnussbutter zurückkommt. Ich danke ihr und streiche mir ein bisschen auf den Toast.

Ich frage meine Mutter: »Bleibt mir noch etwas Zeit, bis Janice auftaucht?« Janice hat Schreckliches mit meinem Gesicht und den Haaren vor.

»Sie kommt um elf. Warum?«

»Ich muss auf einen Sprung in die Stadt, noch was besorgen.«

»Das kann ich für dich erledigen, Liebes.« Der Gedanke, aus dem Haus zu kommen, scheint sie zu erleichtern.

»Ich würde gern selbst gehen.«

»Wir könnten zusammen gehen.«

»Allein.« Ich beschwöre sie stumm. Sie ist verdutzt, gibt aber nach.

»Na schön. Meine Güte.«

»Gut. Bin bald zurück.« Ich stehe auf und will gehen. Daddy räuspert sich.

»Entschuldigt ihr mich?«

»Sicher.«

»Danke.« Ich entfliehe.

(9.35 Uhr)

Henry: Ich stehe in der gewaltigen, leeren Badewanne und kämpfe mich aus den kalten, durchweichten Kleidern. Meine nagelneuen Laufschuhe haben eine gänzlich andere Form angenommen, irgendwie erinnern sie an Meereswesen. Von der Eingangstür bis zur Badewanne zieht sich eine Wasserspur, an der sich Mrs Blake hoffentlich nicht allzu sehr stört.

Jemand klopft an die Tür. »Einen Augenblick noch«, rufe ich, platsche zur Tür und öffne sie einen Spalt. Zu meiner völligen Überraschung ist es Clare.

»Wie lautet die Losung?«, frage ich leise.

»Fick mich«, erwidert Clare. Ich reiße die Tür weit auf.

Clare kommt herein, setzt sich aufs Bett und zieht auch schon die Schuhe aus.

»Das ist kein Witz?«

»Komm schon, o du mein Beinahe-Mann. Um elf muss ich wieder zurück sein.« Sie mustert mich von oben bis unten. »Du bist gelaufen! Bei dem Regen hätte ich das nicht gedacht.«

»Schreckliche Zeiten erfordern schreckliche Maßnahmen.« Ich schäle mich aus meinem T-Shirt und werfe es in die Wanne, wo es platschend landet. »Bringt es nicht Unglück, wenn der Bräutigam die Braut vor der Hochzeit sieht?«

»Dann mach die Augen zu.« Clare läuft ins Bad und holt ein Handtuch. Ich beuge mich vor, und sie trocknet mir die Haare. Ein wunderschönes Gefühl. Damit könnte ich mich für den Rest meines Lebens begnügen. Ja, wirklich.

»Ganz schön kalt hier«, sagt Clare.

»Komm und sei gebettet, Beinahe-Frau. Das ist der einzige warme Platz im ganzen Haus.« Wir steigen hinein.

»Wir machen alles durcheinander, oder?«

»Hast du damit Probleme?«

»Nein. Mir gefällt's.«

»Gut. Dann bist du an den richtigen Mann geraten, was deine außerzeitgemäßen Wünsche betrifft.«

(11.15 Uhr)

CLARE: Ich schleiche durch die Hintertür und stelle den Schirm im Vorraum ab. In der Eingangshalle stoße ich beinahe mit Alicia zusammen.

»Wo warst du? Janice ist schon da.«

»Wie spät ist es?«

»Viertel nach elf. Hey, du hast dein Hemd erstens falsch und zweitens linksrum an.«

»Bringt das nicht Glück?«

»Kann sein, aber zieh es trotzdem lieber richtig an, bevor du nach oben gehst.« Schnell gehe ich in den Vorraum zurück und drehe das Hemd um. Dann renne ich nach oben. Mama und Janice stehen im Flur vor meinem Zimmer. Janice hat eine riesige Tasche mit Schminksachen und anderen Folterinstrumenten bei sich.

»Da bist du ja. Langsam wurde ich schon unruhig.« Mama geleitet mich in mein Zimmer, Janice bildet die Nachhut. »Ich muss noch mit dem Partyservice sprechen.« Sie ringt beinahe die Hände, als sie geht.

Ich wende mich zu Janice, die mich kritisch untersucht. »Deine Haare sind ganz nass und verwuschelt. Kämm sie schon mal durch, während ich auspacke.« Sie holt eine ganze Batterie von Tuben und Flaschen aus ihrer Tasche und stellt sie auf die Kommode.

»Janice.« Ich zeige ihr eine Postkarte von den Uffizien. »Kannst du das?« Ich fand diese kleine Medici-Prinzessin, deren Haare meinen nicht unähnlich sind, schon immer wunderschön; sie trägt viele kleine Zöpfe mit eingeflochtenen Perlen zu einem losen wunderschönen bernsteinfarbenen Pferdeschwanz gebunden. Auch der unbekannte Künstler muss sie sehr gemocht haben. Er konnte gar nicht anders.

Janice überlegt. »Deine Mutter hat da aber ganz andere Vorstellungen.«

»Aber es ist meine Hochzeit. Und mein Haar. Und wenn du es so machst, wie ich es möchte, geb ich dir ein dickes Trinkgeld.«

»Wenn ich deine Haare so frisiere, bleibt mir keine Zeit mehr für dein Gesicht, es dauert lange, die vielen Zöpfchen zu flechten.«

Halleluja. »Macht nichts. Ich schminke mich selbst.«

»Na schön. Kämm deine Haare durch, dann kann's losgehen.« Ich fange an, die verhedderten Strähnen zu entwirren. Allmählich gefällt mir die Sache. Ich überlasse mich Janices schlanken braunen Händen und frage mich, was Henry wohl so treibt.

HENRY: Der Frack und der ganze damit verbundene Kummer liegen ausgebreitet auf dem Bett. In dieser Kühlkammer friere ich mir noch meinen unterernährten Hintern ab. Ich werfe die kalten nassen Kleider von der Badewanne ins Waschbecken. Wunderlicherweise ist das Bad genauso groß wie das Schlafzimmer. Es ist mit Teppich ausgelegt und gnadenlos pseudoviktorianisch. Die Badewanne, ein gewaltiges Ding mit geschwungenen Klauenfüßen, steht inmitten von Farnen, Stapeln von Handtüchern, einem Nachtstuhl und einer großen gerahmten Reproduktion von William Holman Hunts *Erwachendem Gewissen*. Das Fensterbrett befindet sich fünfzehn Zentimeter über dem Boden, und durch die zarten weißen Musselinvorhänge sehe ich die Maple Street in ihrer ganzen laublosen Pracht. Ein beiger Lincoln Continental rollt träge die Straße entlang. Ich lasse heißes Wasser in die Wanne ein, aber sie ist so groß, dass ich keine Lust habe zu warten, bis sie voll ist, und einfach hineinsteige. Ich vergnüge mich, indem ich mit der Duschvorrichtung im europäischen Stil herumspiele und die Deckel von ungefähr zehn Shampoos, Duschgels und Haarkuren abschraube und an allen rieche, beim fünften bekomme ich Kopfschmerzen. Ich singe *Yellow Submarine*. Im Umkreis von einem Meter wird alles nass.

(12.35 Uhr)

CLARE: Janice entlässt mich, und Mama eilt mit Etta zu mir. Etta sagt: »Oh, Clare, du siehst schön aus!« Mama sagt: »Das ist nicht die Frisur, auf die wir uns geeinigt hatten, Clare.« Mama staucht Janice ordentlich zusammen, bezahlt sie dann, und als Mama es nicht sieht, stecke ich Janice ihr Trinkgeld zu. Da ich mich in der Kirche anziehen soll, packen sie mich ins Auto, und wir fahren zur St. Basil.

(12.55 Uhr) (Henry ist 38)

HENRY: Ich gehe den Highway 12 entlang, ungefähr drei Kilometer südlich von South Haven. Wettermäßig ist es ein unglaublich

scheußlicher Tag. Es ist Herbst und gießt in Strömen, zudem ist es
kalt und windig. Ich habe nur eine Jeans an, bin barfuß und bis auf
die Haut durchnässt. Mir fehlt jede Orientierung, in welcher Zeit
ich mich befinde. Ich will nach Meadowlark, in der Hoffnung, im
Leseraum trocken zu werden und vielleicht eine Kleinigkeit zu essen. Als ich die pinkfarbene Neonreklame einer Billigtankstelle sehe, halte ich, obwohl ich kein Geld bei mir habe, schnurstracks darauf zu. Ich gehe in die Tankstelle und bleibe einen Augenblick
stehen, das Wasser strömt auf den Linoleumboden, ich schöpfe
Atem.

»Bei dem Wetter bleibt man am liebsten im Haus«, sagt der
dünne ältere Herr hinter der Theke.

»Ja«, antworte ich.

»Autopanne?«

»Nein, nein.« Er mustert mich eingehend, bemerkt die nackten
Füße, die nicht der Jahreszeit entsprechende Kleidung. Ich denke
nach, täusche Verlegenheit vor. »Meine Freundin hat mich rausge-
worfen.«

Er sagt etwas, das ich jedoch nicht höre, weil ich auf den *South
Haven Daily* blicke. Heute ist Samstag, der 23. Oktober 1993. Unser
Hochzeitstag. Die Uhr über dem Zigarettenständer zeigt 13.10 Uhr
an.

»Ich muss mich beeilen«, sage ich zu dem alten Mann und bin
schon unterwegs.

(13.42 Uhr)

CLARE: Ich stehe in dem Klassenzimmer, in das ich in der Vierten
ging, und trage mein Brautkleid. Es ist aus elfenbeinfarbener moi-
rierter Seide, mit viel Spitze und Staubperlen. Mieder und Ärmel
sind eng geschnitten, aber der Rock ist weit, reicht bis zum Boden
und hat eine Schleppe aus zwanzig Metern Stoff. Ich könnte zehn
Liliputaner darunter verstecken. Ich komme mir vor wie ein Festwagen bei einer Parade, und Mama nutzt die Situation voll aus; sie
fummelt an mir herum, macht Fotos und will mich überreden,
noch mehr Make-up aufzulegen. Alicia, Charisse, Helen und Ruth,

die Brautjungfern, wuseln aufgeregt in gleichen türkisen Samtkleidern umher. Da Charisse und Ruth beide klein sind, Alicia und Helen hingegen groß, sehen sie aus wie seltsam zusammengewürfelte Pfadfinderinnen, aber wir haben uns darauf geeinigt, in Mamas Anwesenheit souverän damit umzugehen. Sie vergleichen ihre gefärbten Schuhe und können sich nicht einigen, wer den Brautstrauß fängt. Helen sagt: »Charisse, du bist schon verlobt, du solltest gar nicht erst versuchen, ihn zu fangen«, worauf Charisse die Achseln zuckt und entgegnet: »Nur zur Sicherheit. Bei Gomez weiß man nie.«

(13.48 Uhr)

HENRY: Ich sitze auf einem Heizkörper in einem muffigen Raum voll Schachteln mit Gebetbüchern. Gomez geht rauchend auf und ab. Er sieht blendend aus in seinem Frack. Ich komme mir vor wie der Gastgeber in einer Spieleshow. Im Gehen schnippt Gomez die Asche in eine Teetasse. Er macht mich noch nervöser, als ich ohnehin schon bin.

»Hast du den Ring«, frage ich zum zigsten Mal.

»Ja. Ich hab den Ring.«

Einen Augenblick lang bleibt er stehen und sieht mich an. »Willst du einen Schluck trinken?«

»Ja.« Gomez holt einen Flachmann hervor, reicht ihn mir. Ich drehe den Verschluss ab und nehme einen Schluck. Ein sehr weicher Scotch. Ich nehme einen zweiten Schluck, reiche den Flachmann zurück. Draußen im Vorraum höre ich Leute lachen und reden. Ich schwitze, und mir tut der Kopf weh. Es ist sehr warm. Ich stehe auf und öffne das Fenster, hänge den Kopf hinaus, atme. Es regnet noch immer.

Aus den Büschen dringt ein Geräusch. Ich öffne das Fenster noch ein Stück und blicke nach unten. Da bin ich, sitze unterm Fenster auf der Erde, klatschnass und keuchend. Er grinst mich an und streckt mir den emporgereckten Daumen hin.

CLARE: Wir stehen alle im Vorraum der Kirche. Daddy sagt: »Bringen wir die Show auf den Weg«, und klopft an die Zimmertür, hinter der Henry sich ankleidet. Gomez streckt den Kopf heraus und sagt: »Einen Moment noch.« Er wirft mir einen Blick zu, bei dem sich mir der Magen umdreht, dann zieht er den Kopf zurück und schließt die Tür. Ich gehe auf die Tür zu, als Gomez sie wieder öffnet, und da ist Henry, richtet seine Manschettenknöpfe. Er ist nass, schmutzig und unrasiert. Er sieht aus wie vierzig. Aber er ist *da* und lächelt mich triumphierend an, dann schreitet er durch die Flügeltür der Kirche und den Gang entlang.

Sonntag, 13. Juni 1976 (Henry ist 30)

HENRY: Ich liege auf dem Boden in meinem alten Schlafzimmer. Ich bin allein, es ist ein herrlicher Sommerabend in einem unbekannten Jahr. Eine Weile liege ich da, fluche vor mich hin und fühle mich wie ein Idiot. Dann stehe ich auf, gehe in die Küche und trinke ein paar von Dads Bieren.

Samstag, 23. Oktober 1993 (Henry ist 38 und 30, Clare 22)
(14.37 Uhr)

CLARE: Wir stehen vor dem Altar. Henry wendet sich zu mir und sagt: »Ich, Henry, nehme dich, Clare, zu meiner Frau. Ich verspreche dir die Treue zu halten, in guten wie in schlechten Zeiten, in Krankheit und im Tod. Ich will dich lieben und ehren alle Tage meines Lebens.« Ich denke: *Vergiss es nicht*. Ich wiederhole das Versprechen an ihn gewandt. Pfarrer Compton lächelt uns an und sagt: »Was Gott vereint hat, soll der Mensch nicht trennen.« Ich denke: *Das ist gar nicht unser Problem*. Henry schiebt mir den schmalen silbernen Ring über den Finger, an dem ich bereits den Verlobungsring trage. Ich stecke ihm das goldene Gegenstück über, es ist das einzige Mal, dass er es tragen wird. Die Messe nimmt ihren Lauf, und ich denke mir, *nur darauf kommt es an: Er ist da, ich bin da, das*

Wie spielt keine Rolle, solange er nur bei mir ist. Der Pfarrer segnet uns und sagt: »Die Messe ist zu Ende, gehet hin in Frieden.« Wir schreiten den Gang entlang, Arm in Arm, gemeinsam.

(18.26 Uhr)

HENRY: Die Feier nimmt gerade ihren Anfang. Die Leute vom Partyservice sausen mit Servierwagen und abgedeckten Tabletts hin und her. Gäste kommen an und geben ihre Mäntel ab. Endlich hat es aufgehört zu regnen. Der Yacht Club von South Haven liegt am North Beach, ein Gebäude aus den 1920er Jahren, ausgestattet mit Holztäfelung und Leder, rotem Teppich und Schiffsgemälden. Draußen ist es mittlerweile dunkel, aber der Leuchtturm am Pier blinkt unverdrossen. Ich stehe an einem Fenster, trinke einen Glenlivet und warte auf Clare, die von ihrer Mutter aus irgendeinem Grund, in den ich nicht eingeweiht bin, weggeholt wurde. Ich sehe Gomez' und Bens Spiegelbilder auf mich zukommen und drehe mich um.

Ben wirkt beunruhigt. »Wie geht es dir?«

»Ganz gut. Könnt ihr mir vielleicht einen Gefallen tun?« Sie nicken. »Gomez, geh bitte in die Kirche zurück. Dort findest du mich, ich warte im Vorraum. Du packst mich einfach und bringst mich hierher. Dann schmuggelst du mich ins untere Männerklo und lässt mich dort. Ben, du behältst mich derweil im Auge« (ich zeige auf meine Brust), »und wenn ich dir Bescheid gebe, nimmst du meinen Frack und bringst ihn mir in die Männertoilette. Alles klar?«

Gomez fragt: »Wie viel Zeit haben wir?«

»Nicht viel.«

Er nickt und entfernt sich. Charisse nähert sich, und Gomez küsst sie im Vorbeigehen auf die Stirn. Ich drehe mich zu Ben, der müde wirkt. »Wie geht es dir?«, frage ich ihn.

Ben seufzt. »Irgendwie erschöpft. Henry.«

»Hmm?«

»Aus welcher Zeit kommst du?«

»2002.«

»Kannst du … Hör mal, ich weiß, du tust das nicht gern, aber …«

»Was? Schon gut, Ben. Was du auch willst. Heute ist ein besonderer Anlass.«

»Sag mir: Bin ich im Jahr 2002 noch am Leben?« Ben sieht mich nicht an, er starrt auf die Band, die im Tanzsaal ihre Instrumente stimmt.

»Ja. Es geht dir gut. Erst vor ein paar Tagen haben wir uns gesehen und eine Runde Billard gespielt.«

Ben stößt erleichtert die Luft aus. »Danke.«

»Kein Problem.« In Bens Augen schimmern Tränen. Ich biete ihm mein Taschentuch an, und er nimmt es, gibt es dann aber unbenutzt zurück und entfernt sich auf der Suche nach dem Männerklo.

(19.04 Uhr)

CLARE: Alle nehmen zum Essen Platz, nur Henry ist nirgends zu finden. Ich frage Gomez, ob er ihn gesehen hat, aber er bedenkt mich nur mit einem seiner typischen Gomez-Blicke und versichert mir, Henry werde jeden Augenblick hier sein. Kimy nähert sich uns, in ihrem rosa Seidenkleid sieht sie sehr zerbrechlich und besorgt aus. »Wo ist Henry?«, fragt sie mich.

»Ich weiß nicht, Kimy.«

Sie zieht mich zu sich und flüstert mir ins Ohr: »Ich habe gesehen, wie sein Freund Ben einen Stapel Kleider aus dem Salon gebracht hat.« Oh, nein. Wenn Henry wieder in seine Gegenwart zurückgereist ist, wird das schwer zu erklären sein. Vielleicht könnte ich sagen, dass ein Notfall dazwischengekommen ist? Irgendein Vorfall in der Bibliothek, der Henrys sofortige Anwesenheit erfordert hat. Aber seine Kollegen sind alle hier. Vielleicht könnte ich sagen, dass Henry an Gedächtnisschwund leidet und davongelaufen ist …

»Da ist er ja«, sagt Kimy und drückt meine Hand. Henry steht in der Tür und überfliegt die Menge. Als er uns sieht, kommt er herbeigerannt.

Ich küsse ihn. »Grüß dich, Fremder.« Er ist wieder in der Gegenwart, mein jüngerer Henry, mein Mann, der hierher gehört. Henry nimmt meinen Arm, dann Kimys Arm und führt uns zum Essen.

Kimy kichert und sagt etwas zu Henry, das ich nicht verstehe. »Was hat sie gesagt?«, frage ich, als wir Platz nehmen. »Sie wollte wissen, ob wir eine *Ménage à trois* in der Hochszeitsnacht planen.« Ich werde krebsrot. Kimy zwinkert mir zu.

(19.16 Uhr)

HENRY: Ich hänge in der Clubbibliothek herum, esse Kanapees und lese in einer kostspielig gebundenen und vermutlich noch nie aufgeschlagenen ersten Ausgabe von *Herz der Finsternis*. Aus dem Augenwinkel sehe ich, wie der Clubmanager auf mich zusaust. Ich schließe das Buch und stelle es ins Regal zurück.

»Tut mir Leid, Sir, ich muss Sie leider bitten zu gehen.« Kein Hemd, keine Schuhe, kein Service.

»Gut.« Ich stehe auf, und als der Manager mir den Rücken zuwendet, schießt mir das Blut in den Kopf und ich verschwinde. Am 2. März 2002 komme ich zur mir, ich liege auf unserem Küchenboden und lache. Das wollte ich schon *immer* erleben.

(19.21 Uhr)

CLARE: Gomez hält eine Rede:
»Liebe Clare, lieber Henry, Familie und Freunde, Mitglieder der Jury … halt, das streichen wir. Meine teuren Geliebten, wir haben uns hier an diesem Abend an den Gestaden im Land des Singledaseins versammelt, um Clare und Henry unsere besten Wünsche für die Reise auf dem schönen Schiff der Ehe mitzugeben. Und auch wenn wir mit einem traurigen Auge sehen, wie sie den Freuden des Singledaseins Lebewohl sagen, sind wir guten Mutes, dass das viel gepriesene Land des ehelichen Glücks eine mehr als angemessene neue Adresse sein wird. Einige unter uns werden sich den beiden vielleicht sogar bald anschließen, es sei denn, uns fällt noch eine Möglichkeit ein, um dem zu entgehen. Und so lasst uns einen Toast ausbringen: Auf Clare Abshire DeTamble, eine wunderschöne Künstlerin, die jedes Quäntchen Glück verdient, das ihr in ihrer neuen Welt widerfahren möge. Und auf Henry DeTamble, einen

verdammt feinen Kerl und absoluten Glückspilz: Möge sich das Meer des Lebens spiegelglatt vor euch ausbreiten, und möget ihr immer den Wind im Rücken haben. Auf das glückliche Paar!« Gomez beugt sich zu mir und küsst mich auf den Mund, und einen Augenblick lang erhasche ich seinen Blick, dann ist es auch schon vorbei.

(20.48 Uhr)

HENRY: Wir haben die Hochzeitstorte angeschnitten und gegessen. Clare hat den Brautstrauß geworfen (Charisse fing ihn auf), und ich habe Clares Strumpfband geworfen (das ausgerechnet Ben in die Finger fiel). Die Band spielt *Take the A Train*, unsere Gäste tanzen. Ich habe mit Clare und Kimy, mit Alicia und Charisse getanzt; jetzt tanze ich mit Helen, die eine ziemlich heiße Nummer ist, und Clare mit Gomez. Ich wirble Helen lässig herum, als ich sehe, wie Celia Attley Gomez ablöst, der sich wiederum zwischen Helen und mich drängt und übernimmt. Während er mit ihr entschwebt, geselle ich mich zu den Leuten an der Bar und beobachte Clare und Celia beim Tanz. Ben kommt zu mir. Er trinkt Selter. Ich bestelle mir einen Gin Tonic. Ben trägt Clares Strumpfband um den Arm wie eine Trauerbinde.
»Wer ist das?«, fragt er mich.
»Celia Attley. Ingrids Freundin.«
»Komisch.«
»Du sagst es.«
»Was ist eigentlich mit diesem Gomez?«
»Wie meinst du das?«
Ben starrt mich an und blickt dann zur Seite. »Vergiss es.«

(22.23 Uhr)

CLARE: Geschafft. Wir haben uns den Weg aus dem Club geküsst und umarmt, sind in unserem mit Rasierschaum besprühten und Blechbüchsen behängten Auto losgefahren. Vor dem Dew Drop Inn, einem kleinen, heruntergekommenen Motel am Silver Lake, parke ich ein. Henry schläft. Ich steige aus, melde uns an, überrede den Mann an der Rezeption, mir zu helfen, Henry ins Zimmer zu bringen und ihn auf dem Bett abzuladen. Der Mann bringt das Gepäck herein, stiert auf mein Hochzeitskleid, dann auf Henrys leblosen Zustand, und grinst mich hämisch an. Ich gebe ihm ein Trinkgeld, worauf er geht. Dann streife ich Henry die Schuhe ab, lockere seine Krawatte. Anschließend ziehe ich mein Kleid aus und lege es über den Sessel.

Ich stehe im Badezimmer, zittere in meinem Slip und putze mir die Zähne. Im Spiegel kann ich Henry auf dem Bett liegen sehen. Er schnarcht. Ich spucke die Zahnpasta aus, spüle mit Wasser nach. Plötzlich überkommt es mich: Glück. Dazu die Erkenntnis: Wir sind verheiratet. Oder jedenfalls *ich* bin verheiratet.

Beim Licht ausschalten gebe ich Henry einen Gutenachtkuss. Er riecht nach Alkoholschweiß und Helens Parfüm. Gute Nacht, gute Nacht, lass dich nicht von den Flöhen beißen. Dann schlafe ich ein, traumlos und glücklich.

Montag, 25. Oktober 1993 (Henry ist 30, Clare 22)

HENRY: Am Montag nach der Hochzeit sind Clare und ich im Rathaus von Chicago und lassen uns von einem Notar trauen. Gomez und Charisse sind unsere Zeugen. Anschließend gehen wir alle bei Charlie Trotter essen, ein Restaurant, dass sündhaft teuer ist und dessen Ausstattung an die erste Klasse im Flugzeug oder an eine minimalistische Skulptur erinnert. Zum Glück schmeckt auch das Essen, obwohl es wie Kunst aussieht, hervorragend. Charisse fotografiert jeden Gang, den man uns serviert.

»Wie fühlt man sich so, wenn man verheiratet ist?«, fragt Charisse.

»*Unglaublich* verheiratet«, erwidert Clare.

»Ihr könntet immer weitermachen«, sagt Gomez. »Probiert einfach die verschiedenen Zeremonien aus, die buddhistische, die nudistische...«

»Ich frage mich, ob ich eine Bigamistin bin.« Clare isst etwas Pistazienfarbenes, auf dem ein paar riesige Shrimps lauern, die aussehen wie kurzsichtige alte Männer beim Zeitung lesen.

»Ich glaube, man darf die gleiche Person so oft heiraten wie man will«, sagt Charisse.

»*Bist* du überhaupt die gleiche Person?«, fragt Gomez mich. Mein Gericht ist mit dünnen Scheiben rohen Thunfischs belegt, die einem auf der Zunge zergehen. Ich gönne mir einen Augenblick, um den Geschmack auszukosten, bevor ich antworte:

»Ja, mehr denn je.«

Gomez ist verstimmt und brummelt etwas von Zen-Koan, aber Clare lächelt mich an und hebt ihr Glas. Ich stoße mit ihr an: Ein zarter kristallener Ton erklingt und verliert sich im Gemurmel des Restaurants.

Jetzt sind wir also verheiratet.

II

EIN BLUTSTROPFEN IN EINER MILCHSCHALE

»Liebste, was ist?«

»Ach, wie können wir es nur ertragen?«

»Was ertragen?«

»Dieses. Für so kurze Zeit. Wie können wir diese Zeit verschlafen?«

»Wir können miteinander still sein und vorgeben – denn es ist erst der Anfang –, wir hätten soviel Zeit, wie wir wollen.«

»Und jeden Tag werden wir weniger haben. Und dann gar keine mehr.«

»Wäre es dir denn lieber gewesen, gar nichts gehabt zu haben?«

»Nein. Dies hier ist jeher meine Bestimmung gewesen. Seit Anbeginn meiner Lebenszeit. Wenn ich von hier fortgehen werde, wird es der Punkt der Mitte sein, zu dem zuvor alles hinstrebte und von dem aus von da an alles verlaufen wird. Aber jetzt, Liebster, sind wir hier, wir sind das Jetzt, und die anderen Zeiten verlaufen in andere Richtungen.«

A. S. Byatt, *Besessen*

EHELEBEN

März 1994 (Clare ist 22, Henry 30)

CLARE: Jetzt sind wir verheiratet.

Anfangs wohnen wir in einer Vierzimmerwohnung in einem Zweifamilienhaus in Ravenswood. Die Wohnung ist sonnig, mit butterfarbenen Holzfußböden und einer Küche voll antiker Schränke und antiquierter Geräte. Wir kaufen Möbel, verbringen ganze Sonntagnachmittage bei Crate & Barrel, um Hochzeitsgeschenke umzutauschen, bestellen ein Sofa, das nicht durch die Türen passt und wieder zurückgeschickt werden muss. Unsere Wohnung ist ein Labor, in dem wir miteinander experimentieren, uns gegenseitig erforschen. Wir entdecken, dass Henry es hasst, wenn ich beim Frühstück Zeitung lese und dabei geistesabwesend mit dem Löffel an die Zähne klicke. Wir einigen uns darauf, dass ich Joni Mitchell hören darf und Henry The Shags, solange der andere nicht zu Hause ist. Wir kommen überein, dass Henry das Kochen übernehmen und ich für die Wäsche zuständig sein sollte. Keiner von uns will staubsaugen, also stellen wir dafür einen Reinigungsdienst ein.

Wir bekommen eine gewisse Routine. Henry arbeitet von Dienstag bis Samstag in der Newberry. Er steht um 7.30 Uhr auf und stellt die Kaffeemaschine an, wirft dann seine Joggingsachen über und läuft eine Runde. Wenn er zurückkommt, duscht er und zieht sich an. Ich wanke aus dem Bett und plaudere mit ihm, während er Frühstück macht. Nach dem Frühstück putzt er sich die Zähne und saust zur Tür hinaus, um die El zu erwischen. Ich gehe dann wieder ins Bett und döse noch ein Stündchen.

Wenn ich wieder aufstehe, ist es still in der Wohnung. Ich nehme ein Bad, kämme mir die Haare und ziehe meine Arbeitskleidung an. Dann gieße ich mir noch eine Tasse Kaffee ein, gehe ins hintere Schlafzimmer, das mir als Atelier dient, und schließe die Tür.

Am Anfang meines Ehelebens tue ich mich schwer in meinem winzigen Schlafzimmer-Atelier. Der Platz, den ich mein Eigen nennen kann, der nicht von Henry ausgefüllt wird, ist so klein, dass auch meine Ideen klein geworden sind. Ich fühle mich wie eine Raupe in einem Papierkokon. Überall um mich herum sind Skizzen für Skulpturen, kleine Zeichnungen, die wie Motten gegen die Fenster flattern und mit den Flügeln schlagen, um diesem winzigen Raum zu entfliehen. Ich mache Maquetten, winzige Skulpturen, die Proben für meine großen Skulpturen sind. Jeden Tag kommen die Ideen zögernder, als wüssten sie, dass ich sie verkümmern lasse und ihr Wachstum hemme. Nachts träume ich von Farbe, von Schöpfwannen mit Papierfasern, in die ich meine Arme tauche. Ich träume von Miniaturgärten, die ich nicht betreten kann, weil ich eine Riesin bin.

Das Faszinierende an der künstlerischen Kreativität (oder wahrscheinlich an jeder Art von Schaffensprozess) ist der Moment, wenn die nebelhafte, gegenstandslose Idee konkrete Gestalt annimmt, Substanz gewinnt, sich zu einem Ding in einer Welt der Dinge wandelt. Circe, Nimbue, Artemis, Athene – all diese alten Hexen müssen das Gefühl gekannt haben, wenn sie bloße Menschen in Fabelwesen verwandelten, den Zauberern ihre Geheimnisse stahlen oder ganze Armeen in Bewegung setzten: Ah, sieh nur, da ist es, das neue Ding: Nennt es Schwein, Krieg, Lorbeerbaum. Nennt es Kunst. Der Zauber, den ich bewirken kann, ist nun ein kleiner Zauber, ein aufgeschobener Zauber. Ich arbeite jeden Tag, aber nichts nimmt Gestalt an. Ich fühle mich wie Penelope, die immer wieder webt und auftrennt.

Und was ist mit Henry, meinem Odysseus? Henry ist ein Künstler anderer Art, ein verschwindender Künstler. Unser gemeinsames Leben in dieser zu kleinen Wohnung wird von Henrys kleinen Abwesenheiten durchbrochen. Manchmal verschwindet er unauffällig; ich gehe vielleicht gerade von der Küche in den Flur und finde einen Kleiderhaufen auf dem Fußboden. Oder ich stehe morgens auf und die Dusche läuft, aber niemand ist drunter. Manchmal ist es beängstigend. Eines Nachmittags arbeite ich in meinem Atelier, als ich jemand vor meiner Tür stöhnen höre; ich öffne sie und finde Henry auf Händen und Knien im Flur, nackt, mit einer heftig blutenden Kopfwunde. Er öffnet die Augen, sieht mich und verschwindet. Manchmal wache ich nachts auf, und Henry ist weg. Am nächsten Morgen erzählt er mir, wo er gewesen ist, so wie andere Ehemänner ihren Frauen vielleicht einen Traum erzählen: »Ich war im Dunkeln in der Selzer-Bibliothek, im Jahr 1989.« Oder: »Ich wurde von einem Schäferhund durch einen Garten gejagt und musste auf einen Baum klettern.« Oder: »Ich hab im Regen vor der Wohnung meiner Eltern gestanden und zugehört, wie meine Mutter sang.« Ich warte darauf, dass Henry mich auf seinen Ausflügen einmal als Kind sieht, doch das ist bislang noch nicht geschehen. In meiner Kindheit habe ich mich immer auf Henry gefreut. Jeder Besuch war ein Ereignis. Jetzt ist jede Abwesenheit ein Nichtereignis, eine Subtraktion, ein Abenteuer, von dem ich erfahren werde, wenn der Abenteurer zu meinen Füßen Gestalt annimmt, blutend oder pfeifend, lächelnd oder zitternd. Jetzt habe ich Angst, wenn er fort ist.

HENRY: Wenn man mit einer Frau zusammenlebt, lernt man jeden Tag etwas Neues. Bisher habe ich gelernt, dass lange Haare den Abfluss verstopfen, bevor man »Abflussreiniger« sagen kann; dass es sich nicht empfiehlt, einen Artikel aus der Zeitung auszuschneiden, bevor die eigene Frau ihn gelesen hat, auch wenn die fragliche Zeitung schon eine Woche alt ist; dass ich der Einzige in unserem Zweipersonenhaushalt bin, der drei Tage hintereinander ohne zu schmollen dasselbe zum Abendbrot essen kann; und dass Kopfhörer erfunden wurden, um Ehegatten vor den musikalischen Exzessen des anderen zu bewahren. (Wie kann Clare nur Cheap Trick hören? Was findet sie an den Eagles? Ich werde es nie erfahren, weil sie gleich in die Defensive geht, wenn ich sie danach frage. Wie ist es möglich, dass die Frau, die ich liebe, keinen Gefallen an der *Musique du Garrot et de la Farraille* findet?) Die schwierigste Lektion ist für mich Clares Bedürfnis nach Ruhe. Manchmal komme ich nach Hause und sie wirkt irgendwie gereizt. Ich habe einen Gedankengang gestört, die verträumte Stille ihres Tages durchbrochen. Manchmal entdecke ich einen Ausdruck in ihrem Gesicht, der einer geschlossenen Tür gleicht. Sie hat sich in einen inneren Raum zurückgezogen, in dem sie sitzt und strickt oder so was. Ich habe festgestellt, dass Clare gern allein ist. Aber wenn ich von meinen Zeitreisen zurückkehre, ist sie immer froh, mich zu sehen.

Wenn die Frau, mit der man zusammenlebt, Künstlerin ist, birgt jeder Tag eine Überraschung. Clare hat das zweite Schlafzimmer in ein Wunderkabinett verwandelt, voll kleiner Skulpturen und Zeichnungen, die überall an die Wand gepinnt sind. Auf Regalen und Schubladen liegen Drahtspulen und Papierrollen. Die Skulpturen erinnern mich an Drachen oder Modellflugzeuge. Als ich Clare das eines Abends sage – nach der Arbeit, ich stehe noch in Anzug und Krawatte an der Tür zu ihrem Atelier und will gleich Essen kochen – wirft sie eine der Skulpturen nach mir; sie fliegt überraschend gut, und schon stehen wir an entgegengesetzten Enden des Flurs, bewerfen uns mit winzigen Skulpturen, testen ihre Aerodynamik. Am nächsten Tag komme ich nach Hause und Clare hat einen Schwarm von Papier- und Drahtvögeln erschaffen, die von der Decke des Wohnzimmers baumeln. Eine Woche später hängen unsere Schlafzimmerfenster voll abstrakter Gebilde in durchsichtigem Blau, die von der Sonne an die Wände geworfen werden, und den Vögeln, die Clare dort gemalt hat, einen Himmel geben. Wunderschön.

Am nächsten Abend stehe ich in der Tür zu Clares Atelier und beobachte, wie sie ein Dickicht von schwarzen Linien um einen kleinen roten Vogel fertig zeichnet. Als ich Clare da in ihrem kleinen Zimmer sehe, eingeschlossen von ihren vielen Sachen, wird mir klar, dass sie etwas sagen will, und ich weiß, was ich zu tun habe.

Mittwoch, 13. April 1994 (Clare ist 22, Henry 30)

CLARE: Ich höre Henrys Schlüssel in der Haustür und komme aus dem Atelier, als er in die Wohnung tritt. Zu meiner Überraschung trägt er einen Fernseher. Wir besitzen keinen Apparat, weil Henry nicht fernsehen kann, und ich nicht allein davor sitzen mag. Es ist ein altes Schwarzweißgerät, klein und staubig, mit zerbrochener Antenne.

»Hallo, Liebes, da bin ich wieder«, sagt Henry und stellt den Fernseher auf den Esstisch.

»Igitt, ist der schmutzig«, sage ich. »Hast du den auf der Straße gefunden?«

Henry sieht gekränkt aus. »Den hab ich bei Unique gekauft. Zehn Dollar.«

»Wieso?«

»Heute Abend läuft etwas, das wir uns ansehen sollten.«

»Aber...« Ich kann mir nicht vorstellen, welche Sendung Henry dazu veranlassen könnte, eine Zeitreise zu riskieren.

»Schon gut, ich werde nicht auf den Schirm starren. Aber du sollst es sehen.«

»Aha. Was denn?« Ich bin gar nicht mehr auf dem Laufenden, was Fernsehprogramme betrifft.

»Es ist eine Überraschung. Um acht geht's los.«

Der Fernseher steht auf dem Fußboden im Esszimmer, während wir beim Abendbrot sitzen. Henry weigert sich, auf meine Fragen einzugehen, möchte aber unbedingt wissen, was ich mit einem großen Atelier anfangen würde.

»Wozu ist das wichtig? Ich hab meine Abstellkammer. Vielleicht fange ich mit Origami an.«

»Ach komm, im Ernst.«

»Ich weiß nicht.« Ich zwirble Linguini auf meine Gabel. »Ich würde jede Maquette hundert Mal größer machen. Ich würde auf drei Meter mal drei Meter großem Hadernpapier zeichnen. Ich würde mit Rollerskates von einem Ende des Ateliers zum andern fahren. Ich würde Riesenwannen aufstellen und eine japanische Trocknungsanlage und einen zehn Pfund schweren Holländer...« Ich bin ganz überwältigt von der Vorstellung dieses imaginären Ateliers, bis mir mein wirkliches Arbeitsreich einfällt und ich nur die Achseln zucke. »Ach, na ja. Vielleicht irgendwann.« Mit Henrys Gehalt und den Zinsen von meinem Treuhandfonds kommen wir gut über die Runden, aber um mir ein richtiges Atelier leisten zu können, müsste ich einen Job annehmen, und dann bliebe mir keine Zeit mehr für die Arbeit im Atelier. Ein echtes Dilemma. Meine Künstlerfreunde hungern alle entweder nach Geld oder Zeit oder beidem. Charisse entwickelt tagsüber Computersoftware und widmet sich nachts ihrer Kunst. Sie und Gomez heiraten nächsten Monat. »Was wollen wir den Gomez' eigentlich zur Hochzeit schenken?«

»Ich weiß nicht. Können wir ihnen nicht die Espresso-Maschinen schenken, die wir bekommen haben?«

»Die haben wir schon gegen die Mikrowelle und die Brotbackmaschine umgetauscht.«

»Ach richtig, klar. Hey, es ist fast acht. Schnapp dir deinen Kaffee, wir setzen uns ins Wohnzimmer.« Henry schiebt seinen Stuhl zurück und hebt den Fernseher hoch, während ich unsere Kaffeebecher ins Wohnzimmer trage. Er stellt das Gerät auf den Couchtisch, fummelt mit einem Verlängerungskabel herum und dreht an den Knöpfen. Dann setzen wir uns auf die Couch und sehen uns auf Kanal 9 eine Wasserbett-Werbung an. Wie es aussieht, herrscht im Wasserbett-Ausstellungsraum dichtes Schneegestöber. »Mist«, schimpft Henry und späht auf den Bildschirm. »Bei Unique hat er besser funktioniert.« Das Logo für die staatliche Lotterie von Illinois flimmert über den Schirm. Henry gräbt in seiner Hosentasche und reicht mir einen kleinen weißen Zettel. »Nimm mal.« Es ist ein Lottoschein.

»O Gott! Du hast doch wohl nicht...«

»Scht. Pass auf.« Die Lotteriebeamten, seriöse Herren in Anzügen, verkünden mit großem Trara die Zahlen auf den Pingpongbällen, die einer nach dem anderen in ihre Position ploppen: 43, 2, 26, 51, 10, 11. Natürlich stimmen sie mit den Zahlen auf meinem Zettel überein. Die Lotteriemänner beglückwünschen uns. Wir haben soeben acht Millionen Dollar gewonnen.

Henry schaltet den Fernseher aus. Er lächelt. »Guter Trick?«

»Ich weiß nicht, was ich sagen soll.« Henry merkt, dass ich keine Freudensprünge mache. »Sag: ›Danke, Liebling, dass du uns das nötige Kleingeld besorgt hast, um uns ein Haus zu kaufen.‹ Das würde mir schon genügen.«

»Aber ... Henry ... der ist nicht echt.«

»Klar doch. Das ist ein echter Lottoschein. Wenn du damit zu Katz' Deli gehst, nimmt Minnie dich fest in den Arm, und der Staat Illinois schreibt dir einen echten Scheck aus.«

»Aber du wusstest es vorher.«

»Klar. Selbstverständlich. Ich musste nur einen Blick in die *Tribune* von morgen werfen.«

»Wir dürfen nicht ... das ist Betrug.«

»Wie dumm von mir!« Henry schlägt sich dramatisch an die Stirn. »Mir ist völlig entfallen, dass man Scheine kaufen soll, ohne zu wissen, welche Zahlen kommen. Aber das können wir schnell wieder gutmachen.« Er verschwindet durch den Flur in die Küche und kommt mit einer Streichholzschachtel zurück, zündet ein Streichholz an und hält den Schein darüber.

»Nein!«

Henry bläst das Streichholz aus. »Ist doch egal, Clare. Wir könnten jede Woche im nächsten Jahr in der Lotterie gewinnen, wenn wir nur wollen. Wenn du damit also ein Problem hast, nicht weiter schlimm.« Der Schein ist an einer Ecke leicht angekokelt. Henry setzt sich neben mich aufs Sofa. »Hör mal. Wieso behältst du den Schein nicht einfach und wenn dir danach ist, löst du ihn ein, und wenn du ihn dem nächstbesten Obdachlosen schenkst, auch in Ordnung.«

»Das ist unfair.«

»Was ist unfair?«

»Du kannst diese Riesenverantwortung nicht einfach mir überlassen.«

»Tja, mir ist beides Recht. Wenn du also meinst, wir betrügen den Staat Illinois um das Geld, das er schwer schuftenden Deppen aus der Tasche gezogen hat, dann vergessen wir die Sache. Ich bin sicher, wir finden einen anderen Weg, um dir zu einem größeren Atelier zu verhelfen.«

Ah! Ein größeres Atelier. Langsam dämmert mir – Dummerchen, das ich bin –, dass Henry jederzeit in der Lotterie gewinnen könnte; dass er bislang darauf verzichtet hat, weil es nicht *normal* ist; dass er beschlossen hat, sein fanatisches Engagement für ein normales Leben zurückzustellen, damit ich ein großes Atelier bekomme, in dem ich Rollerskaten kann; und dass ich undankbar bin.

»Clare? Erde an Clare...«

»Danke«, sage ich, etwas zu unvermittelt.

Henry hebt die Brauen. »Heißt das, wir werden den Schein einlösen?«

»Ich weiß nicht. Das heißt ›danke‹.«

»Bitte.« Ein unbehagliches Schweigen. »Hey, was gibt es wohl im Fernsehen?«

»Schnee.«

Henry lacht, steht auf und zieht mich vom Sofa hoch. »Komm, wir verprassen unseren unrechtmäßig erworbenen Gewinn.«

»Wohin gehen wir?«

»Keine Ahnung.« Henry öffnet den Flurschrank, gibt mir meine Jacke. »Wir kaufen Gomez und Charisse ein Auto zur Hochzeit!«

»Von ihnen haben wir Weingläser bekommen.« Wir stolzieren triumphierend die Treppe hinunter. Draußen empfängt uns eine herrliche Frühlingsnacht. Wir stehen auf dem Gehweg vor unserem Haus, Henry nimmt meine Hand. Ich sehe ihn an, hebe unsere vereinten Hände hoch, und Henry wirbelt mich herum, und schon tanzen wir die Belle Plaine Avenue enlang, ohne Musik, da ist nur das Brausen der vorbeifahrenden Autos und unser eigenes Lachen, dann der Duft von Kirschblüten, die wie Schnee von den Bäumen fallen, unter denen wir dahintanzen.

Mittwoch, 18. Mai 1994 (Clare ist 22, Henry 30)

CLARE: Wir versuchen, ein Haus zu kaufen. Häuser zu besichtigen ist einfach unglaublich. Leute, die einen unter anderen Umständen nie in ihr Haus bitten würden, öffnen einem bereitwillig die Tür, gestatten einem, in ihre Schränke zu spähen, ihre Tapeten zu beurteilen, kritische Fragen nach Dachrinnen zu stellen.

Henry und ich besichtigen Häuser auf sehr unterschiedliche Art. Ich wandere langsam durch die Zimmer, betrachte die Holzarbeiten, die elektrischen Geräte, stelle Fragen nach der Heizung, suche nach Wasserschäden im Keller. Henry marschiert nur schnurstracks durchs Haus, wirft hinten einen Blick aus dem Fenster und sieht mich kopfschüttelnd an. Unsere Maklerin Carol hält ihn für verrückt. Ich erkläre ihr, dass er ein leidenschaftlicher Hobbygärtner ist. Das geht einen ganzen Tag lang so, und als wir abends von Carols Büro nach Hause fahren, beschließe ich, mich nach der Methode in Henrys Wahnsinn zu erkundigen.

»Könntest du mir bitte verraten«, frage ich freundlich, »was du da eigentlich immer machst?«

Henry sieht verlegen aus. »Na ja, ich war nicht sicher, ob du es wirklich wissen willst, aber ich bin schon in unserem künftigen Heim gewesen. Ich weiß nicht, wann, aber ich war – das heißt, ich *werde* – an einem wunderschönen Herbstnachmittag dort sein. Ich stand auf der Rückseite des Hauses am Fenster, neben dem kleinen Tisch mit der Marmorplatte, den du von deiner Großmutter geerbt hast, und sah hinaus auf einen Garten und in das Fenster eines Backsteingebäudes, das offenbar dein Atelier war. Du hast gerade Papierbögen geschöpft. Blaue. Die Haare hattest du mit einem gelben Tuch zurückgebunden, und du hattest einen grünen Pullover und die übliche Gummischürze und alles an. Im Garten stand eine mit Wein überwachsene Laube. Ich war ungefähr zwei Minuten da. Ich versuche also nur, diese Aussicht wiederzufinden, und wenn mir das gelingt, haben wir unser Haus.«

»Himmel. Wieso hast du mir das nicht gesagt? Jetzt komm ich mir blöd vor.«

»Ach was, nicht nötig. Ich dachte nur, du würdest gern auf die übliche Art ein Haus suchen. Im Ernst, du hast dich so gründlich vorbereitet und die vielen Ratgeber gelesen, wie man am klügsten vorgeht. Da dachte ich, du willst, na ja, einen *Kauf* mit allem Drum und Dran und nicht das Unvermeidliche.«

»Jemand muss aber nach Termiten, Asbest, Holzschwamm und Sumpfpumpen fragen ...«

»Genau. Wir machen also so weiter wie bisher, und irgendwann werden wir bestimmt auf getrennten Wegen zu unserem gemeinsamen Ziel gelangen.«

Und so kommt es letztendlich auch, auch wenn wir zuvor noch ein paar angespannte Momente überstehen. Ich bin entzückt von einer Fehlinvestition in East Roger's Park, einer scheußlichen Gegend am nördlichen Stadtrand. Es ist ein Herrenhaus, ein viktorianisches Monstrum, groß genug für eine zwölfköpfige Familie mit Dienstpersonal. Ohne zu fragen, weiß ich sofort, es ist nicht unser Haus. Henry findet es schon schrecklich, bevor wir einen Fuß über die Schwelle gesetzt haben. Hinten ist ein Parkplatz für einen großen Drogeriemarkt. Im Inneren hat es die Anlagen zu einem wirklich traumhaften Haus: Hohe Decken, Kamine mit Marmorsimsen, schön geschnitzte Holzarbeiten. »Bitte«, setze ich schmeichelnd an. »Es ist unglaublich!«

»Ja, unglaublich ist das richtige Wort. In diesem Ding würde man uns einmal pro Woche vergewaltigen und ausplündern. Außerdem bräuchte es eine Generalüberholung, sprich Elektrik, Rohrleitungen, neue Heizung, wahrscheinlich ein neues Dach. Wirklich nicht.« Seine Stimme klingt entschieden, es ist die Stimme eines Mannes, der die Zukunft gesehen hat und nicht beabsichtigt, sie zu manipulieren. Danach bin ich ein paar Tage beleidigt. Henry führt mich zum Sushi-Essen aus.

»Tchotka. Amorta. Herzallerliebste. Sprich mit mir.«

»Ich spreche nicht mit dir.«

»Ich weiß. Aber du schmollst. Und mir wäre lieber, du würdest nicht mit mir schmollen, nur weil ich gesunden Menschenverstand bewiesen habe.«

Die Kellnerin kommt und wir konsultieren schnell die Speisekarte. Ich möchte mich im Katsu, meinem liebsten Sushi-Restaurant, in dem wir oft essen, nicht streiten. Genau darauf setzt Henry vermutlich, er will mich beschwichtigen, ganz abgesehen von dem grundsätzlichen Glück, das ein Sushi-Essen bietet. Wir bestellen Goma-ae, Hijiki, Futomaki, Kappamaki und ein beachtliches Aufgebot an rohen Sachen auf Reisrechtecken. Kiko, die Bedienung, verschwindet mit unserer Bestellung.

»Ich bin nicht böse auf dich.« Das ist nicht ganz wahr.

Henry hebt eine Braue. »Okay. Gut. Was ist dann los?«

»Bist du absolut sicher, dass du unser Haus schon gesehen hast? Und wenn du dich irrst und wir etwas richtig Schönes ablehnen, nur weil die Aussicht auf den Garten nicht stimmt?«

»In diesem Haus waren jede Menge Sachen von uns, es kann nur unseres gewesen sein. Ich gebe zu, dass es vielleicht nicht unser *erstes* Haus war – ich war nicht nah genug dran und konnte nicht sehen, wie alt du warst. Ich fand dich ziemlich jung, aber vielleicht hast du dich nur gut gehalten. Trotzdem, ich schwöre dir, es ist wirklich schön, und wäre es nicht toll, ein Atelier im Garten zu haben?«

»Ja, das schon.« Ich seufze. »Mein Gott, ich wünschte, du könntest deine Ausflüge manchmal auf Video aufzeichnen. Ich würde dieses Haus unheimlich gern sehen. Hättest du dir nicht die Adresse merken können, als du da warst?«

»Tut mir Leid. War nur ein Quickie.«

Manchmal würde ich alles dafür geben, wenn ich Henrys Kopf öffnen und mir seine Erinnerungen ansehen könnte wie einen Kinofilm. Ich weiß noch, wie ich zum ersten Mal einen Computer benutzt habe. Ich war vierzehn und Mark wollte mir beibringen, auf seinem Macintosh zu zeichnen. Nach ungefähr zehn Minuten hätte ich am liebsten mit den Händen durch den Schirm gegriffen, um an die wahre Sache im Innern heranzukommen, was sie auch sein mochte. Ich mag es gern direkt, ich will Stoffe fühlen, Farben sehen. Die Hausbesichtigungen mit Henry machen mich verrückt. Es ist, als würde man eins dieser schrecklichen ferngesteuerten Spielzeugautos lenken. Ich lasse sie immer gegen Wände fahren. Absichtlich.

»Henry. Hättest du was dagegen, wenn ich eine Weile allein auf Haussuche gehe?«

»Nein, warum nicht.« Er wirkt leicht gekränkt. »Wenn du unbedingt willst.«

»Am Ende landen wir ja doch in dem Haus, oder? Es ändert also nichts.«

»Stimmt. Klar, mach dir meinetwegen keine Gedanken. Aber fall bitte nicht noch mal auf so ein grässliches Loch rein, okay?«

Ungefähr einen Monat und zwanzig Häuser später finde ich es

schließlich. Es liegt an der Ainslie in Lincoln Square, ein roter Back-stein-Bungalow aus dem Jahr 1926. Carol holt den passenden Haus-türschlüssel heraus und kämpft mit dem Schloss. Als die Tür auf-geht, verspüre ich das überwältigende Gefühl von etwas Stimmigem. Ich gehe direkt durch die Wohnung zum hinteren Fenster und blicke hinaus in den Garten: Vor mir liegt mein künftiges Atelier, und da ist die Laube. Als ich mich umdrehe, sieht Carol mich fragend an, und ich sage: »Wir kaufen es.«

Sie ist ziemlich überrascht. »Wollen Sie sich nicht erst den Rest ansehen? Was ist mit Ihrem Mann?«

»Oh, der hat es schon gesehen. Aber klar, natürlich, besichtigen wir das Haus.«

Samstag, 9. Juli 1994 (Henry ist 31, Clare 23)

HENRY: Heute sind wir umgezogen. Es war den ganzen Tag heiß. Als die Möbelpacker heute Morgen die Treppe zu unserer Woh-nung hochkamen, klebte ihnen das Hemd auf der Haut, aber sie lächelten, weil sie dachten, eine Vierzimmerwohnung sei keine große Sache und sie wären noch vor der Mittagszeit fertig. Das Lä-cheln verging ihnen allerdings, als sie in unserem Wohnzimmer standen und Clares schwere viktorianische Möbel und meine acht-undsiebzig Bücherkisten sahen. Nun ist es dunkel, und ich wandere mit Clare durch das Haus, wir berühren die Wände, fahren mit den Händen über die Fensterbänke aus Kirschholz. Unsere nackten Füße platschen auf dem Holzfußboden. Wir lassen Wasser in die Badewanne mit den Klauenfüßen ein, drehen die Brenner des schweren Universal-Ofens auf und zu. An den Fenstern sind keine Vorhänge; wir lassen die Lampen aus, und durch die staubigen Scheiben ergießt sich das Licht einer Straßenlaterne über den leeren Kamin. Clare streift von Raum zu Raum, streichelt ihr Haus, unser Haus. Ich folge ihr und beobachte, wie sie Schränke, Fenster und Kammern öffnet. Sie steht auf Zehenspitzen im Esszimmer, berührt das geschliffene Glas der Lampe mit der Fingerspitze. Dann zieht sie ihr Hemd aus. Ich fahre mit der Zunge über ihre Brüste. Das Haus hüllt uns ein, beobachtet uns, studiert uns, als wir zum ersten Mal darin miteinander schlafen, das erste von vielen Malen, und hinterher, als wir erschöpft auf dem bloßen Fußboden liegen, umgeben von Umzugskartons, bin ich fest überzeugt, dass wir unser Zuhause gefunden haben.

Sonntag, 28. August 1994 (Clare ist 23, Henry 31)

CLARE: Es ist ein schwüler, stickiger Sonntagnachmittag, und Henry, Gomez und ich machen Evanston unsicher. Vormittags waren wir am Lighthouse Beach, haben im Lake Michigan geplantscht und in der Sonne gebraten. Gomez wollte im Sand vergraben werden, also haben Henry und ich ihm den Gefallen getan. Wir haben unser Picknick verzehrt und ein Nickerchen gemacht. Jetzt gehen wir auf der schattigen Seite der Church Street und schlecken, groggy von der Sonne, Orangeneis am Stiel.

»Clare, deine Haare sind voller Sand«, sagt Henry. Ich bleibe stehen, beuge mich vor und klopfe meine Haare mit der Hand aus wie einen Teppich. Ein ganzer Strand fällt heraus.

»Meine Ohren sind auch voll Sand. Und meine edleren Teile«, klagt Gomez.

»Auf den Kopf will ich dir gern eine hauen, aber den Rest musst du dann selber machen«, sage ich. Eine leichte Brise kommt auf, wir halten ihr unsere Körper entgegen. Ich drehe mein Haar auf dem Kopf zusammen und fühle mich sofort besser.

»Was machen wir jetzt?«, fragt Gomez. Henry und ich wechseln einen Blick.

»Bookman's Alley«, rufen wir im Duett.

»Oh, Gott«, stöhnt Gomez. »Bitte kein Buchladen. Lord, Lady, habt Erbarmen mit eurem ergebenen Diener…«

»Also auf zu Bookman's Alley«, sagt Henry ungerührt.

»Aber versprecht mir, dass wir nicht länger als, na, sagen wir, drei Stunden bleiben.«

»Ich glaube, sie schließen um fünf«, sage ich, »und es ist schon halb drei.«

»Du könntest solange ein Bier trinken«, schlägt Henry vor.

»Ich dachte, Evanston ist trocken.«

»Nein, das haben sie wohl wieder geändert. Wenn du beweisen kannst, dass du kein Mitglied im YMCA bist, darfst du ein Bier trinken.«

»Ich begleite euch. Alle für einen, einer für alle.« Wir biegen in die Sherman Street ein, schlendern an einem Outlet Store für Turnschuhe vorbei, in dem früher Marshall Field war, an einer Gap-Filiale, in dem früher das Varsity Theater war. Dann biegen wir in die kleine Gasse, die zwischen dem Blumenladen und dem Schuster verläuft, und siehe da – schon stehen wir vor Bookman's Alley. Ich drücke die Tür auf, und wir marschieren in den schummrigen, kühlen Laden, in eine längst vergangene Zeit.

Roger sitzt hinter seinem kleinen unordentlichen Schreibtisch und plaudert mit einem rosigen, weißhaarigen Herrn über etwas, das mit Kammermusik zu tun hat. Er lächelt, als er uns sieht. »Clare, ich hab was, das dir gefallen wird«, sagt er. Henry steuert sofort den hinteren Teil des Ladens an, in dem sich die Druckschriften und bibliophilen Kostbarkeiten befinden. Gomez schlendert umher und betrachtet die komischen kleinen Objekte, die zwischen den verschiedenen Rubriken stecken: Ein Sattel bei den Western, eine Jagdmütze bei den Krimis. Bei den Kinderbüchern nimmt er ein Weingummi aus der gewaltigen Schale, ohne zu bemerken, dass die Dinger seit Jahren dort liegen und man sich damit etwas holen kann. Bei dem Buch, das Roger für mich hat, handelt es sich um einen holländischen Katalog für Dekorpapier mit echten Mustern darin. Ich sehe sofort, dass es ein Fundstück ist, und lege es auf den Tisch neben dem Schreibtisch, ein Anfang für den Haufen von Büchern, die ich möchte. Dann stöbere ich versonnen in den Regalen, atme den durchdringenden staubigen Geruch von Papier, Klebstoff, alten Teppichen und Holz ein. Ich sehe Henry, der in der Kunstabteilung auf dem Boden sitzt und ein aufgeklapptes Buch im Schoß hält. Er hat einen Sonnenbrand, seine Haare stehen in alle Richtungen ab. Ich bin froh, dass er sie abgeschnitten hat. In meinen Augen passen die kurzen Haare viel besser zu ihm. Er hebt die Hand hoch und will sich eine Strähne um den Finger wickeln, merkt aber, dass sie zu kurz sind, und kratzt sich am Ohr. Ich möchte ihn berühren, möchte ihm mit den Händen durch die abstehenden Haare fahren, aber ich wende mich ab und wühle mich stattdessen durch die Reiseabteilung.

HENRY: Clare steht im Hauptverkaufsraum neben einem Riesenstapel neu eingetroffener Bücher. Eigentlich mag Roger es nicht, wenn Leute in noch nicht ausgezeichneter Ware herumwühlen, aber mir ist aufgefallen, dass Clare bei ihm weitgehend tun und lassen kann, was sie will. Ihr Kopf ist über ein kleines rotes Buch geneigt. Ein paar widerspenstige Strähnen wollen aus dem Haarknoten auf ihrem Kopf entschlüpfen, und ein Träger ihres Strandkleids ist ihr über die Schulter gerutscht, so dass ein Stück von ihrem Badeanzug zu sehen ist. Der Anblick ist so ergreifend, so überwältigend, dass ich den brennenden Wunsch verspüre, zu ihr zu gehen, sie zu berühren und sie vielleicht (wenn keiner es sieht) zu beißen, gleichzeitig aber wünschte ich, dieser Augenblick würde nie enden, und plötzlich bemerke ich Gomez, der in der Krimiabteilung steht und Clare mit einem Ausdruck ansieht, der meine eigenen Gefühle so exakt widerspiegelt, dass ich unwillkürlich begreife...

Im selben Moment blickt Clare zu mir auf und sagt: »Henry, sieh mal, das ist Pompeji.« Sie zeigt mir ein kleines Buch mit Bildpostkarten, und etwas in ihrer Stimme sagt: *Siehst du, ich hab dich gewählt*. Ich gehe zu ihr, lege einen Arm um ihre Schulter, rücke den verrutschten Träger wieder zurecht. Als ich eine Sekunde später aufblicke, hat Gomez uns den Rücken zugewandt und inspiziert interessiert die Agatha Christies.

Sonntag, 15. Januar 1995 (Clare ist 23, Henry 31)

CLARE: Ich spüle Geschirr ab, Henry schneidet grüne Paprikaschoten in Würfel. Über dem Januarschnee in unserem Garten geht die Sonne an diesem frühen Sonntagabend mit sehr viel Rosa unter. Wir machen Chili und singen *Yellow Submarine*:

In the town
Where I was born
Lived a man
Who sailed to sea...

Die Zwiebeln zischen in der Pfanne auf dem Herd. Wir singen gerade *And our friends are all on board*, als ich plötzlich nur noch meine eigene Stimme höre. Ich drehe mich um, und Henrys Sachen liegen auf einem Haufen, das Messer blinkt auf dem Küchenboden. Eine halbe Paprikaschote schwingt leicht auf dem Schneidebrett.

Ich stelle die Hitze herunter und decke die Zwiebeln ab. Ich setze mich neben den Kleiderhaufen, hebe ihn auf und drücke die Sachen, die noch warm von Henrys Körper sind, an mich, bis die Wärme darin nur noch von mir kommt. Dann stehe ich auf und gehe in unser Schlafzimmer, falte die Sachen ordentlich zusammen und lege sie auf unser Bett. Danach koche ich so gut ich kann weiter, und am Ende esse ich allein, immer noch wartend und verwundert.

Freitag, 3. Februar 1995 (Clare ist 23, Henry 31 und 39)

CLARE: Gomez, Charisse, Henry und ich sitzen um unseren Esstisch und spielen ›Moderne Kapitalismuskritik‹, ein Spiel, das Gomez und Charisse erfunden haben. Wir spielen es mit einem Monopoly-Set. Man muss Fragen beantworten, Punkte sammeln, Geld anhäufen und seine Mitspieler ausbeuten. Gomez ist an der Reihe. Er würfelt eine Sechs und landet auf dem Gemeinschaftsfeld. Er zieht eine Karte.

»Okay, alle zusammen. Welche technische Erfindung der Neuzeit würdet ihr zum Wohl der Gesellschaft abschaffen?«

»Das Fernsehen«, schlage ich vor.

»Weichspüler«, sagt Charisse.

»Bewegungsmelder«, erklärt Henry mit Nachdruck.

»Ich bin für Schießpulver.«

»Nicht gerade Neuzeit«, wende ich ein.

»Okay. Das Fließband.«

»Du darfst nicht zwei Mal antworten«, sagt Henry.

»Darf ich wohl. Und was für eine lahmarschige Antwort ist eigentlich ›Bewegungsmelder‹?«

»Die Bewegungsmelder im Newberry-Magazin verraten mich dauernd. Allein in dieser Woche bin ich zweimal nach Besuchsschluss im Magazin gelandet, und kaum tauche ich auf, ist der Wachmann oben und sieht nach, was los ist. Das macht mich wahnsinnig.«

»Ich glaube nicht, dass es einen nennenswerten Einfluss auf das Proletariat hätte, wenn man die Erfindung von Bewegungsmeldern aufheben würde. Clare und ich kriegen zehn Punkte für richtige Antworten, Charisse fünf für Kreativität, und Henry geht drei Felder zurück, weil er die Bedürfnisse des Einzelnen über die der Gesellschaft gestellt hat.«

»Damit stehe ich wieder auf ›Los‹. Gib mir 200 Dollar, Bankfrau.« Charisse gibt Henry das Geld.

»Ups«, sagt Gomez. Ich lächle ihn an. Ich bin an der Reihe und würfle eine Vier.

»Parkstraße. Kauf ich.« Wer etwas kaufen will, muss eine Frage richtig beantworten. Henry zieht eine Karte vom Ereignisfeld-Stapel.

»Mit wem würdest du am liebsten essen gehen und warum: Adam Smith, Karl Marx, Rosa Luxemburg, Alan Greenspan?«

»Mit Rosa.«

»Warum?«

»Der interessanteste Tod.« Henry, Charisse und Gomez beraten sich und kommen überein, dass ich die Parkstraße kaufen darf. Ich gebe Charisse mein Geld, und sie reicht mir die Eigentumsurkunde. Henry würfelt und landet auf Einkommenssteuer. Auf Einkommenssteuer gelten ganz besondere Karten. Wir sind alle angespannt und furchtsam. Henry liest vor, was auf der Karte steht.

»Großer Sprung nach vorn.«

»Mist.« Wir geben Charisse unsere ganzen Immobilien, und sie packt sie zusammen mit ihren eigenen zurück ins Bankvermögen.

»Tja, so viel zur Parkstraße.«

»Tut mir Leid.« Henry zieht über das halbe Brett bis zur Münchner Straße. »Kauf ich.«

»Meine arme kleine Münchner Straße«, jammert Charisse. Ich ziehe eine Karte vom Frei-Parken-Stapel.

»Wie hoch ist der aktuelle Tauschkurs des japanischen Yen gegen den amerikanischen Dollar?«

»Keine Ahnung. Wer hat sich denn *die* Frage ausgedacht?«

»Ich.« Charisse lächelt.

»Und die Antwort?«

»99,8 Yen für einen Dollar.«

»Okay. Keine Münchner Straße. Du bist dran.« Henry gibt den Würfel an Charisse weiter. Sie würfelt eine Vier und landet im Gefängnis. Dann zieht sie eine Karte, die ihr sagt, welches Verbrechen sie begangen hat: Insidergeschäfte. Wir alle müssen lachen.

»Das klingt eher nach euch beiden«, sagt Gomez. Henry und ich lächeln bescheiden. Wir machen gerade einen Riesenreibach am Aktienmarkt. Um aus dem Gefängnis herauszukommen, muss Charisse drei Fragen beantworten.

Gomez nimmt eine Karte vom Ereignisfeld. »Erste Frage: Nenne zwei berühmte Künstler, mit denen Trotzki in Mexiko bekannt war.«

»Diego Rivera und Frieda Kahlo.«

»Gut. Zweite Frage: Wie viel bezahlt Nike den vietnamesischen Arbeitern pro Tag für die Herstellung dieser unglaublich teuren Turnschuhe?«

»Oh, Gott. Ich weiß nicht … Drei Dollar? Zehn Cents?«

»Wie lautet deine Antwort?« Ein gewaltiger Krach ertönt aus der Küche. Wir springen alle hoch, aber Henry sagt so nachdrücklich: »Setzt euch!«, dass wir ihm gehorchen. Er rennt in die Küche. Charisse und Gomez sehen mich verwirrt an. Ich schüttle den Kopf. »Ich weiß nicht.« Aber das stimmt nicht. Leises Stimmengemurmel, dann ein Stöhnen. Charisse und Gomez sitzen starr da und lauschen. Ich stehe auf und folge leise Henry.

Er kniet auf dem Boden und hält einen Spüllappen gegen den Kopf des nackten Mannes, der auf dem Linoleum liegt und natürlich Henry ist. Der Holzschrank, in dem sich unser Geschirr befindet, liegt auf der Seite; das Glas ist zerbrochen, das ganze Geschirr herausgefallen und in Scherben. Henry liegt inmitten des Durcheinanders, blutend und mit Glassplittern übersät. Beide Henrys blicken mich an, der eine kläglich, der andere beschwörend. Ich knie mich Henry gegenüber, über Henry. »Woher kommt das viele Blut?«, flüstere ich. »Ich glaube vom Kopf«, erwidert Henry leise. »Wir rufen einen Krankenwagen«, sage ich und fange an, Glassplitter aus Henrys Brust zu picken. Er schließt die Augen und sagt: »Nicht.« Ich höre auf.

»Heiliges Kanonenrohr!« Gomez ragt in der Tür auf. Hinter ihm steht Charisse auf Zehenspitzen und versucht, über seine Schulter zu spähen. »Mann«, sagt sie und zwängt sich an Gomez vorbei. Henry wirft einen Spüllappen über die Genitalien seines am Boden liegenden Duplikats.

»Oh, Henry, mach dir keine Sorgen, ich habe schon Abertausende von Modellen gezeichnet…«

»Ich will nur ein Minimum an Privatsphäre wahren«, faucht Henry. Charisse weicht zurück, als hätte er sie geschlagen.

»Hör mal, Henry…«, knurrt Gomez.

In diesem Durcheinander kann ich einfach nicht nachdenken. »Seid bitte alle mal still«, verlange ich erschöpft. Zu meiner Überraschung gehorchen sie. »Was ist passiert?«, frage ich Henry, der mit schmerzverzerrtem Gesicht auf dem Boden liegt und versucht, sich nicht zu bewegen. Er öffnet die Augen und blickt, bevor er antwortet, kurz zu mir auf.

»In ein paar Minuten bin ich weg«, sagt er schließlich leise. Er sieht Henry an. »Ich möchte einen Drink.« Henry springt auf und kommt mit einen Saftglas voll Jack Daniels zurück. Ich stütze Henrys Kopf, und er schafft es, ungefähr ein Drittel zu trinken.

»Ist das klug?«, fragt Gomez.

»Weiß nicht. Ist mir egal«, versichert Henry ihm vom Boden aus. »Es tut höllisch weh.« Er keucht. »Tretet zurück! Macht die Augen zu…«

»Warum?«, setzt Gomez an.

Henry krümmt sich auf dem Boden, als wenn er einen Stromschlag erhalten hätte. Mit heftig nickendem Kopf schreit er »Clare!«, und ich schließe die Augen. Ein Geräusch wie von einem reißenden Bettlaken ertönt, nur lauter, und dann folgt eine Kaskade aus Glas und Porzellan, und Henry ist verschwunden.

»O Gott«, sagt Charisse. Henry und ich starren uns an. *Das war anders, Henry. Das war brutal und hässlich. Was geschieht mit dir?* Sein bleiches Gesicht sagt mir, dass auch er es nicht weiß. Er untersucht den Whiskey auf Glassplitter und trinkt ihn dann aus.

»Was ist mit den vielen Glasscherben?«, fragt Gomez und klopft sich behutsam ab.

Henry steht auf, streckt mir die Hand hin. Er ist mit einem feinen Schleier aus Blut, Porzellanstaub und Glassplittern bedeckt. Ich stehe ebenfalls auf und sehe Charisse an. In ihrem Gesicht prangt eine große Schnittwunde, aus der Blut über ihre Wange hinabläuft wie eine Träne.

»Alles, was nicht zu meinem Körper gehört, bleibt zurück«, erklärt Henry. Er zeigt ihnen die Lücke, wo er sich einen Zahn ziehen ließ, weil die Füllung immer wieder herausfiel. »Egal, in welche Zeit ich also zurückgehe, die Glassplitter sind zumindest verschwunden, niemand muss sich hinsetzen und sie mit einer Pinzette herausziehen.«

»Nein, aber wir«, sagt Gomez, und zupft behutsam Glas aus Charisses Haaren. Da hat er nicht ganz Unrecht.

SCIENCEFICTION IN DER BIBLIOTHEK

Mittwoch, 8. März 1995 (Henry ist 31)

HENRY: Matt und ich spielen in der Sondersammlung im Magazin Verstecken. Er sucht nach mir, weil wir einen Vortrag über Kalligrafie vor einer Newberry-Kuratorin und ihrem Damenclub für schöne Schriften halten sollen. Ich verstecke mich vor ihm, weil ich mich vollständig anziehen möchte, bevor er mich findet.

»Komm schon, Henry, sie warten«, schimpft Matt irgendwo aus den Tiefen der ›Frühen Amerikanischen Einblattdrucke‹. Ich ziehe mir gerade die Hose in den ›Livres d'artistes, 20. Jahrhundert‹ an. »Eine Sekunde noch, ich will nur noch eine Sache finden«, rufe ich. Ich nehme mir vor, für Momente wie diesen Bauchreden zu lernen. Matts Stimme kommt näher. »Du weißt genau, dass Mrs Connelly Zustände kriegt«, sagt er. »Also vergiss es einfach, und lass uns jetzt gehen«. Er streckt den Kopf in meine Reihe, als ich mir gerade das Hemd zuknöpfe. »Was machst du denn da?«

»Bitte?«

»Bist du etwa wieder nackt im Magazin rumgerannt?«

»Vielleicht.« Ich bemühe mich um einen lässigen Tonfall.

»Mann, Henry. Gib mir den Wagen.« Matt packt den beladenen Bücherwagen und rollt ihn in Richtung Lesesaal. Die schwere Metalltür öffnet und schließt sich. Ich schlüpfe in Socken und Schuhe, binde mir die Krawatte, klopfe mein Jackett ab und ziehe es über. Dann gehe ich hinaus in den Lesesaal, stelle mich Matt gegenüber an den langen Tisch, der von reichen Damen mittleren Alters umringt ist, und fange an, einen Vortrag über die verschiedenen Buchschriften des genialen Schriftkünstlers Rudolf Koch zu halten. Matt legt Filze aus, öffnet Mappen, wirft intelligente Bemerkungen über Koch ein, und am Ende der Stunde habe ich den Eindruck, dass er mir diesmal vielleicht nicht gleich den Kopf abreißt. Die zufriedenen Damen zwitschern zum Mittagessen ab. Matt und ich gehen um den Tisch herum, packen die Bücher wieder in die Kartons und auf den Wagen.

»Tut mir Leid, dass ich zu spät dran war«, sage ich.

»Wenn du nicht so brillant wärst«, erwidert Matt, »hätten wir dir längst das Fell gegerbt und damit *Das Manifest der Nacktkultur* neu eingebunden.«

»So ein Buch gibt es nicht.«

»Wetten?«

»Nein.« Wir rollen den Karren zurück ins Magazin und fangen an, die Portfolios und Bücher in die Regale zurückzustellen. Dann lade ich Matt zum Mittagessen im Beau Thai ein, und alles ist vergeben, wenn auch nicht vergessen.

Dienstag, 11. April 1995 (Henry ist 31)

HENRY: In der Newberry gibt es ein Treppenhaus, das mir Angst macht. Es liegt am östlichen Ende des langen Korridors, der in allen vier Stockwerken die Lesesäle vom Magazin trennt, und ist nicht so imposant wie die Haupttreppe mit ihren Marmorstufen und geschnitzten Balustraden. Es hat keine Fenster, dafür Neonlampen, Wände aus Hohlblockstein und Betonstufen mit gelben Sicherheitsstreifen. In jedem Geschoss befindet sich eine fensterlose Metalltür. Aber all das schreckt mich nicht ab. Was ich an diesem Treppenhaus überhaupt nicht mag, ist der Käfig.

Der Käfig zieht sich im Zentrum des Treppenhauses über alle vier Geschosse in die Höhe. Auf den ersten Blick wirkt er wie ein Fahrstuhlkorb, aber einen Fahrstuhl gibt es nicht und gab es auch nie.

Niemand in der Bibliothek scheint zu wissen, wozu der Käfig dient oder warum er eingebaut wurde. Ich nehme an, er soll Leute davon abhalten, sich von der Treppe hinabzustürzen und als zerschmetterter Haufen unten anzukommen. Der Käfig ist beige gestrichen und aus Stahl.

An meinem ersten Arbeitstag in der Newberry führte Catherine mich in alle Ecken und Winkel der Bibliothek. Sie zeigte mir stolz das Magazin, den Raum mit den Artefakten, den unbenutzten Saal im Ostflügel, wo Matt seine Gesangsübungen abhält, McAllisters unglaublich unordentliche Bürozelle, die Arbeitsplätze der Forschungsstipendiaten, die Personalkantine. Als Catherine auf dem Weg hinauf in die Konservierungsabteilung die Tür zum Treppenhaus öffnete, überkam mich einen Moment lang Panik. Ich sah die geflochtenen Drahtkreuze des Käfigs und scheute wie ein nervöses Pferd.

»Was ist das?«, fragte ich Catherine.

»Ach, das ist der Käfig«, antwortete sie beiläufig.

»Ist es ein Fahrstuhl?«

»Nein, einfach ein Käfig. Ich glaube nicht, dass er eine Funktion hat.«

»Aha.« Ich ging näher ran und sah hinein. »Ist da unten eine Tür?«

»Nein. Man kann nicht in den Käfig.«

»Oh.« Wir gingen die Treppe hinauf und machten weiter mit unserer Besichtigungstour.

Seit jenem Tag habe ich das Treppenhaus möglichst gemieden. Ich versuche, nicht an den Käfig zu denken, ich will keine große Sache daraus machen. Aber wenn ich jemals in seinem Innern lande, komme ich nicht wieder heraus.

Freitag, 9. Juni 1995 (Henry ist 31)

HENRY: Ich bin im dritten Geschoss der Newberry, nehme auf dem Boden der Herrentoilette für das Personal Gestalt an. Ich war tagelang weg, verschollen im Jahr 1973, ländliches Indiana, und ich bin müde, hungrig und unrasiert; das Schlimmste ist, ich habe ein blaues Auge und finde meine Kleider nicht. Ich stehe auf und schließe mich in eine Kabine ein, setze mich hin und überlege. Jemand kommt herein, zieht seinen Reißverschluss auf, stellt sich vors Urinal und pinkelt. Als er fertig ist, zieht er den Reißverschluss wieder hoch, bleibt noch einen Augenblick stehen und genau in diesem Moment muss ich niesen.

»Wer ist da?«, fragt Roberto. Ich bleibe still sitzen. Durch den Spalt zwischen Tür und Kabine sehe ich, wie Roberto sich langsam bückt und unter der Tür hindurch auf meine Füße schaut.

»Henry?«, sagt er. »Ich schick dir Matt mit deinen Sachen. Zieh dich bitte an und komm in mein Büro.«

Ich schleiche in Robertos Büro und nehme ihm gegenüber Platz. Er telefoniert, also werfe ich einen verstohlenen Blick auf seinen Kalender. Es ist Freitag. Die Uhr über dem Schreibtisch zeigt 14.17 Uhr. Ich war über 24 Stunden verschwunden. Roberto legt den Telefonhörer behutsam auf die Gabel und dreht sich zu mir. »Schließ die Tür«, sagt er. Eine reine Formalität, denn die Wände in unseren Büros reichen nicht ganz bis zur Decke, aber ich befolge seine Anweisung.

Roberto Calle ist ein bedeutender Gelehrter auf dem Gebiet der italienischen Renaissance und Leiter der Sondersammlungen. Gewöhnlich ist er die Heiterkeit in Person – ein bärtiger Blondschopf mit ansteckendem Optimismus, der mich jetzt über den Rand seiner Bifokalbrille traurig ansieht. »So kann das nicht weitergehen, das weißt du genau.«

»Ja«, sage ich. »Ich weiß.«

»Darf ich fragen, wo du dir dieses überaus beeindruckende blaue Auge geholt hast?« Robertos Stimme klingt grimmig.

»Ich glaube, ich bin gegen einen Baum gelaufen.«

»Natürlich. Wie dumm von mir, dass ich da nicht von selbst drauf gekommen bin.« Wir sitzen da und sehen uns an. Roberto sagt: »Gestern sah ich zufällig, wie Matt einen Haufen Klamotten in dein Büro getragen hat. Da es nicht das erste Mal war, dass Matt Kleider spazieren trägt, wollte ich von ihm wissen, wo er diesen speziellen Haufen herhätte, worauf er sagte, er hätte ihn auf der Herrentoilette gefunden. Dann wollte ich von ihm wissen, wieso er sich bemüßigt fühlt, die Sachen in dein Büro zu bringen, worauf er sagte, sie sähen aus, als gehörten sie dir, womit er Recht hatte. Und da du nirgends aufzutreiben warst, haben wir die Sachen einfach auf deinen Schreibtisch gelegt.«

Er macht eine Pause, als wenn es jetzt an mir wäre, mich zu äußern, aber mir fällt nichts Passendes ein. Er fährt fort: »Heute morgen hat Clare angerufen und Isabelle erzählt, du hättest Grippe und könntest nicht kommen.« Ich lehne den Kopf an meine Hand. Mein Auge schmerzt rasend. »Hast du vielleicht eine Erklärung dafür?«, fragt Roberto.

Am liebsten würde ich ihm sagen: Roberto, ich saß im Jahr 1973 fest und kam nicht weg. Ich war in Muncie, Indiana, lebte tagelang in einer Scheune, und der Kerl, dem die Scheune gehörte, hat mich verprügelt, weil er dachte, ich will mich an seinen Schafen vergreifen. Doch das geht natürlich nicht, also sage ich: »Ich kann mich wirklich nicht erinnern, Roberto. Tut mir Leid.«

»Aha. Nun, dann hat Matt wohl die Wette gewonnen.«

»Welche Wette?«

Roberto lächelt, und ich denke, dass er mich vielleicht doch nicht feuern wird. »Matt hat gewettet, dass du nicht einmal ansatzweise versuchen würdest, das Ganze zu erklären. Amelia hat ihr Geld auf eine Entführung durch Außerirdische gesetzt. Und Isabelle wettet, dass du an einem internationalen Drogenschmuggelkartell beteiligt und von der Mafia entführt und ermordet worden bist.«

»Was ist mit Catherine?«

»Oh, Catherine und ich sind überzeugt, das Ganze hängt mit einer grotesken sexuellen Perversion zusammen, bei der Bücher und Nacktsein im Spiel sind.«

Ich atme tief durch. »Es ist eher eine Art Epilepsie.«

Roberto sieht skeptisch aus. »Epilepsie? Du bist gestern Nachmittag verschwunden. Du hast ein blaues Auge, dein Gesicht und die Hände sind voll Schrammen. Gestern hab ich die Wachleute das Gebäude von oben bis unten nach dir absuchen lassen, wobei ich erfuhr, dass du die Angewohnheit hast, dich im Magazin deiner Kleider zu entledigen.«

Ich studiere meine Fingernägel. Als ich aufblicke, sieht Roberto aus dem Fenster. »Ich weiß nicht, was ich mit dir anfangen soll,

Henry. Ich würde dich nur ungern verlieren. Wenn du ordentlich angezogen bist, kannst du sehr ... kompetent sein. Aber so geht es einfach nicht mehr.«

Wir sitzen da und sehen uns eine ganze Weile an. Schließlich sagt Roberto: »Versprich mir, dass es nicht mehr vorkommt.«

»Das geht nicht. Ich wünschte, ich könnte es.«

Roberto seufzt und weist in Richtung Tür. »Geh. Geh die Quigley-Sammlung katalogisieren, das wird dich eine Weile vor Schwierigkeiten bewahren.« (Die kürzlich gespendete Quigley-Sammlung besteht aus über 2000 viktorianischen Ephemeriden, die größtenteils von Seife handeln.) Ich nicke gehorsam und stehe auf.

An der Tür fragt mich Roberto: »Henry. Ist es so schlimm, dass du es mir nicht erzählen kannst?«

»Ja«, sage ich zögernd. Roberto schweigt. Ich schließe die Tür hinter mir und gehe in mein Büro. Matt sitzt an meinem Schreibtisch, überträgt Daten von seinem Kalender in meinen. Er blickt auf, als ich eintrete. »Hat er dich entlassen?«, fragt er.

»Nein«, antworte ich.

»Warum nicht?«

»Keine Ahnung.«

»Komisch. Übrigens, ich hab deinen Vortrag für die Chicagoer Buchbinder übernommen.«

»Danke. Soll ich dich morgen zum Essen einladen?«

»Klar.« Matt überprüft den Kalender vor ihm.

»In einer Dreiviertelstunde haben wir eine Präsentation vor Studenten der Columbia, die sich mit der Geschichte der Typographie beschäftigen.« Ich nicke und fange an, in meinem Schreibtisch nach der Liste zu suchen, auf der verzeichnet ist, was wir gleich vorführen werden.

»Henry?«

»Ja.«

»Wo warst du?«

»Muncie, Indiana. 1973.«

»Na klar.« Matt verdreht die Augen und grinst sarkastisch. »Lassen wir das.«

CLARE: Ich besuche Kimy. Es ist ein verschneiter Sonntagnachmittag im Dezember. Ich habe Weihnachtseinkäufe erledigt, und nun sitze ich in Kimys Küche, trinke heiße Schokolade, wärme meine Füße an der Fußleistenheizung und ergötze sie mit Geschichten über Schnäppchen und Weihnachtsschmuck. Kimy spielt Solitaire, während wir uns unterhalten. Ich bewundere, wie sie mit geübter Hand mischt und dann schwungvoll rote Karten auf schwarze klatscht. Auf dem Herd köchelt ein Eintopf. Plötzlich dringt ein Geräusch aus dem Esszimmer, ein Stuhl fällt um. Kimy blickt auf, dreht sich um.

»Kimy«, flüstere ich. »Im Esszimmer sitzt ein kleiner Junge unterm Tisch.«

Jemand kichert. »Henry?«, ruft Kimy. Keine Antwort. Sie steht auf und stellt sich in die Tür. »Hey, Kumpel, Schluss damit. Zieh dir was an, Mister.« Kimy verschwindet im Esszimmer. Flüstern. Und wieder Kichern. Schweigen. Plötzlich starrt mich ein kleiner nackter Junge aus der Tür an, und verschwindet dann ebenso plötzlich wie er erschienen ist. Kimy kommt wieder herein, setzt sich an den Tisch und spielt weiter.

»Donnerwetter«, sage ich.

Kimy lächelt. »Das passiert heute nur noch selten. Meistens ist er erwachsen, wenn er kommt. Aber er besucht mich nicht mehr so oft wie früher.«

»Ich hab noch nie erlebt, wie er in die Zukunft reist.«

»Na ja, du hast ja auch noch nicht viel Zukunft mit ihm gehabt.«

Es dauert einen Moment, bis ich begreife, was sie meint. Und als ich es begreife, frage ich mich, wie diese Zukunft aussehen wird, und dann stelle ich mir vor, wie die Zukunft sich ausdehnt und allmählich öffnet, bis Henry mich aus der Vergangenheit besuchen kann. Ich trinke meine Schokolade und blicke in Kimys winterlichen Garten hinaus.

»Fehlt er dir?«, frage ich sie.

»Ja, er fehlt mir. Aber jetzt ist er erwachsen. Wenn er als kleiner Junge erscheint, kommt er mir vor wie ein Geist, weißt du?« Ich nicke. Kimy beendet ihre Partie, packt die Karten zusammen und sieht mich lächelnd an. »Wann bekommt ihr zwei denn nun ein Baby?«

»Ich weiß nicht, Kimy. Ich bin nicht sicher, ob es geht.«

Sie steht auf, tritt an den Herd und rührt den Eintopf um. »Tja, das weiß man nie.«

»Stimmt.« Man weiß es nie.

Später liege ich mit Henry im Bett. Es schneit immer noch, die Heizung macht leise glucksende Geräusche. Ich drehe mich zu Henry um und er sieht mich an. »Komm«, sage ich zu ihm, »wir machen ein Kind.«

Montag, 11. März 1996 (Henry ist 32)

HENRY: Ich habe Dr. Kendrick aufgespürt. Seine Praxis ist dem Universitätskrankenhaus in Chicago angeschlossen. Es ist ein fieser nasskalter Märztag. Eigentlich sollte der März eine Verbesserung gegenüber dem Februar darstellen, aber in Chicago ist darauf kein Verlass. Ich steige in die Illinois Central-Linie und setze mich mit dem Rücken in Fahrtrichtung. Chicago rauscht an uns vorbei, und im Nu sind wir in der 59. Straße. Ich steige aus und kämpfe mich durch den Eisregen. Es ist 9 Uhr morgens, ein Montag. Alle sind in sich selbst zurückgezogen, wehren sich gegen die Rückkehr in die Arbeitswoche. Mir gefällt Hyde Park. Hier habe ich immer das Gefühl, als sei ich aus Chicago heraus- und in eine andere Stadt hineingefallen, Cambridge vielleicht. Die grauen Steinhäuser sind dunkel vom Regen, und von den Bäumen fallen dicke Eistropfen auf die Fußgänger. Ich empfinde die tiefe Gelassenheit des Fait accompli: Es wird mir gelingen, Kendrick zu überzeugen, auch wenn ich viele andere Ärzte nicht überzeugen konnte, denn ja, ich überzeuge ihn. Kendrick wird mein Arzt, weil er in der Zukunft mein Arzt ist.

Ich betrete ein kleines, Mies van der Rohe nachempfundenes Gebäude neben dem Krankenhaus. Dann fahre ich mit dem Fahrstuhl in den dritten Stock, öffne die Glastür mit dem goldenen Schriftzug *Drs. C. P. Sloane und D. L. Kendrick*, melde mich bei der Dame am Empfang an und setze mich auf einen der tiefen lavendelfarbenen

Polsterstühle. Das Wartezimmer ist Rosa und Violett gehalten, vermutlich um die Patienten zu beruhigen. Dr. Kendrick ist Genetiker und nicht zufällig auch Philosoph. Letzteres, überlege ich, ist sicherlich von Nutzen, um mit den harten, praktischen Tatsachen des Ersteren fertig zu werden. Heute sitzt außer mir niemand hier. Ich bin zehn Minuten zu früh. Die Tapete hat breite Streifen in Pink und beißt sich mit dem Gemälde einer vorwiegend in Braun- und Grüntönen gezeichneten Wassermühle. Die Möbel sind pseudokolonial, aber der Teppich ist recht schön, eine Art weicher Perser, und es tut mir irgendwie Leid für ihn, dass er in diesem scheußlichen Wartezimmer gefangen ist. Die Empfangsdame ist eine freundlich aussehende Frau mittleren Alters mit sehr tiefen Falten vom jahrelangen Sonnenbräunen, auch jetzt, mitten im März in Chicago, ist sie braun gebrannt.

Um 9.35 Uhr höre ich Stimmen auf dem Flur, und eine blonde Frau kommt mit einem kleinen Jungen, der in einem schmalen Rollstuhl sitzt, ins Wartezimmer. Der Junge scheint unter Gehirnlähmung oder etwas Ähnlichem zu leiden. Die Frau lächelt mir zu, ich lächle zurück. Als sie sich umdreht, sehe ich, dass sie schwanger ist. Die Empfangsdame sagt: »Sie können jetzt hineingehen, Mr DeTamble.« Im Vorbeigehen lächle ich den Jungen an. Seine riesigen Augen nehmen mich auf, aber er lächelt nicht zurück.

Dr. Kendrick macht sich Notizen in einer Akte, als ich in sein Sprechzimmer trete. Ich setze mich, und er schreibt weiter. Er ist jünger, als ich angenommen hatte, Ende dreißig. In meiner Vorstellung sind Ärzte immer alte Männer. Ich kann nichts dafür, es ist ein Überbleibsel aus einer Kindheit mit endlos vielen Medizinern. Kendrick hat rote Haare, ein schmales Gesicht mit Bart und eine dicke Nickelbrille. Ein bisschen sieht er aus wie D. H. Lawrence. Er trägt einen schönen schwarzgrauen Anzug und eine schmale dunkelgrüne Krawatte mit einer Anstecknadel in Form einer Regenbogenforelle. Vor ihm steht ein überquellender Aschenbecher. Obwohl Dr. Kendrick im Moment nicht raucht, ist der Raum von Zigarettenqualm erfüllt. Alles ist sehr modern: Stahlrohr, beiger Köper, helles Holz. Er blickt zu mir auf und lächelt.

»Guten Morgen, Mr DeTamble. Was kann ich für Sie tun?« Er

schaut auf seinen Kalender. »Ich habe hier keine weiteren Daten über Sie. Wo liegt Ihr Problem?«

»Dasein.«

Kendrick ist verblüfft. »Dasein? Leben? Wie meinen Sie das?«

»Ich leide an einer Krankheit, die man einmal, wie ich gehört habe, als Chrono-Syndrom bezeichnen wird. Ich habe Schwierigkeiten, in der Gegenwart zu bleiben.«

»Bitte?«

»Ich reise durch die Zeit. Unfreiwillig.«

Kendrick ist nervös, unterdrückt es aber. Ich mag ihn. Er bemüht sich, mich so zu behandeln, wie es einer geistig gesunden Person angemessen wäre, obwohl ich sicher bin, er überlegt, an welchen seiner befreundeten Psychiater er mich überweisen könnte.

»Aber warum brauchen Sie einen Genetiker? Oder suchen Sie meinen Rat als Philosoph?«

»Es ist eine Erbkrankheit. Obwohl es gewiss nett ist, jemand zu haben, mit dem man über die größeren Implikationen des Problems plaudern kann.«

»Mr DeTamble. Sie scheinen mir ein intelligenter Mann zu sein... Von dieser Krankheit habe ich noch nie gehört. Ich kann nichts für Sie tun.«

»Sie glauben mir nicht.«

»Stimmt. Ich glaube Ihnen nicht.«

Jetzt lächle ich betrübt. Mir ist absolut unwohl bei dieser Sache, aber es muss sein. »Nun. Ich bin in meinem Leben schon bei ziemlich vielen Ärzten gewesen, aber heute habe ich zum ersten Mal so etwas wie einen Beweis anzubieten. Natürlich glaubt man mir nie. Sie und Ihre Frau erwarten ein Kind im nächsten Monat?«

Er ist auf der Hut. »Ja. Woher wissen Sie das?«

»In einigen Jahren suche ich die Geburtsurkunde ihres Kindes heraus. Ich reise in die Vergangenheit meiner Frau, ich hinterlege die Information in diesem Kuvert. Sie gibt es mir, wenn wir uns in der Gegenwart treffen. Nun gebe ich es Ihnen. Öffnen Sie den Umschlag, nachdem Ihr Sohn geboren ist.«

»Wir bekommen eine Tochter.«

»Nein, eigentlich nicht«, sage ich freundlich. »Aber lassen Sie uns darüber nicht streiten. Bewahren Sie den Umschlag auf, öffnen Sie ihn nach der Geburt des Kindes. Werfen Sie ihn nicht weg. Wenn Sie es gelesen haben, rufen Sie mich an, wenn Sie möchten.« Ich stehe auf und will gehen. »Viel Glück«, sage ich, obwohl ich dieser Tage nicht an Glück glaube. Er tut mir zutiefst Leid, aber mir bleibt keine andere Wahl.

»Auf Wiedersehen, Mr DeTamble«, sagt Dr. Kendrick kalt. Ich gehe. Im Fahrstuhl denke ich, dass er den Umschlag wahrscheinlich gerade öffnet. Er enthält ein mit Schreibmaschine beschriebenes Blatt Papier, auf dem steht:

Colin Joseph Kendrick
6. April 1996, 1.18 Uhr
2947 Gramm, männlich, weiß
Down-Syndrom

Samstag, 6. April 1996, 5.32 Uhr (Henry ist 32, Clare 24)

HENRY: Wir schlafen ineinander verknäuelt. Die ganze Nacht haben wir wach gelegen, uns unruhig gewälzt, sind aufgestanden und wieder ins Bett gegangen. Das Baby der Kendricks wurde heute in den frühen Morgenstunden geboren. Gleich wird das Telefon klingeln. Es klingelt schon. Das Telefon steht auf Clares Bettseite. Sie hebt ab. »Hallo«, sagt sie sehr ruhig und übergibt mir den Hörer.

»Woher wussten Sie es? *Woher wussten Sie es?*« Kendrick flüstert fast.

»Es tut mir Leid. Es tut mir ehrlich Leid.« Eine Weile sagt keiner von uns ein Wort. Ich glaube, Kendrick weint.

»Kommen Sie in meine Praxis.«

»Wann?«

»Morgen«, sagt er und legt auf.

Sonntag, 7. April 1996 (Henry ist 32 und 8, Clare 24)

HENRY: Clare und ich fahren nach Hyde Park. Wir haben fast während der ganzen Fahrt geschwiegen. Es regnet und die Scheibenwischer liefern die rhythmische Untermalung für das Wasser, das vom Auto strömt, und den Wind.

»Irgendwie ist es nicht fair«, sagt Clare, als setze sie eine Unterhaltung fort, die wir genau genommen nicht geführt haben.

»Was? Kendrick?«

»Ja.«

»Das Leben ist nun mal nicht fair.«

»Oh, nein. Ich meine, klar, das mit dem Baby ist traurig, aber eigentlich meinte ich uns. Irgendwie ist es nicht fair, dass wir es ausnutzen.«

»Unsportlich, findest du?«

»M-hm.«

Ich seufze. Das Ausfahrtschild zur 57. Straße erscheint. Clare wechselt die Spur und biegt ab.

»Ich stimme dir zu, aber es ist zu spät. Und ich habe ja versucht…«

»Egal, ist sowieso zu spät.«

»Stimmt.« Wir verstummen wieder. Ich dirigiere Clare durch das Labyrinth von Einbahnstraßen und bald stehen wir vor Kendricks Praxisgebäude.

»Viel Glück.«

»Danke.« Ich bin nervös.

»Sei nett.« Clare küsst mich. Wir sehen uns an, unsere großen Hoffnungen sind durchdrungen von Schuldgefühlen gegenüber Kendrick. Clare lächelt und blickt zur Seite. Ich steige aus und beobachte, wie sie langsam die 59. Straße hinunterfährt und den Midway überquert. Sie hat etwas in der Smart Gallery zu erledigen.

Der Haupteingang ist unverschlossen. Ich nehme den Fahrstuhl in den zweiten Stock, gehe durch Kendricks leeres Wartezimmer und weiter den Flur entlang. Die Tür zu seinem Sprechzimmer ist offen. Es brennt kein Licht. Kendrick steht hinterm Schreibtisch mit dem Rücken zu mir, er blickt aus dem Fenster auf die regennasse Straße hinaus. Eine ganze Weile bleibe ich stumm in der Tür stehen, bis ich schließlich hineingehe.

Als Kendrick sich umdreht, bin ich schockiert über die Veränderung in seinem Gesicht. Gramzerfurcht ist das falsche Wort. Es ist leer. Etwas, das vorher da war, ist jetzt verschwunden. Sicherheit, Vertrauen, Zuversicht. Ich bin so an mein Leben auf einem metaphysischen Trapez gewöhnt, dass ich vergesse, dass andere Menschen meist festeren Boden unter den Füßen haben.

»Henry DeTamble«, sagt Kendrick.

»Hallo.«

»Warum sind Sie zu mir gekommen?«

»Weil ich zu Ihnen kommen musste. Mir blieb keine andere Wahl.«

»Schicksal?«

»Nennen Sie es, wie Sie wollen. Für jemand wie mich ist alles irgendwie kreisförmig. Ursache und Wirkung geraten durcheinander.«

Kendrick setzt sich an seinen Schreibtisch. Der Stuhl quietscht. Sonst hört man nur den Regen. Kendrick tastet in seiner Tasche nach Zigaretten, findet sie, sieht mich an. Ich zucke die Schultern. Er zündet sich eine an und raucht eine Weile. Ich betrachte ihn.

»Woher wussten Sie es?«

»Ich habe es Ihnen schon gesagt. Ich las die Geburtsurkunde.«

»Wann?«

»1999.«

»Unmöglich.«

»Dann erklären Sie es.«

Kendrick schüttelt den Kopf. »Kann ich nicht. Ich hab mir den Kopf zermartert, aber es ist mir nicht gelungen, eine Erklärung zu finden. Alles war ... korrekt. Die Stunde, der Tag, das Gewicht, die... Anomalie.« Er sieht mich verzweifelt an. »Und wenn wir beschlossen hätten, ihn anders zu nennen... Alex, Fred oder Sam?«

Ich schüttle den Kopf und höre damit auf, als mir klar wird, dass ich Kendrick nachahme. »Aber Sie haben es nicht getan. Ich will nicht so weit gehen und behaupten, Sie *konnten* es gar nicht, aber sie haben es nun mal nicht getan. Ich habe nur Bericht erstattet. Ich besitze keine übernatürlichen Fähigkeiten.«

»Haben Sie Kinder?«

»Nein.« Darüber will ich nicht diskutieren, auch wenn mir letztlich nichts anderes übrig bleiben wird. »Das mit Colin tut mir Leid. Aber wissen Sie, er ist wirklich ein prima Junge.«

Kendrick starrt mich an. »Ich habe den Fehler aufgespürt. Ein Versehen. Man hat unsere Testergebnisse mit denen eines Ehepaars namens Kenwick vertauscht.«

»Was hätten Sie getan, wenn Sie es gewusst hätten?«

Er sieht woandershin. »Ich weiß nicht. Meine Frau und ich sind katholisch, ich denke also, das Endergebnis wäre dasselbe gewesen. Es ist paradox...«

»Ja.«

Kendrick drückt seine Zigarette aus und steckt sich eine neue an. Ich finde mich damit ab, dass ich Kopfschmerzen vom Rauch bekommen werde.

»Wie funktioniert es?«

»Was?«

»Dieses Zeitreisen, das Sie angeblich praktizieren.« Er klingt verärgert. »Sagen Sie irgendwelche Zauberformeln auf? Klettern Sie in eine Maschine?«

Ich versuche, ihm eine plausible Erklärung zu liefern. »Nein, ich tue gar nichts. Es passiert einfach. Ich kann es nicht steuern, ich ... eben noch ist alles in Ordnung, und im nächsten Moment bin ich irgendwo anders, in einer anderen Zeit. Wie wenn man das Fernsehprogramm wechselt. Auf einmal finde ich mich an einem anderen Ort, in einer anderen Zeit wieder.«

»So, und was soll ich Ihrer Ansicht nach dagegen tun?«

Ich lehne mich vor, um meinen Worten Nachdruck zu verleihen. »Ich möchte, dass Sie die Ursache finden und dafür sorgen, dass es aufhört.«

Kendrick lächelt. Kein freundliches Lächeln. »Aber warum wollen Sie das? Es scheint doch ganz praktisch für Sie zu sein. Sie wissen viele Sachen, die andere Menschen nicht wissen.«

»Es ist gefährlich. Früher oder später wird es mich umbringen.«

»Ich kann nicht behaupten, dass mich das kümmern würde.«

Es hat keinen Sinn fortzufahren. Ich stehe auf und gehe zur Tür. »Auf Wiedersehen, Dr. Kendrick.« Ich gehe langsam den Flur entlang, gebe ihm die Möglichkeit, mich zurückzurufen, aber er tut es nicht. Im Fahrstuhl sage ich mir traurig, dass was auch immer hier falsch gelaufen ist, so und nicht anders kommen musste und sich früher oder später einpendeln wird. Als ich die Tür öffne, sehe ich Clare auf der anderen Straßenseite im Auto auf mich warten. Sie dreht den Kopf, und ihr Gesichtsausdruck spiegelt so viel Hoffnung wider, solche Vorfreude, dass ich von Traurigkeit überwältigt werde. Ich fürchte mich davor, ihr von dem Gespräch mit Kendrick zu erzählen. Als ich über die Straße gehe, summt es in meinen Ohren, ich verliere das Gleichgewicht und stürze, lande aber nicht auf Straßenpflaster, sondern auf Teppichboden und da liege ich, bis eine vertraute Kinderstimme sagt: »Henry, ist alles in Ordnung?«, und als ich aufblicke, sehe ich mich, mit acht, aufrecht im Bett sitzen, den Blick auf mich gerichtet.

»Mir geht's prima, Henry.« Er sieht skeptisch aus. »Wirklich, mir geht's gut.«

»Möchtest du ein bisschen Ovaltine?«

»Gern.« Er steigt aus dem Bett, tapst durchs Zimmer und den Flur entlang. Es ist mitten in der Nacht. Er hantiert eine Weile in der Küche herum und kommt schließlich mit zwei Bechern heißer Schokolade zurück. Wir trinken sie langsam, schweigend. Als wir fertig sind, trägt Henry die Becher zurück in die Küche und wäscht sie ab. Lieber gleich alle Beweise vernichten. Als er zurückkommt, frage ich: »Was läuft denn so?«

»Nicht viel. Heute waren wir bei einem anderen Arzt.«

»Hey, ich auch. Bei wem warst du?«

»Hab den Namen vergessen. Ein alter Knacker mit viel Haaren in den Ohren.«

»Wie war's?«

Henry zuckt die Achseln. »Er hat mir nicht geglaubt.«

»Du solltest es aufgeben. Von denen wird dir nie jemand glauben. Und der, bei dem ich heute war, hat mir zwar geglaubt, wollte mir aber nicht helfen.«

»Wieso nicht?«

»Er mochte mich wohl einfach nicht.«

»Oh. Hey, willst du ein paar Decken?«

»Eine vielleicht.« Ich ziehe die Tagesdecke von Henrys Bett und wickle mich auf dem Fußboden darin ein. »Gute Nacht. Schlaf gut.« Im Blauschimmer des Schlafzimmers sehe ich die weißen Zähne meines kleineren Ichs aufblitzen, dann wendet er sich ab und rollt sich in die feste Kugel eines schlafenden Jungen zusammen, und ich starre auf meine alte Zimmerdecke, zwinge mich durch Willenskraft zurück zu Clare.

CLARE: Henry kommt mit unglücklicher Miene aus dem Gebäude. Plötzlich schreit er auf und ist verschwunden. Ich springe aus dem Auto und renne zu der Stelle, wo Henry noch vor einer Sekunde war, aber jetzt liegt dort natürlich nur noch ein Haufen Kleidung. Ich sammle alles auf, bleibe noch ein paar Herzschläge lang mitten auf der Straße stehen und sehe das Gesicht eines Mannes, der von einem Fenster im zweiten Stock zu mir herabsieht. Dann verschwindet er. Ich gehe zum Auto zurück, steige ein, starre auf Henrys hellblaues Hemd und die schwarze Hose und überlege, ob es sinnvoll ist, hier zu bleiben. In meiner Handtasche steckt *Brideshead Revisited*, also beschließe ich, noch eine Weile hier zu warten, für den Fall, dass Henry schnell wieder auftaucht. Als ich mich umdrehe, um das Buch zu holen, sehe ich einen rothaarigen Mann auf mein Auto zurennen. An der Beifahrertür bleibt er stehen und späht zu mir herein. Das muss Kendrick sein. Ich entriegele die Tür. Er steigt in den Wagen und weiß dann nicht, was er sagen soll.

»Hallo«, begrüße ich ihn. »Sie müssen Dr. Kendrick sein. Ich bin Clare DeTamble.«

»Ja …« Er ist sehr nervös. »Ja, ja. Ihr Mann …«

»Ist gerade am helllichten Tage verschwunden.«

»Ja!«

»Sie wirken überrascht.«

»Na ja …«

»Hat er es Ihnen nicht erzählt? Das passiert ihm häufig.« Bislang bin ich nicht sonderlich beeindruckt von diesem Mann, aber ich gebe nicht auf. »Es tut mir ehrlich Leid wegen Ihrem Kind. Aber Henry sagt, er ist ein lieber Junge, und dass er wirklich toll zeichnen kann und viel Fantasie hat. Ihre Tochter ist auch sehr begabt, alles kommt in Ordnung. Sie werden sehen.«

Er starrt mich entgeistert an. »Wir haben keine Tochter. Nur...
Colin.«

»Aber sie werden eine haben. Sie heißt Nadia.«

»Es war ein Schock. Meine Frau ist völlig aufgelöst...«

»Aber es wird alles gut. Bestimmt.« Zu meiner Überraschung
fängt dieser fremde Mann zu weinen an, seine Schultern beben, er
vergräbt das Gesicht in den Händen. Nach ein paar Minuten hört er
auf und hebt den Kopf. Ich gebe ihm ein Kleenex, und er schnäuzt
sich die Nase. »Es tut mir so Leid«, setzt er an.

»Macht nichts. Was ist vorhin in Ihrer Praxis geschehen, mit Ihnen und Henry? Es lief offenbar nicht gut.«

»Woher wissen Sie das?«

»Er war völlig gestresst, deshalb hat er die Kontrolle über die Gegenwart verloren.«

»Wo ist er?« Kendrick sieht sich um, als hätte ich Henry vielleicht
auf dem Rücksitz versteckt.

»Ich weiß nicht. Hier jedenfalls nicht. Wir hatten gehofft, Sie
könnten helfen, aber wohl doch nicht.«

»Also, ich wüsste nicht, wie...«

Im selben Moment taucht Henry an genau der Stelle auf, an der
er verschwunden ist. Ein Autofahrer, der ungefähr sechs Meter entfernt ist, tritt quietschend auf die Bremse, und Henry wirft sich über
die Haube unseres Autos. Der Mann rollt sein Fenster herunter,
und als Henry sich aufsetzt und leicht verbeugt, brüllt der Mann
etwas und fährt weiter. Blut singt in meinen Ohren. Ich sehe zu Kendrick, der sprachlos ist, springe dann aus dem Auto, und Henry
rutscht vorsichtig von der Motorhaube herunter.

»Hallo, Clare. Das war knapp, hm?« Ich schlinge die Arme um
ihn, er zittert. »Hast du meine Sachen?«

»Ja, gleich hier ... ach ja, Kendrick ist da.«

»Was? Wo?«

»Im Auto.«

»Warum?«

»Er hat dich verschwinden sehen, und das hat ihm anscheinend
zu denken gegeben.«

Henry streckt den Kopf in die Fahrertür. »Hallo.« Er nimmt seine

Sachen und zieht sich langsam an. Kendrick steigt aus und kommt um das Auto herum zu uns.

»Wo waren Sie?«

»Im Jahr 1971. Ich war in meinem alten Kinderzimmer und habe um ein Uhr nachts heiße Schokolade mit meinem achtjährigen Ich getrunken. Ich war ungefähr eine Stunde dort. Warum fragen Sie?« Henry, der sich die Krawatte bindet, betrachtet Kendrick kalt.

»Unglaublich.«

»Und wenn Sie es noch so oft sagen, leider ist es trotzdem wahr.«

»Wollen Sie damit sagen, dass Sie wieder acht geworden sind?«

»Nein, damit will ich sagen, dass ich im Jahr 1971 so, wie ich jetzt als Zweiunddreißigjähriger bin, zusammen mit mir als Achtjährigem in meinem alten Kinderzimmer in der Wohnung meines Vaters saß. Bei heißer Schokolade. Wir haben über die Skepsis der medizinischen Zunft geplaudert.« Henry geht zur Beifahrertür und öffnet sie. »Komm, Clare, zischen wir ab. Es hat keinen Sinn.«

Ich gehe zur Fahrertür. »Auf Wiedersehen, Dr. Kendrick. Viel Glück mit Colin.«

»Warten Sie …« Kendrick stockt, sammelt sich. »Ist es eine genetische Krankheit?«

»Ja«, sagt Henry. »Es ist eine genetische Krankheit, und wir möchten ein Kind bekommen.«

Kendrick lächelt traurig. »Ein riskantes Unterfangen.«

Ich lächle zurück. »An riskante Unterfangen sind wir gewöhnt. Auf Wiedersehen.« Henry und ich steigen ins Auto und fahren los. Als ich auf den Lake Shore Drive biege, sehe ich kurz zu Henry, der zu meiner Überraschung bis über beide Ohren grinst.

»Worüber freust du dich so?«

»Kendrick. Der ist Feuer und Flamme.«

»Meinst du?«

»Ganz bestimmt.«

»Na, toll. Aber irgendwie fand ich ihn beschränkt.«

»Ist er nicht.«

»Gut.« Schweigend fuhren wir nach Hause, aber es ist ein völlig anderes Schweigen als bei der Hinfahrt. Kendrick ruft Henry am selben Abend an, und sie verabreden einen Termin, um sich an die

Arbeit zu machen und herauszufinden, wie man Henry im Hier und Jetzt halten kann.

HENRY: Kendrick sitzt mit gesenktem Kopf da. Seine Daumen fahren nervös an den Rändern seiner Handflächen entlang, als suchten sie nach einer Fluchtmöglichkeit. Den ganzen Nachmittag war das Sprechzimmer von goldenem Licht durchflutet. Kendrick saß reglos da, abgesehen von seinen zuckenden Daumen, und lauschte meinen Ausführungen. Der rote indische Teppich, die Stahlrohrbeine der beigen Körperstühle, alles leuchtete hell in der Sonne. Kendricks Zigaretten, eine Packung Camel, blieben unangerührt, während er mir zuhörte. Das Sonnenlicht hat sich auf der Goldfassung seiner runden Brillengläser gefangen und den Rand seines rechten Ohrs zum Glühen gebracht, seine fuchsroten Haare und die rosige Haut haben ebenso im Licht geglänzt wie die gelben Chrysanthemen in der Messingvase zwischen uns. Den ganzen Nachmittag hat Kendrick dort auf seinem Stuhl gesessen und mir zugehört.

Und ich habe ihm alles erzählt. Von Anfang an. Von der allmählichen Erkenntnis und dem Überlebensdrang, von der Freude des Vorauswissens und dem Entsetzen über unabwendbare Ereignisse, vom Schmerz des Verlusts. Nun sitzen wir schweigend da, bis Kendrick schließlich den Kopf hebt und mich ansieht. In seinen hellen Augen liegt eine Traurigkeit, die ich gern vertreiben würde. Nachdem ich alles vor ihm ausgebreitet habe, möchte ich es zurücknehmen und weggehen, ihn von der Last, auch nur ansatzweise darüber nachdenken zu müssen, befreien. Er greift nach seinen Zigaretten, nimmt eine heraus, steckt sie an, inhaliert und atmet eine blaue Wolke aus, die mit ihrem Schatten den Lichtstrahl der Sonne schneidet und dann weiß wird.

»Leiden Sie unter Schlafstörungen?«, fragt er, und seine Stimme klingt kratzig vom Nichtgebrauch.

»Ja.«

»Gibt es eine bestimmte Tageszeit, in der Sie besonders häufig ... verschwinden?«

»Nein ... das heißt, am frühen Morgen vielleicht häufiger als zu anderen Zeiten.«

»Leiden Sie unter Kopfschmerzen?«

»Ja.«

»Migräne?«

»Nein. Druckkopfschmerzen mit Sehstörungen, Auren.«

»Hmm.« Kendrick steht auf. Seine Knie knacken. Er schreitet durchs Sprechzimmer, raucht, folgt der Kante des Teppichs. Es fängt gerade an, mir auf die Nerven zu gehen, als er damit aufhört und sich wieder setzt. »Hören Sie«, sagt er und runzelt die Stirn. »Es gibt die so genannten Uhren-Gene. Sie steuern unseren 24-Stundenrhythmus, halten uns im Takt mit der Sonne, solche Sachen. Man hat diese Uhren-Gene in den verschiedensten Zelltypen des Körpers gefunden, aber sie sind vor allem an unser Sehsystem gekoppelt, und Ihre Symptome scheinen vorwiegend visueller Natur zu sein. Der suprachiasmatische Nucleus des Hypothalamus, der direkt über Ihrem optischen Chiasma liegt, dient sozusagen als Reset-Knopf für Ihr Zeitgefühl – und da werde ich ansetzen.«

»Klingt gut«, sage ich, da er mich ansieht, als erwarte er eine Antwort. Kendrick steht wieder auf und geht zu einer Tür, die mir zuvor nicht aufgefallen war, öffnet sie und verschwindet für einen Moment. Dann kommt er mit einem Paar Latexhandschuhen und einer Spritze zurück.

»Rollen Sie Ihren Ärmel hoch«, fordert er.

»Was haben Sie vor?« Ich rolle meinen Ärmel bis über den Ellbogen hoch. Er antwortet nicht, wickelt die Spritze aus, betupft meinen Arm und bindet ihn ab, sticht geschickt zu. Ich sehe woandershin. Die Sonne ist vorbeigezogen und lässt den Raum in düsterem Licht zurück.

»Sind Sie krankenversichert?«, fragt er, zieht die Nadel heraus und bindet meinen Arm los. Er legt ein Stück Watte auf das Einstichloch und klebt ein Pflaster drüber.

»Nein. Ich zahle alles selbst.« Ich drücke meine Finger auf das Pflaster und beuge den Ellbogen.

Kendrick lächelt. »Nein, nein. Sie können mein Versuchskaninchen spielen und sich dafür in mein Forschungsstipendium des Gesundheitsministeriums einklinken.«

»Wofür?«

»Wir wollen uns hier nicht mit Halbheiten abgeben.« Kendrick hält inne, die benutzten Handschuhe und die kleine Phiole mit meinem frisch gezapften Blut in der Hand. »Wir werden Ihre DNA-Sequenzen untersuchen.«

»Ich dachte, das dauert Jahre.«

»Das tut es auch, wenn man das gesamte Genom untersucht. Aber wir begnügen uns fürs Erste mit den aussichtsreichsten Kandidaten: Chromosom 17 zum Beispiel.« Kendrick wirft die Handschuhe und die Nadel in einen Eimer mit der Aufschrift *Biogefahr* und schreibt etwas auf das kleine Glasröhrchen mit dem Blut. Dann setzt er sich wieder mir gegenüber und legt die Phiole neben die Zigarettenpackung auf den Tisch.

»Aber das menschliche Genom wird erst im Jahr 2000 entschlüsselt. Womit wollen Sie es vergleichen?«

»2000? So bald schon? Sind Sie sicher? Vermutlich schon. Aber um Ihre Frage zu beantworten, eine Krankheit, die so – störend – ist wie Ihre, äußert sich häufig als eine Art Stottern, als eine Wiederholung im Code, die im Wesentlichen besagt *Hallo, hier stimmt was nicht*. Die Huntington-Krankheit beispielsweise beruht auf der Verlängerung eines CAG-Tripletts im Huntington-Gen auf Chromosom 4.«

Ich setze mich auf und strecke mich. Ich könnte gut einen Kaffee brauchen. »War das alles? Darf ich jetzt wieder zum Spielen raus?«

»Also, ich möchte, dass wir Ihren Kopf scannen, aber nicht heute. Ich mache im Krankenhaus einen Termin für Sie. Kernspin, Computertomografie und Röntgenaufnahmen. Außerdem werde ich Sie noch zu einem Freund von mir schicken. Alan Larson. Er hat ein Schlaflabor hier auf dem Campus.«

»So eine Freude«, sage ich und stehe langsam auf, damit mir das Blut nicht zu schnell in den Kopf schießt. Kendrick neigt den Kopf und blickt zu mir auf. Seine Augen kann ich nicht erkennen, aus diesem Winkel sehen seine Brillengläser aus wie glänzende undurchdringliche Scheiben. »Es ist tatsächlich eine Freude«, bestätigt er.

»So ein großes Rätsel, und endlich haben wir die Mittel, um herauszufinden...«

»Um was herauszufinden?«

»Was immer es ist. Was immer Sie sind.« Kendrick lächelt, und mir fällt auf, wie vergilbt und unregelmäßig seine Zähne sind. Er steht auf, streckt mir die Hand entgegen und ich schüttle sie, danke ihm. Eine verlegene Pause tritt ein: Nach den Vertraulichkeiten des Nachmittags sind wir wieder Fremde. Ich verlasse die Praxis, gehe die Treppe hinunter und hinaus auf die Straße, wo die Sonne auf mich gewartet hat. Was immer ich bin. Was bin ich? *Was bin ich?*

EIN SEHR KLEINER SCHUH

Frühling 1996 (Clare ist 24, Henry 32)

CLARE: Als Henry und ich ungefähr zwei Jahre verheiratet waren, wollten wir ausprobieren, ohne viel darüber zu reden, ob wir ein Kind bekommen können. Ich wusste, dass Henry unsere Chancen nicht sehr optimistisch einschätzte, und fragte weder ihn noch mich nach den Gründen, weil ich befürchtete, dass er uns in der Zukunft kinderlos gesehen hatte, und davon wollte ich einfach nichts wissen. Ich wollte auch nicht darüber nachdenken, ob Henrys Schwierigkeiten mit dem Zeitreisen erblich sein und unseren Kinderwunsch durchkreuzen könnten. Ich dachte also über viele wichtige Dinge einfach nicht nach, weil ich von der Vorstellung, ein Kind zu haben, völlig berauscht war: Ein Baby, das ein bisschen wie Henry aussehen würde, schwarze Haare, leuchtende Augen, dazu vielleicht meine Blässe und eine Haut, die nach Milch und Puder duftet, eine Art Wonneproppen, der über alles gluckst und lacht, ein süßes Kind, ein kleines gurrendes Baby. Ich träumte von Babys. In meinen Träumen kletterte ich immer wieder auf einen Baum und fand einen winzigen Schuh im Nest. Plötzlich merkte ich, dass die Katze, das Buch, das Sandwich oder was ich auch gerade in der Hand hielt, in Wirklichkeit ein Baby war; ich schwamm in einem See und entdeckte eine Baby-Kolonie auf dem Grund.

Mit einem Mal sah ich überall nur noch Babys: Ein niesendes rothaariges Mädchen mit einem Sonnenhut im Supermarkt; einen kleinen chinesischen Jungen mit großen Augen, Sohn der Besitzer im Goldenen Wok (der Heimat von himmlischen vegetarischen Frühlingsrollen); ein schlafendes, fast kahlköpfiges Kind in einem *Batman*-Film. In einer Umkleidekabine bei JCPenney ließ mich eine äußerst vertrauensselige Frau ihr drei Monate altes Töchterchen halten. Ich musste mich zusammenreißen, damit ich auf dem rosabeigen Stuhl sitzen blieb und nicht aufsprang und wie von Sinnen davonlief, das winzige weiche Wesen an meine Brust gedrückt.

Mein Körper wollte ein Kind. Ich fühlte mich leer, ich wollte ausgefüllt sein. Ich wollte jemanden lieben, der bei mir blieb – der immer blieb und da war. Und ich wollte, dass Henry in diesem Kind war, damit er, wenn er verschwand, nicht vollständig verschwunden war, damit ein Teil von ihm bei mir wäre ... Versicherung gegen Feuer, Flut und höhere Gewalt.

Sonntag, 2. Oktober 1996 (Henry ist 33)

HENRY: Ich sitze sehr gemütlich und zufrieden auf einem Baum in Appleton, Wisconsin, im Jahr 1966, esse ein Thunfisch-Sandwich und trage ein weißes T-Shirt zu einer Baumwollhose, die ich jemandem aus seiner herrlich frischen, an der Sonne getrockneten Wäsche gestohlen habe. Irgendwo in Chicago bin ich drei, meine Mutter lebt noch, und dieses verkorkste Chrono-Chaos hat noch nicht begonnen. Ich grüße mein früheres Ich, und der Gedanke an mich als Kind bringt mich unweigerlich auf Clare und unsere Bemühungen, ein Kind zu zeugen. Einerseits bin ich völlig dafür, möchte ich Clare ein Kind schenken und sie reifen sehen, wie eine fleischige Melone, eine prachtvolle Demeter. Ich wünsche mir ein normales Baby, das tut, was normale Babys tun: Nuckeln, greifen, scheißen, schlafen, lachen, herumrollen, sich aufsetzen, gehen und unsinniges Zeug plappern. Ich möchte meinen Vater sehen, wie er unbeholfen sein kleines Enkelkind im Arm wiegt. Ich habe meinem Vater so wenig Freude gemacht – das wäre eine große Wiedergutmachung, ein Lichtblick. Und auch ein Lichtblick für Clare, denn immer, wenn ich ihr entrissen werde, bliebe ein Teil von mir bei ihr.

Aber: aber. Ich weiß, ohne es wissen zu können, dass es sehr unwahrscheinlich ist. Ich weiß, dass ein Kind von mir mit allergrößter Wahrscheinlichkeit dazu prädestiniert wäre, sich spontan in Luft aufzulösen, ein auf magische Weise verschwindendes Kind, wie von Feen davongetragen. Und obgleich ich darum bete, das Wunder der Sexualität möge uns ein Kind bescheren, wenn ich in höchstem Verlangen keuchend und stöhnend über Clare liege, so betet ein Teil von mir ebenso flehentlich, es möge uns erspart bleiben. Ich denke oft an die Geschichte von der Affenpfote und den drei Wünschen, die sich so konsequent und grausam auseinander ergaben. Ich möchte wissen, ob es sich mit unserem Wunsch ähnlich verhält.

Ich bin ein Feigling. Ein besserer Mann würde Clare an den Schultern packen und sagen: Liebling, das alles ist ein Fehler, wir müssen uns damit abfinden, lass uns weitergehen und glücklich sein. Aber ich weiß, Clare könnte sich nicht damit abfinden, sie würde immerzu traurig sein. Daher hoffe ich entgegen jeder Hoffnung, entgegen jeder Vernunft und schlafe mit Clare, als wenn am Ende doch etwas Gutes dabei herauskommen könnte.

EINS

Montag, 3. Juni 1996 (Clare ist 25)

CLARE: Als es das erste Mal passiert, ist Henry fort. Ich bin in der achten Schwangerschaftswoche. Mein Baby ist so groß wie eine Pflaume, hat ein Gesicht, Hände, ein schlagendes Herz. Es ist früher Abend, Frühsommer, und im Westen sehe ich dunkelrot- und orangefarbene Wolken, während ich Geschirr abwasche. Henry ist vor fast zwei Stunden verschwunden. Er wollte draußen den Rasen sprengen, und als ich eine halbe Stunde später merkte, dass der Sprinkler immer noch nicht lief, rannte ich zur Hintertür und sah den verräterischen Kleiderhaufen bei der Weinlaube. Ich ging hinaus, hob Henrys Jeans, die Unterwäsche und das zerschlissene Kill-Your-Television-T-Shirt auf, faltete die Sachen zusammen und legte sie aufs Bett. Ich überlegte, ob ich den Sprinkler anstellen sollte, ließ es aber sein, weil ich mir sagte, dass Henry nicht begeistert wäre, wenn er im Garten auftaucht und nass wird.

Ich habe mir Makkaroni mit Käse und einen kleinen Salat dazu gemacht und gegessen, habe meine Vitamine eingenommen und ein großes Glas Magermilch getrunken. Beim Abwaschen summe ich und stelle mir vor, wie das kleine Wesen in meinem Bauch das Summen hört und es auf einer subtilen zellulären Ebene für sein späteres Leben abspeichert. Und wie ich so dastehe und sorgfältig die Salatschüssel abwasche, spüre ich irgendwo tief in meinem Inneren, irgendwo in meinem Becken ein leichtes Stechen. Zehn Minuten später – ich sitze im Wohnzimmer und lese Louis DeBernieres – ist es wieder da, ein kurzes hartes Ziehen an meinen inneren Saiten. Ich ignoriere es. Alles ist gut. Henry ist jetzt schon über zwei Stunden weg. Eine Sekunde lang mache ich mir Sorgen um ihn, schiebe dann auch das energisch von mir. Ernsthafte Sorgen mache ich mir erst ungefähr eine halbe Stunde später, weil das komische kleine Ziehen nun Menstruationskrämpfen gleicht und ich außerdem klebriges Blut zwischen den Beinen spüre, so dass ich aufstehe und ins Badezimmer gehe und meine Unterhose nach unten ziehe und da ist alles voll Blut.

Ich rufe Charisse an. Gomez ist am Apparat. Ich versuche normal zu klingen, frage nach Charisse, die ans Telefon kommt und sofort fragt: »Was ist los?«

»Ich blute.«

»Wo ist Henry?«

»Ich weiß nicht.«

»Was für eine Blutung?«

»Wie eine Periode.« Die Schmerzen werden stärker, ich setze mich auf den Boden. »Kannst du mich ins Illinois Masonic fahren?«

»Bin gleich da, Clare.« Sie hängt ein, und ich lege den Hörer behutsam auf die Gabel, so als könnte ich seine Gefühle verletzen, wenn ich ihn zu grob behandle. Vorsichtig komme ich auf die Füße, suche meine Handtasche. Ich will Henry eine Nachricht hinterlassen, weiß aber nicht so recht, wie ich es formulieren soll. Ich schreibe: »Bin im IL Masonic. (Krämpfe.) Charisse hat mich gefahren. 19.20 Uhr. C.« Ich lasse die Hintertür für Henry offen und lege den Zettel neben das Telefon. Ein paar Minuten später steht Charisse vor der Haustür. Als wir zum Auto gehen, wartet Gomez hinterm Steuer. Wir reden nicht viel. Ich sitze auf dem Beifahrersitz, sehe aus dem Fenster. Über die Western zur Belmont zur Sheffield zur Wellington. Alles ist ungewöhnlich scharf und klar, als müsste ich mich erinnern, als käme gleich ein Test. Gomez biegt in die Haltezone der Notaufnahme ein. Charisse und ich steigen aus. Ich drehe mich zu

Gomez um, der kurz lächelt und davonröhrt, um das Auto zu parken. Wir gehen durch Türen, die sich auf Fußdruck automatisch öffnen, wie in einem Märchen, als würde man uns erwarten. Der Schmerz hat sich zurückgezogen wie eine Ebbe und nun brandet er wieder zur Küste, frisch und ungestüm. Ein paar Leute sitzen klein und elend in dem hell erleuchteten Raum, sie warten, dass sie an die Reihe kommen, umschließen ihren Schmerz mit gesenkten Köpfen und verschränkten Armen, und ich sinke zwischen ihnen nieder. Charisse geht zu dem Mann, der hinter dem Triage-Tisch sitzt. Ich kann nicht verstehen, was sie sagt, aber als ich sein fragendes »Fehlgeburt?« höre, wird mir klar, das ist mein Problem, so nennt man das, und das Wort macht sich in meinem Kopf breit, bis es noch den letzten Winkel ausfüllt, bis es jeden anderen Gedanken verdrängt. Ich fange zu weinen an.

Nachdem sie alles in ihrer Macht Stehende getan haben, geschieht es trotzdem. Später finde ich heraus, dass Henry kurz vor dem Ende eintraf, aber sie wollten ihn nicht zu mir lassen. Ich habe geschlafen, und als ich aufwache, ist es spätnachts und Henry ist da. Bleich, hohläugig, er sagt kein Wort. »Oh«, flüstere ich, »wo warst du?«, und Henry beugt sich über mich, nimmt mich vorsichtig in den Arm. Ich spüre seine Bartstoppeln an meiner Wange und bin wund gerieben, nicht auf der Haut, sondern tief in mir drin öffnet sich eine Wunde, und Henrys Gesicht ist nass, aber mit wessen Tränen?

Donnerstag, 13. Juni und Freitag, 14. Juni 1996
(Henry ist 32)

HENRY: Ich komme erschöpft im Schlaflabor an, wie Dr. Kendrick es verlangt hat. Es ist meine fünfte Nacht hier, inzwischen kenne ich den Ablauf. In Pyjama-Hose sitze ich auf dem Bett in dem sonderbaren nachgeahmten Schlafzimmer, während mir Dr. Larsens medizinisch-technische Assistentin Karen ein Gel auf Kopf und Brust schmiert und Elektroden auf die Messpunkte platziert. Karen ist eine junge blonde Vietnamesin, die lange falsche Fingernägel trägt und: »Ups, tut mir Leid«, sagt, wenn sie mit einem davon über meine Wange ratscht. Die Lichter sind gedämpft, der Raum ist kühl. Es gibt keine Fenster, nur eine auf einer Seite durchsichtige Glasscheibe, die wie ein Spiegel aussieht und hinter der Dr. Larson sitzt oder wer immer heute Abend die Geräte bewacht. Karen beendet die Verkabelung, wünscht mir eine gute Nacht und verlässt das Zimmer. Vorsichtig lege ich mich im Bett zurecht, schließe die Augen und stelle mir vor, wie auf der anderen Glasseite spinnenbeinige Kurven auf langen Strömen von Millimeterpapier meine Augenbewegungen, Atmungen und Hirnwellen registrieren.

Ich träume vom Laufen. Ich laufe durch Wälder, dichtes Gebüsch, Bäume, aber irgendwie laufe ich durch alles hindurch, durchquere es wie ein Geist. Ich platze auf eine Lichtung, dort war ein Feuer ...

Ich träume, dass ich mit Ingrid schlafe. Ich weiß, es ist Ingrid, obwohl ich ihr Gesicht nicht sehen kann, es ist Ingrids Körper, ihre langen glatten Beine. Wir schlafen im Haus ihrer Eltern miteinander, im Wohnzimmer auf der Couch, der Fernseher ist an, es läuft eine Naturdokumentation, in der eine Antilopenherde rennt, und dann folgt eine Parade. Clare sitzt auf einem winzigen Festwagen, sie sieht traurig aus, während die Leute um sie herum alle jubeln. Plötzlich springt Ingrid auf, zieht Pfeil und Bogen hinter der Couch hervor und schießt auf Clare. Der Pfeil trifft direkt in den Fernseher, und Clare schlägt die Hände auf die Brust wie Wendy in einer Stummfilmversion von *Peter Pan*, und ich springe auf, ich würge Ingrid, meine Hände sind um ihren Hals, ich brülle sie an ...

Dann wache ich auf. Ich spüre kalten Schweiß, mein Herz hämmert. Ich bin im Schlaflabor. Einen Moment lang frage ich mich, ob sie mir vielleicht etwas verschweigen, ob sie meine Träume irgendwie beobachten, meine Gedanken sehen können. Ich drehe mich auf die Seite, schließe die Augen.

Ich träume, dass Clare und ich durch ein Museum wandern. Das Museum ist ein alter Palast, die Gemälde hängen in goldenen Rokokorahmen, und die anderen Besucher tragen alle hohe gepuderte Perücken und bauschige Kleider, Gehröcke und Kniehosen. Sie scheinen uns nicht wahrzunehmen. Wir sehen uns die Gemälde an, aber es sind keine richtigen Gemälde, sondern Gedichte – Gedichte, irgendwie umgesetzt in reale Erscheinung. »Sieh nur«, sage ich zu Clare, »da ist ein Emily Dickinson.« *Das Herz sucht Lust – zuerst / Und dann – Erlass von Leid.* Sie steht vor dem hellgelben Gedicht und scheint sich daran zu wärmen. Wir sehen Dante, Donne, Blake, Neruda und Bishop, verweilen in einem Saal voll Rilkes, durchqueren schnell den Saal mit den Beatniks und stehen vor Verlaine und Baudelaire. Auf einmal merke ich, dass ich Clare verloren habe, ich gehe, renne zurück durch die Galerien und finde sie wieder: Sie steht vor einem Gedicht, einem winzigen weißen Gedicht, das versteckt in einer Ecke hängt. Sie weint. Als ich hinter ihr stehen bleibe, erkenne ich die Zeilen: *Müde bin ich, geh zur Ruh, schließe beide Äuglein zu. Vater, lass die Augen dein über meinem Bette sein.*

Ich strample im Gras, es ist kalt, Wind fegt über mich hinweg, ich bin nackt und friere in der Dunkelheit, auf der Erde liegt Schnee, ich bin auf Knien im Schnee, Blut tropft auf den Schnee und ich strecke die Hand aus...

»Mein Gott, er blutet...«

»Um Himmels willen, wie ist das passiert?«

»Mist, er hat sich alle Elektroden abgerissen, hilf mir, ihn wieder aufs Bett zu heben...«

Ich öffne die Augen. Kendrick und Dr. Larson kauern über mir. Dr. Larson sieht verwirrt und besorgt aus, Kendrick aber lächelt triumphierend.

»Haben Sie es mitbekommen?«, frage ich, und er antwortet: »Es war perfekt.«

»Großartig«, sage ich, dann werde ich ohnmächtig.

ZWEI

Sonntag, 12. Oktober 1997 (Henry ist 34, Clare 26)

HENRY: Ich wache auf und rieche Eisen, aber es ist Blut. Überall ist Blut, und mittendrin liegt Clare eingerollt wie eine kleine Katze.

Ich schüttle sie, und sie sagt: »Nein.«

»KommschonClarewachaufdublutest.«

»Ich habe geträumt...«

»Clare, *bitte*...«

Sie setzt sich auf. Ihre Hände, ihr Gesicht, ihr Haar sind blutgetränkt. Clare streckt ihre Hand aus, auf der ein winziges Monster liegt. »Es ist gestorben«, sagt sie nur und bricht in Tränen aus. Wir sitzen zusammen auf dem blutbesudelten Bettrand, halten uns in den Armen und weinen.

Montag, 16. Februar 1998 (Clare ist 26, Henry 34)

CLARE: Henry und ich wollen gerade nach draußen gehen. Es schneit schon den ganzen Nachmittag, und ich ziehe meine Stiefel an, als das Telefon läutet. Henry geht durch den Flur ins Wohnzimmer und hebt ab. »Hallo!«, höre ich ihn sagen, und dann »Tatsächlich?« und dann »Ist ja toll!« Dann sagt er: »Moment, ich hol mir was zu schreiben...«, und es folgt ein langes Schweigen, hin und wieder unterbrochen von einem »Moment, das müssen Sie mir erklären«. Schließlich ziehe ich Stiefel und Mantel aus, tappe auf Strümpfen ins Wohnzimmer. Henry sitzt auf dem Sofa, das Telefon wie ein Haustier auf den Oberschenkeln, und macht sich wie wild Notizen. Ich setze mich neben ihn, er grinst mich an. Ich blicke auf den Block, oben auf der Seite steht: 4 Gene: per4, zeitlos1, Clock, neues Gen: Zeitreisender?? Chrom = 17 x 2, 4, 25, 200+ Wiederholungen TAG, geschlechtsspezifisch? nein, + zu viele Dopamin-Rezpt, welche Proteine???... und mir wird klar: Kendrick hat es geschafft! Er hat die Nuss geknackt! Ich kann es nicht fassen. Er hat es geschafft. Was nun?

Henry legt den Hörer auf, dreht sich zu mir. Er sieht so überwältigt aus, wie ich mich fühle.

»Was geschieht als Nächstes?«, frage ich.

»Er will die Gene klonen und sie Mäusen einpflanzen.«

»Was?«

»Er will Mäuse machen, die durch die Zeit reisen. Und dann will er sie heilen.«

Wir beide fangen gleichzeitig zu lachen an, und dann tanzen wir, wirbeln ausgelassen durchs Zimmer, lachen und tanzen, bis wir wieder aufs Sofa fallen und keuchen. Ich sehe Henry an und wundere mich, dass er auf zellulärer Ebene so verschieden, so *anders* ist, dabei ist er doch nur ein Mann in einem weißen Hemd mit Buttondown-Kragen und einer erbsengrünen Jacke, dessen Hand sich nach Haut und Knochen anfühlt, ein Mann, der lächelt wie ein ganz normaler Mensch. *Ich wusste immer, dass er anders ist*, spielt das eine Rolle? Was sind schon ein paar Buchstaben im Code? Aber irgendwie muss es wichtig sein und irgendwie müssen wir es ändern, und irgendwo auf der anderen Seite der Stadt sitzt Dr. Kendrick in seiner Praxis und überlegt, wie er Mäuse machen kann, die den Gesetzen der Zeit trotzen. Ich muss lachen, aber es geht um Leben und Tod, also höre ich zu lachen auf und halte mir die Hand über den Mund.

INTERMEZZO

Mittwoch, 12. August 1998 (Clare ist 27)

CLARE: Endlich ist Mama eingeschlafen. Sie schläft in ihrem eigenen Bett, in ihrem eigenen Zimmer. Letztendlich ist sie dem Krankenhaus entflohen und muss nun feststellen, dass sich ihr Zimmer, ihr Zufluchtsort in ein Krankenhauszimmer verwandelt hat. Aber inzwischen merkt sie es nicht mehr. Die ganze Nacht hat sie geredet, geweint, gelacht, geschrien, gerufen »Philip!« und »Mama!« und »Nein, nein, nein…«. Die ganze Nacht ließen die Zikaden und Baumfrösche meiner Kindheit ihren elektrischen Klangteppich pulsieren. Im Nachtlicht schimmerte Mamas Haut wie Bienenwachs, sie fuchtelte flehentlich mit ihren knochigen Händen und umklammerte das Glas Wasser, das ich ihr an die verkrusteten Lippen hielt. Nun wird es hell. Mamas Fenster blickt nach Osten. Dem Bett zugewandt sitze ich in dem weißen Sessel am Fenster, aber ich sehe nicht hin, sehe nicht zu Mama, so verschwindend klein in ihrem großen Bett, sehe nicht auf die Pillendosen, die Löffel, die Gläser, den Tropf, an dem der prall mit Flüssigkeit gefüllte Beutel hängt, sehe nicht auf die blinkende rote LED-Anzeige, die Bettpfanne, die kleine nierenförmige Schale für Erbrochenes, die Schachtel mit den Latexhandschuhen und den Mülleimer mit der warnenden Aufschrift BIOGEFAHR, voll mit blutigen Spritzen. Ich blicke aus dem

Fenster in Richtung Osten. Ein paar Vögel singen. Ich höre, wie die Tauben in der Glyzinie wach werden. Die Welt ist grau. Langsam sickert Farbe in sie hinein, nicht rosafingrig, sondern wie ein sich langsam ausbreitender blutorangefarbener Fleck, der einen Moment lang über dem Horizont schwebt und dann den Garten überflutet, und dann kommt goldenes Licht, dann ein blauer Himmel, und dann leuchten die Farben alle an dem ihnen zugewiesenen Platz. Die Klettertrompete, die Rosen, der weiße Salbei und die Ringelblumen, alle glänzen im frischen Morgentau wie Glas. Die Äste der Weißbirken am Waldrand sehen aus wie vom Himmel herabhängende Silberfäden. Eine Krähe fliegt über das Gras. Ihr Schatten fliegt unter ihr und stößt mit ihr zusammen, als sie unterm Fenster landet und einmal krächzt. Das Licht findet zum Fenster und belebt meine Hände, meinen Körper, der schwer in Mamas weißem Sessel ruht. Die Sonne ist aufgegangen.

Ich schließe die Augen. Die Klimaanlage surrt. Mir ist kalt. Ich stehe auf, gehe zum anderen Fenster und schalte sie ab. Jetzt ist es ruhig im Zimmer. Ich trete ans Bett. Mama liegt reglos da. Das mühsame Atmen, das mich noch im Traum verfolgte, hat aufgehört. Ihr Mund ist leicht geöffnet, die Augenbrauen hochgezogen, als wäre sie überrascht, obwohl die Augen geschlossen sind; sie könnte auch singen. Ich knie neben dem Bett nieder, schlage die Decke zurück und lege mein Ohr an ihr Herz. Ihre Haut ist noch warm. Nichts. Kein Herz schlägt, kein Blut pulsiert, kein Atem bläht die Segel ihrer Lungen. Stille.

Ich nehme ihren übel riechenden, ausgemergelten Körper in den Arm, und einen ganz kurzen Augenblick lang ist sie vollkommen, ist sie wieder meine vollkommene, wunderschöne Mama, auch wenn ihre spitzen Knochen in meine Brust stoßen und ihr Kopf herunterhängt, auch wenn ihr vom Krebs zerfressener Bauch Fruchtbarkeit mimt, ersteht sie in meiner Erinnerung noch einmal strahlend, lachend, erlöst und: frei.

Schritte im Flur. Die Tür öffnet sich und Ettas Stimme.

»Clare? Oh …«

Ich lege Mama wieder auf die Kissen, streiche ihr Nachthemd glatt, ihre Haare. »Sie ist tot.«

HENRY: Lucille liebte den Garten. Wenn wir in Meadowlark zu Besuch kamen, ging Clare durch die Haustür und gleich weiter nach hinten, auf der Suche nach Lucille, die fast immer im Garten war, bei Wind und Wetter. Wenn es ihr gut ging, kniete sie vor einem Beet, jätete Unkraut, setzte Blumen um oder düngte die Rosen. War sie krank, brachten Etta und Philip sie eingewickelt in Decken herunter und setzten sie in ihren Korbstuhl, mal beim Springbrunnen, mal unterm Birnbaum, wo sie Peter beim Umgraben, Stutzen oder Pfropfen zusehen konnte. War Lucille bei Kräften, unterhielt sie uns mit Ereignissen aus dem Garten: Die Rotkopffinken hatten endlich das neue Futterhäuschen entdeckt, die Dahlien wuchsen hinten bei der Sonnenuhr viel besser als erwartet, die neue Rose blühte in einem schrecklichen Lavendelton, war aber so widerstandsfähig, dass sie davor zurückschreckte, sie loszuwerden. In einem Sommer führten Lucille und Alicia ein Experiment durch: Alicia übte täglich ein paar Stunden Cello im Garten, um herauszufinden, ob die Pflanzen auf Musik reagieren würden. Lucille schwor, dass ihre Tomatenernte noch nie so reich ausgefallen sei, und zeigte uns eine Zucchini vom Umfang meines Oberschenkels. Das Experiment galt demnach als Erfolg, wurde aber nicht wiederholt, weil es der letzte Sommer war, in dem Lucille gesund genug war, um zu gärtnern.

Lucilles Kräfte kamen und gingen mit den Jahreszeiten, wie bei einer Pflanze. Im Sommer, wenn wir alle auftauchten, riss sie sich zusammen, und das Haus hallte vom fröhlichen Geschrei und dem Getrampel von Mark und Sharons Kindern wider, die wie Welpen im Springbrunnen plantschten oder verschwitzt und ausgelassen auf dem Rasen tobten. Lucille war oft schmutzig, aber immer elegant. Sie stand auf und begrüßte uns, die weißen und kupferfarbenen Haare zu einem dicken Knoten aufgerollt, aus dem ihr dicke Strähnen ins Gesicht hingen; die weißen Gartenhandschuhe aus Ziegenleder und Werkzeuge von Smith & Hawkins wurden beiseite geworfen, um unsere Umarmungen entgegenzunehmen. Lucille und ich haben uns immer sehr steif geküsst, auf beide Wangen, wie zwei uralte französische Gräfinnen, die sich lange Zeit nicht gesehen haben. Zu mir war sie immer sehr liebenswürdig, aber ihre Tochter konnte sie mit einem einzigen Blick vernichten. Sie fehlt mir. Und Clare… nun, bei Clare ist »fehlen« das falsche Wort. Clare ist hilflos, sie fühlt sich verlassen. Clare geht in ein Zimmer und vergisst, was sie dort will. Clare sitzt da und starrt eine Stunde lang in ein Buch, ohne eine Seite umzublättern. Aber sie weint nicht. Clare lächelt, wenn ich einen Witz mache. Clare isst, was ich ihr vorsetze. Wenn ich mit ihr schlafen will, bemüht sie sich, mitzumachen … und bald lasse ich sie in Ruhe, aus Angst vor diesem sanften, tränenlosen Gesicht, das meilenweit entfernt scheint. Lucille fehlt mir, aber verlassen fühle ich mich von Clare, die fortgegangen ist und mich mit dieser Fremden zurückgelassen hat, die nur so aussieht wie Clare.

Mittwoch, 26. November 1998 (Henry ist 35, Clare 27)

CLARE: Mamas Zimmer ist weiß und kahl. Verschwunden sind die vielen medizinischen Geräte. Das Bett ist abgezogen bis auf die Matratze, die sich fleckig und hässlich in dem sauberen Raum abhebt. Ich stehe vor Mamas Schreibtisch. Ein schwerer weißer Resopaltisch, modern und fremd in einem sonst zarten, femininen Zimmer voll antiker französischer Möbel. Mamas Schreibtisch steht in einem kleinen Erker, umgeben von Fenstern, durch die sich das Morgenlicht auf seine leere Oberfläche ergießt. Der Schreibtisch ist abgeschlossen. Eine Stunde habe ich vergeblich nach dem Schlüssel gesucht. Ich stütze die Ellbogen auf die Rückenlehne von Mamas Drehstuhl und starre auf den Schreibtisch. Schließlich gehe ich nach unten. Wohn- und Esszimmer sind leer. Aus der Küche dringt Gelächter, also stoße ich die Tür auf. Henry und Nell stehen dicht zusammengedrängt über mehreren Schüsseln, einem Teiglappen und einer Kuchenrolle.

»Vorsicht, junger Mann, Vorsicht! Wenn Sie die so drücken, werden die wie Schuhsohlen. Eine leichte Hand brauchen Sie, Henry, sonst haben Sie später den reinsten Kaugummi.«

»VerzeihungVerzeihungVerzeihung. Ich will ganz locker sein, aber schimpfen Sie mich nicht so. Hey, Clare.« Henry dreht sich um und lächelt, er ist mit Mehl bestäubt.

»Was machst du denn da?«

»Croissants. Ich habe geschworen, die Kunst des Blätterteigfaltens zu erlernen oder bei dem Versuch zu sterben.«

»Ruhe in Frieden, mein Sohn.« Nell grinst.

»Was ist los?«, fragt Henry, während Nell gekonnt eine Teigkugel ausrollt und faltet, einschneidet und in Wachspapier wickelt.

»Ich muss mir Henry ein paar Minuten ausleihen, Nell.« Nell nickt und richtet ihr Nudelholz auf Henry. »In einer Viertelstunde Sind Sie wieder da, dann machen wir die Marinade.«

»Ja, Ma'm.«

Henry folgt mir nach oben. Wir stehen vor Mamas Schreibtisch.

»Ich will ihn öffnen und kann die Schlüssel nicht finden.«

»Ach.« Er wirft mir einen Blick zu, so schnell, dass ich ihn nicht deuten kann. »Tja, nichts leichter als das.« Henry geht aus dem Zimmer und kommt wenig später zurück. Er setzt sich auf den Fußboden vor Mamas Schreibtisch und biegt zwei große Büroklammern gerade. Dann beginnt er bei der linken unteren Schublade, stochert geschickt und vorsichtig mit einer Büroklammer herum, steckt dann die zweite hinterher. »*Voilà*«, sagt er und zieht die Schublade auf. Sie quillt über vor Papier. Henry knackt im Handumdrehen auch die anderen vier Schubladen. Bald stehen sie alle offen, geben ihren Inhalt preis: Notizbücher, lose Blätter, Gartenkataloge, Samentüten, Füller und Bleistiftstummel, ein Scheckheft, eine Zuckerstange, ein Maßband und viele weitere kleine Gegenstände, die jetzt im Tageslicht scheu und verloren wirken. Henry hat nichts in den Schubladen angerührt. Er sieht mich an, fast unwillkürlich werfe ich einen Blick zur Tür, und Henry versteht den Wink. Ich wende mich Mamas Schreibtisch zu.

Die Papiere sind nicht geordnet. Ich setze mich auf den Boden und häufe den Inhalt einer Schublade vor mir auf. Alles mit ihrer Handschrift glätte ich und lege es links neben mich. Einiges davon sind Listen und an sie selbst gerichtete Notizen: *Frag P nicht nach S.* Oder: *Etta erinnern: Freitag Abendessen B.* Seiten über Seiten mit Kritzeleien, Spiralen und Schnörkeln, schwarzen Kreisen und Flecken wie Vogelfüßen. Auf einigen ist ein Satz oder eine Redewendung eingefügt. *Um das Haar mit einem Messer zu teilen.* Und: …

konnte und konnte es einfach nicht tun. Und: *Wenn ich still bin, wird es an mir vorübergehen.* Auf einigen Seiten stehen Gedichte, die so dick markiert und durchgestrichen sind, dass nur wenig übrig bleibt, wie Fragmente von Sappho:

> *Wie altes Fleisch, ~~locker und zart~~,*
> *keine Luft ~~XXXXXX~~ sie sagte ja*
> *~~sie sagte~~ XXXXXXXXXXXXXX*

Oder:

> *seine Hand ~~XXXXXXXXXXXXXX~~*
> *~~XXXXX~~ zu besitzen,*
> *~~XXXXXXXXXXXXXXXXX~~*
> *bis zum Äußersten ~~XXXXXXXXX~~*

Einige Gedichte sind mit Schreibmaschine getippt:

> *Im Moment*
> *ist alle Hoffnung schwach*
> *und klein.*
> *Musik und Schönheit*
> *sind Salz in meiner Traurigkeit;*
> *eine weiße Leere zerreißt mein Eis.*
> *Wer hätte gedacht*
> *dass der Engel des Sex*
> *so traurig ist?*
> *Oder gewusst, dass Begehren*
> *diese weite Winternacht in eine*
> *Flut von Dunkelheit*
> *verwandeln kann.*

> 23.10.79

> *Der Frühlingsgarten:*
> *Ein Sommerschiff*
> *schwimmt durch*
> *mein Winterbild.*

> 6.40.79

1979 war das Jahr, in dem Mama ihr Baby verlor und sich umbringen wollte. Mein Magen schmerzt, und vor meinen Augen verschwimmt alles. Heute weiß ich, was damals in ihr vorging. Ich
nehme alle von ihr beschriebenen Blätter und lege sie beiseite, ohne
noch etwas zu lesen. In einer anderen Schublade finde ich jüngere
Gedichte. Und dann entdecke ich ein Gedicht, das an mich gerichtet ist:

Der Garten Unter Schnee
für clare
nun liegt der Garten unter Schnee
ein weißes Blatt für die Schrift unserer Schritte,
clare, die niemals mir gehörte
sondern immer nur sich selbst
Schneewittchen
eine kristallene Decke
~~sie wartet~~
dies ist ihr Frühling
dies ist ihr Schlafen/Erwachen
sie wartet
alles wartet
~~auf einen Kuss~~
unfassbare Formen von ~~Knollen~~ Wurzeln
~~Nie hätte ich gedacht~~
mein Baby
ihr ~~beinahe~~ Gesicht
ein Garten, wartend

HENRY: Gleich gibt es Abendessen, und da ich Nell im Weg stehe
und sie sagt: »Wollen Sie nicht mal nachsehen, was Ihre Frau so
macht?«, denke ich mir, ich sollte es vielleicht herausfinden.

Clare sitzt auf dem Boden vor dem Schreibtisch ihrer Mutter,
umgeben von weißen und gelben Papieren. Die Schreibtischlampe
wirft einen Lichtkegel um sie, nur ihr Gesicht ist im Schatten; ihre
Haare eine leuchtende kupferrote Aura. Sie blickt zu mir auf, hält
mir ein Blatt Papier hin und sagt: »Sieh mal, Henry, sie hat mir ein

Gedicht geschrieben.« Als ich neben Clare sitze und das Gedicht lese, verzeihe ich Lucille ein bisschen ihre kolossale Selbstsucht und ihr monströses Sterben, dann sehe ich zu Clare. »Wunderschön«, sage ich und sie nickt, einen Augenblick lang überzeugt, dass ihre Mutter sie wirklich geliebt hat. Ich muss daran denken, wie meine Mutter an einem Sommernachmittag nach dem Essen Lieder sang, unserem Spiegelbild im Schaufenster zulächelte, in einem blauen Kleid über den Boden ihrer Garderobe wirbelte. Sie hat mich geliebt. Niemals habe ich an ihrer Liebe gezweifelt. Lucille war flatterhaft wie der Wind. Das Gedicht, das Clare in den Händen hält, ist ein Beweis, unveränderlich, schwarz auf weiß, der Schnappschuss eines Gefühls: Ich betrachte die Papierflut auf dem Boden und bin erleichtert, dass etwas aus diesem Chaos an die Oberfläche gestiegen ist, ein Rettungsboot für Clare.

»Sie hat mir ein Gedicht geschrieben«, sagt Clare noch einmal, voll Staunen. Tränen laufen ihr über die Wangen. Ich nehme sie in den Arm, und sie ist wieder bei mir, meine Frau, Clare, ist nach dem Schiffbruch gesund und wohlbehalten ans rettende Ufer gelangt und weint wie ein kleines Mädchen, dessen Mutter ihr vom Deck des sinkenden Schiffes aus zuwinkt.

SILVESTER, EINS

Freitag, 31. Dezember 1999, 23.55 Uhr
(Henry ist 36, Clare 28)

HENRY: Clare und ich stehen auf einem Dach in Wicker Park, zusammen mit vielen anderen zähen Leuten, die den so genannten Jahrtausendwechsel erwarten. Es ist eine klare Nacht und nicht allzu kalt. Ich kann meinen Atem sehen, meine Ohren und die Nase sind ein bisschen taub. Clare ist in ihren großen schwarzen Schal eingemummelt, und ihr Gesicht wirkt im Mond/Straßenlicht blendend weiß. Das Dach gehört einem Paar aus dem Dunstkreis von Clares Künstlerfreunden. Gomez und Charisse stehen nicht weit entfernt und tanzen ganz langsam in Parkas und Fausthandschuhen zu einer Musik, die nur sie hören. Alle um uns herum sind betrunken und reißen Witze über die Konserven, die sie gehortet haben, über die heldenhaften Maßnahmen, die sie ergriffen haben, um ihre Computer vor der Kernschmelze zu schützen. Ich lächle in mich hinein, wohl wissend, der ganze Jahrtausendunsinn wird spätestens vergessen sein, wenn die Stadtreinigung die Weihnachtsbäume von den Gehwegen abholt.

Wir warten auf den Beginn des Feuerwerks. Clare und ich lehnen an der taillenhohen Brüstung und überblicken die City von Chicago. Wir sehen nach Osten in Richtung Lake Michigan. »Hallo, allesamt«, sagt Clare und winkt mit ihrem Fäustling zum See, nach

South Haven, Michigan. »Schon komisch«, sagt sie. »Dort ist das neue Jahr schon angebrochen. Ich bin sicher, sie liegen alle im Bett.«

Wir befinden uns sechs Stockwerke hoch, und mich überrascht, wie viel ich von hier aus sehen kann. Unser Haus in Lincoln Square liegt irgendwo nordwestlich, in unserem Viertel ist es ruhig und dunkel. Die Innenstadt im Südosten funkelt und glitzert. Einige große Gebäude sind noch weihnachtlich geschmückt und zeigen grüne und rote Lichter in den Fenstern. Der Sears Tower und das John Hancock Center starren sich über die Köpfe der kleineren Wolkenkratzer hinweg an wie zwei Riesenroboter. Ich kann fast das Gebäude sehen, in dem ich gewohnt habe, als ich Clare kennen lernte, in der North Dearborn, aber es wird von einem höheren und hässlicheren Haus verdeckt, das sie vor einigen Jahren daneben gebaut haben. In Chicago gibt es so viel herausragende Architektur, dass man sich hin und wieder verpflichtet fühlt, einiges davon abzureißen und stattdessen grässliche Gebäude zu errichten, was uns lediglich darin bestärkt, die schönen Bauten umso mehr zu schätzen. Es herrscht nicht viel Verkehr; alle wollen um Mitternacht irgendwo sein, nur nicht auf der Straße. Hier und da explodiert ein Knallkörper, dazwischen vereinzelte Schüsse von Schwachköpfen, die offenbar vergessen, dass Schusswaffen mehr anrichten können als Krach. »Mir ist kalt«, sagt Clare und sieht auf ihre Uhr. »Noch zwei Minuten.« Ausbrechendes Jubelgeschrei in der Nachbarschaft zeigt, dass bei einigen die Uhren vorgehen.

Ich denke an Chicago im nächsten Jahrhundert. Noch mehr Menschen, viel mehr. Ein Wahnsinnsverkehr, aber weniger Schlaglöcher. Es wird ein scheußliches Gebäude im Grant Park geben, das aussieht wie eine explodierende Cola-Dose; die West Side wird sich langsam aus der Armut erheben, die South Side wird weiter verfallen. Schließlich werden sie das Wrigley-Field-Stadion abreißen und ein hässliches Riesenmonstrum bauen, aber fürs Erste steht das alte noch hell erleuchtet im Nordosten.

Gomez beginnt mit dem Countdown: »Zehn, neun, acht…«, und wir alle stimmen ein: »Sieben, sechs, fünf, vier, DREI! ZWEI! EINS! *Frohes neues Jahr*!« Sektkorken knallen, Feuerwerkskörper zünden und zerplatzen am Himmel, und Clare und ich sinken uns in die Arme. Die Zeit steht still, und ich hoffe auf schönere Dinge.

DREI

Samstag, 13. März 1999 (Henry ist 35, Clare 27)

HENRY: Charisse und Gomez haben ihr drittes Kind bekommen, Rosa Evangeline Gomolinski. Wir lassen eine Woche verstreichen, bevor wir mit Geschenken und Lebensmitteln über sie herfallen.

Gomez öffnet die Tür. Maximilian, drei Jahre alt, klammert sich an sein Bein und versteckt, als wir »Hallo Max!« zu ihm sagen, das Gesicht hinter Gomez' Knie. Joseph, der mit einem Jahr etwas extrovertierter ist, rennt »Ba ba ba« plappernd zu Clare und rülpst laut, als sie ihn hochhebt. Gomez verdreht die Augen, worauf Clare lacht, und Joe lacht, und auch ich muss über das totale Chaos lachen. Das Haus sieht aus, als wäre ein Gletscher mit einem Spielzeugladen im Inneren hindurchgefegt und hätte Haufen von Legosteinen und herrenlosen Teddybären hinterlassen.

»Schaut euch nicht um«, sagt Gomez. »Hier ist alles unwirklich. Wir testen gerade eins von Charisses virtuellen Realityspielen. Wir nennen es ›Elternschaft‹.«

»Gomez?« Charisses Stimme dringt aus dem Schlafzimmer. »Sind Clare und Henry da?«

Wir defilieren durch den Flur und ins Schlafzimmer. Unterwegs erhasche ich einen Blick in die Küche. Eine Frau mittleren Alters steht an der Spüle und wäscht ab.

Charisse liegt im Bett, ihr schlafendes Töchterchen in den Armen. Sie ist winzig, hat schwarze Haare und irgendwie aztekische Gesichtszüge. Max und Joe haben helle Haare. Charisse sieht schrecklich aus (in meinen Augen. Clare behauptet später, sie habe »wunderschön« ausgesehen). Sie hat schwer zugenommen, wirkt ausgelaugt und krank. Sie hatte einen Kaiserschnitt. Ich setze mich auf den Stuhl. Clare und Gomez lassen sich auf dem Bett nieder. Max klettert zu seiner Mutter und kuschelt sich unter ihren freien Arm. Er starrt mich an und steckt den Daumen in den Mund. Joe sitzt auf Gomez' Schoß.

»Sie ist wunderschön«, sagt Clare. Charisse lächelt. »Und du siehst auch großartig aus.«

»Ich fühl mich beschissen«, entgegnet Charisse. »Aber jetzt bin ich durch. Wir haben unser Mädchen.« Sie streichelt das kleine Gesicht, und Rosa gähnt und hebt eine winzige Hand. Ihre Augen sind dunkle Schlitze.

»Rosa Evangeline«, flötet Clare dem Baby zu. »Das klingt so hübsch.«

»Gomez wollte sie Mittwoch nennen, aber ich war strikt dagegen«, sagt Charisse.

»Na ja, sie kam sowieso an einem Donnerstag zur Welt«, erklärt Gomez.

»Willst du mal?« Clare nickt, und Charisse gibt ihr vorsichtig die kleine Rosa in den Arm.

Clare mit einem Baby in den Armen zu sehen beschwört die traurige Realität unserer Fehlgeburten in mir herauf, und einen Augenblick lang fühle ich mich wie benommen. Ich hoffe nur, dass ich nicht gleich durch die Zeit reise. Doch das Gefühl lässt nach, und was bleibt, ist die Wirklichkeit unserer letzten Monate: Wir haben Kinder verloren. Wo sind sie, diese verlorenen Kinder, wandern oder schweben sie verwirrt umher?

»Henry, möchtest du mal Rosa halten?«, fragt mich Clare.

Ich werde panisch. »Nein«, erwidere ich, etwas zu bestimmt. »Mir geht's nicht besonders gut«, füge ich erklärend hinzu. Dann stehe ich auf und gehe aus dem Schlafzimmer, durch die Küche und zur Hintertür hinaus in den Garten. Es regnet leicht. Ich atme tief durch.

Die hintere Tür schlägt zu. Gomez kommt heraus und stellt sich zu mir.

»Alles in Ordnung?«, fragt er.

»Glaub schon. Da drinnen kriegt man Platzangst.«

»Klar, ich weiß, was du meinst.«

Eine ganze Weile stehen wir da und schweigen. Ich versuche mich daran zu erinnern, wie mein Vater mich im Arm hielt, als ich klein war, aber mir fällt nur ein, wie ich mit ihm gespielt und gelacht habe, wie ich mit ihm gelaufen und auf seinen Schultern geritten bin. Mir ist bewusst, dass Gomez mich ansieht und dass mir Tränen die Wangen hinablaufen. Ich wische mir mit dem Ärmel übers Gesicht. Jemand muss das Schweigen jetzt brechen.

»Kümmere dich nicht um mich«, sage ich.

Gomez macht eine unbeholfene Geste. »Bin gleich wieder da«, sagt er und verschwindet ins Haus. Ich gehe davon aus, dass er nicht mehr kommt, aber er erscheint wieder mit einer brennenden Zigarette in der Hand. Ich setze mich auf den altersschwachen Picknicktisch, der feucht vom Regen und mit Kiefernnadeln übersät ist. Es ist kalt hier draußen.

»Versucht ihr immer noch, ein Kind zu zeugen?«

Seine Bemerkung verblüfft mich, bis mir klar wird, dass Clare vermutlich Charisse alles erzählt, während Charisse vermutlich Gomez nichts erzählt.

»Sicher.«

»Ist Clare mittlerweile über die Fehlgeburt hinweg?«

»Fehlgeburten. Mehrzahl. Wir hatten drei.«

»Ein Kind zu verlieren, Mr DeTamble, mag als Pech durchgehen, aber drei zu verlieren riecht nach Leichtsinn.«

»Das ist wirklich nicht sehr komisch, Gomez.«

»Entschuldige.« Gomez scheint sich ausnahmsweise einmal für etwas zu schämen. Ich will nicht über das Thema sprechen. Mir fehlen die Worte, um darüber zu reden, ich kann mich kaum mit Clare darüber unterhalten oder mit Kendrick und den anderen Ärzten, vor deren Füßen wir unseren traurigen Fall ausgebreitet haben. »Entschuldige«, wiederholt Gomez.

Ich stehe auf. »Gehen wir wieder rein.«

»Ach, die brauchen uns nicht, die wollen über Frauensachen reden.«

»Also gut, reden wir über Baseball. Was sagst du zu den Cubs?« Ich setze mich wieder hin.

»Halt die Klappe.« Wir sind beide keine Baseballfans. Gomez tigert hin und her. Ich wünschte, er würde damit aufhören oder noch besser, ins Haus gehen. »Wo liegt denn das Problem?«, fragt er beiläufig.

»Bei wem? Den Cubs? Schlechte Werfer, würde ich sagen.«

»Nein, lieber Bücherknecht, ich meine nicht die Cubs. Wo liegt das Problem, dass du und Clare *sans* Kinder seid?«

»Das geht dich wirklich nichts an, Gomez.«

»Wissen sie überhaupt, wo das Problem liegt?«, bohrt er ungerührt weiter.

»Fahr zur Hölle, Gomez.«

»Tztz. Aber, aber. Ich kenne da nämlich eine großartige Ärztin…«

»Gomez…«

»Die auf fetale Chromosomenstörungen spezialisiert ist.«

»Woher um alles in der Welt kennst ausgerechnet du eine…«

»Sie tritt als Sachverständige bei Gericht auf.«

»Aha.«

»Sie heißt Amit Montague«, fährt er fort, »und ist ein Genie. Sie war schon im Fernsehen und hat alle möglichen Preise gewonnen. Die Geschworenen lieben sie.«

»Oh, na, wenn die Geschworenen sie lieben…«, setze ich sarkastisch an.

»Geh einfach zu ihr und sprecht mit ihr. Himmel, ich will doch nur helfen.«

Ich seufze. »In Ordnung. Danke.«

»Heißt das ›Danke, wir rennen gleich los und folgen deinem Rat, lieber Genosse‹, oder ›Danke, fick dich doch selbst‹?«

Ich stehe auf, wische mir feuchte Kiefernnadeln vom Hosenhintern. »Gehen wir rein«, sage ich, und das tun wir.

VIER

Mittwoch, 21. Juli 1999/8. September 1998 (Henry ist 36, Clare 28)

HENRY: Wir liegen im Bett. Clare hat sich auf der Seite mit dem Rücken zu mir eingerollt, ich bin an sie geschmiegt und blicke auf ihren Rücken. Es ist ungefähr zwei Uhr morgens, und nach einer langen und sinnlosen Diskussion über unser Fortpflanzungsdrama haben wir eben das Licht ausgemacht. Nun liege ich an Clare gepresst da, meine Hand umfasst ihre rechte Brust, und ich möchte klären, ob wir beide noch an einem Strang ziehen oder ob Clare mich schon irgendwie abgeschrieben hat.

»Clare«, sage ich leise in ihren Hals.

»Mmm?«

»Wir adoptieren ein Kind.« Schon seit Wochen, Monaten habe ich darüber nachgedacht. Mir scheint das ein brillanter Fluchtweg: Dann werden wir ein Kind haben, das gesund ist. Clare wird gesund sein. Wir werden glücklich sein. Es ist die nahe liegendste Lösung.

»Aber das wäre nicht richtig«, entgegnet Clare. »Wir würden uns damit etwas vormachen.« Sie setzt sich auf, dreht sich zu mir, und ich tue es ihr gleich.

»Es wäre ein Kind, das uns gehört. Wieso würden wir uns damit etwas vormachen?«

»Ich habe es satt, so zu tun als ob. Ständig machen wir uns etwas vor. Ich möchte es wirklich erleben.«

»Wir machen uns nicht ständig etwas vor. Wovon redest du überhaupt?«

»Wir tun so, als wären wir normale Leute, die ein normales Leben führen! Ich tue so, als wäre es absolut in Ordnung für mich, dass du immer weiß Gott wohin verschwindest. Du tust so, als wäre nichts, obwohl du fast umkommst, und Kendrick nicht weiß, was er dagegen unternehmen kann! Ich tue so, als würde es mir nichts ausmachen, wenn unsere Babys sterben…« Sie beugt sich nach vorn und schluchzt, ihre Haare verdecken ihr Gesicht wie ein seidener Vorhang, der sie beschützt.

Ich bin es leid zu weinen. Ich bin es leid, Clare weinen zu sehen. Ihre Tränen machen mich hilflos, ich kann nichts tun, das etwas ändern würde.

»Clare…« Ich will sie berühren, will sie trösten, will mich trösten, aber sie stößt mich weg. Ich steige aus dem Bett und schnappe mir meine Sachen. Im Badezimmer ziehe ich mich an. Dann nehme ich Clares Schlüssel aus ihrer Handtasche und ziehe mir Schuhe an. Clare erscheint im Flur.

»Wo willst du hin?«

»Ich weiß nicht.«

»Henry…«

Ich gehe zur Tür hinaus und knalle sie hinter mir zu. Es tut gut, an der Luft zu sein. Ich weiß nicht mehr, wo unser Auto steht. Dann entdecke ich es auf der anderen Straßenseite. Ich laufe hinüber und steige ein.

Ursprünglich wollte ich nur im Auto schlafen, aber kaum sitze ich drin, kommt mir der Gedanke, irgendwohin zu fahren. Der Strand: Ich werde an den Strand fahren. Ich weiß, das ist keine gute Idee. Ich bin müde, ich bin verärgert, es wäre Irrsinn, jetzt zu fahren … aber ich habe einfach Lust dazu. Die Straßen sind leer. Ich starte das Auto, es erwacht lärmend zum Leben. Es dauert eine Weile, bis ich aus der Parklücke herauskomme. Im vorderen Fenster taucht Clares Gesicht auf. Soll sie sich ruhig Sorgen machen. Ausnahmsweise ist es mir egal.

Ich fahre die Ainslie zur Lincoln Avenue, biege auf die Western ab und fahre Richtung Norden. Es ist einige Zeit her, seit ich allein mitten in der Nacht, zumal in der Gegenwart, unterwegs war, und ich kann mich nicht einmal mehr daran erinnern, wann ich zum letzten Mal ohne zwingenden Grund Auto gefahren bin. Aber es ist schön. Ich rausche am Rosehill Friedhof vorbei und durch den langen Korridor von Autohandlungen. Ich schalte das Radio ein, drücke die einprogrammierten Sender bis zu WLUW, wo Coltrane läuft, so dass ich lauter stelle und das Fenster herunterkurble. Der Lärm, der Wind, die tröstliche Abfolge von Ampeln und Straßenlampen machen mich ruhig, narkotisieren mich, und nach einiger Zeit vergesse ich, warum ich überhaupt hier draußen bin. An der Grenze nach Evanston biege ich auf die Ridge Avenue und nehme dann die Dempster zum See. In der Nähe der Lagune parke ich, lasse den Schlüssel im Zündschloss stecken, steige aus und gehe zu Fuß weiter. Es ist kühl und sehr ruhig. Ich laufe über den Pier, bleibe ganz am Ende stehen, blicke an der Uferlinie entlang nach Chicago, das unter seinem orangen und purpurroten Himmel gleißt.

Ich bin das alles so leid. Ich will nicht mehr über den Tod nachdenken. Ich will keinen Sex mehr als Mittel zum Zweck. Und ich habe Angst davor, wo das alles noch endet. Ich weiß nicht, wie viel Druck von Clares Seite ich noch ertragen kann.

Was bedeuten diese Fötusse, diese Embryonen, diese Zellklumpen, die wir ständig produzieren und verlieren? Sind sie wirklich wichtig genug, um Clares Leben zu riskieren, um jeden Tag mit Verzweiflung zu trüben? Die Natur will, dass wir aufgeben, die Natur sagt: Henry, du bist ein verkorkster Organismus, wir wollen nicht noch mehr von deiner Sorte. Und ich bin bereit, mich zu fügen.

Ich habe mich in der Zukunft nie mit einem Kind gesehen. Und auch wenn ich ziemlich viel Zeit mit meinem jüngeren Ich verbrachte, auch wenn ich viel Zeit mit Clare als Kind verbringe, habe ich nicht das Gefühl, dass meinem Leben ohne eigenen Nachwuchs von mir etwas fehlen würde. Keines meiner künftigen Ichs hat mich je dazu ermuntert, mich ständig mit diesem Thema herumzuschlagen.

Vor einigen Wochen bin ich sogar schwach geworden und habe gefragt; im Magazin der Newberry lief ich meinem Ich über den Weg, einem Ich aus 2004. *Werden wir jemals ein Kind haben?*, wollte ich wissen. Mein Ich lächelte nur und zuckte die Achseln. *Das musst du schon selbst erleben, tut mir Leid*, erwiderte er, selbstgefällig und mitfühlend. *Oh, mein Gott, bitte sag's mir*, rief ich mit erhobener Stimme, aber er hob nur die Hand und verschwand. *Arschloch*, sagte ich laut, und Isabelle streckte den Kopf zur Sicherheitstür herein und fragte mich, warum ich im Magazin so brülle und ob mir eigentlich klar sei, dass man mich im Lesesaal hören kann?

Ich sehe einfach keinen Ausweg aus dieser Situation. Clare ist wie besessen. Amit Montague macht ihr Mut, erzählt ihr Geschichten von Wunderkindern, gibt ihr Vitamindrinks, die mich an *Rosemaries Baby* erinnern. Vielleicht sollte ich streiken. Genau, das ist die Lösung: ein Sex-Streik. Ich muss lachen. Das Geräusch wird von den Wellen geschluckt, die leise gegen den Pier schwappen. Keine Chance. Nach ein paar Tagen würde ich auf den Knien kriechen.

Mir tut der Kopf weh. Ich versuche es zu ignorieren; ich weiß, es liegt an meiner Müdigkeit. Ich überlege, ob ich am Strand schlafen könnte, ohne von jemandem behelligt zu werden. Es ist eine wunderschöne Nacht. Genau in diesem Moment erschreckt mich ein gewaltiger Lichtstrahl, der über den Pier und in mein Gesicht schwenkt und plötzlich bin ich in Kimys Küche, liege unter ihrem Küchentisch auf dem Rücken, umgeben von Stuhlbeinen. Kimy sitzt auf einem der Stühle und späht zu mir herunter. Meine linke Hüfte drückt gegen ihre Schuhe.

»Hallo, Kumpel«, sage ich schwach. Mir ist, als wenn ich gleich ohnmächtig werde.

»Wegen dir krieg ich demnächst noch einen Herzschlag, Kumpel«, sagt Kimy. Sie knufft mich mit dem Fuß. »Komm raus da unten und zieh dir was über.«

Ich drehe mich um und komme rückwärts auf den Knien unterm Tisch hervor. Dann rolle ich mich auf dem Linoleumboden ein und ruhe einen Augenblick aus, reiße mich zusammen und versuche nicht zu würgen.

»Henry ... alles in Ordnung?« Sie beugt sich über mich. »Willst du etwas essen? Willst du ein bisschen Suppe? Ich hab eine Minestrone... Kaffee?« Ich schüttle den Kopf. »Willst du dich auf die Couch legen? Bist du krank?«

»Nein, Kimy, keine Sorge, es geht schon.« Mühsam schaffe ich es auf die Knie und dann auf die Füße. Ich wanke ins Schlafzimmer und öffne Mr Kims Schrank, der fast leer ist, bis auf ein paar ordentlich gebügelte Jeans in verschiedenen Größen, die von kleinen Jungen bis zu Erwachsenen reichen, und mehrere steife weiße Hemden, mein kleines geheimes Kleiderlager, bereit und erwartungsvoll. Angezogen gehe ich in die Küche zurück, beuge mich über Kimy und gebe ihr ein Küsschen auf die Wange. »Den wievielten haben wir heute?«

»Den 8. September 1998. Woher kommst du?«

»Aus dem nächsten Juli.« Wir setzen uns an den Tisch. Kimy löst gerade das Kreuzworträtsel in der *New York Times*.

»Was läuft so im nächsten Juli?«

»Es war ein sehr kühler Sommer, aber dein Garten ist schön. Die Technik-Aktien sind alle oben. Im Januar solltest du Apple-Aktien kaufen.«

Sie notiert es sich auf einem Stück von einer braunen Papiertüte. »Gut. Und du? Wie geht es dir? Was macht Clare? Habt ihr schon ein Kind?«

»Um ehrlich zu sein, ich hab Hunger. Hattest du nicht was von einer Suppe gesagt?«

Kimy erhebt sich schwerfällig von ihrem Stuhl und öffnet den Kühlschrank. Sie holt einen Kochtopf heraus und wärmt die Suppe auf. »Du hast meine Frage nicht beantwortet.«

»Nichts Neues, Kimy. Kein Kind. Clare und ich streiten deswegen so gut wie ununterbrochen. Bitte fang du jetzt nicht auch noch an.«

Kimy steht mit dem Rücken zu mir, sie rührt energisch die Suppe. Ihr Rücken strahlt Ärger aus. »Ich ›fang jetzt nicht auch noch an‹. Ich frag doch nur, oder? Interessiert mich eben. Tz.«

Wir schweigen eine Weile. Das Kratzen des Löffels auf dem Topfboden nervt mich. Ich denke an Clare, wie sie aus dem Fenster schaute, als ich wegfuhr.

»Hey, Kimy.«

»Hey, Henry.«

»Wieso hattet ihr eigentlich keine Kinder?«

Langes Schweigen. Dann: »Wir hatten ein Kind.«

»Ach ja?«

Sie gießt die Suppe in eine der Mickey-Maus-Schalen, die ich als Kind so geliebt habe. Dann setzt sie sich und fährt sich mit den Händen übers Haar, streicht die weißen unordentlichen Strähnen hinten in den kleinen Knoten. Kimy sieht mich an. »Iss deine Suppe. Bin gleich wieder da.« Sie steht auf, geht zur Küche hinaus und schlurft über den Plastikläufer, der den Teppich im Flur bedeckt. Ich fange mit der Suppe an. Als Kimy wiederkommt, bin ich fast fertig.

»Hier. Das ist Min. Mein Kind.« Sie zeigt mir ein veschwommenes Schwarzweißfoto, auf dem ein kleines Mädchen, vielleicht fünf oder sechs Jahre alt, vor Mrs Kims Haus steht, diesem Haus, dem Haus, in dem ich groß wurde. Sie trägt eine katholische Schuluniform, lächelt und hält einen Schirm. »Ihr erster Schultag. Sie ist so glücklich, so ängstlich.«

Ich betrachte das Foto, habe Hemmungen nachzufragen, blicke auf. Kimy sieht aus dem Fenster zum Fluss. »Was ist passiert?«

»Ach. Sie starb. Schon vor deiner Geburt. Sie hatte Leukämie, sie starb.«

Plötzlich erinnere ich mich wieder. »Saß sie nicht immer hinterm Haus in einem Schaukelstuhl? In einem roten Kleid?«

Mrs Kim sieht mich verblüfft an. »Du hast sie gesehen?«

»Ja, glaub schon. Es ist lange her. Ich war ungefähr sieben. Ich stand auf den Stufen zum Fluss, splitternackt, und sie sagte, ich soll bloß nicht in ihren Garten kommen, worauf ich sagte, das sei mein Garten, aber sie wollte mir nicht glauben. Ich konnte das nicht verstehen.« Ich lache. »Sie meinte, ihre Mom würde mich hauen, wenn ich nicht weggehe.«

Kimy lacht zittrig. »Und, sie hat Recht, hm?«

»Ja, sie hat sich nur um ein paar Jahre vertan.«

Kimy lächelt. »Ja, Min, meine kleine Knalltüte. Ihr Dad nannte sie Miss Großmaul. Er hat sie über alles geliebt.« Kimy dreht den

Kopf zu Seite, tupft sich verstohlen mit der Hand an die Augen. Ich entsinne mich an Mr Kim als wortkargen Mann, der meistens im Sessel saß und Sport im Fernsehen sah.

»In welchem Jahr wurde Min geboren?«

»1949. Sie starb 1956. Komisch, heute wär sie eine Frau im mittleren Alter mit eigenen Kindern. Neunundvierzig wär sie. Und die Kinder wären vielleicht im College, vielleicht ein bisschen älter.« Kimy sieht mich an, und ich erwidere ihren Blick.

»Wir versuchen es, Kimy. Wir versuchen alles Menschenmögliche.«

»Ich hab nichts gesagt.«

»M-hm.«

Kimy zwinkert mir unschuldig zu, als wäre sie Louise Brooks oder sonst ein Stummfilmstar. »Hey, Kumpel, kannst du mir bei diesem Kreuzwort helfen? Neun senkrecht, fängt mit ›K‹ an…«

CLARE: Ich beobachte, wie die Polizeitaucher in den Lake Michigan hinausschwimmen. Es ist ein bewölkter Morgen, schon sehr heiß. Ich stehe am Pier bei der Dempster Street. Auf der Sheridan Road warten fünf Feuerwehrwagen, drei Krankenwagen und sieben Streifenwagen mit blinkenden Lichtern. Siebzehn Feuerwehrleute und sechs Sanitäter sind im Einsatz. Des Weiteren vierzehn Polizisten und eine Polizistin, eine kleine dicke weiße Frau, deren Kopf unter der Mütze eingezwängt wirkt und die ständig alberne Plattitüden von sich gibt, mit denen sie mich trösten will, bis ich sie am liebsten vom Pier stoßen würde. Ich halte Henrys Kleider in der Hand. Es ist fünf Uhr morgens. Einundzwanzig Reporter sind da, darunter einige vom Fernsehen mit Übertragungswagen, Mikrophonen und Kameraleuten, ein paar davon sind Zeitungsreporter mit Fotografen. Am Rand des Geschehens lauert diskret, aber neugierig, ein älteres Paar. Ich versuche nicht an die Beschreibung des Polizisten zu denken, wie Henry vom Ende des Piers gesprungen ist, eingefangen im Suchscheinwerferstrahl des Polizeiwagens. Ich versuche gar nicht zu denken.

Zwei neue Beamte kommen den Pier entlanggelaufen. Sie beraten sich mit einigen bereits anwesenden Kollegen, dann löst sich einer der beiden, der Ältere, von der Gruppe und nähert sich mir.

Er hat einen Schnauzbart der altmodischen Art, der in kleinen Spitzen endet. Er stellt sich als Captain Michels vor und fragt mich, ob ich mir einen Grund vorstellen kann, weshalb mein Mann sich vielleicht das Leben nehmen wollte.

»Also, ich glaube ehrlich gesagt nicht, dass er das getan hat, Captain. Ich meine, er ist ein sehr guter Schwimmer, wahrscheinlich schwimmt er einfach nur nach Wilmette oder sonst wohin« – ich weise mit der Hand vage in Richtung Norden – »und kommt jeden Moment zurück...«

Der Captain macht ein zweifelndes Gesicht. »Schwimmt er öfter mitten in der Nacht?«

»Er leidet an Schlaflosigkeit.«

»Hatten Sie Streit? War er aufgeregt?«

»Nein«, lüge ich. »Natürlich nicht.« Ich sehe aufs Wasser hinaus. Sehr überzeugend klinge ich wohl nicht. »Ich habe geschlafen, und er hat offenbar beschlossen, schwimmen zu gehen, wollte mich aber nicht wecken.«

»Hat er eine Nachricht hinterlassen?«

»Nein.« Ich zerbreche mir den Kopf nach einer glaubhafteren Erklärung, als ich ein Platschen nahe dem Ufer höre. Halleluja. Nicht einen Augenblick zu früh. »Da ist er ja!« Henry will sich gerade im Wasser aufrichten, hört mich rufen, duckt sich wieder und schwimmt zum Pier.

»Clare, was ist los?«

Ich knie nieder. Henry sieht müde und verfroren aus. »Sie dachten, du wärst ertrunken«, sage ich leise. »Ein Polizist hat gesehen, wie du vom Pier gesprungen bist. Seit zwei Stunden suchen sie deine Leiche.«

Henry blickt besorgt, aber auch amüsiert drein. Wenn er nur die Polizei ärgern kann. Alle haben sich um mich geschart und spähen stumm auf Henry hinab.

»Sind Sie Henry DeTamble?«, fragt der Captain.

»Ja. Würde es Sie stören, wenn ich aus dem Wasser komme?« Alle folgen wir Henry zum Ufer, er schwimmend, der Rest von uns geht zu Fuß auf dem Pier neben ihm her. Er steigt aus dem Wasser, steht tropfend am Strand wie eine nasse Ratte. Ich reiche ihm sein Hemd, das er zum Abtrocknen benutzt. Dann zieht er sich an und bleibt ruhig stehen, in Erwartung dessen, was die Polizei nun mit ihm vorhat. Am liebsten würde ich ihn küssen und dann umbringen. Oder umgekehrt. Henry legt einen klammen, feuchten Arm um mich. Ich schmiege mich an ihn wegen seiner Kühle, und er schmiegt sich an mich wegen meiner Wärme. Die Polizei stellt ihm Fragen, die er höflich beantwortet. Es sind Beamte aus dem Vorort Evanston, dazu noch einige aus Morton Grove und Skokie, die einfach so vorbeigekommen sind. Wären es Beamte aus Chicago, würden sie Henry kennen und ihn festnehmen.

»Warum haben Sie nicht reagiert, als der Kollege Ihnen sagte, Sie sollen aus dem Wasser kommen?«

»Weil ich Ohropax im Ohr hatte, Captain.«

»Ohropax?«

»Damit kein Wasser in meine Ohren dringt.« Henry tut, als wenn er in seinen Taschen herumwühlen würde. »Keine Ahnung, wo sie abgeblieben sind. Ich trage immer Ohropax, wenn ich schwimme.«

»Und warum sind Sie um drei Uhr morgens geschwommen?«

»Ich konnte nicht schlafen.«

Und so weiter. Henry lügt nahtlos, ordnet die Fakten, um seine These zu stützen. Am Ende stellen ihm die Polizisten widerwillig eine Verwarnung aus, wegen Schwimmens, während der Strand offiziell geschlossen ist. Ein Bußgeld über $ 500. Kaum lässt uns die Polizei gehen, strömen die Reporter, Fotografen und Fernsehkameras auf uns zu. Kein Kommentar. Nur eine Runde geschwommen. Bitte, wir möchten wirklich nicht fotografiert werden. Klick. Schließlich schaffen wir es zum Auto, das ganz allein, mit dem Schlüssel im Zündschloss, an der Sheridan Road steht. Ich starte den Motor und rolle mein Fenster herunter. Die Polizei, die Reporter und das ältere Paar, alle stehen auf dem Rasen und beobachten uns. Wir sehen uns nicht an.

»Clare.«

»Henry.«

»Es tut mir Leid.«

»Mir auch.« Er schaut zu mir herüber, berührt meine Hand auf dem Lenkrad. Dann fahren wir schweigend nach Hause.

CLARE: Kendrick führt uns durch ein Labyrinth von ausgelegten, mit Gipskartonplatten versehenen und lärmgedämpften Fluren in ein Konferenzzimmer. Es gibt keine Fenster, nur blauen Teppichboden und einen langen, glänzend schwarzen Tisch, umgeben von gepolsterten Drehstühlen. Dann eine weiße Tafel und ein paar Textmarker, eine Uhr über der Tür und eine Kaffeemaschine, neben der griffbereit Tassen, Milch und Zucker stehen. Kendrick und ich setzen uns an den Tisch, Henry schreitet im Raum umher. Kendrick nimmt seine Brille ab und massiert mit den Fingern die Seiten seiner kleinen Nase. Die Tür öffnet sich, und ein junger Latino in Schutzkleidung rollt einen Wagen in den Raum. Auf dem Wagen steht ein mit einem Tuch abgedeckter Käfig. »Wo möchten Sie ihn hinhaben?«, fragt der junge Mann, und Kendrick sagt: »Lassen Sie einfach den ganzen Wagen da, wenn es Ihnen nichts ausmacht«, worauf der Mann die Achseln zuckt und sich entfernt. Kendrick geht zur Tür, dreht an einem Knopf, und das Licht verdüstert sich zu einem Dämmern. Ich kann Henry, der neben dem Wagen steht, kaum noch sehen. Kendrick geht zu Henry und entfernt stumm das Tuch.

Zedernduft weht aus dem Käfig. Ich stehe auf und blicke hinein. Ich sehe nur das Innere einer Toilettenpapierrolle, ein paar Futterschalen, eine Wasserflasche, ein Laufrad, weiche Zedernspäne. Kendrick öffnet oben den Käfig, greift hinein und hebt etwas Kleines und Weißes heraus. Henry und ich drängen uns um ihn, starren die winzige Maus an, die blinzelnd auf Kendricks Handteller sitzt. Kendrick holt eine kleine Stablampe aus seiner Tasche, schaltet sie ein und bewegt sie blitzschnell über der Maus. Die Maus verkrampft, dann ist sie verschwunden.

»Donnerwetter«, sage ich. Kendrick legt das Tuch wieder über den Käfig und dreht das Licht hell.

»In der neuen Nummer von *Nature*, die nächste Woche erscheint, wird darüber berichtet«, erklärt er und lächelt. »Es ist die Titelgeschichte.«

»Gratuliere«, sagt Henry und sieht auf die Uhr. »Wie lange bleiben sie gewöhnlich weg? Und wohin verschwinden sie?«

Kendrick weist auf die Kaffeemaschine, und wir nicken beide. »In der Regel sind sie etwa zehn Minuten oder so weg«, erwidert er, schenkt im Sprechen drei Tassen Kaffee ein und gibt jedem eine. »Sie gehen ins Tierlabor im Keller, wo sie geboren wurden. Offenbar können sie immer nur ein paar Minuten in die eine oder andere Richtung.«

Henry nickt. »Wenn sie älter werden, bleiben sie länger weg.«

»Ja, bisher war das so.«

»Wie ist Ihnen das gelungen?«, frage ich Kendrick. Ich kann noch immer nicht so recht fassen, dass es ihm überhaupt gelungen *ist*.

Kendrick bläst auf seinen Kaffee und trinkt einen Schluck, verzieht das Gesicht. Der Kaffee schmeckt bitter, ich gebe Zucker in meinen. »Nun«, sagt er, »dass Celera das gesamte Mausgenom sequenziert hat, war sehr hilfreich. Dadurch wussten wir, wo wir die vier Gene finden, auf die wir es abgesehen hatten. Aber wir hätten es auch ohne das geschafft.

Zuerst haben wir Ihre Gene geklont und dann mit Hilfe von Enzymen die beschädigten DNA-Fragmente herausgeschnippelt. Diese Fragmente wurden dann auf Mausembryonen im Vierzellteilungsstadium übertragen. Das war der leichte Teil.«

Henry hebt die Brauen. »Klar, natürlich. Clare und ich machen das ständig in unserer Küche. Und was war der schwierige Teil?« Er setzt sich auf den Tisch, stellt den Kaffee neben sich ab. Im Käfig höre ich das Laufrad quietschen.

Kendrick sieht mich an. »Der schwierige Teil bestand darin, die Muttermäuse zum Austragen der manipulierten Embryonen zu bringen. Sie starben uns ständig weg, bluteten sich zu Tode.«

Henry sieht sehr besorgt aus. »Die Mütter sind gestorben?«

Kendrick nickt. »Die Mütter sind gestorben, und ihre Jungen auch. Wir wussten nicht wieso, bis wir anfingen, sie rund um die Uhr zu beobachten, dann sahen wir, was vor sich ging. Die Embryonen verließen den Bauch der Muttermaus, kehrten dann wieder in ihn zurück, aber die Mutter verblutete innerlich. Oder sie hatte nach zehn Tagen eine Fehlgeburt. Es war sehr frustrierend.«

Henry und ich wechseln Blicke, dann sehen wir woandershin. »Das können wir nachvollziehen«, sage ich zu Kendrick.

»Jaa-wohl«, sagt er. »Aber wir haben das Problem gelöst.«

»Und wie?«, fragt Henry.

»Wir haben überlegt, dass es eine Immunreaktion sein könnte. Etwas an der fetalen Maus war so fremd, dass das Immunsystem der Muttermaus sie wie ein Virus oder dergleichen zu bekämpfen versucht hat. Also haben wir das Immunsystem der Muttermaus unterdrückt, und alles lief wie von Zauberhand.«

Mein Herz pocht bis in die Ohren. *Wie von Zauberhand.*

Kendrick bückt sich unvermittelt und greift nach etwas auf dem Boden. »Erwischt«, sagt er und zeigt uns die Maus in seinen gewölbten Händen.

»Bravo!«, sagt Henry. »Und was kommt als Nächstes?«

»Gentherapie«, antwortet Kendrick. »Medikamente.« Er zuckt die Achseln. »Wir können dafür sorgen, dass es passiert, aber wir wissen immer noch nicht, warum es passiert. Oder wie. Und das versuchen wir jetzt herauszufinden.« Er hält Henry die Maus hin. Henry wölbt die Hände, und Kendrick kippt die Maus hinein. Henry begutachtet sie neugierig.

»Sie hat ein Tattoo«, sagt er.

»Das ist die einzige Möglichkeit, wie wir sie im Auge behalten können«, erklärt Kendrick. »Sie treiben die Techniker im Tierlabor in den Wahnsinn, weil sie dauernd ausreißen.«

Henry lacht. »Das ist unser darwinistischer Vorteil«, sagt er. »Wir reißen aus.« Er streichelt die Maus, und sie scheißt ihm auf die Hand.

»Null Stresstoleranz«, sagt Kendrick. Er setzt die Maus in den Käfig zurück, wo sie in die Toilettenpapierrolle flieht.

Zu Hause rufe ich sofort Dr. Montague an, plappere von Immunsuppressiva und innerer Blutung. Sie hört aufmerksam zu und bittet mich dann, nächste Woche vorbeizukommen, in der Zwischenzeit will sie recherchieren. Als ich auflege, betrachtet Henry mich nervös über den Wirtschaftsteil der *Times* hinweg. »Einen Versuch ist es wert«, sage ich.

»Es gab viele tote Mäusemütter, bis sie es herausgefunden hatten«, sagt Henry.

»Aber es hat funktioniert! Kendrick hat es vollbracht!«

Henry sagt nur: »Klar«, und liest wieder weiter. Ich will noch etwas sagen, überlege es mir dann anders und gehe hinüber ins Atelier, viel zu aufgeregt, um zu streiten. *Es lief wie von Zauberhand. Wie von Zauberhand.*

FÜNF

Donnerstag, 11. Mai 2000 (Henry ist 39, Clare 28)

HENRY: Ich gehe die Clark Street entlang, es ist Spätfrühling 2000. Daran ist im Grunde nichts Bemerkenswertes. Es ist ein schöner warmer Abend in Andersonville, und die modische Jugend sitzt an kleinen Tischen im Kopi und trinkt aufgemotzten kalten Kaffee, oder sitzt an mittelgroßen Tischen bei Reza und isst Couscous, oder schlendert einfach umher, ignoriert die schwedischen Nippesläden und ereifert sich über den Hund eines anderen. Eigentlich sollte ich bei der Arbeit sein, aber egal. Matt wird wohl bei der Führung am Nachmittag für mich einspringen müssen.

Plötzlich sehe ich Clare auf der anderen Straßenseite. Sie steht vor George, einem Laden für teure gebrauchte Kleidung, und betrachtet eine Auslage mit Babysachen. Selbst von hinten wirkt sie schwermütig, selbst ihre Schultern ächzen vor Sehnsucht. Sie lehnt die Stirn an das Schaufenster und steht niedergeschlagen da. Ich überquere die Straße, weiche einem Lieferwagen von UPS und einem Volvo aus und stelle mich hinter sie. Clare blickt erschreckt auf, dann sieht sie mein Spiegelbild im Glas.

»Ach, du bist's«, sagt sie und dreht sich um. »Ich dachte, du wärst mit Gomez im Kino.« Clare wirkt ein bisschen abwehrend, ein bisschen schuldbewusst, so als hätte ich sie bei etwas Verbotenem ertappt.

»Bin ich vermutlich auch. Eigentlich sollte ich aber bei der Arbeit sein.«

Clare lächelt. Sie sieht müde aus, und als ich schnell nachrechne, begreife ich, dass unsere fünfte Fehlgeburt erst drei Wochen zurückliegt. Ich zögere, dann lege ich meine Arme um sie, und zu meiner Erleichterung entspannt sie sich, lehnt den Kopf an meine Schulter.

»Wie geht's dir?«, frage ich sie.

»Miserabel«, antwortet sie leise. »Müde.« Ich erinnere mich: Sie lag wochenlang im Bett. »Henry, ich kapituliere.« Sie mustert mich, versucht meine Reaktion darauf einzuschätzen, ihre Absicht gegen mein Wissen abzuwägen. »Ich gebe auf. Es wird ja doch nichts.«

Was könnte mich daran hindern, ihr zu geben, was sie braucht? Mir fällt nicht ein einziger Grund ein, warum ich es ihr nicht sagen sollte. Ich stehe da und zermartere mir das Gehirn nach einem Argument, das dagegen spricht, wenn sie es weiß. Mir geht es nur um die Sicherheit, die ich ihr jetzt gleich verschaffen werde.

»Mach weiter, Clare.«

»Was?«

Clare schließt die Augen, flüstert: »Danke.« Ich weiß nicht, ob sie mit mir spricht oder mit Gott. Es spielt keine Rolle. »Danke«, sagt sie erneut, sieht mich an, spricht mit mir, und ich komme mir vor wie ein Engel in einer verrückten Version der Mariä Verkündigung. Ich beuge mich vor und küsse sie, ich spüre Entschlossenheit, Freude, Zielstrebigkeit in Clare. Ich erinnere mich an den winzigen schwarzen Haarschopf, der zwischen ihren Beinen erscheint, und ich kann nur staunen, wie dieser Augenblick jenes spätere Wunder bewirkt und umgekehrt. Danke. Vielen Dank.

»Wusstest du das die ganze Zeit?«, fragt Clare.

»Nein.« Sie sieht enttäuscht aus. »Ich habe es nicht nur nicht gewusst, ich habe auch alles Erdenkliche getan, damit du nicht wieder schwanger wirst.«

»Großartig.« Clare lacht. »Was also auch geschieht, ich muss nur still sein und es laufen lassen?«

»Richtig.«

Clare grinst mich an, und ich grinse zurück. Einfach laufen lassen.

SECHS

Samstag, 3. Juni 2000 (Clare ist 29, Henry 36)

CLARE: Ich sitze am Küchentisch, blättere geistesabwesend die *Chicago Tribune* durch und sehe zu, wie Henry die Lebensmittel auspackt. Die braunen Papiertüten stehen ordentlich aufgereiht auf der Theke, und Henry holt Ketchup, Hühnchen und Goudakäse daraus hervor, als wäre er ein Zauberer. Ich warte schon auf das Kaninchen und die Seidentücher. Aber es sind Pilze, schwarze Bohnen, Fettucine, Salat, eine Ananas, Magermilch, Kaffee, Radieschen, Zwiebeln, eine Steckrübe, Haferflocken, Butter, Hüttenkäse, Roggenbrot, Mayonnaise, Eier, Rasierklingen, Deodorant, Granny-Smith-Äpfel, Kaffeesahne, Bagels, Garnelen, Frischkäse, Frühstücksflocken, Marinarasauce, tiefgekühlter Orangensaft, Karotten, Kondome, Süßkartoffeln... Kondome? Ich stehe auf und gehe zur Theke, hebe die blaue Schachtel auf und halte sie Henry vors Gesicht.

»Du hast doch wohl hoffentlich keine Affäre?«

Henry, der im Gefrierfach herumwühlt, blickt trotzig zu mir auf. »Nein, um genau zu sein, ich hatte eine Erscheinung. Ich stand im Zahnpastagang, da ist es passiert. Willst du's wissen?«

»Nein.«

Henry steht auf und dreht sich zu mir. Seine Miene ist ein einziges Seufzen. »Nun, du sollst es trotzdem wissen: Wir dürfen nicht weiter versuchen, ein Kind zu bekommen.«

Verräter. »Wir haben uns darauf geeinigt ...«

» ... es weiter zu versuchen. Aber ich finde, fünf Fehlgeburten sind genug. Wir haben uns redlich bemüht.«

»*Nein.* Ich meine ... wieso sollen wir es nicht weiter versuchen?« Ich bemühe mich, das Flehen aus meiner Stimme herauszuhalten, den Ärger, der in meiner Kehle aufsteigt, nicht in meine Worte einfließen zu lassen.

Henry kommt hinter der Theke hervor, stellt sich vor mich hin, fasst mich aber nicht an, ihm ist klar, er darf mich jetzt nicht anfassen. »Clare. Die nächste Fehlgeburt würde dich umbringen, und ich denke nicht daran, etwas fortzusetzen, das mit deinem Tod enden kann. Fünf Schwangerschaften ... ich weiß, du willst es wieder probieren, aber ich kann nicht. Ich ertrage es nicht mehr, Clare. Tut mir Leid.«

Ich gehe zur hinteren Tür hinaus und bleibe bei den Himbeerbüschen in der Sonne stehen. Dort, im Schatten des späten Nachmittags bei den Rosen liegen jetzt unsere toten Kinder, eingehüllt in weiches japanisches Seidenpapier, gebettet in winzigen Holzkisten. Ich spüre die Hitze der Sonne auf meiner Haut und erschaudere für sie, tief im Garten, kühl an diesem milden Junitag. *Hilf mir*, sage ich im Kopf zu unserem künftigen Kind. *Er weiß es nicht, also darf ich es ihm nicht sagen. Bitte komm bald.*

Freitag, 9. Juni 2000/19. November 1986 (Henry 36, Clare 15)

HENRY: Es ist 8.45 Uhr an einem Freitagmorgen, ich sitze im Wartezimmer eines gewissen Dr. Robert Gonsalez. Clare weiß nichts davon. Ich habe beschlossen, eine Vasektomie vornehmen zu lassen.

Die Praxis von Dr. Gonsalez liegt in der Sheridan Road, in der Nähe des Diversey Parkway, in einem schicken Ärztehaus gleich oberhalb des Lincoln Park Conservatory. Das Wartezimmer ist braun und jägergrün ausgestattet, jede Menge Holztäfelung und gerahmte Drucke von Derbygewinnern aus den 1880er Jahren. Alles sehr männlich. Mir ist, als sollte ich eine Smokingjacke tragen und mir eine dicke Zigarre zwischen die Zähne klemmen. Ich brauche einen Drink.

Die nette Frau von der Familienplanung hatte mir in ihrer tröstlichen, routinierten Stimme versichert, dass es kein bisschen wehtun würde. Mit mir warten fünf andere Männer. Ich frage mich, ob sie einen Tripper haben, aber vielleicht macht auch ihre Prostata Ärger. Vielleicht sitzen einige aus dem gleichen Grund hier wie ich und wollen ihre Karriere als potentieller Vater beenden. Ich empfinde eine gewisse Solidarität mit diesen unbekannten Männern, die wir hier an diesem grauen Morgen gemeinsam in diesem Raum aus braunem Holz und Leder sitzen und warten, bis wir in den Untersuchungsraum gehen und uns die Hose ausziehen dürfen. Da ist ein sehr alter Mann, der vornübergebeugt dasitzt und die Hände um einen Spazierstock klammert, seine Augen geschlossen hinter dicken Brillengläsern, die seine Lider vergrößern. Wahrscheinlich ist er nicht hier, um an sich herumschnippeln zu lassen. Ein Jugendlicher, der eine uralte Ausgabe von *Esquire* duchblättert, täuscht Gleichgültigkeit vor. Ich schließe die Augen und stelle mir vor, dass ich in einer Bar bin und die Bardame mit mir zugewandtem Rücken einen ordentlichen Scotch mit nur ganz wenig lauwarmem Wasser mixt. Vielleicht in einem englischen Pub. Ja, das würde zu der Ausstattung hier passen. Der Mann zu meiner Linken hustet, ein tiefes, irgendwie lungenerschütterndes Husten, doch als ich die Augen öffne, sitze ich noch immer im Wartezimmer eines Arztes. Verstohlen blicke ich auf die Uhr meines rechten Nachbarn. Er hat eine dieser gewaltigen Sportuhren, mit denen man Sprints stoppen oder das Mutterschiff rufen kann. Es ist 9.58 Uhr. Mein Termin beginnt in zwei Minuten. Aber der Arzt scheint hinterherzuhinken. Die Empfangsschwester ruft »Mr Liston«, worauf der Jugendliche unvermittelt aufsteht und durch die schwere schallgedämpfte Tür ins Untersuchungszimmer tritt. Der Rest von uns sieht sich flüchtig an, als säßen wir in der U-Bahn und ein Obdachloser würde versuchen, uns *Streetwise* zu verkaufen.

Ich bin steif vor Anspannung und rede mir ein, dass es ein notwendiger und guter Entschluss ist, den ich da gefasst habe. Ich bin kein Verräter. Nein, ich bin kein Verräter. Ich erspare Clare Leid und Schmerz. Sie wird es nie erfahren. Es wird nicht wehtun. Vielleicht wird es ein bisschen wehtun. Eines Tages werde ich es ihr sagen, und sie wird einsehen, dass ich nicht anders konnte. Wir haben alles versucht. Ich habe keine Wahl. Ich bin kein Verräter. Auch wenn es wehtut, wäre es das wert. Ich tue es, weil ich sie liebe. Ich sehe Clare vor mir, wie sie auf unserem Bett sitzt, mit Blut besudelt, weinend, und mir wird übel.

»Mr DeTamble.« Ich stehe auf, und nun ist mir richtig übel. Meine Knie geben nach. Mein Kopf dreht sich, ich krümme mich, würge, bin auf Händen und Knien, der Boden ist kalt und mit vertrockneten Grasstoppeln übersät. Mein Magen ist leer, ich erbreche nur Schleim. Es ist kalt. Ich blicke auf. Ich bin auf der Lichtung, bei der Wiese. Die Bäume sind kahl, am Himmel hängen trübe Wolken, frühe Dunkelheit bahnt sich an. Ich bin allein.

Ich stehe auf und suche die Kleiderschachtel. Wenig später trage ich ein T-Shirt von den Gang of Four, einen Pullover und Jeans, dicke Socken und schwarze Militärstiefel, einen schwarzen Wollmantel und riesige hellblaue Fäustlinge. Etwas hat sich in die Schachtel gefressen und ein Nest gebaut. Die Kleidung lässt auf Mitte der Achtziger schließen. Clare ist ungefähr fünfzehn oder sechzehn. Ich überlege, ob ich hier bleiben und auf sie warten oder einfach gehen soll. Ich weiß nicht, ob ich Clares jugendlichem Überschwang im Moment gewachsen bin. Ich drehe mich um und gehe in Richtung Obstgarten.

Es dürfte Ende November sein. Das Gras auf der Wiese ist braun und raschelt im Wind. Am Rand der Lichtung streiten Krähen um windabgeworfene Äpfel. Dort angelangt, höre ich jemand keuchend hinter mir her rennen. Clare.

»Henry…« Sie ist außer Atem und klingt erkältet. Ich lasse sie eine Weile schnaufend stehen, denn ich kann nicht mit ihr reden. Sie japst nach Luft, ihr Atem steigt in weißen Wolken empor, ihre Haare schimmern leuchtend rot in dem Grau und Braun, ihre Haut ist blassrosa.

Ich drehe mich um und gehe in den Obstgarten.

»Henry…« Clare folgt mir, packt mich am Arm. »Was ist los? Was hab ich falsch gemacht? Warum redest du nicht mit mir?«

Oh, Gott. »Ich wollte etwas für dich tun, etwas Wichtiges, aber es hat nicht geklappt. Ich bin nervös geworden und hier gelandet.«

»Was wolltest du tun?«

»Kann ich dir nicht erzählen. Ich wollte es dir sogar in der Gegenwart verschweigen. Es hätte dir nicht gefallen.«

»Warum wolltest du es dann tun?« Clare zittert im Wind.

»Es ging nicht anders. Du wolltest einfach nicht auf mich hören. Ich dachte, wenn ich das hinter mich bringe, hätte unser ewiges Streiten ein Ende.« Seufzend nehme ich mir vor, es wieder zu versuchen und, wenn nötig, ein weiteres Mal.

»Warum streiten wir?« Clare sieht nervös und ängstlich zu mir auf. Ihre Nase läuft.

»Bist du erkältet?«

»Ja. Worüber streiten wir?«

»Alles fing damit an, als die Frau des Botschafters auf einer *Soirée*, die in der Botschaft abgehalten wurde, der Geliebten des Premierministers eine Ohrfeige gab. Diese Schandtat wirkte sich auf den Zolltarif für Haferflocken aus, was zu hoher Arbeitslosigkeit und Krawallen führte ...«

»Henry.«

»Ja?«

»Würdest du einmal, nur ein einziges Mal aufhören, dich über mich lustig zu machen und mir eine Antwort auf das geben, was ich dich frage?«

»Ich kann nicht.«

Ohne es sich lange zu überlegen, gibt Clare mir eine schallende Ohrfeige. Ich trete zurück, überrascht, aber glücklich.

»Schlag mich noch mal.«

Verwirrt schüttelt sie den Kopf. »Bitte, Clare.«

»Nein. Warum willst du, dass ich dich schlage? Ich wollte dir *wehtun*.«

»Ich will ja, dass du mir wehtust. Bitte.« Ich senke den Kopf.

»*Was ist eigentlich los mit dir?*«

»Alles ist schrecklich, und ich spüre es irgendwie nicht.«

»*Was* ist schrecklich? Was ist denn los?«

»Frag mich nicht.« Clare tritt ganz dicht zu mir heran und nimmt meine Hand. Sie zieht mir den lächerlichen hellblauen Fäustling aus, hebt meinen Handteller an ihren Mund und beißt zu. Es tut schrecklich weh. Als sie aufhört, betrachte ich meine Hand. Winzige Blutstropfen dringen langsam aus der Bisswunde.

»Sag's mir.« Ihr Gesicht ist dicht vor meinem. Ich küsse sie ziemlich grob. Sie wehrt sich. Als ich sie loslasse, kehrt sie mir den Rücken zu.

»Das war gar nicht nett«, sagt sie leise.

Was ist bloß mit mir los? Schließlich ist Clare mit fünfzehn nicht dieselbe Person, die mich seit Monaten quält, die sich weigert, ihren Wunsch nach einem eigenen Kind aufzugeben, die Tod und Verzweiflung riskiert und unser Liebesleben in ein Schlachtfeld verwandelt, auf dem Kinderleichen verstreut liegen. Ich lege ihr meine Hände auf die Schultern. »Tut mir Leid. Tut mir ehrlich Leid, Clare, aber es ist nicht deine Schuld. Bitte.«

Sie wendet sich ab. Sie weint und ist am Boden zerstört. Erstaunlicherweise habe ich ein Papiertaschentuch in meiner Manteltasche. Ich tupfe ihr die Tränen ab, und sie nimmt mir das Tuch ab und putzt sich die Nase.

»Du hast mich noch nie geküsst.« Oh, nein. Offenbar sehe ich ziemlich komisch aus, denn Clare lacht. Ich kann es nicht fassen. Was bin ich nur für ein Idiot.

»Ach, Clare. Bitte ... vergiss das eben, ja? Lösch es aus deinem Gedächtnis. Es ist nie passiert. Komm her. Gib mir eine zweite Chance, ja? Clare?«

Zögernd tritt sie auf mich zu. Ich lege meine Arme um sie, sehe sie an. Ihre Augen sind rot gerändert, ihre Nase geschwollen, und sie ist definitiv schwer erkältet. Ich lege ihr meine Hände auf die Ohren, neige ihren Kopf nach hinten und küsse sie, versuche ihr mein Herz zu schenken, zur sicheren Aufbewahrung, für den Fall, dass ich es wieder verliere.

Freitag, 9. Juni 2000 (Clare ist 29, Henry 36)

CLARE: Schon den ganzen Abend ist Henry schrecklich ruhig, zerstreut und nachdenklich. Während des Abendessens schien er im

Geist imaginäre Stapel nach einem Buch zu durchsuchen, das er 1942 oder so gelesen hat. Außerdem ist seine rechte Hand verbunden. Nach dem Essen schlich er ins Schlafzimmer und legte sich bäuchlings aufs Bett, sein Kopf hing über dem Fußende und die Füße auf meinem Kopfkissen. Ich ging ins Atelier, schrubbte Schöpfformen und Deckelrahmen und trank meinen Kaffee, aber es machte mir keinen Spaß, weil ich nicht wusste, was Henry bedrückt. Schließlich gehe ich ins Haus zurück. Er liegt noch in der gleichen Stellung auf dem Bett. Im Dunkeln.

Ich lege mich auf den Boden. Mein Rücken knackt laut, als ich mich ausstrecke.

»Clare?«

»Mmmm?«

»Erinnerst du dich noch an unseren ersten Kuss?«

»Lebhaft.«

»Schade.« Henry rollt sich herum.

Ich brenne vor Neugier. »Worüber hast du dich so aufgeregt? Du hattest etwas vor, aber es hat nicht geklappt, und du hast gesagt, es würde mir nicht gefallen. Was war das?«

»Wie kannst du dir bloß alles merken?«

»Ich bin das geborene Elefantenkind. Willst du's mir jetzt erzählen?«

»Nein.«

»Wenn ich rate und Recht habe, sagst du's mir dann?«

»Wahrscheinlich nicht.«

»Warum nicht?«

»Weil ich erschöpft bin und heute Abend nicht streiten möchte.«

Das möchte ich auch nicht. Ich liege gern hier auf dem Boden. Irgendwie ist es kalt, aber sehr stabil. »Du wolltest dich sterilisieren lassen.«

Henry schweigt. Er schweigt so lange, dass ich ihm am liebsten einen Spiegel vor den Mund halten möchte, um zu sehen, ob er noch atmet. Schließlich: »Woher weißt du das?«

»Wissen wäre zu viel gesagt. Ich habe befürchtet, das könnte es sein. Außerdem hab ich heute früh gesehen, wie du dir den Termin mit dem Arzt aufgeschrieben hast.«

»Aber den Zettel habe ich *verbrannt*.«

»Ich hab den Abdruck auf dem Blatt darunter gesehen.«

Henry knurrt. »Na gut, Sherlock. Du hast mich erwischt.«

Wir liegen weiter friedlich im Dunkeln. »Nur zu.«

»Was?«

»Lass dich sterilisieren. Wenn du unbedingt musst.«

Henry rollt sich noch einmal herum und sieht mich an. Ich erkenne nur seinen dunklen Kopf vor der dunklen Decke. »Du schreist mich ja gar nicht an.«

»Nein. Ich kann auch nicht so weiterleben. Ich strecke die Waffen. Du hast gewonnen, wir geben es auf, ein Kind zu bekommen.«

»Gewinnen würde ich das nicht gerade nennen. Mir erscheint es eher ... notwendig.«

»Egal.«

Henry steigt vom Bett und setzt sich zu mir auf den Boden. »Danke.«

»Gern geschehen.« Er küsst mich. Ich stelle mir den trostlosen Novembertag im Jahr 1986 vor, aus dem Henry eben gekommen ist, den Wind, die Wärme seines Körpers in dem kalten Obstgarten. Und schon bald, zum ersten Mal seit vielen Monaten, schlafen wir miteinander, ohne uns über die Folgen zu grämen. Henry hat sich die Erkältung geholt, die ich vor sechzehn Jahren hatte. Vier Wochen später lässt Henry sich sterilisieren, und ich stelle fest, dass ich zum sechsten Mal schwanger bin.

BABYTRÄUME

September 2000 (Clare ist 29)

CLARE: Ich träume, ich gehe die Treppe in Großmutter Abshires Keller hinunter. An der Wand zu meiner Linken ist noch immer die lange Rußspur von der Krähe, die einmal durch den Kamin heruntergeflogen war; die Stufen sind staubig, das Geländer hinterlässt graue Flecken auf meiner Hand, ich suche festen Halt; unten gehe ich in den Raum, vor dem ich mich immer gefürchtet hatte, als ich klein war. In diesem Raum befinden sich tiefe Regale mit Reihen um Reihen von eingemachten Sachen: Tomaten und Pickles, Mais-Relish und Rote Bete. Sie sehen aus wie einbalsamiert. In einem der Gläser ist ein kleiner Entenfötus. Vorsichtig öffne ich das Glas und gieße Entchen samt Flüssigkeit in meine Hand. Es ringt nach Luft und würgt. »Warum hast du mich im Stich gelassen?«, fragt es, als es endlich sprechen kann. »Ich habe auf dich gewartet.«

Ich träume, dass meine Mutter und ich in South Haven eine ruhige Wohnstraße entlangschlendern. Ich trage ein Baby im Arm. Im Gehen wird das Baby schwerer und schwerer, bis ich es kaum noch halten kann. Ich drehe mich zu meiner Mutter und sage ihr, dass ich das Kind nicht mehr tragen kann; sie nimmt es mir gern ab, dann gehen wir weiter. Wir gelangen an ein Haus und biegen auf einen schmalen Fußweg nach hinten in den Garten. Dort sind zwei

Leinwände und ein Diaprojektor. Leute sitzen auf Gartenstühlen und betrachten Bilder von Bäumen. Auf jeder Leinwand ist ein halber Baum. Eine Hälfte ist Sommer, eine Hälfte Winter, die gleichen Bäume, nur verschiedene Jahreszeiten. Mein Baby lacht und quietscht vor Vergnügen.

Ich träume, ich stehe in Sedgewick auf dem Bahnsteig und warte auf den Zug der braunen Linie. Ich trage zwei Einkaufstüten, die, wie sich bei näherem Hinsehen herausstellt, Schachteln mit Salzcrackern enthalten und ein sehr kleines tot geborenes Baby mit rotem Haar, eingewickelt in Klarsichtfolie.

Ich träume, ich bin zu Hause in meinem alten Zimmer. Es ist spätabends, das Aquariumlicht erhellt schwach das Zimmer. Plötzlich erkenne ich entsetzt, dass ein kleines Tier im Wasser herumschwimmt. Rasch entferne ich den Deckel, nehme den Kescher und fange das Tier, das sich als Wüstenspringmaus mit Kiemen erweist. »Tut mir ehrlich Leid«, sage ich. »Ich hab dich ganz vergessen.« Die Wüstenspringmaus sieht mich nur vorwurfsvoll an.

Ich träume, ich gehe in Meadowlark die Treppe hinauf. Alle Möbel sind verschwunden, die Räume leer, Staubfäden schweben im Sonnenlicht, das auf den polierten Eichenböden goldene Flecken bildet. Ich gehe durch den langen Flur, spähe in die Schlafräume und gelange zu meinem Zimmer, in dem einsam eine kleine Holzwiege steht. Alles ist still. Ich habe Angst, in die Wiege zu schauen. In Mamas Zimmer sind weiße Laken auf dem Boden ausgebreitet. Zu meinen Füßen ist ein winziger Blutstropfen, der ein Laken an der Spitze berührt und sich vor meinen Augen ausdehnt, bis der ganze Boden blutgetränkt ist.

Samstag, 23. September 2000 (Clare ist 29, Henry 37)

CLARE: Ich lebe unter Wasser. Alles scheint langsam und weit weg. Mir ist klar, dort oben gibt es eine Welt, eine sonnenbeschienene schnelle Welt, in der die Zeit wie trockener Sand durch ein Stundenglas rinnt, doch hier unten, wo ich bin, sind Luft, Klang, Zeit und Gefühl dumpf und dick. Ich bin mit meinem Baby in einer Taucherglocke, nur wir zwei versuchen in dieser fremden Atmosphäre zu überleben, aber ich fühle mich sehr allein. *Hallo? Bist du da?* Keine Antwort. *Es ist tot*, sage ich Amit. *Nein*, entgegnet sie und lächelt gepresst, *nein, Clare, sehen Sie doch, da ist sein Herzschlag.* Ich kann es nicht erklären. Henry schleicht herum und will mich füttern, massieren, aufheitern, bis ich ihn anfahre. Ich gehe durch den Garten in mein Atelier. Wie ein Museum kommt es mir vor, ein Mausoleum, so still, nichts, das lebt oder atmet, keine Ideen hier, nur Dinge, die mich vorwurfsvoll anstarren. *Tut mir Leid*, sage ich zu meinem leeren, verlassenen Zeichentisch, meinen trockenen Wannen und Schöpfformen, zu den halbfertigen Skulpturen. Tot geboren, denke ich und betrachte das mit schwertlilienblauem Papier bespannte Drahtgerüst, das noch im Juni so hoffnungsvoll schien. Meine Hände sind sauber, weich und rosig. Ich hasse sie. Ich hasse diese Leere. Ich hasse dieses Kind. *Nein.* Nein, ich hasse es nicht. Aber ich kann es einfach nicht finden.

Mit einem Bleistift in der Hand setze ich mich ans Reißbrett, vor mir ein weißes Blatt Papier. Nichts kommt. Ich schließe die Augen, aber mir fällt nur eines ein: Rot. Also hole ich eine Tube Aquarellfarbe, Cadmiumrot, hole außerdem einen großen wuscheligen Pinsel, fülle ein Glas mit Wasser und bemale das Papier langsam mit Rot. Es glänzt. Das Papier ist weich von der Feuchtigkeit und dunkelt beim Trocknen nach. Ich sehe zu, wie es trocken wird. Es riecht nach Gummiarabikum. In die Mitte des Papiers zeichne ich ganz klein in schwarzer Tinte ein Herz, kein albernes Valentinstagsherz, sondern ein anatomisch korrektes, winziges, puppengleiches Herz, und dann Venen, zarte straßenkartenartige Venen, die bis an die Ränder des Papiers reichen und das kleine Herz umfangen wie eine Fliege in einem Spinnennetz. *Sieh nur, da ist sein Herzschlag.*

Es ist Abend geworden. Ich leere das Wasserglas aus und wasche den Pinsel. Ich sperre die Ateliertür ab, durchquere den Garten und gehe durch die hintere Tür ins Haus. Henry macht gerade Spaghettisauce. Er blickt auf, als ich hereinkomme.

»Besser?«, fragt er.

»Besser«, beruhige ich ihn und mich.

CLARE: Es liegt auf dem Bett. Da ist Blut, aber nicht allzu viel. Es liegt auf dem Rücken, versucht zu atmen, der kleine Brustkorb zittert, aber es ist zu früh, alles zieht sich krampfhaft zusammen, und aus der Nabelschnur sprudelt Blut im Rhythmus des Herzschlags. Ich knie mich neben das Bett und hebe es hoch, hebe ihn hoch, meinen winzigen Jungen, er zappelt wie ein frisch gefangener Fisch, er ertrinkt in Luft. Ganz behutsam halte ich ihn in den Händen, aber er weiß nicht, dass ich da bin und ihn halte, er ist glitschig, und seine Haut ist beinahe durchscheinend, die Augen sind geschlossen und ich denke fieberhaft an Mund-zu-Mund-Beatmung, an einen Krankenwagen und an Henry, *oh, geh nicht, bevor Henry dich gesehen hat*!, aber sein Atem blubbert von Flüssigkeit, kleines Meerwesen atmet Wasser, und dann sperrt er den Mund weit auf und ich kann durch ihn hindurchsehen und meine Hände sind leer und er ist weg. Verschwunden.

Ich weiß nicht wie lange, die Zeit verstreicht. Ich knie da. Auf Knien bete ich. *Lieber Gott. Lieber Gott. Lieber Gott.* Das Baby rührt sich in meinem Bauch. *Scht. Versteck dich.*

Ich erwache im Krankenhaus. Henry ist da. Das Kind ist tot.

SIEBEN

Donnerstag, 28. Dezember 2000 (Henry ist 33 und 37, Clare 29)

HENRY: Ich stehe in unserem Schlafzimmer, in der Zukunft. Es ist Nacht, doch das Mondlicht verleiht dem Raum eine surreale, monochrome Klarheit. Meine Ohren klingeln, wie oft, wenn ich in der Zukunft bin. Ich blicke auf Clare und mich hinab, beide schlafend. Es ist wie ein Tod. Ich schlafe fest zusammengerollt, Knie an der Brust, eingehüllt in Decken, Mund leicht geöffnet. Ich möchte mich berühren. Ich möchte mich in die Arme nehmen, mir in die Augen schauen. Aber so wird es nicht kommen; eine ganze Weile stehe ich da und betrachte interessiert mein schlafendes späteres Ich. Schließlich gehe ich leise auf Clares Bettseite und knie nieder. Es fühlt sich sehr wie die Gegenwart an. Ich zwinge mich, den anderen Körper im Bett zu vergessen und mich auf Clare zu konzentrieren.

Sie bewegt sich, ihre Augen öffnen sich. Sie weiß nicht genau, wo wir uns befinden. Mir geht es ähnlich.

Verlangen übermannt mich, eine Sehnsucht, mit Clare so innig wie möglich verbunden zu sein, hier zu sein, jetzt. Ich küsse sie ganz leicht, lasse mir Zeit, denke an nichts. Schlaftrunken hebt sie die Hand an mein Gesicht und wird, als sie meine Festigkeit spürt, etwas wacher. Jetzt ist sie voll da, streicht mit der Hand meinen Arm entlang, eine Liebkosung. Vorsichtig schlage ich die Decke zurück, um mein anderes Ich, dessen Anwesenheit Clare noch immer nicht bewusst ist, nicht zu stören. Ich frage mich, ob dieses andere Ich überhaupt aufwachen kann, nehme mir aber vor, es nicht herauszufinden. Ich liege oben auf Clare, bedecke sie ganz mit meinem Körper. Ich wünschte, ich könnte verhindern, dass sie den Kopf zur Seite wendet, aber sie wird es gleich tun. Als ich in Clare eindringe, schaut sie mich an, und mir ist, als würde ich nicht existieren, aber eine Sekunde später dreht sie den Kopf und sieht mich. Sie stößt einen Schrei aus, nicht laut, und blickt wieder zu mir, der über ihr, in ihr ist. Dann erinnert sie sich, findet sich damit ab, *ist alles ziemlich komisch, aber nun ja*, und in diesem Augenblick liebe ich sie mehr als mein Leben.

Montag, 12. Februar 2001 (Henry ist 37, Clare 29)

HENRY: Schon die ganze Woche ist Clare in einer seltsamen Stimmung. Sie ist zerstreut. Als würde etwas ihre Aufmerksamkeit fesseln, das nur sie hört, als würde sie durch ihre Füllungen aufschlussreiche Dinge von Gott erfahren oder versuchen, Satellitenübertragungen russischer Kryptologie im Kopf zu dekodieren. Wenn ich sie darauf anspreche, lächelt sie nur und zuckt die Schultern. Dieses Verhalten ist so untypisch für sie, dass es mich erschreckt und ich sofort auf Abstand gehe.

Eines Abends, als ich von der Arbeit nach Hause komme, sagt mir ein einziger Blick auf Clare, dass etwas Schlimmes geschehen ist. Ihre Miene ist ängstlich und bittend. Sie tritt dicht zu mir heran, bleibt stehen und sagt kein Wort. Jemand ist gestorben, denke ich. Wer ist gestorben? Dad? Kimy? Philip?

»Sag etwas«, bitte ich sie. »Was ist los?«

»Ich bin schwanger.«

»Wie kannst du…« Noch während ich es ausspreche, weiß ich genau, wie sie kann. »Vergiss es, ich erinnere mich.« Für mich liegt jene Nacht Jahre zurück, doch für Clare ist es erst ein paar Wochen her. Ich kam aus dem Jahr 1996, einer Zeit, in der wir verzweifelt probierten, schwanger zu werden, und Clare war nur halb wach. Ich verwünsche mich, wie konnte ich nur so ein leichtsinniger Idiot sein. Clare erwartet, dass ich etwas sage. Ich ringe mir ein Lächeln ab.

»So eine Überraschung.«

»Ja.« Sie wirkt ein bisschen traurig. Ich nehme sie in die Arme, und sie klammert sich fest an mich.

»Hast du Angst?«, flüstere ich in Clares Haar.

»M-hm.«

»Früher hattest du nie Angst.«

»Früher war ich auch verrückt. Jetzt weiß ich...«

»Wie es ist.«

»Was passieren kann.« Wir stehen da und denken an das, was passieren kann.

Ich zögere eine Weile. »Wir könnten...« Ich lasse den Satz in der Luft hängen.

»Nein, ich kann nicht.« Und das stimmt. Clare kann nicht. Einmal Katholik, immer Katholik.

»Vielleicht geht ja alles gut«, sage ich. »Ein glücklicher Unfall.«

Clare lächelt, und ich merke, wie sehr sie es will, wie sehr sie hofft, dass die sieben unsere Glückszahl ist. Mir schnürt sich die Kehle zu, ich muss mich abwenden.

Dienstag, 20. Februar 2001 (Clare ist 29, Henry 37)

CLARE: Um 7.46 Uhr schaltet sich der Radiowecker ein, und National Public Radio erzählt mir traurig, dass irgendwo ein Flugzeug abgestürzt ist und sechsundachtzig Menschen tot sind. Ich bin fast sicher, einer von ihnen zu sein. Henrys Bettseite ist leer. Ich schließe die Augen und liege in einer kleinen Koje in der Kabine eines Ozeandampfers, der über schwere See stampft. Ich seufze, steige vorsichtig aus dem Bett und schleiche ins Badezimmer. Zehn Minuten später, als Henry den Kopf zur Tür hereinstreckt und fragt, ob alles in Ordnung ist, übergebe ich mich immer noch.

»Großartig. Mir ging's nie besser.«

Er setzt sich auf den Badewannenrand. Mir wäre es lieber, ich hätte hierbei kein Publikum. »Muss ich mir Sorgen machen? Früher hast du dich nie übergeben.«

»Amit sagt, das ist gut, ich soll mich ruhig übergeben. Mein Körper erkennt das Kind als Teil von mir an und nicht als Fremdkörper. Amit hat mir so ein Mittel gegeben, das man Leuten nach Organtransplantationen verabreicht.«

»Vielleicht sollte ich heute eine größere Blutkonserve für dich abgeben.« Henry und ich haben beide Blutgruppe 0. Ich nicke und übergebe mich erneut. Wir sind beide eifrige Blutspender; er hat zweimal Transfusionen benötigt, ich hatte drei, einmal brauchte ich eine große Menge. Ich bleibe noch eine Weile sitzen, bevor ich wacklig auf die Füße komme. Henry stützt mich. Ich wische mir den Mund ab und putze mir die Zähne. In der Zwischenzeit geht Henry nach unten und macht Frühstück. Plötzlich überkommt mich ein großes Verlangen nach Haferflocken.

»Haferflocken!«, brülle ich die Treppe hinunter.

»In Ordnung!«

Langsam bürste ich mir die Haare. Mein Ebenbild im Spiegel zeigt mich rosarot und verquollen. Und ich dachte immer, schwangere Frauen sollen leuchten. Ich leuchte nicht. Schade. Dafür bin ich noch schwanger, und nur das zählt.

Donnerstag, 19. April 2001 (Henry ist 37, Clare 29)

HENRY: Wir sind zur Ultraschalluntersuchung in Amit Montagues Praxis. Clare und ich waren einerseits dafür, andererseits dagegen. Eine Amniozentese haben wir abgelehnt, weil wir sicher sind, unser Kind zu verlieren, wenn mit einer langen Nadel an ihm herumgestochert wird. Clare ist in der achtzehnten Schwangerschaftswoche. Halb am Ziel; könnten wir die Zeit jetzt zusammenfalten wie ein Bild beim Rorschachtest, wäre dies der Falz in der Mitte. Wir leben in einem Zustand des permanten Atemanhaltens, haben Angst, die Luft auszustoßen, weil wir befürchten, das Baby zu früh auszuatmen.

Im Wartezimmer sitzen noch weitere werdende Eltern und Mütter mit Buggys und Kleinkindern, die herumrennen und an Sachen stoßen. Ich finde Dr. Montagues Praxis immer wieder deprimierend, weil wir hier so viel Zeit verbracht haben, ängstlich und in

Erwartung schlechter Nachrichten. Aber heute ist es anders. Heute ist alles in Ordnung.

Eine Schwester ruft uns auf. Wir begeben uns in ein Untersuchungszimmer. Clare zieht sich aus, legt sich auf die Liege, Gel wird aufgetragen und man fährt mit dem Schallkopf über ihren Bauch. Die technische Assistentin beäugt den Monitor. Amit Montague, eine große, hoheitsvolle Frau französisch-marokkanischer Abstammung, beäugt ihn ebenso. Clare und ich halten uns an den Händen. Auch wir lassen den Monitor nicht aus den Augen. Langsam, Stück um Stück, baut das Bild sich auf.

Auf dem Bildschirm erscheint eine Wetterkarte von der ganzen Welt. Oder eine Galaxie, ein Gewusel von Sternen. Oder ein Baby.

»*Bien joué, une fille*«, sagt Dr. Montague. »Sie lutscht am Daumen. Sie ist sehr hübsch. Und sehr groß.«

Clare und ich atmen auf. Auf dem Bildschirm lutscht eine hübsche Galaxie am Daumen. Noch während wir sie beobachten, nimmt sie die Hand vom Mund weg. Dr. Montague sagt: »Sie lächelt.« Und das tun auch wir.

Montag, 20. August 2001 (Clare ist 30, Henry 38)

CLARE: In zwei Wochen soll das Baby kommen, und wir haben noch immer keinen Namen. Genau genommen haben wir kaum darüber geredet, sondern das ganze Thema abergläubisch gemieden, wie wenn ein Name dazu führen könnte, dass die Furien auf sie aufmerksam werden und sie quälen. Schließlich bringt Henry ein Buch mit dem Titel *Lexikon der Vornamen* mit.

Wir liegen im Bett. Es ist erst 20.30 Uhr, aber ich bin völlig erledigt. Ich liege auf der Seite, mein Bauch eine Halbinsel, das Gesicht Henry zugewandt, der seinerseits auf der Seite liegt und mich, den Kopf auf den Arm gestützt, ansieht, zwischen uns auf dem Bett das Buch. Wir schauen uns an, lächeln nervös.

»Irgendwelche Vorstellungen?«, sagt er und blättert das Buch durch.

»Jane«, erwidere ich.

Er schneidet eine Grimasse. »Jane?«

»Meine Puppen und Kuscheltiere hießen früher immer Jane. Jedes Einzelne.«

Henry schlägt den Namen nach. »Es bedeutet ›die Gottbegnadete.‹«

»Damit kann ich leben.«

»Suchen wir lieber etwas Ausgefalleneres. Was hältst du von Irette? Oder Jodotha?« Er blättert weiter. »Das klingt gut: Loololuluah. Arabisch für Perle.«

»Wie wär's mit Pearl?« Ich stelle mir das Kind als glatte schimmernde weiße Kugel vor.

Henry fährt mit dem Finger die Spalte entlang. »Also: ›*(lat.) vermutlich eine Variante von* perula, *in Bezug auf die überaus wertvolle Form dieses durch das Eindringen eines Fremdkörpers entstandenen Produkts.*‹«

»Igitt. Was ist das denn für ein Buch?« Ich nehme es ihm aus der Hand und schlage aus Jux bei Henry nach: »›Henry (teut.), Herrscher des Hauses: Oberhaupt der Wohnung.‹«

Er lacht. »Schlag bei Clare nach.«

»Ist nur eine andere Form von ›*Clara, lat. hell, leuchtend, klar.*‹«

»Das ist gut«, sagt er.

Ich blättere wahllos durch das Buch. »Philomele?«

»Das gefällt mir«, sagt Henry. »Aber meinst du nicht, beim Thema Spitznamen wird es schrecklich? Philly? Mel?«

»*Pyrene, griech. rothaarig.*«

»Und wenn sie gar nicht rothaarig ist?« Henry greift über das Buch, nimmt eine Handvoll meiner Haare und steckt sich die Spitzen in den Mund. Ich entziehe sie ihm und lege meine Haare hinter mich.

»Ich dachte, wir wüssten alles Wissenswerte über unser Kind. Kendrick hat doch bestimmt den Rote-Haare-Test gemacht«, sage ich.

Henry holt sich das Buch wieder von mir. »Yseult? Zoe? Mir gefällt Zoe. Zoe hat gute Chancen.«

»Was bedeutet es?«

»*Leben.*«

»Ja, sehr gut. Mach ein Lesezeichen rein.«

»Eliza«, schlägt Henry vor.

»Elizabeth.«

Henry sieht mich an, zögert. »Annette.«

»Lucy.«

»Nein«, sagt Henry fest.

»Nein«, stimme ich zu.

»Was wir brauchen«, meint Henry, »ist ein Neuanfang. Ein leeres Blatt. Nennen wir sie Tabula rasa.«

»Nennen wir sie Titanweiß.«

»Blanche, Blanca, Bianca...«

»Alba«, sage ich.

»Wie in Herzogin von?«

»Alba DeTamble.« Der Name geht mir beim Sprechen angenehm leicht von der Zunge.

»Klingt hübsch, wie die vielen kleinen Jamben so dahinfließen...« Er blättert im Buch. »*Alba, lat. (weiße) Perle. Provenzalisch: Tagesanbruch.*‹ Hmm.« Henry steigt schwerfällig vom Bett. Ich höre, wie er im Wohnzimmer herumstöbert, und ein paar Minuten später kommt er mit Band I des *OED* zurück, dem großen Random-House-Wörterbuch und meiner altersschwachen *Encyclopedia Americana* Buch I, A bis Annuarium. »Ein Morgenlied der provenzalischen Dichter ... zu Ehren ihrer Geliebten. ›*Réveillés, à l'aurore, par le cri du guetteur, deux amants qui viennent de passer la nuit ensemble se séparent en maudissant le jour qui vient trop tôt; tel est le thème, non moins invariable que celui de la pastourelle, d'un genre dont le nom est emprunté au mot alba, qui figure parfois au début de la pièce. Et régulièrement à la fin de chaque couplet, où il forme refrain.*‹ Wie traurig. Probieren wir's im Random House. Schon besser. ›Eine weiße Stadt auf einem Hügel. Eine Festung.‹« Er wirft den Random House vom Bett und öffnet die Enzyklopädie. »Aegidius, Agnostizismus, Alaska ... gut, da ist Alba.« Er überfliegt den Eintrag. »Eine inzwischen zerstörte Stadt im antiken Italien. Und der Herzog von Alba.«

Seufzend drehe ich mich auf den Rücken. Das Kind bewegt sich. Wahrscheinlich hat es geschlafen. Henry studiert jetzt das *OED*. »Amouren. Amourös. Armagnaken. Baby-Pro. Guter Gott, was heute so alles in Nachschlagewerken gedruckt wird.« Er schiebt seine Hand unter mein Nachthemd, streichelt langsam über meinen straffen Bauch. Das Baby tritt fest zu, genau dort, wo seine Hand ist, und er erschrickt und sieht mich erstaunt an. Seine Hände wandern weiter, bahnen sich ihren Weg über bekanntes und unbekanntes Terrain. »Wie viele DeTambles könntest du da drin unterbringen?«

»Ach, für einen mehr wäre jederzeit Platz.«

»Alba«, sagt Henry leise.

»Eine weiße Stadt. Eine uneinnehmbare Festung auf einem weißen Hügel.«

»Es wird ihr gefallen.« Henry streift mir die Unterhose über Beine und Knöchel, wirft sie dann vom Bett und sieht mich an.

»Vorsichtig...«

»Ganz vorsichtig«, verspricht er und zieht sich aus.

Ich fühle mich gewaltig, wie ein Kontinent in einem Meer aus Kissen und Decken. Henry beugt sich von hinten über mich, bewegt sich über mir, ein Forscher, der meine Haut mit der Zunge vermisst. »Langsam, langsam...« Ich habe Angst.

»Ein Lied, das Troubadoure im Morgengrauen sangen...«, flüstert er mir zu, als er in mich eindringt.

»...für ihre Geliebten«, erwidere ich. Meine Augen sind geschlossen, und ich höre Henry wie aus dem Zimmer nebenan:

»Genau ... so.« Und dann: »Ja. *Ja*.«

ALBA, EINE EINFÜHRUNG

Mittwoch, 16. November 2011 (Henry ist 38, Clare 40)

HENRY: Ich bin in der Surrealisten-Galerie im Art Institute of Chicago, in der Zukunft. Meine Kleidung ist nicht ideal: Ein langer schwarzer Wintermantel von der Garderobe und eine Hose aus dem Spind eines Wachmanns, etwas Besseres war nicht aufzutreiben. Allerdings gelang es mir, Schuhe zu finden, was meist am schwierigsten ist. Ich werde also wohl eine Brieftasche mitgehen lassen, mir ein T-Shirt im Museumsladen kaufen, zu Mittag essen, mir ein paar Kunstwerke ansehen, und mich dann aus dem Gebäude in die Welt der Geschäfte und Hotelzimmer stürzen. Ich habe keine Ahnung, in welcher Zeit ich mich befinde. In allzu ferner Zukunft kann es nicht sein; Kleidung und Frisuren unterscheiden sich nur wenig von jenen im Jahr 2001. Mein kleiner Ausflug ist aufregend, aber auch beunruhigend, denn in meiner Gegenwart bringt Clare jeden Augenblick Alba zur Welt, und ich möchte unbedingt dabei sein, andererseits ist dies ein wertvolles Beispiel des Zeitreisens nach vorn. Ich fühle mich stark und richtig präsent, richtig gut. Ich stehe also ruhig in einem dunklen Raum voller angeleuchteter Kästen von Joseph Cornell und beobachte eine Gruppe von Schülern, die hinter einer Museumspädagogin hergehen und kleine Klappstühle mit sich herumtragen, auf die sie sich gehorsam setzen, wenn man sie dazu auffordert.

Ich sehe mir die Gruppe genauer an. Die Mueseumspädagogin ist das Übliche: Eine gepflegte Frau in den Fünfzigern mit unglaublich blondem Haar und angespanntem Gesicht. Die Lehrerin, eine gutmütige junge Frau, die hellblauen Lippenstift trägt, steht hinter der Schülerschar, jederzeit bereit einzugreifen, wenn jemand über die Stränge schlägt. Mich faszinieren vor allem die Schüler. Sie sind alle um die zehn, fünfte Klasse dürfte das wohl sein. Alle tragen sie die gleiche Kleidung, grünes Schottenkaro für die Mädchen und Marineblau für die Jungen, sie kommen also von einer katholischen Schule. Sie sind aufmerksam und höflich, aber nicht sehr interessiert. Schade, denn ich finde Cornell ideal für Kinder. Die Museumspädagogin scheint sie für jünger zu halten, als sie wirklich sind; sie redet mit ihnen, als wären sie kleine Kinder. Ein Mädchen in der letzten Reihe wirkt aufgeweckter als der Rest. Ihr Gesicht kann ich nicht sehen. Sie hat langes schwarzes Lockenhaar und trägt ein pfauenblaues Kleid, was sie von ihren Mitschülern absetzt. Immer wenn die Pädagogin eine Frage stellt, meldet sich das Mädchen, aber die Frau nimmt sie nicht dran. Man sieht dem Mädchen an, dass es langsam die Nase voll hat.

Die Museumspädagogin redet über Cornells *Aviary*-Kästen. Jeder Kasten ist schlicht, viele sind innen weiß gestrichen, mit Stangen und der Art von Löchern, wie man sie in einem Vogelhaus findet, und in einigen sind Vogelbilder. Es sind die stärksten und asketischsten seiner Werke, ohne das Spleenige der *Soap Bubble Sets* oder die Romantik der *Hotel*-Kästen.

»Warum glaubt ihr, hat Mr Cornell diese Kästen gemacht?« Auf der Suche nach einer Antwort lässt die Museumspädagogin ihren Blick fröhlich über die Schüler schweifen, wobei sie das pfauenblaue Mädchen übersieht, das mit der Hand wedelt, als hätte es den Veitstanz. Ein Junge vorne sagt schüchtern, dass der Künstler wohl Vögel gemocht habe. Das ist zu viel für das Mädchen. Die Hand in der Luft, steht sie auf, und die Museumspädagogin sagt widerstrebend: »Ja?«

»Er hat die Kästen gemacht, weil er einsam war. Er hatte keinen, den er lieben konnte, also hat er die Kästen gemacht, damit er wenigstens sie lieben konnte und damit die Leute wussten, dass es ihn gibt, und weil Vögel frei sind und die Kästen ihnen ein Versteck bieten, an dem sie sich sicher fühlen, denn er wollte auch frei sein und sich sicher fühlen. Die Kästen sind für ihn, damit er ein Vogel sein kann.« Das Mädchen setzt sich wieder.

Ihre Antwort haut mich um. Dieses zehnjährige Mädchen kann sich in Joseph Cornell hineinversetzen. Weder die Museumspädagogin noch die Klasse weiß so recht etwas damit anzufangen, doch die Lehrerin, offenbar an das Mädchen gewöhnt, sagt: »Vielen Dank, Alba, deine Antwort ist sehr scharfsinnig.« Als sie sich umdreht und die Lehrerin dankbar anlächelt, sehe ich ihr Gesicht: Es ist das meiner Tochter. Ich trete ein paar Schritte vor, um sie besser zu sehen, da entdeckt sie mich, und ihr Gesicht erhellt sich, sie springt auf, stößt ihren kleinen Klappstuhl um, und noch ehe ich es fassen kann, halte ich Alba in den Armen, halte sie ganz fest, knie vor ihr und drücke sie an mich, während sie immer wieder »Daddy« sagt.

Alle gaffen uns an. Die Lehrerin eilt herbei.

Sie sagt: »Alba, wer ist das? Sir, wer sind Sie?«

»Ich bin Henry DeTamble, Albas Vater.«

»Er ist mein Daddy.«

Die Lehrerin ist kurz davor, die Hände zu ringen. »Sir, Albas Vater ist tot.«

Mir verschlägt es die Sprache. Aber Alba, meine Tochter, hat die Situation im Griff.

»Er ist tot«, sagt sie der Lehrerin. »Aber er ist nicht *ständig* tot.«

Ich finde meine Fassung wieder. »Irgendwie ist das schwer zu klären...«

»Er ist eine CGP«, erklärt Alba. »Genau wie ich.« Der Lehrerin scheint das einzuleuchten, obwohl ich nichts damit anfangen kann. Unter ihrem Make-up ist sie leicht erblasst, aber sie sieht mitfühlend aus. Alba drückt meine Hand. Sag etwas, meint sie damit.

»Ah, Ms...«

»Cooper.«

»Ms Cooper, wäre es möglich, dass Alba und ich uns ein paar Minuten unterhalten könnten? Wir sehen uns nicht sehr oft.«

»Also ... na ja ... wir machen einen Ausflug ... die Gruppe ... ich kann Sie nicht einfach das Kind aus der Gruppe nehmen lassen, zumal ich nicht sicher weiß, ob Sie tatsächlich Mr DeTamble sind, verstehen Sie ...«

»Wir rufen Mama an«, sagt Alba, rennt zu ihrer Schultasche hinüber und zückt ein Mobiltelefon. Dann drückt sie eine Taste, und ich höre das Telefon anläuten und erkenne schlagartig, dass sich hier einzigartige Möglichkeiten auftun: Am anderen Ende nimmt jemand ab, und Alba sagt: »Mama? Ich bin im Art Institute ... Nein, mir geht es gut ... Mama, Daddy ist hier! Sag Mrs Cooper, dass er wirklich Daddy ist, ja? ... Klar, sicher, Wiedersehen!« Sie reicht mir das Telefon. Ich zögere, nehme meine Sinne zusammen.

»Clare?« Tiefes Einatmen. »Clare?«

»*Henry*! Oh, Gott, ich kann's nicht fassen! Komm nach Hause!«

»Ich will es versuchen ...«

»Aus welcher Zeit kommst du?«

»2001. Kurz vor Albas Geburt.« Ich lächle Alba an. Sie schmiegt sich an mich, hält meine Hand.

»Vielleicht sollte ich zu euch kommen?«

»Das ginge schneller. Pass auf, könntest du der Lehrerin sagen, dass ich wirklich ich bin?«

»Klar ... und wo finde ich dich?«

»Bei den Löwen. Komm so schnell du kannst, Clare. Allzu lang wird es nicht mehr dauern.«

»Ich liebe dich.«

»Ich liebe dich auch, Clare.« Ich zögere, dann reiche ich Mrs Cooper den Hörer. Sie unterhält sich kurz mit Clare, die sie irgendwie überredet, dass ich Alba zum Museumseingang mitnehmen darf, wo wir uns mit ihr treffen werden. Ich danke Mrs Cooper, die sich in einer seltsamen Situation ziemlich charmant verhalten hat, und Alba und ich gehen Hand in Hand aus dem Morton-Flügel die Wendeltreppe hinunter zu den chinesischen Keramiken. Meine Gedanken überschlagen sich. Was soll ich zuerst fragen?

»Danke für die Videos«, sagt Alba. »Mama hat sie mir zum Geburtstag geschenkt.« Welche Videos? »Ich kann schon das Yale und das Master, im Moment arbeite ich am Walters.«

Schlösser. Meine Tochter lernt, wie man Schlösser knackt. »Großartig. Mach weiter so. Hör mal, Alba.«

»Daddy?«

»Was ist eine CGP?«

»Eine chronogestörte Person.« Vor einem Porzallandrachen aus der Tang-Dynastie setzen wir uns auf eine Bank. Alba schaut mich an, ihre Hände liegen im Schoß. Sie sieht genauso aus wie ich mit zehn. Ich kann das alles kaum begreifen. Sie ist noch gar nicht auf der Welt, und schon sitzt sie da, wie Athene, als Erwachsene geboren. Ich bin ehrlich zu ihr.

»Weißt du, ich treffe dich heute zum ersten Mal.«

Alba lächelt. »Freut mich sehr.« Sie ist das selbstbeherrschteste Kind, das mir jemals begegnet ist. Ich mustere sie eingehend: Wo verbirgt sich Clare in diesem Mädchen?

»Sehen wir uns oft?«

Sie überlegt. »Nein. Es ist ungefähr ein Jahr her. Mit acht hab ich dich ein paar Mal gesehen.«

»Wie alt warst du, als ich gestorben bin?« Ich halte die Luft an.

»Fünf.« Himmel. Das ist zu viel für mich.

»Entschuldige! Hätte ich das lieber nicht sagen sollen?« Alba ist zerknirscht. Ich drücke sie an mich.

»Schon gut. Schließlich hab ich dich gefragt, oder?« Ich atme tief durch. »Wie geht es Clare?«

»Ganz gut. Sie ist traurig.« Das trifft mich tief. Ich merke, dass ich eigentlich nichts mehr wissen möchte.

»Und du? Was macht die Schule? Was lernst du gerade?«

Alba grinst. »In der *Schule* lerne ich nicht viel, aber ich lese alles über die ersten Instrumente und Ägypten, und Mama und ich lesen gerade *Herr der Ringe*, und ich lerne einen Tango von Astor Piazzolla.«

Mit zehn? Meine Güte. »Du spielst Geige? Wer ist dein Lehrer?«

»Gramps.« Einen Augenblick nehme ich an, sie meint meinen Großvater, aber dann wird mir klar, dass sie Dad meint. Wunderbar. Wenn Dad Alba unterrichtet, muss sie sehr gut sein.

»Bist du gut?« Was für eine unverschämte Frage.

»Ja. Ich bin *sehr* gut.« Gott sei Dank.

»Ich war in Musik nie gut.«

»Gramps sagt das auch.« Sie kichert. »Aber du hörst gern Musik.«

»Ich liebe Musik. Ich kann nur nicht selbst spielen.«

»Ich hab Grandma Annette singen gehört! Sie war *so* schön.«

»Welche Platte?«

»Ich hab sie in echt gesehen. In der Lyric Opera. Sie sang *Aida*.«

Sie ist eine CGP, genau wie ich. Oh, Mist. »Du reist durch die Zeit.«

»Klar.« Alba lächelt glücklich. »Mama sagt immer, du und ich, wir sind genau gleich. Und Dr. Kendrick meint, ich bin ein Wunder.«

»Wie kommt er darauf?«

»Manchmal kann ich weggehen, wann und wohin ich will.« Alba scheint so zufrieden mit sich, dass ich sie fast beneide.

»Kannst du auch hier bleiben, wenn du nicht gehen willst?«

»Also, nein.« Sie wirkt verlegen. »Aber mir gefällt es. Sicher, manchmal *passt* es gerade nicht, aber ... es ist *interessant*, weißt du?« Ja. Ich weiß.

»Komm mich doch besuchen, wenn du in jede Zeit reisen kannst.«

»Wollte ich schon. Einmal hab ich dich auf der Straße gesehen, du warst mit einer blonden Frau unterwegs. Aber irgendwie hast du sehr beschäftigt gewirkt.« Alba errötet, und mit einem Mal, nur für den Bruchteil einer Sekunde, sieht mich Clare aus ihr an.

»Das war Ingrid. Mit ihr war ich zusammen, bevor ich deiner Mom begegnet bin.« Ich überlege, was Ing und ich wohl gemacht haben könnten, das Alba so unangenehm in Erinnerung ist, und ich bedauere unendlich, dass ich einen schlechten Eindruck auf dieses vernünftige liebenswerte Mädchen gemacht habe. »Wo wir gerade bei deiner Mom sind, wir sollten nach draußen gehen und auf sie warten.« Das hohe Sirren hat wieder eingesetzt, und ich hoffe nur, Clare schafft es hierher, bevor ich weg bin. Alba und ich stehen auf und begeben uns schnell zur Vordertreppe. Es ist Spätherbst, und da sie keinen Mantel anhat, schlinge ich meinen um uns beide. Ich lehne mich an den Granitblock, auf dem einer der Löwen sitzt, den Blick nach Süden gewandt, und Alba lehnt sich an mich, umgeben von meinem Mantel, sie schmiegt sich an meinen bloßen Körper und nur ihr Gesicht ragt auf Höhe meiner Brust heraus. Es ist ein verregneter Tag. Der Verkehr schwimmt die Michigan Avenue entlang. Ich bin wie berauscht von der überwältigenden Liebe, die ich für mein erstaunliches Kind empfinde, das bei mir steht, als gehörte es zu mir, als wären wir nie getrennt, als hätten wir alle Zeit der Welt. Ich klammere mich an diesen Augenblick, kämpfe gegen die Müdigkeit und den Sog meiner eigenen Zeit. Bitte lass mich bleiben, flehe ich meinen Körper, Gott, Gevatter Zeit, den Weihnachtsmann an, jeden, der mich anhören könnte. Ich will nur Clare sehen, dann komme ich friedlich mit.

»Da ist Mama«, sagt Alba. Ein weißes Auto, das ich nicht kenne, fährt schnell auf uns zu. An der Kreuzung hält es an, und Clare springt heraus, sie lässt es einfach stehen und blockiert den Verkehr.

»Henry!« Ich will zu Clare laufen, die auf mich zurennt, aber auf der Treppe breche ich zusammen und strecke die Arme nach ihr aus: Alba hält mich und brüllt etwas, Clare ist nur noch ein paar Meter von mir entfernt, und unter Aufbietung meiner letzten Willenskraft sehe ich sie an, die so weit weg scheint, und sage so deutlich wie ich kann »Ich liebe dich«. Dann bin ich verschwunden. Schade. Wirklich schade.

Freitag, 24. August 2001 (Clare ist 30, Henry 38)
19.20 Uhr

CLARE: Ich liege auf dem ramponierten Liegesofa im Garten, umgeben von Büchern und Zeitschriften, neben mir ein halb ausgetrunkenes Glas Limonade, die inzwischen von den geschmolzenen Eiswürfeln verwässert ist. Allmählich kühlt es ein bisschen ab. Noch vorhin hatte es neunundzwanzig Grad, jetzt aber weht eine Brise, und die Zikaden singen ihr spätes Sommerlied. Fünfzehn Jets aus unbekannten Entfernungen sind auf dem Weg zum Flughafen O'Hare über mich hinweggeflogen. Mein Bauch ragt vor mir auf, verankert mich an diesem Fleck. Henry ist seit gestern früh um acht verschwunden und allmählich mache ich mir Sorgen. Was ist, wenn die Wehen einsetzen und er nicht da ist? Was ist, wenn ich das Kind bekomme und er immer noch nicht zurück ist? Was ist, wenn er verletzt ist? Wenn er tot ist? Wenn ich sterbe? Diese Gedanken jagen sich gegenseitig, beißen sich in den Schwanz wie jene komischen Pelzteile, die alte Damen früher um den Hals trugen, sie schwirren mir im Kopf herum, bis ich es keine Minute länger aushalte. Gewöhnlich verdränge ich meine Angst gern in hektischer Geschäftigkeit; ich mache mir Sorgen um Henry, während ich mein Atelier schrubbe, neun Maschinen Wäsche wasche oder drei Stapel Papier schöpfe. Nun aber liege ich hier in der frühen Abendsonne in unserem Garten, gebunden durch meinen Bauch, während Henry irgendwo draußen ist ... und ich weiß nicht, was er gerade macht. O Gott. Bring ihn zurück. Sofort.

Doch nichts geschieht. Mr Panetta fährt die Gasse entlang, seine Garagentür öffnet sich quietschend und schließt sich dann. Der Eismann fährt mit seinem Wagen vorbei und klingelt. Die Leuchtkäfer beginnen ihre Abendorgien. Aber kein Henry.

Langsam knurrt mir der Magen. Ich werde noch im Garten verhungern, weil Henry nicht da ist und mir etwas zu Abend kocht. Alba strampelt, und ich überlege, ob ich aufstehen, in die Küche gehen und mir etwas zu essen machen soll. Am Ende entscheide ich mich für das, was ich immer mache, wenn Henry nicht da ist, um mich zu versorgen. Langsam, Stück um Stück, stehe ich auf und gehe gemächlich ins Haus. Ich nehme meine Handtasche, schalte ein paar Lichter an, gehe zur vorderen Tür hinaus und sperre ab. Die Bewegung tut gut. Wieder muss ich staunen und bin erstaunt, darüber zu staunen, dass nur ein Teil meines Körpers so riesig ist, als wäre ich jemand, bei dem die Schöhnheitsoperation missglückt ist, als wäre ich eine dieser afrikanischen Stammesfrauen, deren Schönheitsideal einen extrem verlängerten Hals oder Lippen oder Ohrläppchen erfordert. Ich gleiche mein Gewicht gegen das von Alba aus, und in diesem siamesischen Zwillingstanzstil gehen wir zum Opart Thai Restaurant.

Das Lokal ist kühl und ziemlich voll. Man führt mich an einen Tisch vorne am Fenster. Ich bestelle Frühlingsrollen und Pad Thai mit Tofu, das ist mild und ungefährlich. Ich trinke ein ganzes Glas Wasser. Alba drückt auf meine Blase; ich gehe auf die Toilette, und bei meiner Rückkehr steht die Vorspeise auf dem Tisch. Beim Essen stelle ich mir die Unterhaltung vor, die Henry und ich führen würden, wenn er hier wäre. Ich überlege, wo er sein könnte. Ich grabe in meinem Gedächtnis und versuche den Henry, der gestern beim Anziehen seiner Hose verschwunden ist, mit irgendeinem Henry aus meiner Kindheit zusammenzubringen. Aber es ist Zeitverschwendung, ich werde einfach warten müssen, bis er es mir selbst erzählt. Vielleicht ist er inzwischen zu Hause. Ich muss mich zurückhalten, um nicht aus dem Restaurant zu stürmen und sicherheitshalber nachzusehen. Das Hauptgericht wird serviert. Ich drücke Zitronensaft über die Nudeln und fange an zu essen. Ich stelle mir vor, wie die winzige und rosig in meinem Bauch eingerollte Alba mit kleinen zarten Stäbchen Pad Thai isst. Ich stelle mir ihre langen schwarzen Haare und grünen Augen vor. Sie lächelt und sagt: »Danke, Mama.« Ich lächle zurück und erwidere: »Gern geschehen, wirklich keine Ursache.« Sie hat ein kleines Kuscheltier bei sich, es heißt Alfonzo. Alba füttert Alfonzo ein bisschen Tofu. Ich esse die Nudeln auf, bleibe noch ein paar Minuten sitzen und ruhe mich aus. Am Nebentisch zündet sich jemand eine Zigarette an. Ich zahle und gehe.

Ich wackle die Western Avenue entlang. Aus einem Auto voll puerto-ricanischer Jugendlicher ruft mir jemand etwas zu, aber ich verstehe es nicht. Vor unserem Haus angelangt, suche ich die Schlüssel, und Henry reißt die Tür auf, sagt »Gott sei Dank« und schlingt die Arme um mich.

Wir küssen uns. Ich bin so erleichtert, ihn wieder zu sehen, dass es ein paar Minuten dauert, bis ich merke, wie unendlich erleichtert auch er ist.

»Wo bist du gewesen?«, will Henry wissen.

»Im Opart. Und du?«

»Du hast keine Nachricht hier gelassen. Als ich nach Hause kam, warst du nicht da, und ich dachte, du wärst im Krankenhaus, also rief ich dort an, aber sie wussten von nichts...«

Ich fange zu lachen an und kann kaum noch aufhören. Henry sieht mich verdutzt an. Als ich mich wieder beruhigt habe, sage ich zu ihm: »Jetzt weißt du, wie das ist.«

Er lächelt. »Entschuldige. Aber ich bin einfach... Ich wusste nicht, wo du steckst und bekam irgendwie Angst. Ich dachte schon, ich hätte Alba verpasst.«

»Aber wo warst du denn nun?«

Henry grinst. »Das erzähle ich dir gleich. Sekunde noch. Setzen wir uns.«

»Legen wir uns lieber hin. Ich bin kaputt.«

»Was hast du den ganzen Tag gemacht?«

»Herumgelegen.«

»Arme Clare, kein Wunder, dass du müde bist.« Ich gehe ins Schlafzimmer, schalte die Klimaanlage ein und ziehe die Jalousien herunter. Henry biegt in die Küche ab und erscheint kurz darauf mit Getränken. Ich mache es mir auf dem Bett bequem und erhalte ein Ginger Ale; Henry streift seine Schuhe ab und kommt mit einem Bier in der Hand zu mir.

»Erzähl mir alles.«

»Gut.« Er hebt eine Augenbraue, öffnet den Mund, schließt ihn wieder. »Ich weiß nicht, wo ich anfangen soll.«

»Spuck schon aus.«

»Ich muss von vornherein sagen, es war das Seltsamste, was mir je zugestoßen ist.«

»Seltsamer als unsere Begegnung?«

»Ja. Ich meine, die war doch durchaus natürlich, Junge trifft Mädchen...«

»Seltsamer als immer wieder zu sehen, wie deine Mutter stirbt?«

»Das ist inzwischen nur noch eine schreckliche Routine. Ein schlechter Traum, der mich immer mal wieder heimsucht. Nein, ich spreche von etwas wirklich Surrealem.« Er streicht mit der Hand über meinen Bauch. »Ich bin vorwärts gereist, und ich war wirklich da, verstehst du, voll und ganz, und ich bin unserem kleinen Mädchen begegnet.«

»O Gott. Wie bin ich neidisch. Aber toll!«

»Ja. Sie war ungefähr zehn. Clare, sie ist so unglaublich ... sie ist klug und musikalisch und einfach ... sehr selbstsicher, nichts hat sie aus der Fassung gebracht...«

»Wie sieht sie aus?«

»Wie ich. Eine weibliche Ausgabe von mir. Natürlich ist sie schön, sie hat deine Augen, aber im Wesentlichen sieht sie mir sehr ähnlich: Schwarze Haare, blass, ein paar Sommersprossen, und ihr

Mund ist kleiner als meiner früher, auch ihre Ohren stehen nicht so ab. Sie hatte langes lockiges Haar und meine Hände mit den langen Fingern, außerdem ist sie groß... Ein bisschen wie eine junge Katze.«

Traumhaft. Herrlich.

»Ich fürchte, meine Gene haben sich bei ihr durchgesetzt. Aber von der Persönlichkeit her glich sie dir. Sie hatte eine unglaubliche Ausstrahlung. Ich hab sie im Art Institute gesehen, in einer Gruppe von Schulkindern, sie haben sich Joseph Cornells *Aviary*-Kästen angesehen, und sie hat etwas wirklich Herzzerreißendes über ihn gesagt... irgendwie *wusste ich, wer sie war*. Sie hat mich auch erkannt.«

»Na, das will ich doch hoffen.« Ich muss ihn fragen. »Kann sie... geht sie...?«

Henry zögert. »Ja«, sagt er schließlich. »Sie kann es auch.« Wir schweigen beide. Er streichelt mein Gesicht. »Ich weiß.«

Am liebsten würde ich weinen.

»Clare, sie wirkte glücklich. Ich hab sie gefragt, und sie hat gesagt, es gefällt ihr.« Er lächelt. »Sie findet es *interessant*.«

Wir beide müssen lachen, anfangs ein bisschen bekümmert, und dann, als mir das Komische dieser Bemerkung dämmert, lachen wir richtig, bis uns das Gesicht wehtut und uns Tränen über die Wangen laufen. Denn natürlich – es *ist* interessant. *Sehr* interessant.

GEBURTSTAG

Mittwoch, 5. September/Donnerstag, 6. September 2001
(Henry ist 38, Clare 30)

HENRY: Clare ist den ganzen Tag wie ein Tiger durchs Haus gelaufen. Alle zwanzig Minuten setzen die Wehen ein. »Versuch ein bisschen zu schlafen«, sage ich zu ihr, und sie legt sich ein paar Minuten aufs Bett, steht aber gleich wieder auf. Um zwei Uhr morgens schläft sie endlich ein. Ruhelos lege ich mich neben sie, beobachte, wie sie atmet, horche auf die kleinen unruhigen Geäusche, die sie von sich gibt, spiele mit ihren Haaren. Ich mache mir Sorgen, obwohl ich weiß, obwohl ich mit eigenen Augen gesehen habe, dass sie es überstehen wird und Alba es überstehen wird. Um 3.30 Uhr in der Nacht wacht Clare auf.

»Ich möchte ins Krankenhaus«, sagt sie.

»Vielleicht sollten wir ein Taxi rufen«, schlage ich vor. »Es ist ziemlich spät.«

»Gomez meinte, wir sollen anrufen, egal, wie spät es ist.«

»Gut.« Ich wähle Gomez und Charisse an. Sechzehnmal läutet das Telefon, bevor Gomez abhebt und sich meldet wie ein Mann vom Meeresgrund.

»Muh?«, sagt Gomez.

»Hey, Genosse. Es ist so weit.«

Er murmelt etwas, das sich anhört wie »Senfeier«. Dann kommt Charisse ans Telefon und verspricht, dass sie schon unterwegs sind. Ich lege auf und rufe Dr. Montague an, hinterlasse eine Nachricht auf ihrem telefonischen Antwortdienst. Clare kauert auf allen vieren, wiegt sich vor und zurück. Ich lasse mich auf dem Boden neben ihr nieder.

»Clare?«

Sie blickt zu mir auf, wiegt sich weiter. »Henry ... warum haben wir das Ganze nur wieder auf uns genommen?«

»Weil sie dir, wenn es vorbei ist, ein Kind geben, das du behalten darfst – deswegen wahrscheinlich.«

»Ach, richtig.«

Eine Viertelstunde später steigen wir in Gomez' Volvo. Gomez hilft mir gähnend, Clare auf die Rückbank zu bugsieren. »Dass du mir bloß nicht mein Auto in Fruchtwasser ertränkst«, sagt er liebenswürdig zu Clare. Charisse rennt ins Haus und holt Mülltüten, mit denen sie die Sitze abdeckt. Und schon sind wir unterwegs. Clare schmiegt sich an mich und hält meine Hände fest in den ihren.

»Lass mich nicht im Stich«, sagt sie.

»Bestimmt nicht«, verspreche ich. Im Rückspiegel fange ich Gomez' Blick auf.

»Es tut weh«, sagt Clare. »Mein Gott, tut das weh.«

»Denk an was anderes. An was Schönes«, sage ich. Wir rasen die Western Avenue entlang in Richtung Süden. Es herrscht kaum Verkehr.

»Erzähl mir was ...«

Ich überlege fieberhaft, und mir fällt mein jüngster Aufenthalt in Clares Kindheit ein. »Erinnerst du dich noch an den Tag am See, als du zwölf warst? Wir waren schwimmen, und du hast mir von deiner ersten Blutung erzählt.« Clare packt meine Hände mit knochenerschütternder Kraft.

»Hab ich das?«

»Ja, irgendwie hast du dich geniert, warst aber auch mächtig stolz auf dich ... Du hattest einen rosagrünen Bikini an, dazu diese gelbe Sonnenbrille mit den eingegossenen Herzchen im Gestell.«

»Ich erinnere mich – ah! – oh, Henry, das tut weh, unglaublich weh!«

Charisse dreht sich um und sagt: »Komm schon, Clare, ist doch bloß das Baby, das auf die Beckenknochen drückt, du musst dich anders hinsetzen, ja?« Clare versucht, ihre Stellung zu verändern.

»Da wären wir«, sagt Gomez und biegt in die Haltezone der Notfallaufnahme des Mercy Hospital.

»Es fängt an zu tropfen«, sagt Clare. Gomez hält an, steigt aus, und wir holen Clare vorsichtig aus dem Auto. Nach zwei Schritten platzt ihre Fruchtblase.

»Gutes Timing, Kätzchen«, sagt Gomez. Charisse rennt mit unseren Papieren voraus, und Gomez und ich führen Clare langsam durch die Notfallaufnahme und lange Flure zur Entbindungsstation. Während man ihr unbekümmert ein Zimmer herrichtet, lehnt Clare am Empfangstisch der Schwestern.

»Lass mich nicht im Stich«, flüstert sie.

»Bestimmt nicht«, verspreche ich ihr wieder. Ich wünschte, ich könnte mir da sicher sein. Mir ist kalt und ein bisschen schwindlig. Clare dreht sich um und schmiegt sich an mich. Ich schlinge meine Arme um sie. Das Baby ist eine harte runde Kugel zwischen uns. *Komm heraus, komm heraus, wo auch immer du bist.* Clare keucht. Eine dicke blonde Schwester erscheint und sagt uns, das Zimmer sei fertig. Wir trotten hinein. Clare lässt sich sofort auf allen vieren am Boden nieder. Charisse fängt an, Sachen einzuräumen, Kleider in den Schrank, Toilettensachen ins Bad. Gomez und ich beobachten hilflos Clare, die ständig stöhnt. Wir sehen uns an. Gomez zuckt die Schultern.

»Hey, Clare«, sagt Charisse, »wie wär's mit einem Bad? Im warmen Wasser wirst du dich besser fühlen.«

Clare nickt. Charisse bedeutet Gomez mit den Händen, sich zu verziehen. Er sagt: »Ich glaube, ich geh eine rauchen«, und verlässt das Zimmer.

»Soll ich bleiben?«, frage ich Clare.

»Ja! Geh nicht weg … bleib da, wo ich dich sehen kann.«

»Gut.« Ich gehe ins Bad, um das Wasser einzulassen. Badezimmer in Krankenhäusern sind mir ein Gräuel. Immer riechen sie nach billiger Seife und kranken Körpern. Ich drehe den Hahn auf, warte, bis das Wasser warm ist.

»Henry! Bist du da?«, ruft Clare.

Ich strecke den Kopf ins Zimmer. »Hier bin ich.«

»Bleib bei mir«, befiehlt Clare, und Charisse übernimmt meinen Platz im Bad. Clare gibt ein Geräusch von sich, wie ich es noch nie bei einem Menschen gehört habe, ein tiefes verzweifeltes qualvolles Stöhnen. Was habe ich ihr bloß angetan? Ich denke an Clare mit zwölf, lachend und voll feuchtem Sand auf einer Decke, in ihrem ersten Bikini am Strand. Oh, Clare, es tut mir Leid, ehrlich. Eine ältere schwarze Schwester kommt herein und überprüft Clares Muttermundweite.

»So ist's recht«, säuselt sie. »Sechs Zentimeter.«

Clare nickt, lächelt und verzerrt dann das Gesicht. Sie hält sich den Bauch und krümmt sich vor Schmerzen, ihr Stöhnen wird lauter. Die Schwester und ich halten sie. Clare japst nach Luft, und dann beginnt sie zu schreien. Amit Montague kommt herein und eilt zu ihr.

»Kind, Kind, Kind, scht…« Die Schwester gibt Dr. Montague ein paar Informationen, die mir nichts sagen. Clare schluchzt. Ich räuspere mich, sage heiser: »Wie wär's mit einer Epiduralanästhesie?«

»Clare?«

Clare nickt. Leute drängen sich mit Schläuchen, Nadeln und Apparaten im Zimmer. Ich halte Clares Hand, beobachte ihr Gesicht. Wimmernd liegt sie auf der Seite, das Gesicht nass von Schweiß und Tränen, während der Narkosearzt eine Infusion anlegt und den Epiduralraum punktiert. Dr. Montague untersucht Clare und wirft einen sorgenvollen Blick auf den Monitor zur Überwachung der fetalen Herztöne.

»Was ist?«, fragt Clare. »Etwas stimmt nicht.«

»Das Herz schlägt sehr schnell. Ihr kleines Mädchen hat Angst. Sie müssen ruhig sein, Clare, dann wird das Baby auch ruhig, ja?«

»*Es tut aber so weh.*«

»Das liegt an ihrer Größe.« Amit Montagues Stimme klingt ruhig und tröstend. Der kräftige, walross-schnauzbärtige Narkosearzt sieht mich gelangweilt über Clares Körper hinweg an. »Aber jetzt geben wir Ihnen einen kleinen Cocktail, hm, etwas Analgetikum, etwas Narkotikum, bald werden Sie sich entspannen, und das Baby wird sich entspannen, ja?« Clare nickt zustimmend. Dr. Montague lächelt. »Und Henry, wie geht es Ihnen?«

»Nicht sehr entspannt.« Ich bemühe mich zu lächeln. Was sie Clare auch verabreichen, ich könnte etwas davon gebrauchen. Ich sehe leicht doppelt; als ich tief durchatme, vergeht es wieder.

»Wird schon besser, sehen Sie?«, sagt Dr. Montague. »Es ist wie eine Wolke, die vorüberzieht, der Schmerz verschwindet, wir bringen ihn irgendwohin und lassen ihn am Straßenrand zurück, ganz allein, und Sie und das kleine Mädchen bleiben hier, ja? Hier ist es angenehm, wir lassen uns Zeit, haben es nicht eilig...« Die Anspannung ist aus Clares Gesicht gewichen. Ihr Blick ist auf Dr. Montague gerichtet. Die Apparate biepen. Das Zimmer ist düster. Draußen geht die Sonne auf. Dr. Montague beobachtet den Monitor für die Herztöne. »Sagen Sie ihr, dass es Ihnen gut geht und ihr gut geht. Singen Sie ihr ein Lied vor, ja?«

»Alba, wir schaffen das«, flüstert Clare, dann sieht sie mich an. »Sag das Gedicht von den Liebenden auf dem Teppich.«

Ich stutze, und dann erinnere ich mich. Es ist mir peinlich, vor all den Leuten Rilke zu rezitieren, und so beginne ich leise: »Engel!: Es wäre ein Platz, den wir nicht wissen...«

»Sag es lauter«, fällt mir Clare ins Wort.

»Entschuldige.« Ich verändere meine Position, so dass ich neben Clares Bauch sitze, mit dem Rücken zu Charisse, der Schwester und dem Arzt, greife mit der Hand unter Clares Hemd, an dem die Knöpfe fast platzen. Durch Clares heiße Haut kann ich Albas Umrisse spüren.

»Engel!« sage ich zu Clare, als lägen wir in unserem eigenen Bett, als seien wir die ganze Nacht wach gewesen, beschäftigt mit weniger bedeutsamen Aufträgen,

Engel!: Es wäre ein Platz, den wir nicht wissen, und dorten,
auf unsäglichem Teppich, zeigten die Liebenden, die's hier
bis zum Können nie bringen, ihre kühnen
hohen Figuren des Herzschwungs,

ihre Türme aus Lust, ihre
längst, wo Boden nie war, nur an einander
lehnenden Leitern, bebend, – und könntens,
vor den Zuschauern rings, unzähligen lautlosen Toten:
Würfen die dann ihre letzten, immer ersparten,
immer verborgenen, die wir nicht kennen, ewig
gültigen Münzen des Glücks vor das endlich wahrhaft lächelnde
Paar auf gestilltem
Teppich?

»Na bitte«, sagt Dr. Montague und schaltet den Monitor aus. »Alle sind ruhig.« Sie strahlt uns an und huscht, gefolgt von der Schwester, zur Tür hinaus. Zufällig erhasche ich einen Blick auf den Narkosearzt, dessen Miene klar und deutlich sagt *Was bist du denn für ein Weichei?*

CLARE: Die Sonne geht auf, und ich liege apathisch auf diesem sonderbaren Bett in diesem rosa Raum, und irgendwo im fremden Land, der mein Uterus ist, kriecht Alba ihrem Zuhause entgegen oder weg von ihm. Der Schmerz hat nachgelassen, aber ich weiß, er ist nicht weit entfernt, er schmollt irgendwo in einer Ecke oder unterm Bett und wird hervorspringen, wenn ich am wenigsten damit rechne. Die Wehen kommen und gehen, weit weg, gedämpft wie Glockengeläut im Nebel. Henry legt sich neben mich. Leute gehen ein und aus. Mir ist, als müsste ich mich übergeben, aber ich übergebe mich nicht. Charisse gibt mir gestampftes Eis aus einem Pappbecher, es schmeckt nach schalem Schnee. Ich betrachte die Schläuche und rot blinkenden Lichter und denke an Mama. Ich schöpfe Atem. Henry beobachtet mich. Er sieht so verkrampft und unglücklich aus. Wieder mache ich mir Sorgen, dass er verschwinden wird. »Alles in Ordnung«, sage ich. Er nickt, streichelt meinen Bauch. Ich schwitze, hier ist es so heiß. Die Schwester kommt herein und sieht nach mir. Amit sieht nach mir. Irgendwie bin ich allein mit Alba unter all den anderen. *Alles in Ordnung*, beruhige ich sie. *Du machst das gut, du tust mir nicht weh.* Henry steht auf und schreitet hin und her, bis ich ihn bitte, damit aufzuhören. Ich habe das Gefühl, als würden meine Organe zu lebendigen Wesen, jedes mit seinem eigenen Programm, mit seinem eigenen Zug, den es erwischen muss. Alba bohrt sich kopfüber in mich hinein, ein Bagger aus Knochen und Fleisch, bestehend aus meinem Fleisch und meinen Knochen, sie vertieft meine Tiefen. Ich stelle mir vor, wie sie mich durchschwimmt, stelle mir vor, wie sie in die Stille eines morgendlichen Teichs fällt und das Wasser durch ihre Geschwindigkeit teilt. Ich stelle mir ihr Gesicht vor, ich will ihr Gesicht sehen. Ich sage dem Narkosearzt, dass ich etwas spüren möchte. Langsam lässt die Betäubung nach, der Schmerz kommt wieder, aber nun ist es ein anderer Schmerz. Ein guter Schmerz. Die Zeit vergeht.

Die Zeit vergeht und der Schmerz wogt langsam ein und aus, wie eine Frau, die am Bügelbrett steht und mit dem Eisen über ein weißes Tischtuch fährt, vor und zurück, immer wieder. Amit kommt herein und sagt, es wird Zeit, Zeit, in den Entbindungsraum zu gehen. Ich werde rasiert, in OP-Kleidung gepackt und auf einer Liege durch Gänge gerollt. Ich sehe die Decken in den Gängen über mir vorbeiziehen, Alba und ich rollen unserem gegenseitigen Kennenlernen entgegen, Henry geht neben uns. Im Entbindungsraum ist alles grün und weiß. Es riecht nach Reinigungsmittel, das erinnert mich an Etta, und ich möchte Etta bei mir haben, aber sie ist in Meadowlark, und ich blicke zu Henry auf, auch er in OP-Kleidung, und ich denke, wieso sind wir hier, wir sollten zu Hause sein, und schon spüre ich, wie Alba in mir wogt, stürzt, und ich presse ohne nachzudenken, und das wiederholen wir, immer wieder, wie ein Spiel, wie ein Lied. Jemand sagt *Hey, wohin ist denn der Vater verschwunden?* Ich blicke mich um, aber Henry ist fort, er ist nirgendwo zu sehen, und ich denke schon, Gottverdammt, aber nein, ich meine es nicht so, Gott, aber Alba kommt doch, sie kommt, und dann sehe ich Henry, er taumelt in mein Blickfeld, verwirrt und nackt, aber siehe, er ist da! und Amit sagt *Sacre Dieu!* und dann *Ah, das Köpfchen schneidet durch*, und ich presse, und Albas Kopf kommt heraus, und ich greife nach unten, um ihn zu berühren, ihren zarten schlüpfrigen nassen samtenen Kopf und ich presse immer weiter, bis Alba in Henrys wartende Hände gleitet und jemand sagt *Oh!* und ich bin leer und befreit und dann höre ich ein Geräusch wie von einer alten Vinylplatte, bei der man die Nadel in die falsche Rille setzt und dann schreit Alba auf und plötzlich ist sie da, jemand legt sie mir auf den Bauch, und als ich nach unten blicke, ist da ihr Gesicht, Albas Gesicht, ganz rosig und zerknittert, und ihre Haare ganz schwarz, und ihre Augen suchen blindlings, und ihre Hände greifen nach mir, und Alba schiebt sich zu meiner Brust hoch, und sie hält inne, erschöpft von der Anstrengung, erschöpft vom schieren Akt der Geburt.

Henry beugt sich über mich, berührt ihre Stirn und flüstert: »Alba.«

Später:

CLARE: Es ist der Abend von Albas erstem Tag auf Erden. Ich liege in meinem Krankenhausbett mit Alba im Arm, umgeben von Luftballons, Teddybären und Blumen. Henry sitzt im Schneidersitz am Fußende und fotografiert uns. Alba, die eben aufgehört hat zu trinken, pustet Vormilchbläschen von ihren winzigen Lippen und schläft dann langsam ein, eine weiche warme Tasche aus Haut und Flüssigkeit an meinem Nachthemd. Henry knipst den Film zu Ende und entlädt den Fotoapparat.

»Hey«, sage ich, denn plötzlich fällt es mir ein. »Wohin bist du verschwunden? Im Entbindungsraum?«

Henry lacht. »Und ich hatte schon gehofft, du hast nichts gemerkt. Ich dachte, du wärst vielleicht so abgelenkt...«

»Wo warst du?«

»In bin mitten in der Nacht in meiner alten Grundschule herumgegeistert.«

»Und wie lange?«

»O Gott. Stunden. Als ich ging, wurde es schon hell. Es war Winter, und sie hatten die Heizung abgedreht. Wie lange war ich weg?«

»Ich weiß nicht genau. Vielleicht fünf Minuten?«

Henry schüttelt den Kopf. »Ich war außer mir. Im Ernst, ich hatte dich einfach verlassen, bin sinnlos durch die Gänge der Francis Parker gewandert... Das war so... Ich bin mir so...« Henry lächelt. »Aber es ist ja gut gegangen, hmm?«

Ich lache. »Ende gut, alles gut.«

»»Du sprichst klüger, als du selber gewahr wirst.«« Es klopft leise an der Tür; Henry sagt: »Herein!«, und Richard tritt ein und bleibt dann zögernd stehen. Henry dreht sich um und sagt: »Dad...«, verstummt dann, springt vom Bett und fügt hinzu: »Komm doch und setz dich.« Richard hat Blumen und einen kleinen Teddy dabei, den Henry zum Haufen auf der Fensterbank legt.

»Clare«, setzt Richard an. »Ich ... herzlichen Glückwunsch.« Langsam lässt er sich im Sessel neben dem Bett nieder.

»Möchtest du sie mal halten?«, fragt Henry leise. Richard nickt und schaut mich an, ob ich einverstanden bin. Er sieht aus, als hätte er seit Tagen nicht geschlafen. Sein Hemd müsste gebügelt werden, und er stinkt nach Schweiß und dem Joddunst von altem Bier. Ich lächle ihn an, wenngleich ich mich frage, ob das eine gute Idee ist. Ich gebe Alba an Henry weiter, der sie vorsichtig in Richards unbeholfene Arme legt. Alba wendet ihr rosiges rundes Gesicht dem langen unrasierten ihres Großvaters zu, dreht sich zu seiner Brust und sucht einen Nippel. Nach einer Weile gibt sie auf und gähnt, dann schläft sie wieder weiter. Richard lächelt. Ich hatte schon vergessen, wie ein Lächeln sein Gesicht verändert.

»Sie ist schön«, sagt er an mich gewandt, und zu Henry: »Sie sieht aus wie deine Mutter.«

Henry nickt. »Jetzt hast du deine Geigerin, Dad«, sagt er und lächelt. »Hat nur eine Generation übersprungen.«

»Eine Geigerin?« Richard blickt auf das schlummernde Kind hinab, auf die schwarzen Haare und winzigen Hände. Noch nie sah ein Mensch weniger aus wie eine Konzertgeigerin als Alba in diesem Augenblick. »Eine Geigerin.« Er schüttelt den Kopf. »Aber woher willst du... Nein, vergiss es. Du bist also eine Geigerin, nicht wahr, kleines Mädchen?« Alba streckt die Zunge ein klein bisschen heraus, und wir alle lachen.

»Sie wird einen Lehrer brauchen, wenn sie alt genug ist«, deute ich an.

»Einen Lehrer? Ja... Ihr wollt sie hoffentlich nicht zu diesen idiotischen Suzuki schicken?«, will Richard wissen.

Henry hustet. »Eigentlich hatten wir gehofft, wenn du nichts Besseres vorhast...«

Jetzt kapiert Richard. Es ist schön mit anzusehen, wie er begreift, wie ihm bewusst wird, dass jemand ihn braucht, dass nur er seiner einzigen Enkelin den Unterricht erteilen kann, den sie benötigen wird.

»Wäre mir ein Vergnügen«, sagt er, und Albas Zukunft entrollt sich vor ihr wie ein roter Teppich so weit das Auge reicht.

Dienstag, 11. September 2001 (Clare ist 30, Henry 38)

CLARE: Um 6.43 Uhr wache ich auf, und Henry ist nicht da. Auch Alba liegt nicht in ihrem Bettchen. Meine Brust tut weh. Meine Möse tut weh. Mir tut alles weh. Vorsichtig steige ich aus dem Bett, schleiche auf die Toilette. Dann gehe ich langsam durch Flur und Esszimmer. Henry sitzt im Wohnzimmer auf dem Sofa, hält Alba in den Armen, er sieht nicht in den kleinen Schwarzweißfernseher, dessen Ton leise gestellt ist. Alba schläft. Ich setze mich zu Henry. Er legt den Arm um mich.

»Warum bist du schon auf?«, frage ich ihn. »Sagtest du nicht, es passiert erst in ein paar Stunden?« Ein Wettermann lächelt auf dem Fernseher und zeigt auf ein Satellitenfoto des Mittleren Westens.

»Ich konnte nicht schlafen«, sagt Henry. »Ich wollte ein Weilchen der Welt lauschen, solange sie noch normal ist.«

»Oh.« Ich lehne meinen Kopf an seine Schulter und schließe die Augen. Als ich sie wieder öffne, geht der Werbespot eines Mobiltelefonunternehmens zu Ende und einer für Wasser beginnt. Henry reicht mir Alba und steht auf. Wenig später höre ich, wie er Frühstück macht. Alba wacht auf, und ich öffne mein Nachthemd, um sie zu füttern. Meine Brustwarzen schmerzen. Ich behalte den Fernseher im Auge. Ein blonder Moderator erzählt mir etwas und lächelt. Er und eine Moderatorin, eine Asiatin, lachen und blicken mich freundlich an. Bürgermeister Daley beantwortet im Rathaus Fragen. Ich döse. Alba saugt an mir. Henry bringt ein Tablett mit Eiern, Toast und Orangensaft herein. Ich möchte Kaffee. Henry hat seinen taktvollerweise in der Küche getrunken, ich rieche ihn aber in seinem Atem. Er setzt das Tablett auf dem Couchtisch ab und stellt mir meinen Teller auf den Schoß. Ich esse meine Eier, während Alba trinkt. Henry wischt Eigelb mit seinem Toast auf. Im Fernseher schlittern ein paar Kinder durchs Gras, um die Wirkungskraft eines Waschmittels zu beweisen. Dann sind wir mit dem Frühstück fertig, und auch Alba ist satt. Ich lasse sie ihr Bäuerchen machen, während Henry das Geschirr in die Küche zurückbringt. Als er wiederkommt, reiche ich ihm Alba und gehe ins Bad, um zu duschen. Das Wasser ist so heiß, dass ich es kaum aushalte, aber auf meinem wunden Körper fühlt es sich himmlisch an. Ich atme die dampfende Luft ein, trockne behutsam meine Haut ab, reibe mir Salbe auf Lippen, Brust und Bauch. Der Spiegel ist ganz beschlagen, ich muss mich also nicht sehen. Ich kämme mir die Haare, dann ziehe ich mir Turnhose und Pullover an. Ich fühle mich verunstaltet, klein und hässlich. Im Wohnzimmer sitzt Henry mit geschlossenen Augen, und Alba lutscht Daumen. Als ich mich setze, öffnet sie die Augen und macht ein miauendes Geräusch. Ihr Daumen rutscht aus dem Mund, sie sieht verwirrt aus. Ein Jeep fährt durch eine Wüstenlandschaft. Henry hat den Ton abgestellt. Er massiert sich mit den Fingern die Augen. Ich schlafe wieder ein.

Henry sagt: »Wach auf, Clare.« Ich öffne die Augen. Das Fernsehbild schwenkt herum. Eine Großstadtstraße. Ein Himmel. Ein weißer Wolkenkratzer in Flammen. Ein Flugzeug fliegt langsam, wie ein Spielzeug, in den Zweiten weißen Tower. Stumme Flammen schießen empor. Henry dreht den Ton an. »O Gott«, sagt die Stimme im Fernseher. »O Gott.«

Dienstag, 11. Juni 2002 (Clare ist 31)

CLARE: Ich mache eine Zeichnung von Alba. Sie ist jetzt neun Monate und fünf Tage alt. Im Augenblick schläft sie auf dem Rücken, auf einer kleinen hellblauen Flanelldecke, die auf dem ockergelben und magentaroten chinesischen Teppich im Wohnzimmer ausgebreitet liegt. Eben habe ich sie gestillt. Meine Brüste sind leicht, beinahe leer. Alba schläft so tief, dass ich, ohne mir Sorgen machen zu müssen, zur hinteren Tür hinaus und über den Hof in mein Atelier gehen kann.

Einen Moment lang stehe ich in der Tür und atme die leicht modrige, abgestandene Atelierluft ein. Dann stöbere ich meinen flachen Aktenschrank durch, hole ein persimonbraunes Papier heraus, das an eine Kuhhaut erinnert, schnappe mir ein paar Pastellkreiden, andere Werkzeuge und ein Reißbrett und gehe (mit einem nur leichten Gefühl des Bedauerns) zur Tür hinaus und zurück ins Haus.

Im Haus ist es sehr ruhig. Henry ist bei der Arbeit (hoffe ich), und im Keller kann ich die Waschmaschine unermüdlich rotieren hören. Die Klimaanlage pfeift. Von der Lincoln Avenue ertönt schwaches Verkehrsbrummen. Ich setze mich zu Alba auf den Teppich. Ein Trapez aus Sonnenlicht ist unmittelbar neben ihren kleinen rundlichen Füßen. In einer halben Stunde wird es sie bedecken.

Ich klemme mein Papier ans Reißbrett und lege die Pastellkreiden neben mir zurecht. Bleistift in der Hand, betrachte ich meine Tochter.

Alba schläft tief. Ihr Brustkasten hebt und senkt sich langsam, bei jedem Ausatmen höre ich ein leises Röcheln. Ob sie womöglich eine Erkältung bekommt? Aber hier, an diesem Junispätnachmittag, ist es warm, und Alba trägt nur eine Windel, sonst nichts. Sie ist leicht gerötet. Ihre linke Hand spannt und entspannt sich rhythmisch. Vielleicht träumt sie von Musik.

Ich fange an, Albas mir zugewandten Kopf grob zu skizzieren. Dabei muss ich nicht nachdenken. Meine Hand bewegt sich über das Papier wie die Nadel eines Seismographen, sie hält Albas Form fest, wie meine Augen sie aufnehmen. Ich sehe, wie ihr Hals in den Babyspeckfalten unterm Kinn verschwindet, wie die zarten Vertiefungen oberhalb der Knie sich leicht verändern, wenn sie tritt und dann wieder ruhig liegt. Mein Bleistift beschreibt die Wölbung von Albas rundem Bauch, der oben in der Windel verschwindet, eine abrupte und kantige Linie, die ihre Rundlichkeit durchschneidet. Ich prüfe das Blatt, lege den Winkel von Albas Beinen fest, überarbeite die Falte, wo der rechte Arm am Körper anliegt.

Ich nehme Pastellkreide. Als Erstes skizziere ich die Höhungen in Weiß – die winzige Nase hinunter, an ihrer linken Seite entlang, über die Knöchel, die Windel, die Linie ihres linken Fußes. Dann setze ich lose Schatten in Dunkelgrün und Ultramarin. Ein dunkler Schatten sitzt an Albas rechter Seite, dort, wo ihr Körper die Decke berührt. Er sieht aus wie eine Wasserlache, ich lege ihn kräftig an. Nun wird die Alba in der Zeichnung plötzlich dreidimensional, sie hebt sich von der Seite ab.

Jetzt verwende ich zwei rosa Kreiden, eine helle im Ton einer Muschelschale von innen, und eine dunkle, die mich an rohen Thunfisch erinnert. Mit schnellen Strichen zeichne ich Albas Haut. Es ist, als ob ihre Haut im Papier verborgen war und ich würde nun eine unsichtbare Schicht entfernen, die sie überdeckt hat. Auf diese pastellfarbene Haut gehe ich mit kühlem Violett und lege Albas Ohren, Nase und Mund an (der zu einem winzigen O geöffnet ist). Ihre schwarzen dichten Haare werden auf dem Papier eine Mischung aus Dunkelblau, Schwarz und Rot. Dann kommen ihre Augenbrauen, die mich sehr an pelzige Raupen erinnern, die auf Albas Gesicht ein Heim gefunden haben.

Die Sonne scheint jetzt auf Alba. Sie rührt sich, hebt ihre kleine Hand über die Augen und seufzt. Auf den unteren Papierrand schreibe ich ihren Namen, meinen Namen und das Datum.

Die Zeichnung ist fertig. Sie wird als Dokument dienen – ich habe dich geliebt, ich habe dich geschaffen, und ich habe diese Zeichnung für dich geschaffen – wenn es mich längst nicht mehr gibt, wenn es Henry nicht mehr gibt und auch Alba nicht mehr gibt. Diese Zeichnung wird sagen, wir haben dich geschaffen, das bist du, hier und jetzt.

Alba öffnet die Augen und lächelt.

GEHEIMNIS

Sonntag, 12. Oktober 2003 (Clare ist 32, Henry 40)

CLARE: Hier ist ein Geheimnis: Manchmal bin ich froh, wenn Henry fort ist. Manchmal genieße ich das Alleinsein. Manchmal streife ich spätabends durch das Haus und schaudere vor Freude, nicht reden, nicht berühren zu müssen, sondern einfach nur herumzulaufen oder dazusitzen oder ein Bad zu nehmen. Manchmal liege ich auf dem Wohnzimmerboden und höre Fleetwood Mac, die Bangles, die B-52's, die Eagles, alles Gruppen, die Henry nicht ausstehen kann. Manchmal mache ich lange Spaziergänge mit Alba, ohne eine Nachricht zu hinterlassen, wo ich bin. Manchmal verabrede ich mich mit Celia auf einen Kaffee, und wir reden über Henry und Ingrid und wen Celia während der Woche noch trifft. Manchmal bin ich mit Charisse und Gomez zusammen, und wir reden nicht über Henry, haben aber dennoch unseren Spaß. Einmal war ich in Michigan, und bei meiner Rückkehr war Henry noch immer verschwunden, und ich habe ihm nie erzählt, dass ich weg war. Manchmal engagiere ich einen Babysitter und gehe ins Kino oder fahre bei Montrose im Dunkeln den Fahrradweg am Strand entlang, ohne Licht; es ist wie Fliegen.

Manchmal bin ich glücklich, wenn Henry fort ist, aber ich bin immer glücklich, wenn er wiederkommt.

TECHNISCHE SCHWIERIGKEITEN

Freitag, 7. Mai 2004 (Henry ist 40, Clare 32)

HENRY: Wir sind auf der Vernissage von Clares Ausstellung im Chicago Cultural Center. Ein Jahr lang hat sie nonstop gearbeitet und riesige ätherische Vogelskelette aus Draht gebaut, die sie in durchsichtige Papierstreifen gehüllt und mit Schellack bestrichen hat, bis sie lichtdurchlässig waren. Nun hängen ihre Skulpturen von der Decke oder stehen auf dem Boden. Einige Arbeiten sind beweglich, werden mechanisch angetrieben: Ein paar schlagen mit den Flügeln, und in einer Ecke sind zwei Hahnskelette, die einander langsam zerstören. Am Eingang wacht eine zweieinhalb Meter große Taube. Clare ist erschöpft und euphorisch. Sie trägt ein schlichtes schwarzes Seidenkleid und hat ihre Haare hochgesteckt. Die Leute haben ihr Blumen mitgebracht; in den Armen hält sie einen weißen Rosenstrauß, neben dem Gästebuch liegt noch ein ganzer Haufen in Zellophan eingewickelter Sträuße. Es ist gedrängt voll. Die Besucher zirkulieren durch den Raum, geben vor jedem Werk ihr Erstaunen kund, verrenken sich den Hals, um die fliegenden Vögel zu betrachten. Alle beglückwünschen Clare. Im *Tribune* stand heute Morgen eine begeisterte Kritik. Unser gesamter Freundeskreis ist da, und Clares Familie ist aus Michigan angereist: Philip, Alicia, Mark und Sharon samt Kindern, Nell, Etta – alle stehen im Augenblick um

Clare. Charisse fotografiert sie, jeder lächelt in die Kamera. In ein paar Wochen, wenn sie uns Abzüge von den Bildern gibt, werde ich die dunklen Ringe unter Clares Augen und ihr dünnes Aussehen erstaunt zur Kenntnis nehmen.

Ich halte Alba an der Hand. Wir stehen hinten an der Wand, außerhalb der Menge. Alba kann nichts sehen, weil alle so groß sind, also hebe ich sie auf meine Schultern. Sie hüpft auf und ab.

Clares Familie hat sich mittlerweile zerstreut. Ihre Kunsthändlerin Leah Jacobs stellt sie gerade einem äußerst gut gekleideten älteren Paar vor. Alba sagt: »Ich will Mama.«

»Mama hat keine Zeit, Alba«, sage ich. Mir ist leicht übel. Ich beuge mich vor und setze Alba auf dem Boden ab. Sie streckt die Arme aus. »*Nein*. Ich will *Mama*.« Ich setze mich auf den Boden und halte meinen Kopf zwischen die Knie. Ich muss einen Ort finden, wo ich ungestört bin. Alba zieht mich am Ohr. »Lass das, Alba«, sage ich und blicke auf. Mein Vater drängt sich durch die Menge zu uns. »Geh«, bitte ich Alba. »Geh zu Grandpa.« Sie fängt an zu wimmern. »Ich seh Grandpa aber nicht. Ich will *Mama*.« Ich krieche auf Dad zu, stoße an fremde Beine. Ich höre, wie Alba »Mama!« schreit und schon bin ich verschwunden.

CLARE: Massen von Menschen. Jeder will etwas von mir und lächelt. Ich lächle zurück. Die Ausstellung ist wunderschön, es ist geschafft, alles steht! Ich bin so glücklich und so müde. Mein Gesicht tut schon vom vielen Lächeln weh. Alle meine Bekannten sind hier. Ich unterhalte mich gerade mit Celia, als weiter hinten in der Galerie ein Tumult entsteht, und dann höre ich Alba »Mama!« schreien. Wo ist Henry? Ich versuche, mich durch die Menge zu Alba durchzuschlagen. Dann sehe ich sie: Richard hat sie hochgehoben. Die Leute machen den Weg frei, um mich durchzulassen. Richard reicht mir Alba. Sie umklammert meine Taille mit den Beinen, vergräbt ihr Gesicht an meiner Schulter, schlingt die Arme um meinen Hals. »Wo ist Daddy?«, frage ich sie leise. »Verschwunden«, antwortet Alba.

NATURE MORTE

Sonntag, 11. Juli 2004 (Clare ist 33, Henry 41)

CLARE: Henry schläft, verletzt und verklebt mit geronnenem Blut,
auf dem Küchenfußboden. Ich will ihn nicht bewegen oder auf-
wecken. Eine Weile sitze ich neben ihm auf dem kalten Linoleum.
Schließlich stehe ich auf und mache Kaffee. Wenig später, die letzte
Flüssigkeit verpufft mit kleinen explosiven Geräuschen, wimmert
Henry und legt sich die Hände über die Augen. Es ist unübersehbar,
dass man ihn zusammengeschlagen hat. Ein Auge ist zugeschwol-
len. Das Blut scheint aus der Nase zu stammen. Verletzungen sehe
ich nicht, nur leuchtend violette faustgroße Blutergüsse am ganzen
Körper. Er ist sehr dünn; ich kann seine Rückenwirbel und Rippen
sehen. Die Beckenknochen ragen hervor, seine Wangen sind hohl.
Die Haare sind ihm fast bis zu den Schultern gewachsen und von
Grau durchsetzt. An Händen und Füßen sind Schnittwunden und
sein Körper ist mit Insektenstichen übersät. Er ist sehr braun gebrannt und schmutzig, schwarze Fingernägel, Dreck ist in die Haut-
falten geschwitzt. Er riecht nach Gras, Blut und Salz. Nachdem ich
ihn mir eine Weile angesehen habe, beschließe ich, ihn zu wecken.
»Henry«, sage ich ganz leise, »wach jetzt auf, du bist zu Hause…«
Vorsichtig streichle ich sein Gesicht, bis er sein Auge öffnet. Ich merke, dass er noch nicht ganz wach ist. »Clare«, murmelt er. »Clare.«

Und schon strömen Tränen aus seinem guten Auge, er zittert und schluchzt, und ich ziehe ihn auf meinen Schoß. Ich muss weinen. Henry liegt gekrümmt bei mir, wir zittern eng aneinander geschmiegt und wiegen uns, wiegen uns, weinen gemeinsam vor Erleichterung und Kummer.

Donnerstag, 23. Dezember 2004 (Clare ist 33, Henry 41)

CLARE: Ein Tag vor Heiligabend. Henry ist im Water Tower Place und sieht sich mit Alba den Weihnachtsmann bei Marshall Field's an, während ich letzte Einkäufe erledigt habe. Nun sitze ich bei Border's Bookstore im Café, trinke Cappuccino an einem Fenstertisch und ruhe meine Füße neben einem Haufen bauchiger Einkaufstüten aus, die am Stuhl lehnen. Draußen neigt sich der Tag, und winzige weiße Lichter konturieren jeden Baum. Kauflustige eilen die Michigan Avenue auf und ab, und unten höre ich das gedämpfte Glockenbimmeln des Weihnachtsmanns von der Heilsarmee. Ich wende mich wieder dem Laden zu, suche nach Henry und Alba, als jemand meinen Namen ruft. Kendrick kommt mit seiner Frau Nancy und den Kindern Colin und Nadia im Schlepptau auf mich zu.

Man sieht auf einen Blick, dass sie eben bei FAO Schwarz waren; sie haben den verstörten Blick von Eltern, die frisch der Spielzeughölle entflohen sind. Nadia kommt zu mir gerannt und quiekst »Tante Clare, Tante Clare! Wo ist Alba?« Colin lächelt schüchtern und hält mir seine Hand hin, in der ein kleiner gelber Abschleppwagen liegt. Ich beglückwünsche ihn und erkläre Nadia, dass Alba den Weihnachtsmann besucht, worauf Nadia erwidert, sie habe ihn schon letzte Woche gesehen. »Und was hast du dir gewünscht?«, erkundige ich mich. »Einen Freund«, sagt Nadia. Sie ist drei Jahre alt. Ich grinse Kendrick und Nancy an. Kendrick bemerkt etwas – *sotto voce* – zu Nancy, und sie sagt: »Kommt, Kinder, wir müssen noch ein Buch für Tante Silvie suchen«, und schon pesen die drei zu den Tischen mit den Sonderangeboten. Kendrick weist auf den leeren Stuhl mir gegenüber. »Darf ich?«

»Natürlich.«

Er setzt sich mit einem tiefen Seuzer. »Ich hasse Weihnachten.«

»Henry auch.«

»Tatsächlich? Wusste ich gar nicht.« Kendrick lehnt sich ans Fenster und schließt die Augen. Ich denke schon fast, er ist eingeschlafen, als er sie öffnet und sagt: »Befolgt Henry seinen Medikamentenplan?«

»Ich glaube schon. Das heißt, so gut er kann, wenn man bedenkt, dass er in letzter Zeit häufig gereist ist.«

Kendrick trommelt mit den Fingern auf den Tisch. »Wie oft ist häufig?«

»Alle paar Tage.«

Kendrick sieht wütend aus. »Warum *erzählt* er mir solche Sachen nicht?«

»Wahrscheinlich hat er Angst, dass du dich aufregst und alles hinschmeißt.«

»Er ist meine einzige Testperson, die *sprechen* kann, aber er erzählt mir nichts!«

Ich lache. »Willkommen im Club.«

»Ich versuche wissenschaftlich zu arbeiten«, sagt Kendrick. »Er muss mir mitteilen, wenn etwas nicht funktioniert. Sonst verschwenden wir alle nur unsere Zeit.«

Ich nicke. Draußen hat es angefangen zu schneien.

»Clare?«

»Hmm?«

»Warum lässt du mich nicht einfach mal Albas DNA ansehen?«

Dieses Thema habe ich schon hundertmal mit Henry durchgekaut. »Weil du erst mal alle ihre Genmarker analysieren würdest, was noch in Ordnung wäre. Aber dann würdest du und Henry mir so lange zusetzen, bis ich euch erlaube, Medikamente an ihr auszuprobieren, und das wäre nicht mehr in Ordnung. Darum.«

»Aber sie ist noch sehr jung, ihre Chancen, dass sie auf die Behandlung anspricht, stehen weitaus besser.«

»Ich bleibe bei *nein*. Wenn Alba achtzehn ist, kann sie für sich selbst entscheiden. Bis jetzt war alles, was du Henry gegeben hast, ein Alptraum.« Ich kann Kendrick nicht ansehen, sage diese Bemerkung zu meinen Händen, die fest gefaltet auf dem Tisch liegen.

»Aber vielleicht könnten wir eine Gentherapie für sie entwickeln...«

»An Gentherapie sind Menschen schon *gestorben*.«

Kendrick schweigt. Der Lärmpegel im Laden ist überwältigend. Dann höre ich Alba aus dem Stimmengewirr »Mama« rufen. Ich blicke auf und sehe sie auf Henrys Schultern reiten, sie umfasst seinen Kopf mit den Händen. Beide tragen sie Waschbärfellmützen. Als Henry Kendrick entdeckt, wirkt er einen Moment lang verängstigt, und ich frage mich, was die beiden Männer mir wohl verheimlichen. Dann lächelt Henry und kommt mit großen Schritten auf uns zu, mit einer Alba, die glücklich über der Menge schaukelt. Kendrick steht auf und begrüßt ihn; ich schiebe den Gedanken beiseite.

GEBURTSTAG

Mittwoch, 24. Mai 1989 (Henry ist 41, Clare 18)

HENRY: Mit einem dumpfen Plumps komme ich zu mir und schlittere auf der Seite liegend über die piksigen Stoppeln der Wiese, bis ich schmutzig und blutend zu Clares Füßen lande. Sie sitzt ruhig auf dem Stein, mustergültig gekleidet in ein weißes Seidenkleid, weiße Strümpfe und Schuhe, dazu kurze weiße Handschuhe. »Hallo, Henry«, sagt sie, als wäre ich eben mal zum Tee vorbeigekommen.

»Was ist los?«, frage ich. »Du siehst aus, als ob du auf dem Weg zur ersten Kommunion bist.«

Clare richtet sich kerzengerade auf und sagt: »Heute ist der 24. Mai 1989.«

Ich überlege schnell. »Gratuliere zum Geburtstag. Du hast nicht zufällig hier irgendwo ein Bee-Gees-Kostüm für mich gehamstert?« Ohne auch nur mit der Wimper zu zucken erhebt Clare sich vom Stein und zaubert, indem sie hinter sich greift, einen Kleidersack hervor. Mit schwungvoller Gebärde öffnet sie den Reißverschluss und zeigt einen Frack, eine Hose und eins von diesen grässlich förmlichen Hemden, für die man Manschettenknöpfe braucht. Dann holt sie noch einen Koffer, in dem sich Unterwäsche, Kummerbund, eine Schleife und eine Gardenie befinden. Ich bin ernsthaft alarmiert und nicht vorgewarnt. Ich gehe die möglichen Termine durch. »Clare. Wir haben heute nicht etwa vor zu heiraten oder etwas ähnlich Verrücktes, oder? Weil ich nämlich absolut sicher bin, dass unser Jahrestag im Herbst ist. Oktober. Ende Oktober.«

Clare wendet den Blick ab, während ich mich anziehe. »Du kannst dich also nicht an unseren Jahrestag erinnern? Typisch Mann.«

Ich seufze. »Liebste, du weißt, dass ich ihn weiß, im Moment kann ich ihn nur nicht genau festmachen. Aber trotzdem. Alles Gute zum Geburtstag.«

»Ich bin achtzehn.«

»Meine Güte, was du nicht sagst. Mir kommt es vor, als wärst du noch gestern sechs gewesen.«

Wie immer ist Clare von der Vorstellung, dass ich erst kürzlich bei einer älteren oder jüngeren Clare gewesen bin, völlig fasziniert. »Hast du mich in letzter Zeit gesehen, als ich sechs war?«

»Also, eben lag ich noch mit dir im Bett und du hast *Emma* gelesen. Du warst dreiunddreißig. Ich bin im Augenblick einundvierzig, und so fühle ich mich auch.« Ich kämme mir mit den Fingern die Haare und fahre mir mit der Hand über den Stoppelbart. »Tut mir Leid, Clare, ich fürchte, du erlebst mich an deinem Geburtstag nicht in Bestform.« Ich befestige die Gardenie im Knopfloch am Frack und kümmere mich dann um die Manschetten. »Vor ungefähr zwei Wochen hab ich dich gesehen, als du sechs warst. Du hast mir ein Bild mit einer Ente gemalt.«

Clare errötet. Die Röte breitet sich aus wie Blutstropfen in einer Milchschale.

»Hast du Hunger? Ich hab uns einen Festschmaus mitgebracht!«

»Natürlich hab ich Hunger. Ich verschmachte, bin abgezehrt und spiele in Gedanken mit Kannibalismus.«

»Das verschieben wir lieber auf später.«

Etwas in ihrem Tonfall lässt mich aufhorchen. Da ist was im Busch, von dem ich nichts ahne, und Clare erwartet, dass ich es weiß. Sie vibriert geradezu vor Aufregung. Ich erwäge die relativen Vorzüge eines schlichten Eingeständnisses meiner Unwissenheit versus weiterhin den Wissenden vorzugaukeln und entscheide mich vorläufig für Letzteres. Clare breitet eine Decke aus, die später auf unserem Bett landen wird. Vorsichtig lasse ich mich darauf nieder, das vertraute Hellgrün beruhigt mich. Clare packt Sandwichs aus, kleine Pappbecher, Besteck, Cracker, ein winziges schwarzes Gläschen Supermarkt-Kaviar, dünne Pfadfinder-Schokominzkekse, Erdbeeren, eine Flasche Cabernet mit einem edlen Etikett, Briekäse, der ein bisschen zerlaufen aussieht, und Pappteller.

»Clare. Wein! Kaviar!« Ich bin beeindruckt und irgendwie gar nicht erfreut. Sie reicht mir den Cabernet nebst Korkenzieher. »Wahrscheinlich hab ich das noch nie erwähnt, aber ich darf nicht trinken. Ärztliche Anordnung.« Clare sieht geknickt aus. »Aber essen darf ich natürlich… Ich kann ja so tun, als würde ich trinken, falls das der Sache dienlich ist.« Ich werde das Gefühl nicht los, dass wir so tun, als wären wie ein Paar. »Wusste gar nicht, dass du trinkst. Alkohol. Jedenfalls hab ich dich bisher noch kaum welchen trinken sehen.«

»Na ja, er schmeckt mir eigentlich auch nicht, aber da wir heute einen bedeutsamen Anlass feiern, fand ich Wein ganz schön. Sekt wäre natürlich besser gewesen, aber der Wein stand in der Speisekammer, also hab ich ihn mitgebracht.«

Ich öffne den Wein und gieße jedem einen kleinen Becher ein. Stumm toasten wir uns zu. Ich tue so, als nippte ich an meinem. Clare trinkt einen Mund voll, schluckt ihn in geschäftsmäßiger Manier und sagt: »Schmeckt gar nicht so übel.«

»Das ist ein Wein, der über zwanzig Dollar kostet.«

»Oh. Dann schmeckt er fabelhaft.«

»Clare.« Sie packt dunkle Roggensandwichs aus, die von Gurken überquellen. »Ich tappe ungern im Dunkeln… ich meine, klar, du hast Geburtstag…«

»Meinen achtzehnten Geburtstag«, pflichtet sie bei.

»Na ja, überhaupt, ich bin wirklich untröstlich, dass ich kein Geschenk für dich habe…« Clare blickt überrascht auf, ich bin also auf der richtigen Spur, ich nähere mich dem Kern, »aber wie du weißt, weiß ich nie, wann ich komme, außerdem kann ich nie etwas mitbringen…«

»Weiß ich doch alles. Aber erinnerst du dich nicht, das haben wir doch alles geklärt, als du zuletzt hier warst; weil laut Liste ist heute unser letzter Tag, und mein Geburtstag. Erinnerst du dich nicht mehr?« Clare sieht mich durchdringend an, als könnte sie durch Konzentration die Erinnerung von ihrem Kopf in meinen übertragen.

»Ach. Da bin ich noch nicht gewesen. Im Ernst, diese Unterhaltung liegt für mich noch in der Zukunft. Ich frage mich, warum ich dir das damals nicht gesagt habe? Bei mir sind noch viele Termine auf der Liste übrig. Ist heute wirklich der letzte Tag? Du weißt, in ein paar Jahren werden wir uns in der Gegenwart treffen. Dann sehen wir uns wieder.«

»Aber das ist lange hin. Für mich jedenfalls.«

Eine peinliche Pause entsteht. Schon komisch, wenn ich mir vorstelle, dass ich in diesem Augenblick in Chicago bin, fünfundzwanzig Jahre alt, meinen Angelegenheiten nachgehe, völlig unbeeindruckt von Clares Existenz, und was das angeht, ohne die geringste Ahnung von meiner Anwesenheit hier auf dieser idyllischen Wiese in Michigan, an einem herrlichen Frühlingstag, dem achtzehnten Jahrestag ihrer Geburt. Mit Plastikmessern bestreichen wir Ritz Cracker mit Kaviar. Dann folgt eine Zeit lang eifriges Knabbern und heißhungriges Verzehren von Sandwichs. Allem Anschein nach ist die Unterhaltung gescheitert. Und dann frage ich mich zum ersten Mal, ob Clare vielleicht nicht ganz ehrlich zu mir ist, zumal sie genau weiß, dass ich mit Äußerungen, die mit »ich habe nie« beginnen, auf Kriegsfuß stehe, da ich nie auf eine komplette Bestandsaufnahme meiner Vergangenheit zurückgreifen kann, weil meine Vergangenheit dummerweise mit der Zukunft verwoben ist. Wir gehen zu den Erdbeeren über.

»Clare.« Sie lächelt unschuldig. »Was genau haben wir beschlossen, als du mich zuletzt gesehen hast? Was hatten wir uns für deinen Geburtstag vorgenommen?«

Wieder errötet sie. »Na ja, das hier«, sagt sie und zeigt auf unser Picknick.

»Sonst nichts? Wobei, ich finde es wunderbar.«

»Na ja. Doch.« Ich bin ganz Ohr, denn ich glaube zu wissen, was nun kommt.

»Ja?«

Clare ist ganz rosarot, legt sonst aber eine würdevolle Haltung an den Tag, als sie sagt: »Wir haben beschlossen, miteinander zu schlafen.«

»Ah.« Um ehrlich zu sein, haben mir Clares sexuelle Erfahrungen vor dem 26. Oktober 1991, dem Tag, an dem wir uns zum ersten Mal in der Gegenwart sahen, schon immer Rätsel aufgegeben. Trotz einiger ziemlich unerhörter Avancen ihrerseits bin ich immer standhaft geblieben und habe viele amüsante Stunden verbracht, in denen ich mit ihr über dieses und jenes geplaudert und dabei versucht habe, schmerzliche Ständer zu ignorieren. Heute aber ist Clare von Gesetzes wegen, wenn auch vielleicht nicht emotional, erwachsen, und ich kann ihr Leben bestimmt nicht allzu sehr verbiegen ... das heißt, allein durch die Tatsache, dass es mich in ihrer Kindheit gab, habe ich ihr schon ziemlich unheimliche Erlebnisse beschert. Wie viele Mädchen haben ihren späteren Mann in regelmäßigen Abständen splitternackt in Erscheinung treten sehen? Clare beobachtet mich bei meinen Grübeleien. Ich muss daran denken, wie ich das erste Mal mit Clare geschlafen habe, und möchte wissen, ob es für sie damals auch das erste Mal war. Ich nehme mir vor, diese Frage zu klären, wenn ich wieder in meiner Gegenwart bin. Clare packt unterdessen die Sachen ordentlich in den Picknickkorb zurück.

»Also?«

Ach, was soll's. »Ja.«

Clare ist aufgeregt, aber auch ängstlich. »Henry. Du hast schon so oft mit mir geschlafen ...«

»Viele, viele Male.«

Ihr fällt es nicht leicht, darüber zu reden.

»Es ist immer schön«, versichere ich ihr. »In meinem Leben gibt es nichts Schöneres. Ich werde ganz sanft sein.« Kaum habe ich das gesagt, werde ich unerwartet nervös. Ich fühle mich verantwortlich und Humbert-Humbert-haft, aber auch von vielen Leuten beobachtet, und all diese Leute sind Clare. Noch nie war mir weniger nach Sex zumute. Also gut. Tief durchatmen. »Ich liebe dich.«

Wir beide stehen auf, taumeln ein bisschen auf der unebenen Decke. Ich breite die Arme aus, und Clare kommt zu mir. Starr stehen wir da, umarmen einander auf der Wiese wie Braut und Bräutigam auf einer Hochzeitstorte. Immerhin ist dies Clare, die meinem einundvierzigjährigen Ich fast genauso begegnet wie bei unserem ersten Treffen. Keine Angst. Sie legt den Kopf zurück. Ich beuge mich vor und küsse sie.

»Clare.«

»Mmmm?«

»Bist du absolut sicher, dass wir allein sind?«

»Bis auf Etta und Nell sind alle in Kalamazoo.«

»Weil ich mir nämlich vorkomme, als wäre irgendwo eine versteckte Kamera.«

»Paranoid. Sehr traurig.«

»Vergiss es.«

»Wir könnten in mein Zimmer gehen.«

»Zu gefährlich. Gott, das ist ja wie in der Highschool.«

»Was?«

»Schon gut.«

Clare tritt zurück und öffnet den Reißverschluss an ihrem Kleid, zieht es über den Kopf und lässt es mit bewundernswerter Unbekümmertheit auf die Decke fallen. Dann steigt sie aus den Schuhen und streift die Strümpfe ab. Sie hakt ihren BH auf, wirft ihn weg und schält sich aus ihrem Höschen. Vollkommen nackt steht sie vor mir. Irgendwie ist es ein Wunder: All die kleinen Dinge, die ich im Laufe der Zeit lieb gewonnen habe, sind verschwunden; ihr Bauch ist flach, keine Spur von den Schwangerschaften, die uns so viel Kummer und so viel Glück bringen werden. Diese Clare ist ein bisschen dünner und bei weitem heiterer als die Clare, die ich in der Gegenwart liebe. Wieder wird mir bewusst, wie sehr uns die Traurigkeit eingeholt hat. Doch davon ist heute wunderbarerweise nichts zu spüren; heute ist die Möglichkeit auf Glück greifbar nahe. Ich knie nieder, und Clare tritt zu mir und bleibt vor mir stehen. Ich presse mein Gesicht einen Augenblick an ihren Bauch und blicke dann hoch; Clare ragt über mir auf, ihre Hände in meinen Haaren, umgeben vom wolkenlosen blauen Himmel.

Ich winde mich aus der Jacke und löse die Krawatte. Clare kniet sich hin, und wir entfernen ungeschickt und mit der Konzentration eines Bombenräumkommandos die Manschettenknöpfe. Ich ziehe Unterhose und Unterhemd aus, etwas, das ich unmöglich anmutig ausführen kann. Mir ist schleierhaft, wie männliche Stripper dieses Problem lösen. Oder hüpfen sie einfach nur auf der Bühne herum, mit einem Bein drin und einem draußen? Clare lacht. »Ich hab noch nie gesehen, wie du dich *ausziehst*. Kein hübscher Anblick.«

»Du verletzt mich. Komm her, ich will dir dein Grinsen aus dem Gesicht wischen.«

»O-o.« Tatsächlich gelingt es mir, in den folgenden fünfzehn Minuten jede Spur von Überheblichkeit aus Clares Gesicht zu verbannen, wie ich voller Stolz bemerken muss. Leider ist sie zunehmend verkrampft und irgendwie ... auf der Hut. In den vierzehn Jahren und weiß der Himmel wie vielen Stunden und Tagen, in denen wir glücklich, angstvoll, drängend und sehnsüchtig miteinander geschlafen haben, ist dies absolut neu für mich. Ich wünsche mir, sofern das überhaupt möglich ist, dass sie das gleiche Staunen empfindet wie ich, als ich ihr begegnet bin und wir uns – wie ich dachte (Dummkopf, der ich bin) – zum ersten Mal geliebt haben. Ich setze mich auf und keuche. Clare setzt sich ebenfalls auf und schlingt schützend ihre Arme um die Knie.

»Alles in Ordnung?«

»Ich hab Angst.«

»Das ist normal.« Ich überlege. »Ich schwöre dir, dass du mich nächstes Mal, wenn wir zusammen sind, praktisch vergewaltigst. Im Ernst, darin bist du außerordentlich begabt.«

»Wirklich?«

»Du bist ekstatisch.« Ich wühle im Picknickkorb herum: Becher, Wein, Kondome, Handtücher. »Kluges Mädchen.« Dann schenke ich jedem von uns einen Becher Wein ein. »Auf die Jungfräulichkeit. ›Blieb uns nur Welt genug und Zeit.‹ Trink aus.« Sie gehorcht wie ein kleines Kind, das seine Medizin nimmt. Ich schenke ihren Becher erneut voll und trinke meinen eigenen leer.

»Aber du sollst doch nicht trinken.«

»Das ist ein bedeutsamer Anlass. Cheers.« Clare wiegt etwa fünfundfünfzig Kilo, aber es sind ja nur Pappbecher. »Einen noch.«

»Noch einen? Dann schlaf ich ein.«

»Das macht dich lockerer.« Sie trinkt ihn in einem Zug aus. Wir zerdrücken die Becher und werfen sie in den Picknickkorb. Dann lege ich mich auf den Rücken, die Arme ausgestreckt wie ein Sonnenanbeter oder wie bei einer Kreuzigung. Clare macht sich neben mir lang. Ich hole sie zu mir, so dass wir Seite an Seite liegen und uns ansehen. Die Haare fallen ihr auf eine sehr schöne und rührende Weise über Schultern und Brüste, und zum tausendsten Mal wünschte ich, ein Maler zu sein.

»Clare?«

»Hmmm?«

»Stell dir vor, du wärst offen. Leer. Jemand ist vorbeigekommen und hat deine ganzen Innereien herausgenommen und nur die Nervenenden zurückgelassen.« Die Spitze meines Zeigefingers liegt auf ihrer Klit.

»Arme kleine Clare. Hat keine Innereien mehr.«

»Ah, aber es hat auch seine guten Seiten, weil jetzt viel zusätzlicher Platz innen ist. Denk an all die Sachen, die du in dich reinstecken könntest, wären da nicht diese albernen Nieren und Mägen und Bauchspeicheldrüsen und was sonst noch.«

»Was zum Beispiel?« Sie ist sehr feucht. Ich nehme meine Hand weg und reiße vorsichtig die Kondompackung mit den Zähnen auf, ein Manöver, das ich seit Jahren nicht mehr vollführt habe.

»Kängurus. Toaster. Penisse.«

Clare greift mit fasziniertem Widerwillen nach dem Kondom. Sie liegt auf dem Rücken, rollt es auf und schnüffelt daran. »Igitt. Müssen wir?«

Auch wenn es mir häufig widerstrebt, Clare bestimmte Dinge zu erzählen, lüge ich sie doch selten an. Leicht zerknirscht sage ich: »Fürchte ja.« Ich nehme es ihr weg, doch statt es überzuziehen überlege ich mir, dass hier ein ordentlicher Cunnilingus angebracht wäre. In der Zukunft ist Clare geradezu süchtig nach oralem Sex und würde in einem Satz von Hochhaus zu Hochhaus springen oder Geschirr abwaschen, wenn sie gar nicht dran ist, nur um welchen zu bekommen. Wäre Cunnilingus eine olympische Disziplin, würde ich eine Medaille gewinnen, keine Frage. Ich spreize ihre Beine und lege meine Zunge auf ihre Klit.

»Oh *Gott*«, sagt Clare leise. »Gütiger *Jesus*.«

»Nicht schreien«, warne ich sie. Wenn Clare richtig in Fahrt kommt, werden selbst Etta und Nell zur Wiese eilen, um nachzusehen, was los ist. In der folgenden Viertelstunde hole ich Clare ein paar Stufen auf der Evolutionsleiter nach unten, bis sie nur noch ein limbischer Kern mit einem minimalen Rest von Vernunft ist. Ich rolle das Kondom über und gleite langsam, vorsichtig in Clare hinein, stelle mir vor, wie Häutchen reißen und ich von Blutkaskaden umschwemmt werde. Ihre Augen sind geschlossen, und erst denke ich, sie merkt gar nicht, dass ich in ihr bin, obwohl ich direkt über ihr liege, doch dann öffnet sie die Augen und lächelt triumphal, glückselig.

Es gelingt mir, ziemlich schnell zu kommen; Clare beobachtet mich, ist konzentriert, und als ich komme, wird ihre Miene staunend. Sehr seltsam, das alles. Welch befremdliche Dinge wir Lebewesen doch tun. Ich breche auf ihr zusammen. Wir sind schweißgebadet. Ich kann ihr Herz klopfen hören. Vielleicht ist es aber auch meins.

Vorsichtig ziehe ich mich aus Clare heraus und beseitige das Kondom. Dann liegen wir Seite an Seite da und starren in den überaus blauen Himmel. Der Wind macht ein Meergeräusch mit dem Gras. Ich drehe den Kopf zu Clare. Sie sieht leicht verwirrt aus.

»Hey. Clare.«

»Hey«, sagt sie schwach.

»Hat es wehgetan?«

»Ja.«

»War es schön?«

»Oh, ja!«, beteuert sie und fängt zu weinen an. Wir setzen uns auf, und ich halte sie eine Weile in den Armen. Sie zittert.

»Clare. Clare. Was ist denn los?«

Zunächst verstehe ich ihre Antwort nicht, dann: »Du gehst fort. Jetzt seh ich dich jahrelang nicht mehr.«

»Nur zwei Jahre. Zwei Jahre und ein paar Monate.« Sie bleibt stumm. »Oh, Clare. Es tut mir Leid. Ich kann nichts dafür. Irgendwie finde ich es auch seltsam, weil ich eben hier lag und mir dachte, was für ein Segen der heutige Tag ist. Hier bei dir zu sein und mit dir zu schlafen, statt von Schlägern gejagt zu werden oder mich in einer Scheune zu Tode zu frieren oder irgendein anderer blöder Scheiß, mit dem ich mich abgeben muss. Und wenn ich zurückgehe, bin ich bei dir. Und heute war wunderschön.« Clare lächelt ein bisschen. Ich küsse sie.

»Warum muss ich nur immer warten?«

»Weil du eine intakte DNA hast und nicht wie eine heiße Kartoffel in der Zeit herumgeworfen wirst. Im Übrigen ist Geduld eine Tugend.« Clare trommelt mit den Fäusten auf meine Brust ein. »Außerdem kennst du mich schon dein ganzes Leben lang, wohingegen ich dir erst mit achtundzwanzig begegne. Die vielen Jahre, bevor wir uns kennen lernen, verbringe ich also damit ...«

»Andere Frauen zu vögeln.«

»Na ja, schon. Aber ohne dass ich es weiß, dient alles nur zur Übung für die Zeit, wenn ich dir begegne. Außerdem ist es sehr einsam und sonderbar. Wenn du mir nicht glaubst, probier es selbst. Ich werde es nie erfahren. Es ist anders, wenn keine Gefühle dabei sind.«

»Ich will aber keinen andern.«

»Gut.«

»Henry, gib mir nur einen Tipp. Wo lebst du? Wo werden wir uns treffen? An welchem Tag?«

»Ein Tipp. Chicago.«

»Mehr.«

»Hab Vertrauen. Alles liegt vor dir.«

»Sind wir glücklich?«

»Wir sind oft wahnsinnig glücklich. Wir sind allerdings auch sehr unglücklich, aus Gründen, die wir nicht ändern können. Wie beispielsweise unsere Trennung.«

»Die Zeit, in der du jetzt hier bist, wirst du dann also nicht bei mir sein?«

»Nun ja, nicht ganz. Vielleicht bin ich nur mal zehn Minuten nicht da. Oder zehn Tage. Da gibt es keine Regel. Das macht es auch so schwer für dich. Zumal ich manchmal in gefährliche Situationen gerate und kaputt und zerschlagen zu dir zurückkomme, und du dir Sorgen machst, wenn ich weg bin. Es ist, als wärst du mit einem

Polizisten verheiratet.« Ich bin erschöpft. Ich möchte wissen, wie alt ich in diesem Moment wirklich bin. In der Zeit, aus der ich komme, bin ich einundvierzig, aber bei dem ständigen Hin und Her könnte ich ebenso gut fünfundvierzig oder sechsundvierzig sein. Oder neununddreißig. Wer weiß? Aber etwas wollte ich ihr noch sagen, was war es noch?

»Clare?«

»Henry.«

»Vergiss nicht, dass ich dich nicht kennen werde, wenn du mich wieder triffst; sei nicht böse, wenn du mich siehst und ich dich wie eine wildfremde Person behandle, denn für mich wirst du nagelneu sein. Und bitte lass mir Zeit und bestürme mich nicht mit allem auf einmal. Hab Erbarmen, Clare.«

»Versprochen. Ach, Henry, bleib bei mir!«

»Scht. Ich bin immer bei dir.« Wir legen uns wieder hin. Erschöpfung durchdringt mich, und in einer Minute werde ich verschwunden sein.

»Ich liebe dich, Henry. Vielen Dank für ... mein Geburtstagsgeschenk.«

»Ich liebe dich, Clare. Sei brav.«

Und schon bin ich fort.

DAS GEHEIMNIS

Donnerstag, 10. Februar 2005 (Clare ist 33, Henry 41)

CLARE: Es ist Donnerstagnachmittag, ich bin im Atelier und schöpfe blassgelbes Kozo-Papier. Henry ist jetzt seit fast vierundzwanzig Stunden fort, und wie immer bin ich hin- und hergerissen und grüble einerseits zwanghaft darüber nach, wann und wo er sein könnte, andererseits bin ich stinksauer auf ihn, weil er nicht da ist und ich mir Sorgen um seine Rückkehr mache. Meiner Konzentration ist das nicht sehr förderlich, und ich ruiniere ziemlich viele Bögen. Ich lasse sie vom Schöpfsieb zurück in die Wanne platschen. Schließlich mache ich eine Pause und schenke mir einen Becher Kaffee ein. Es ist kalt im Atelier, und auch das Wasser in der Wanne müsste eigentlich kalt sein, obwohl ich es leicht angewärmt habe, damit meine Hände nicht aufreißen. Ich schließe sie fest um den heißen Keramikbecher, halte mein Gesicht über den aufsteigenden Dampf und atme den Kaffeeduft ein. Und dann – Gott sei Dank – höre ich Henry, der pfeifend über den Gartenweg ins Atelier kommt. Er stampft den Schnee von den Stiefeln und schüttelt den Mantel ab. Er sieht großartig aus, richtig glücklich. Mein Herz rast, und ich rate einfach drauflos: »24. Mai 1989?«

»*Ja*. O ja!« Henry hebt mich hoch, so wie ich bin, mit nasser Schürze, Gummistiefeln und allem, und dreht mich im Kreis. Jetzt muss ich lachen, wir beide müssen lachen. Henry strahlt vor Freude. »Warum hast du mir nichts *gesagt*? In all den Jahren hab ich mir völlig umsonst Gedanken gemacht. Du kleines Biest!« Er beißt mir in den Nacken und kitzelt mich.

»Aber du wusstest es nicht, deshalb konnte ich dir nichts sagen.«

»Ach, richtig. Meine Güte, du bist unglaublich.« Wir setzen uns auf das fleckige alte Ateliersofa. »Können wir die Heizung aufdrehen?«

»Klar.« Henry springt auf und dreht den Thermostat höher. Die Heizung springt an. »Wie lange war ich weg?«

»Fast einen ganzen Tag.«

Henry seufzt. »War es das wert? Ein Tag voller Angst gegen ein paar wirklich wunderbare Stunden?«

»Ja. Es war einer der schönsten Tage meines Lebens.« Still hänge ich der Erinnerung nach. Ich beschwöre es oft herauf – Henrys Gesicht über meinem, umgeben von blauem Himmel und das Gefühl, von ihm erfüllt zu sein. Ich male es mir immer aus, wenn er fort ist und ich nicht schlafen kann.

»Erzähl schon...«

»Hmmm?« Wir halten uns eng umschlungen, um uns zu wärmen und zu trösten.

»Was ist passiert, nachdem ich fort war?«

»Ich hab alles eingesammelt, mich wieder in einen halbwegs vorzeigbaren Zustand gebracht und bin dann zurück ins Haus. Ich bin unbemerkt nach oben gekommen und hab mich in die Badewanne gesetzt. Nach einer Weile fing Etta an, gegen die Tür zu hämmern. Sie wollte wissen, wieso ich mitten am Tag ein Bad nehme, und ich musste so tun, als ginge es mir schlecht. Was in gewisser Weise ja auch stimmte ... Den Sommer über hab ich gefaulenzt, viel geschlafen. Gelesen. Mich irgendwie in mich selbst eingeigelt. Manchmal war ich auf der Wiese und hoffte irgendwie, du würdest auftauchen. Ich schrieb dir Briefe, die ich wieder verbrannte. Eine Weile hörte ich auf zu essen, woraufhin Mom mich zu ihrer Therapeutin schleifte, und ich wieder anfing zu essen. Gegen Ende August teilten meine Eltern mir mit, dass ich im Herbst nicht zur Schule gehen könnte, wenn ich mir nicht bald ›einen Ruck geben‹ würde, also gab ich mir sofort einen Ruck, weil mein einziges Lebensziel war, aus dem Haus zu kommen und nach Chicago zu ziehen. Und die Schule war eine gute Sache: Sie war neu, ich hatte eine Wohnung, ich liebte die Stadt. Ich hatte etwas, worüber ich nachdenken konnte, abgesehen von der Tatsache, dass ich keine Ahnung hatte, wo du warst oder wie ich dich finden sollte. Als ich dir schließlich über den Weg lief, ging es mir ziemlich gut. Ich mochte meine Arbeit, hatte Freunde, es gab viele, die mit mir ausgehen wollten...«

»Ach ja?«

»Klar.«

»Und bist du ausgegangen?«

»Natürlich. Wo denkst du hin? Schon aus reinem Forschungsdrang ... und weil ich manchmal wütend war, dass du dich irgendwo in Chicago ungerührt mit anderen Frauen amüsierst. Aber meistens glich es eher einer schwarzen Komödie. Ich ging mit einem wirklich netten, hübschen Kunstjüngling aus und verbrachte den ganzen Abend gelangweilt damit, über die Sinnlosigkeit des Ganzen nachzudenken und dauernd auf die Uhr zu sehen. Nach dem fünften Anlauf gab ich es auf, weil ich merkte, dass ich die Typen echt ankotzte. An der Schule streute jemand das Gerücht, ich sei lesbisch, und von da an folgte eine Flut von Mädchen, die mit mir ausgehen wollte.«

»Du als Lesbe – das kann ich mir gut vorstellen.«

»Klar! Also benimm dich, sonst konvertiere ich.«

»Ich wollte immer eine Lesbe sein.« Henry sieht verträumt und schläfrig aus; das ist nicht fair, wo ich mich doch am liebsten auf ihn stürzen will. Er gähnt. »Aber wohl nicht mehr in diesem Leben. Zu viele Operationen.«

Im Kopf höre ich die Stimme von Pfarrer Compton hinterm Gitter des Beichtstuhls, die mich leise fragt, ob es noch etwas gebe, das ich beichten will. Nein, antworte ich entschieden. Nein, es gibt nichts. Es war ein Fehler. Ich war betrunken, und das zählt nicht. Der gute Pfarrer seufzt und schiebt den Vorhang zu. Ende der Beichte. Als Buße muss ich Henry anlügen, indem ich es ihm verschweige, solange wir beide leben. Ich sehe ihn an, glücklich und zufrieden, gesättigt vom Charme meines jüngeren Ich und dem Bild des

schlafenden Gomez. Auf meiner geistigen Bühne blitzt Gomez'
Schlafzimmer im morgendlichen Licht auf. Es war ein Fehler, Henry, versichere ich ihm stumm. Ich habe gewartet und bin ein einziges Mal ins Strauchen geraten. Sag es ihm, drängt Pfarrer Compton oder eine andere Stimme in meinem Kopf. Ich kann nicht, gebe
ich zurück. Er würde mich hassen.

»Hey«, sagt Henry sanft. »Wo bist du?«

»In Gedanken.«

»Du siehst so traurig aus.«

»Gibt es dir manchmal zu denken, dass die wirklich großartigen
Dinge schon geschehen sind?«

»Nein. Das heißt, vielleicht schon, aber anders, als du meinst. Ich
bewege mich noch immer durch die Zeit, an die du dich erinnerst,
also ist sie für mich noch nicht vorbei. Ich befürchte eher, dass wir
im Hier und Jetzt nicht aufmerksam genug sind. Weißt du, durch
die Zeit zu reisen bedeutet irgendwie, in einem anderen Zustand zu
sein, es … schärft mein Bewusstsein, wenn ich dort draußen bin,
und das scheint irgendwie wichtig zu sein. Manchmal denke ich,
dass alles wunderbar wäre, wenn ich im Hier und Jetzt genauso aufmerksam wäre. Aber in letzter Zeit sind ein paar tolle Sachen passiert.« Er lächelt sein herrlich schiefes, strahlendes Lächeln, ganz
Unschuld, und ich gestatte meinen Schuldgefühlen, sich wieder in
die kleine Schachtel zu verkrümeln, in der ich sie eng zusammenge-
faltet aufbewahre wie einen Fallschirm.

»Alba.«

»Alba ist traumhaft. Und du bist traumhaft. Im Ernst, so sehr ich
dich liebe, wenn ich in der Vergangenheit bin … entscheidend ist
doch immer unser Zusammenleben, die Vertrautheit…«

»Durch Dick und Dünn…«

»Und dass es auch schlechte Zeiten gibt, macht alles nur realer.
Ich will die Realität, nichts anderes.«

Sag es ihm, los, mach schon.

»Bisweilen kann auch die Realität ziemlich unwirklich sein…«
Wenn ich es überhaupt jemals erzählen will, dann jetzt. Er wartet.
Aber ich. Kann nicht.

»Clare?« Ich sehe ihn unglücklich an, wie ein Kind, das sich in eine komplizierte Lüge verstrickt hat, und gestehe es dann fast unhörbar.

»Ich hab mit jemandem geschlafen.« Henrys Gesicht ist starr vor Ungläubigkeit.

»Mit wem?«, fragt er, ohne mich anzusehen.

»Gomez.«

»Warum?« Henry ist ruhig, er wartet auf den Schlag.

»Ich war betrunken. Wir waren auf einer Party, und Charisse war in Boston...«

»Moment. Wann war das?«

»1990.«

Er fängt zu lachen an. »Du lieber Gott. Clare, tu mir das nicht an, Mist. 1990. Das darf nicht wahr sein, ich dachte, du sprichst von einer Sache, die letzte Woche oder so passiert ist.« Ich lächle matt. Er sagt: »Ich meine, nicht dass ich deswegen vor Freude im Karree springe, aber da ich dich gerade aufgefordert habe, auszugehen und zu experimentieren, kann ich wohl schlecht ... ich weiß auch nicht.« Er wird unruhig, steht auf und fängt an, im Atelier auf und ab zu gehen. Ich kann es nicht fassen. Fünfzehn Jahre war ich vor Angst wie gelähmt, weil ich dachte, Gomez könnte in seiner trampeligen Gefühllosigkeit etwas ausplaudern oder tun, und jetzt macht es Henry gar nichts aus. Oder doch?

»Und wie war's?«, fragt er ganz beiläufig, den Rücken mir zugewandt, und fummelt an der Kaffeemaschine herum.

Ich wähle meine Worte mit Bedacht. »Anders. Ich meine, ohne dass ich an Gomez' Image kratzen will...«

»Ach, nur zu.«

»Stell dir vor, ich wär ein Porzellanladen und wollte mit einem Stier zum Orgasmus kommen.«

»Gomez ist schwerer als ich«, stellt Henry sachlich fest.

»Wie es heute ist, kann ich nicht beurteilen, aber damals fehlte ihm jegliches Feingefühl. Er hat tatsächlich geraucht, als er mit mir gevögelt hat.« Henry verzieht das Gesicht. Ich stehe auf, gehe zum ihm hinüber. »Tut mir Leid. Es war ein Fehler.« Er zieht mich an sich, und ich sage leise in seinen Kragen: »Ich habe sehr geduldig gewartet...«, aber dann kann ich nicht fortfahren. Henry streichelt mir übers Haar. »Schon gut, Clare«, sagt er. »Ist doch nicht so schlimm.« Ich frage mich, ob er die Clare, die er soeben im Jahr 1989 getroffen hat, mit der doppelzüngigen Frau in seinen Armen vergleicht, und als könnte er meine Gedanken lesen, sagt er: »Noch irgendwelche Überraschungen?«

»Das war alles.«

»Lieber Himmel, du kannst wirklich ein Geheimnis bewahren!« Ich sehe Henry an, und er mustert mich, und ich merke, dass ich mich in seinen Augen irgendwie verändert habe.

»Dadurch ist mir klarer geworden ... danach wusste ich zu schätzen wie ...«

»Du willst sagen, der Vergleich hat mir nicht geschadet?«

»Genau!« Ich küsse ihn behutsam, und nach kurzem Zögern erwidert Henry meinen Kuss, und schon bald sind wir uns wieder gut. Mehr als gut. Ich habe es ihm gesagt, und es war in Ordnung, er liebt mich immer noch. Mein ganzer Körper fühlt sich leichter an, und ich seufze erleichtert, weil ich endlich gebeichtet habe und nicht einmal ein Bußgebet sprechen muss, nicht ein einziges Ave Maria oder Vaterunser. Ich komme mir vor wie jemand, der aus einem zu Schrott gefahrenen Auto unversehrt entkommen ist. Irgendwo dort draußen auf einer Wiese schlafen Henry und ich miteinander, und Gomez sieht mich müde an und greift mit seinen riesengroßen Händen nach mir, und alles, alles geschieht jetzt, aber wie immer ist es zu spät, um etwas daran zu ändern. Auf dem Sofa im Atelier packen Henry und ich uns aus wie zwei nagelneue, noch ungeöffnete Pralinenschachteln, und nein, es ist nicht zu spät, jedenfalls noch nicht.

Samstag, 14. April 1990 (Clare ist 18)
(6.43 Uhr)

CLARE: Ich öffne die Augen und weiß nicht, wo ich bin. Zigarettenrauch. Der Schatten einer Jalousie auf einer rissigen gelben Wand. Ich drehe den Kopf; neben mir liegt Gomez in seinem Bett und schläft. Plötzlich erinnere ich mich und gerate in Panik.

Henry. Henry wird mich umbringen. Charisse wird mich hassen.

Ich setze mich auf. Gomez' Schlafzimmer ist ein Schlachtfeld aus überquellenden Aschenbechern, Klamotten, juristischen Lehrbüchern, Zeitungen, schmutzigem Geschirr. Meine Kleider liegen in einem kleinen, anklagenden Haufen neben mir auf dem Fußboden.

Gomez sieht schön aus im Schlaf. Sein Gesicht ist heiter, nicht wie das eines Mannes, der gerade seine Freundin mit deren bester Freundin betrogen hat. Seine blonden Haare sind verwuschelt und nicht in ihrem gewohnt ordentlichen Zustand. Er sieht aus wie ein zu groß geratener Junge, erschöpft von zu vielen jungenhaften Spielen.

Mein Kopf hämmert. Meine Eingeweide fühlen sich zerschlagen an. Wacklig stehe ich auf und gehe durch den Flur ins Bad, einem muffigen, schimmelverseuchten Raum voll Rasier-Utensilien und feuchten Handtüchern. Einmal im Badezimmer, weiß ich nicht mehr genau, was ich eigentlich wollte. Ich gehe auf die Toilette, wasche mir das Gesicht mit einem harten Seifenstück und betrachte mich im Spiegel, ob ich mich verändert habe, ob Henry durch meinen bloßen Anblick Bescheid wissen wird... Ich sehe irgendwie blass aus, aber sonst genauso wie immer um sieben Uhr morgens.

Das Haus ist still. Irgendwo in der Nähe tickt eine Uhr. Gomez teilt sich das Haus mit zwei Mitbewohnern, Freunden, die auch an der juristischen Fakultät der Northwestern studieren. Ich will keinem der beiden über den Weg laufen, gehe schnell zurück in Gomez' Zimmer und setze mich aufs Bett.

»Guten Morgen.« Gomez lächelt mich an, will nach mir greifen. Ich zucke zurück und breche in Tränen aus. »Aber, Kätzchen! Clare, Baby, hey, hey...« Er kriecht schnell zu mir, und schon weine ich in seinen Armen. Ich muss daran denken, wie oft ich an Henrys Schulter geweint habe. *Wo bist du?*, frage ich mich verzweifelt. *Ich brauche dich, hier und jetzt.* Gomez sagt immer wieder meinen Namen. Was tue ich hier nur, ohne ein Kleidungsstück am Leib, weinend in den Armen eines ebenso nackten Gomez? Er reicht mir eine Schachtel Papiertücher, und ich putze mir die Nase, wische mir über die Augen und werfe ihm dann einen absolut verzweifelten Blick zu, der ihn offenbar verwirrt.

»Wieder besser?«

Nein. Was soll schon besser sein? »Ja.«

»Was ist los?«

Ich zucke die Achseln. Gomez schlüpft in die Rolle des Anwalts, der eine angeschlagene Zeugin kreuzverhört.

»Clare, hast du schon mal mit einem Mann geschlafen?« Ich nicke. »Ist es wegen Charisse? Hast du ein schlechtes Gewissen wegen Charisse?« Ich nicke. »Hab ich was falsch gemacht?« Ich schüttle den Kopf. »Clare, wer ist Henry?« Ich starre ihn ungläubig an.

»Woher weißt du? ...« Jetzt ist es passiert. Mist. Scheißkerl.

Gomez langt nach seinen Zigaretten auf dem Nachttisch und zündet sich eine an. Er wedelt das Streichholz aus und nimmt einen tiefen Zug. Mit einer Zigarette in der Hand wirkt Gomez irgendwie ... angezogener, auch wenn er es nicht ist. Stumm bietet er mir eine an, und ich nehme sie, obwohl ich nicht rauche. Im Moment scheint es genau das Richtige zu sein, zumal es mir Zeit verschafft, darüber nachzudenken, was ich sagen soll. Er zündet sie mir an, steht auf, wühlt in seinem Schrank herum, findet einen blauen, nicht besonders sauberen Bademantel und reicht ihn mir. Ich ziehe ihn an, er ist riesig. Rauchend sitze ich auf dem Bett und sehe zu, wie Gomez in eine Jeans schlüpft. Selbst in meinem Elend fällt mir auf, wie schön er ist, hoch gewachsen und breitschultrig und ... *groß*, eine ganz andere Art von Schönheit als Henrys pantherhafte Geschmeidigkeit. Sofort befällt mich ein schlechtes Gewissen, weil ich Vergleiche ziehe. Gomez stellt einen Aschenbecher neben mich, setzt sich aufs Bett und sieht mich an.

»Du hast im Schlaf mit jemandem gesprochen, der Henry heißt.«

Mist. Mist. »Was habe ich gesagt?«

»Meistens immer nur ›Henry‹, so als wolltest du jemanden zu dir rufen. Und ›Tut mir Leid‹. Und einmal hast du gesagt: ›Du warst ja nicht da‹, so als wärst du richtig wütend. Wer ist Henry?«

»Henry ist mein Liebster.«

»Clare, du hast keinen Liebsten. Charisse und ich sehen dich seit einem halben Jahr fast jeden Tag, und du bist nie verabredet und nie ruft dich jemand an.«

»Henry ist mein Liebster. Er ist schon seit längerem fort und kommt im Herbst 1991 zurück.«

»Wo ist er?« Irgendwo in der Nähe.

»Ich weiß nicht.« Gomez glaubt, ich denke mir das alles nur aus. Obwohl es sinnlos ist, will ich, dass er mir glaubt. Ich greife nach meiner Tasche, öffne mein Portemonnaie und zeige Gomez das Foto von Henry. Er begutachtet es eingehend.

»Den hab ich schon gesehen. Oder, nein, jemanden, der ihm sehr ähnlich sieht. Der hier ist zu alt, er kann nicht der sein, den ich meine. Aber er hieß auch Henry.«

Mein Herz schlägt wie verrückt. Möglichst beiläufig frage ich: »Wo hast du ihn gesehen?«

»In Clubs. Meistens im Exit oder in der Smart Bar. Aber ich kann nicht fassen, dass du mit ihm befreundet bist. Er ist nämlich verrückt. Das Chaos ist sein ständiger Begleiter. Er ist Alkoholiker, und gerade hat er ... ich weiß nicht, er geht ziemlich grob mit Frauen um. Hört man jedenfalls.«

»Gewalttätig?« Ich kann mir nicht vorstellen, dass Henry eine Frau schlägt.

»Nein. Weiß ich nicht.«

»Wie heißt er mit Nachnamen?«

»Ich weiß nicht. Hör zu, Kätzchen, der Kerl würde dich vernaschen und ausspucken ... garantiert das Letzte, was du brauchst.«

Ich lächle. Henry ist genau das, was ich brauche, aber mir ist klar, wie sinnlos es ist, die Clubszene nach ihm abzuklappern. »Was brauche ich denn?«

»Mich. Auch wenn du das offenbar anders siehst.«

»Du hast Charisse. Was willst du mit mir?«

»Ich will dich einfach. Keine Ahnung warum.«

»Bist du Mormone oder so?«

Gomez sagt sehr ernst: »Clare, ich ... hör mal, Clare ...«

»Sag's nicht.«

»Wirklich, ich ...«

»Nein. Ich will es nicht wissen.« Ich stehe auf, drücke die Zigarette aus und fange an, mich anzuziehen. Gomez sitzt reglos da und beobachtet mich. Ich komme mir schal, schmutzig und scheinheilig vor, wie ich mir vor Gomez das Partykleid von gestern Abend anziehe, aber ich versuche, es mir nicht anmerken zu lassen. Ich kann den langen Reißverschluss im Rücken nicht allein zumachen, und Gomez hilft mir dabei mit ernster Miene.

»Clare, sei nicht böse.«

»Ich bin nicht böse auf dich. Ich bin böse auf mich.«

»An diesem Kerl muss ja wirklich was Besonderes sein, wenn er ein Mädchen wie dich im Stich lässt und erwartet, dass du zwei Jahre später noch da bist.«

Ich lächle Gomez an. »Er ist *unglaublich*.« Mir ist klar, dass ich seine Gefühle verletzt habe. »Gomez, es tut mir Leid. Wenn ich frei wäre, und du frei wärst...« Gomez schüttelt den Kopf, und ehe ich mich versehe, küsst er mich. Ich erwidere den Kuss, und einen kurzen Moment lang frage ich mich... »Ich muss jetzt los, Gomez.«

Er nickt.

Und ich gehe.

Freitag, 27. April 1990 (Henry ist 26)

HENRY: Ingrid und ich sind im Riviera Theater und tanzen uns zu den wohlklingenden Tönen von Iggy Pop unser winziges Hirn aus der Birne. Am glücklichsten sind Ingrid und ich immer, wenn wir tanzen, ficken oder sonst etwas tun, das körperliche Bewegung und kein Reden erfordert. Im Moment sind wir im Himmel. Wir stehen ganz vorn an der Bühne und Mr Pop peitscht uns in in eine kompakte Masse aus manischer Energie. Ich habe Ing mal gesagt, dass sie wie eine Deutsche tanzt, was ihr gar nicht gefiel, aber es stimmt: Sie tanzt ernst, als hinge unser Leben an einem seidenen Faden, als könne man mit Präzisionstanzen die hungernden Kinder in Indien retten. Großartig. The Iggster schnulzt »*I'm so pent up, like this I can't stay...*« und ich weiß genau, was er meint. In Augenblicken wie diesem sehe ich einen Sinn in Ingrid und mir. Wir schlagen uns wie wild durch *Lust for Life, China Doll, Funtime*. Wir haben beide genug Speed genommen, um eine Botschaft zum Pluto zu schicken, und ich verspüre das unglaublich schrille Gefühl und die tiefe Überzeugung, dass ich es packen könnte, den Rest meines Lebens vollkommen zufrieden hier zu sein. Ingrid schwitzt. Ihr weißes T-Shirt klebt ihr auf eine interessante und ästhetisch ansprechende Art am

Körper, und ich überlege schon, es wegzuzupfen, lasse es aber sein, weil sie keinen BH trägt und ich es noch lange von ihr zu hören kriegen würde. Wir tanzen, Iggy Pop singt, und nach drei Zugaben geht das Konzert leider und unvermeidlich zu Ende. Ich fühle mich phantastisch. Als wir mit den anderen begeisterten und aufgepumpten Konzertgängern hinaustrotten, überlege ich, was wir jetzt machen könnten. Ingrid schwenkt ab und stellt sich in die lange Schlange vor der Damentoilette. Ich warte draußen auf sie und beobachte, wie ein Yuppie in einem BMW mit einem jungen Typ vom Park-Service wegen eines verbotenen Parkplatzes streitet, als ein riesiger blonder Typ auf mich zukommt.

»Henry?«, fragt er. Ich überlege schon, ob er mir gleich eine Gerichtsvorladung oder dergleichen überreichen wird.

»Ja?«

»Clare lässt dich schön grüßen.« Wer verdammt ist Clare?

»Tut mir Leid, falsche Nummer.« Ingrid, die wieder ihr gewohntes Bond-Girl-Ich angenommen hat, tritt heran und taxiert den Kerl, der ein ziemlich gelungenes Exemplar der männlichen Spezies ist. Ich lege den Arm um sie.

Der Typ lächelt. »Entschuldigung. Du musst irgendwo einen Doppelgänger haben.« Mir zieht sich das Herz zusammen; da ist etwas im Gang, das ich nicht mitbekomme, ein kleiner Teil meiner Zukunft sickert ins Jetzt, aber im Augenblick ist nicht der richtige Zeitpunkt, um nachzuforschen. Er scheint sich über etwas zu freuen, entschuldigt sich und geht.

»Was sollte das denn?«, fragt Ingrid.

»Ich glaube, er hat mich nur verwechselt.« Ich zucke die Achseln. Ingrid sieht besorgt aus. Aber da sich Ingrid so gut wie über alles sorgt, was mich betrifft, ignoriere ich es. »Hey, Ing, was wollen wir jetzt machen?« Ich könnte ganze Häuserschluchten überspringen.

»Zu mir?«

»Phantastisch.« Wir holen uns bei Margie's Candies ein Eis, und dann sitzen wir im Auto und singen »I Scream, you scream, we all scream for ice cream« und lachen wie gestörte Kinder. Als ich später mit Ingrid im Bett liege, frage ich mich, wer Clare ist, aber dann sage ich mir, darauf gibt es vermutlich keine Antwort und vergesse es wieder.

HENRY: Ich gehe mit Charisse in die Oper. Es gibt *Tristan und Isolde*. Dass ich mit Charisse hier bin und nicht mit Clare, liegt an Clares extremer Aversion gegen Wagner. Ich selbst bin auch kein großer Wagnerianer, aber wir haben ein Abonnement, und dann kann ich ebenso gut gehen. Eines Abends, als wir bei Charisse und Gomez darüber diskutieren, sagt Charisse wehmütig, sie sei noch nie in der Oper gewesen. Fazit des Ganzen ist, das Charisse und ich vor der Lyric Opera aus einem Taxi steigen, und Clare zu Hause auf Alba aufpasst und mit Alicia, die uns diese Woche besucht, Scrabble spielt.

Eigentlich bin ich nicht in der Stimmung für das Ganze. Als ich Charisse abholte, zwinkerte Gomez mir zu und sagte in seiner besten unbedarften Elternstimme: »Bleib nicht zu lange mit ihr weg, mein Sohn!« Ich kann mich gar nicht entsinnen, wann Charisse und ich zuletzt etwas allein unternommen haben. Ich mag sie, sehr sogar, aber im Grunde habe ich ihr nicht viel zu sagen.

Ich führe sie durch die Menge. Sie geht langsam, nimmt die herrliche Eingangshalle, den Marmor und die geschwungenen Balkone in sich auf, die auf elegante Weise unaufdringlich reichen Leute, die Studenten im Kunstpelz und mit den gepiercten Nasen. Charisse schmunzelt über die Libretto-Verkäufer, zwei befrackte Herren, die am Halleneingang stehen und zweistimmig singen: »Libretto! Libretto! Kaufen Sie sich ein Libretto!« Keiner meiner Bekannten ist hier. Wagnerianer sind die Kommandotruppen der Opernfans; sie sind aus ernsterem Stoff gemacht und kennen sich alle untereinander. Als Charisse und ich die Treppe zum Mezzanin hochgehen, werden viele Küsschen verteilt.

Clare und ich haben eine eigene Loge, einer der Genüsse, die wir uns gönnen. Als ich den Vorhang zurückziehe und Charisse eintreten lasse, sagt sie: »Oh!« Ich nehme ihren Mantel und lege ihn über einen Stuhl, mit meinem mache ich dasselbe. Dann setzen wir uns.

Charisse schlägt die Füße übereinander und faltet ihre kleinen Hände im Schoß. Ihre schwarzen Haare schimmern im weichen Dämmerlicht, und mit ihrem dunklen Lippenstift und den dramatischen Augen sieht sie aus wie ein äußerst freches Kind, das sich herausgeputzt hat und bis spätabends mit den Erwachsenen aufbleiben darf. Sie saugt die Schönheit des Opernhauses in sich auf, die aufwändige goldgrüne Leinwand vor der Bühne, die gekräuselten Gipskaskaden, die alle Bögen und Kuppeln säumen, das aufgeregte Gemurmel der Besucher. Die Lichter gehen aus, Charisse lächelt mich an. Dann hebt sich die Leinwand, wir sind auf einem Schiff und Isolde singt. Ich lehne mich im Stuhl zurück und verliere mich im Strom ihrer Stimme.

Vier Stunden, einen Liebestrank und eine stehende Ovation später wende ich mich zu Charisse. »Na, wie fandest du's?«

Sie lächelt. »Irgendwie albern, oder? Aber durch den Gesang war es dann doch nicht albern.«

Ich halte ihr den Mantel, und sie tastet nach dem Armloch, findet es und streift den Mantel über. »Albern? Kann sein. Aber ich will mir gern vorstellen, dass Jane Egland jung und schön ist und keine zwei Zentner schwere Kuh, weil sie die Stimme der Euterpe hat.«

»Euterpe?«

»Die Muse der Musik.« Wir gesellen uns in den Strom der dem Ausgang zustrebenden, gesättigten Zuhörer. Unten treiben wir hinaus in die Kälte. Ich führe uns ein Stückchen den Wacker Drive entlang und nach ein paar Minuten gelingt es mir, ein Taxi zu ergattern. Ich will dem Fahrer Charisses Adresse nennen, als sie sagt: »Henry, lass uns noch einen Kaffee trinken. Ich möchte noch nicht zurück.« Ich sage dem Fahrer, er soll uns zu Don's Coffee Club bringen, der in der Jarvin Avenue am nördlichen Stadtrand liegt. Charisse plaudert über den Gesang, der vollendet war; über das Bühnenbild, das, wie wir beide finden, uninspiriert war; über die moralische Schwierigkeit, Wagner zu genießen, wenn man weiß, dass er ein antisemitisches Arschloch war, dessen größter Fan Hitler hieß. Als wir zu Don kommen, ist die Hölle los; Don hält in einem orangen Hawaiihemd Hof, und ich winke ihm zu. Wir finden einen kleinen Tisch hinten. Charisse bestellt Kirschkuchen mit Vanilleeis und Kaffee, ich mein gewohntes Sandwich mit Erdnussbutter und Gelee und Kaffee. Perry Como schnulzt aus der Stereoanlage, und ein Hauch von Zigarettendunst schwebt über Tischen und Flohmarktgemälden. Charisse stützt ihren Kopf auf die Hand und seufzt.

»Hier ist es so toll. Manchmal vergesse ich ganz, wie es war, ein Erwachsener zu sein.«

»Ihr beide geht wohl nicht oft aus, oder?«

Charisse zermatscht ihr Eis mit der Gabel und lacht. »Joe macht das immer. Er sagt, matschig schmeckt es besser. Du liebe Güte, ich nehme schon ihre schlechten Gewohnheiten an statt ihnen meine guten beizubringen.« Sie isst ein Stück Kuchen. »Um deine Frage zu beantworten, wir gehen durchaus weg, aber fast immer nur zu politischen Veranstaltungen. Gomez denkt daran, als Stadtrat zu kandidieren.«

Ich verschlucke mich an meinem Kaffee und muss husten. Als ich wieder reden kann, sage ich: »Das soll wohl ein Witz sein. Wechselt er damit nicht die Seite? Gomez hat die Stadtverwaltung immer mies gemacht.«

Charisse bedenkt mich mit einem ironischen Blick. »Er hat beschlossen, das System von innen zu verändern. Die schrecklichen Fälle von Kindesmissbrauch haben ihn ausgebrannt. Er denkt wohl, mit ein bisschen eigener Schlagkraft könnte er womöglich doch etwas verbessern.«

»Vielleicht hat er sogar Recht.«

Charisse schüttelt den Kopf. »Mir hat es besser gefallen, als wir junge anarchistische Revolutionäre waren. Ich würde lieber Sachen in die Luft sprengen, als anderen in den Arsch zu kriechen.«

Ich muss lächeln. »Mir war nie klar, dass du die radikalere von euch beiden bist.«

»Oh, doch. Ich bin eben nicht so geduldig wie Gomez. Ich will Action.«

»Gomez ist geduldig?«

»Und wie. Ich meine, sieh dir doch nur die Sache mit Clare...« Charisse bricht unvermittelt ab, schaut mich an.

»Welche Sache mit Clare?« Noch während ich das frage, dämmert mir, dass wir deswegen hier sind, dass Charisse nur darüber mit mir reden wollte. Ich frage mich, was sie weiß und ich nicht. Ich frage mich auch, ob ich überhaupt wissen will, was Charisse weiß. Am liebsten würde ich, glaube ich, nichts davon erfahren.

Charisse blickt zur Seite und dann wieder zu mir. Sie starrt auf ihren Kaffee, legt die Hände um den Becher. »Na ja, ich dachte, du wüsstest es, aber, nun ... Gomez ist in Clare verliebt.«

»Aha.« Ich werde ihr dabei nicht helfen.

Charisse fährt mit dem Finger die Maserung der Tischfurnierung entlang. »Also ... Clare hat ihm gesagt, er soll verschwinden, und er glaubt, wenn er nur lang genug am Ball bleibt, wird irgendwas passieren und er kann bei ihr landen.«

»Wird irgendwas passieren ...?«

»Mit dir.« Unsere Blicke begegnen sich.

Mir ist schlecht. »Entschuldige«, sage ich zu ihr, stehe auf und gehe zu der winzigen, mit Marilyn Monroe voll gekleisterten Toilette. Ich spritze mir kaltes Wasser ins Gesicht, lehne mich mit geschlossenen Augen an die Wand. Als ich merke, dass ich nirgendwohin verschwinden werde, gehe ich ins Café zurück und setze mich wieder. »Tut mir Leid. Was sagtest du?«

Charisse sieht klein und ängstlich aus. »Henry«, flüstert sie. »Sag's mir.«

»Was soll ich sagen, Charisse?«

»Sag mir, dass du nirgendwohin gehen wirst. Sag mir, dass Clare nicht Gomez will. Sag mir, dass alles gut wird. Oder sag mir, dass alles den Bach runtergeht, ich weiß nicht ... sag mir einfach, was passiert!« Ihre Stimme bebt. Sie legt mir die Hand auf den Arm, und ich muss mich zwingen, dass ich ihn nicht wegziehe.

»Dir geht's prima, Charisse. Alles wird gut.« Sie starrt mich an und glaubt mir nicht, möchte mir aber gern glauben. Ich lehne mich im Stuhl zurück. »Er wird dich nicht verlassen.«

Sie seufzt. »Und du?«

Ich schweige. Charisse sieht mich an und senkt dann den Kopf. »Gehen wir nach Hause«, sagt sie schließlich, und das tun wir.

Sonntag, 12. Juni 2005 (Clare ist 34, Henry 41)

CLARE: Ein sonniger Sonntagnachmittag. Ich gehe in die Küche, wo Henry am Fenster steht und in den Garten hinausblickt. Er winkt mich zu sich. Ich gehe zu ihm und sehe aus dem Fenster. Alba spielt im Garten mit einem älteren Mädchen, das ungefähr sieben ist. Sie hat lange dunkle Haare und ist barfuß, trägt ein T-Shirt mit dem Logo der Cubs. Die beiden sitzen sich auf der Erde gegenüber, das Mädchen mit dem Rücken zu uns. Alba lächelt sie an und gestikuliert mit den Händen, als würde sie fliegen. Das Mädchen schüttelt den Kopf und lacht.

Ich sehe Henry an. »Wer ist das?«

»Alba.«

»Ja, aber wer ist da bei ihr?«

Henry lächelt, seine Augenbrauen ziehen sich jedoch zusammen und lassen das Lächeln besorgt wirken. »Clare, das ist Alba, wenn sie älter ist. Sie reist durch die Zeit.«

»Mein Gott.« Ich starre das Mädchen an. Sie dreht sich um, zeigt auf das Haus, und ich sehe kurz das Profil, dann dreht sie sich wieder weg. »Sollten wir vielleicht zu ihnen gehen?«

»Nein, lass sie nur. Wenn sie ins Haus kommen wollen, dann tun sie's auch.«

»Ich würde sie unheimlich gern kennen lernen...«

»Lieber nicht...«, setzt Henry an, aber noch während er das sagt, kommen die beiden Albas Hand in Hand zur hinteren Tür gerannt. »Mama, Mama«, sagt meine drei Jahre alte Alba und zeigt mit dem Finger, »sieh mal! Da ist eine große Alba!«

Die andere Alba grinst und sagt: »Hallo Mama«, worauf ich lächelnd entgegne: »Hallo Alba.« Dann dreht sie sich um, sieht Henry und ruft: »Daddy!«, und rennt zu ihm, schlingt die Arme um ihn und beginnt zu weinen. Henry sieht mich kurz an, beugt sich über Alba, wiegt sie und flüstert ihr etwas ins Ohr.

HENRY: Clare ist bleich geworden; sie beobachtet uns, hält die kleine Alba an der Hand, die ihrerseits dasteht und mit offenem Mund beobachtet, wie sich ihr älteres Ich an mich klammert und weint. Ich bücke mich zu Alba hinab, flüstere ihr ins Ohr: »*Sag Mama nicht, dass ich gestorben bin, okay?*« Sie blickt zu mir auf, Tränen hängen ihr an den langen Wimpern, ihre Lippen beben, und nickt. Clare reicht ihr ein Papiertaschentuch, sagt ihr, sie soll sich die Nase putzen, umarmt sie. Alba lässt sich von ihr fortführen, um sich das Gesicht zu waschen. Die kleine Alba, die gegenwärtige Alba, umklammert meine Beine. »Warum Daddy? Warum ist sie traurig?« Zum Glück muss ich ihr nicht antworten, weil Clare und Alba zurückkommen; Alba trägt eins von Clares T-Shirts und eine abgeschnittene Hose von mir. Clare sagt: »Hey, allesamt. Wollen wir nicht ein Eis essen gehen?« Beide Albas lächeln; die kleine Alba tanzt um uns herum und schreit »I scream, you scream, I scream, you scream…« Wir steigen ins Auto, Clare fährt, die dreijährige Alba vorn auf dem Beifahrersitz und die siebenjährige Alba mit mir auf der Rückbank. Sie schmiegt sich an mich, ich lege den Arm um sie. Wir schweigen, nur die kleine Alba sagt: »Sieh mal, Alba, ein Hündchen! Sieh mal, Alba, sieh mal, Alba…«, bis ihr älteres Ich entgegnet: »Ja, Alba, ich seh es doch.« Clare fährt zum Zephyr Cafe, wo wir in einer blauen glitzernden Plastiksitznische Platz nehmen und zwei Bananen-Split, einen Schokoladen-Milchshake und ein Vanillesofteis mit Streusel bestellen. Die Mädchen saugen ihr Bananen-Split auf wie Staubsauger; Clare und ich spielen mit unserem Eis herum und sehen uns nicht an.

»Alba, was geht in deiner Gegenwart so vor?«, fragt Clare.

Alba sieht mich blitzschnell an. »Nicht viel«, antwortet sie. »Gramps bringt mir gerade Saint Saens' zweites Violinkonzert bei.«

»Du spielst in einem Theaterstück an der Schule mit«, souffliere ich.

»Wirklich?«, sagt sie. »Aber jetzt noch nicht.«

»Ach, entschuldige«, sage ich. »Das kommt wohl erst nächstes Jahr.« In diesem Stil geht es immer weiter. Wir unterhalten uns stockend und umschiffen, was wir wissen und wovor wir Clare und die kleine Alba beschützen müssen. Nach einer Weile legt die ältere Alba den Kopf in ihre Arme. »Müde?«, fragt Clare. Sie nickt. »Dann gehen wir lieber«, sage ich zu Clare. Wir zahlen, und ich hebe Alba hoch; sie ist schlaff, schläft beinahe in meinen Armen. Clare nimmt die kleine Alba auf den Arm, die ganz zappelig ist von dem vielen Zucker. Im Auto – wir fahren gerade die Lincoln Avenue entlang – verschwindet Alba. »Sie ist wieder zurück«, sage ich zu Clare. Sie fängt meinen Blick einen Augenblick im Rückspiegel auf. »Wohin zurück, Daddy?«, fragt Alba. »Wohin zurück?«

Später:

CLARE: Endlich ist es mir gelungen, Alba zu einem Nickerchen zu bewegen. Henry sitzt auf unserem Bett, trinkt Scotch und sieht aus dem Fenster auf ein paar Eichhörnchen, die einander um die Weinlaube jagen. Ich gehe zu ihm und setze mich neben ihn. »Hey«, sage ich. Henry schaut mich an, legt einen Arm um mich, zieht mich an sich. »Hey«, entgegnet er.

»Willst du mir nicht sagen, worum es da vorhin ging?«, frage ich ihn.

Henry stellt seinen Drink ab und fängt an, mir die Knöpfe an der Bluse zu öffnen. »Komm ich damit durch, wenn ich es dir nicht sage?«

»Nein.« Ich öffne seinen Gürtel und den Knopf an der Jeans.

»Ganz sicher?« Er küsst mich im Nacken.

»Ja.« Ich ziehe den Reißverschluss nach unten, lasse meine Hand unter sein Hemd und über den Bauch gleiten.

»Weil du's nämlich gar nicht wissen willst.« Henry atmet mir ins Ohr und fährt mir mit der Zunge um den Rand. Ich erschaudere. Er zieht mir die Bluse aus, löst den Haken an meinem BH. Meine Brüste senken sich und ich lege mich zurück, beobachte, wie Henry sich Jeans, Unterwäsche und Hemd abstreift. Er steigt aufs Bett, und ich sage: »Socken.«

»Oh, natürlich.« Er zieht die Socken aus. Wir sehen uns an.

»Du willst mich nur ablenken«, sage ich.

Henry streichelt meinen Bauch. »Ich versuche mich abzulenken. Wenn es mir auch noch gelingt, dich abzulenken, umso besser.«

»Du musst es mir sagen.«

»Nein, muss ich nicht.« Er umfasst meine Brüste mit den Händen, fährt mir mit den Daumen über die Nippel.

»Sonst stell ich mir das Schlimmste vor.«

»Nur zu.« Ich hebe meine Hüften und Henry zieht mir Jeans und Unterwäsche aus. Er setzt sich rittlings über mich, kommt zu mir heran, küsst mich. *Du lieber Gott*, denke ich, *was kann es nur sein? Was ist das Schlimmste? Ich schließe die Augen. Eine Erinnerung: Die Wiese, ein kalter Tag in meiner Kindheit, ich renne über vertrocknetes Gras, da war ein Geräusch, er rief meinen Namen…*

»Clare?« Henry beißt mich zärtlich in die Lippen. »Wo bist du?«

»Im Jahr 1984.«

Henry hält inne und sagt: »Warum?«

»Ich glaube, da passiert es.«

»Passiert was?«

»Was es auch ist, das dir Angst macht, es mir zu sagen.«

Henry rollt von mir herunter, wir liegen Seite an Seite. »Erzähl es mir«, sagt er.

»Es war noch früh. Ein Herbsttag. Daddy und Mark waren auf Wildjagd. Ich bin aufgewacht; mir war, als hätte ich dich nach mir rufen hören, und da bin ich zur Wiese gerannt, und da warst du, Daddy und Mark, und ihr habt etwas betrachtet, aber Daddy wollte unbedingt, dass ich wieder zum Haus zurückgehe, darum weiß ich nicht, was ihr da gesehen habt.«

»Und?«

»Später am Tag ging ich dann noch mal zur Wiese. Eine Stelle im Gras war blutgetränkt.«

Henry sagt nichts. Er presst die Lippen zusammen. Ich schlinge die Arme um ihn, halte ihn fest. »Das Schlimmste…«

»Sei still, Clare.«

»Aber…«

»Scht.« Draußen ist noch immer ein strahlender Nachmittag. Uns ist kalt hier im Haus, und wir klammern uns aneinander, wollen uns wärmen. Alba schläft in ihrem Bett und träumt von Eiskrem, träumt die kleinen zufriedenen Träume einer Dreijährigen, während eine andere Alba irgendwo in der Zukunft davon träumt, die Arme um ihren Vater zu schlingen, und dann aufwacht und … was wohl vorfindet?

DIE EPISODE IM PARKHAUS AN DER MONROE STREET

Montag, 7. Januar 2006 (Clare ist 34, Henry 42)

CLARE: Wir sind in einen tiefen frühmorgendlichen Winterschlaf versunken, da klingelt das Telefon. Mit rasendem Herzen werde ich wach und sehe, dass Henry neben mir liegt. Er greift über mich und hebt den Hörer ab. Ich sehe auf die Uhr: 4.32 Uhr. »Hallo«, sagt Henry. Eine geschlagene Minute hört er zu. Inzwischen bin ich hellwach. Henrys Miene ist ausdruckslos. »In Ordnung. Bleib dort. Wir brechen sofort auf.« Er beugt sich über mich und legt den Hörer wieder auf.

»Wer war das?«

»Ich. Das war ich. Ich bin im Parkhaus an der Monroe Street, ohne Kleidung, bei minus fünfzehn Grad. Mein Gott, hoffentlich springt das Auto an.«

Wir stehen schnell auf und ziehen die Sachen von gestern an. Henry ist schon in Stiefeln und Mantel, bevor ich meine Jeans anhabe, und rennt hinaus, um den Motor zu starten. Ich stopfe Henrys Hemd, lange Unterwäsche, Jeans, Socken, Stiefel, einen zusätzlichen Mantel, Fausthandschuhe und eine Decke in eine Einkaufstüte, wecke Alba auf und packe sie in Mantel und Stiefel, schlüpfe in meinen Mantel und schon bin ich aus der Tür. Ich setze aus der Garage, noch ehe das Auto warm ist, und der Motor stirbt ab. Ich starte erneut, wir stehen eine Minute da, und ich versuche es wieder. Gestern hat es fünfzehn Zentimeter geschneit, und die Ainslie ist ganz vereist. Alba nörgelt in ihrem Kindersitz und Henry beruhigt sie. An der Lawrence werde ich schneller und zehn Minuten später sind wir am Drive; keine Menschenseele ist um diese Zeit unterwegs. Die Heizung im Honda surrt. Über dem See wird der Himmel heller. Alles ist blau und orange, wirkt brüchig in der extremen Kälte. Als wir den Lake Shore Drive entlangjagen, überkommt mich ein starkes Gefühl, alles schon einmal erlebt zu haben: Die Kälte, der See in der verträumten Stille, das Leuchten der Lampen: Hier bin ich schon gewesen, bin ich schon gewesen. Ich bin tief in diesen Moment verstrickt, und er dehnt sich aus, trägt mich fort von der Eigenartigkeit des Ganzen hin zu einem Bewusstsein für die Doppeldeutigkeit des gegenwärtigen Augenblicks; obwohl wir durch die winterliche Stadt rasen, steht die Zeit still. Wir fahren an der Irving vorbei, an der Belmont, Fullteron, LaSalle bis zur Ausfahrt Michigan Avenue. Wir fliegen durch den verlassenen Korridor von teuren Geschäften, Oak Street, Chicago, Randolph, Monroe, und jetzt tauchen wir in die unterirdische Betonwelt des Parkhauses ein. Ich nehme das Ticket, das mir die geisterhafte weibliche Maschinenstimme anbietet. »Fahr zur nordwestlichen Seite«, sagt Henry. »Zum Münztelefon bei der Wachstation.« Ich folge seinen Anweisungen. Das Gefühl, alles schon erlebt zu haben, ist wieder verschwunden. Mir ist, als hätte mich ein schützender Engel im Stich gelassen. Das Parkhaus ist so gut wie leer. Ich rase über Riesenflächen mit gelben Linien zum Münztelefon: Der Hörer baumelt an der Strippe. Kein Henry.

»Vielleicht bist du wieder in die Gegenwart zurück?«

»Aber vielleicht auch nicht…« Henry ist ebenso verwirrt wie ich. Wir steigen aus. Hier ist es kalt. Mein Atem dampft und verschwindet. Irgendwie finde ich, wir sollten bleiben, auch wenn ich keine Ahnung habe, was passiert sein könnte. Ich gehe zur Wachstation und spähe ins Fenster. Kein Wärter. Die Videomonitore zeigen leeren Beton. »Mist. Wo könnte ich hingehen? Lass uns eine Runde drehen.« Wir steigen wieder ins Auto und fahren langsam durch die weiten mit Pfeilern versehenen leeren Kammern, vorbei an Schildern mit Anweisungen wie ›Langsam fahren‹, ›Weitere Parkplätze‹, ›Merken Sie sich den Standort Ihres Fahrzeugs‹. Nirgendwo ein Henry. Wir sehen uns niedergeschlagen an.

»Aus welcher Zeit bist du gekommen?«

»Das hat er nicht gesagt.«

Schweigend fuhren wir nach Hause. Alba schläft. Henry starrt aus dem Fenster. Der Himmel ist wolkenlos und rosa im Osten, inzwischen sind mehr Autos unterwegs, die ersten Pendler. Vor einer roten Ampel an der Ohio Street höre ich Seemöwen kreischen. Die Straßen sind dunkel von Salz und Wasser. Die Stadt ist weich, weiß, liegt unter Schnee. Alles ist schön. Ich bin distanziert, ich bin ein Film. Wie es aussieht, sind wir unversehrt, aber früher oder später werden wir dafür büßen.

GEBURTSTAG

Donnerstag, 15. Juni 2006 (Clare ist 35)

CLARE: Morgen hat Henry Geburtstag. Ich bin bei Vintage Vinyl und versuche ein Album zu finden, das ihm gefällt und er noch nicht hat. Irgendwie hatte ich mich darauf verlassen, den Besitzer Vaughn um Rat zu fragen, weil Henry seit Jahren hier kauft. Aber hinter dem Ladentisch steht ein Highschool-Junge. Er trägt ein T-Shirt von Seven Dead Arson und war vermutlich noch gar nicht auf der Welt, als die meisten Sachen hier im Laden aufgenommen wurden. Ich gehe die Fächer durch. Sex Pistols, Patti Smith, Supertramp, Matthew Sweet. Phish, Pixies, Pogues, Pretenders. B-52's, Kate Bush, Buzzcocks. Echo and the Bunnymen. The Art of Noise. The Nails. The Clash, The Cramps, The Cure. Television. Bei einer unbekannten Velvet-Underground-Scheibe bleibe ich hängen und versuche mich zu erinnern, ob ich sie im Haus habe herumliegen sehen, aber bei näherer Überprüfung erkenne ich, dass es nur ein Mischmasch von Stücken ist, die Henry auf anderen Platten hat. Dazzling Killmen, Dead Kennedys. Vaughn kommt mit einer riesigen Schachtel beladen herein, schleppt sie hinter den Ladentisch und geht wieder hinaus. Das wiederholt er mehrere Male, und dann fängt er mit dem Jungen an, die Schachteln auszupacken, sie stapeln LPs auf den Ladentisch und geben bei manchen Sachen, von denen ich noch nie gehört habe, ihr Erstaunen kund. Ich gehe zu Vaughn und breite stumm drei LPs fächerförmig vor ihm aus. »Hallo, Clare«, sagt er breit grinsend. »Wie geht's so?«

»Hallo, Vaughn. Henry hat morgen Geburtstag. Hilfe.«

Er beäugt meine Auswahl. »Die beiden hat er schon«, sagt er und nickt auf Lilliput und die Breeders, »und die ist wirklich schrecklich«, wobei er auf die Plasmatics zeigt. »Aber ein tolles Cover, hm?«

»Ja. Hast du vielleicht was in der Schachtel, das ihm gefallen könnte?«

»Nö, alles Sachen aus den Fünfzigern. Eine alte Frau ist gestorben. Aber das hier könnte dir gefallen, hab ich erst gestern reinbekommen.« Er zieht eine Zusammenstellung von den Golden Palominos aus dem Fach mit den Neuzugängen. Einiges davon kenne ich nicht, also nehme ich die Platte. Plötzlich grinst Vaughn mich an. »Ich hab da was echt Obstruses für dich – eigentlich wollte ich es für Henry aufheben.« Er tritt hinter den Ladentisch und fischt eine Weile in den Tiefen herum. »Hier.« Vaughn reicht mir eine LP in einer unbedruckten weißen Hülle. Ich lasse die Platte herausgleiten und lese auf dem Label: »*Annette Lyn Robinson, Pariser Oper*, 13. Mai 1968, *Lulu*.« Ich sehe Vaughn fragend an. »Nicht gerade sein üblicher Geschmack, hm? Ein Bootleg von einem Konzert; offiziell existiert es gar nicht. Vor einiger Zeit hat er mich gebeten, die Augen nach ihren Sachen offen zu halten, aber da es auch nicht gerade mein üblicher Geschmack ist, hab ich es entdeckt und dann ständig vergessen, es ihm zu erzählen. Ich hab's mir angehört, ist wirklich schön. Gute Tonqualität.«

»Danke«, flüstere ich.

»Bitte. Hey, was ist daran so besonders?«

»Sie war Henrys Mutter.«

Vaughn hebt die Augenbrauen, und seine Stirn legt sich komisch in Runzeln. »Im Ernst? Klar … er sieht ihr ähnlich. Na, sehr interessant. Hätte er ruhig mal erwähnen können.«

»Er spricht nicht oft über sie. Sie ist gestorben, als er noch klein war. Bei einem Autounfall.«

»Ach. Genau, ich erinnere mich vage. Tja, soll ich dir noch was raussuchen?«

»Nein, das reicht.« Ich zahle bei Vaughn, verlasse den Laden und gehe, die Stimme von Henrys Mutter an mich gedrückt, in aufgeregter Vorfreude die Davis Street entlang.

Freitag, 16. Juni 2006 (Henry ist 43, Clare 35)

HENRY: Heute ist mein dreiundvierzigster Geburtstag. Um 6.46 Uhr klappen meine Augenlider hoch und ich kann nicht mehr einschlafen, obwohl ich heute nicht arbeiten muss. Ich werfe einen Blick auf Clare, sie liegt im tiefen Dornröschenschlaf da, die Arme von sich gestreckt und die Haare durcheinander auf dem Kissen ausgebreitet. Trotz der Falten vom Kopfkissenbezug auf ihren Wangen sieht sie wunderschön aus. Vorsichtig steige ich aus dem Bett, gehe in die Küche und werfe die Kaffeemaschine an. Im Badezimmer lasse ich das Wasser eine Weile laufen und warte darauf, dass es warm wird. Wir müssten einen Klempner rufen, kommen aber nie dazu. Ich gehe wieder in die Küche, schenke mir einen Becher Kaffee ein, nehme ihn mit ins Bad und stelle ihn aufs Waschbecken. Dann schäume ich mein Gesicht ein und beginne mit der Rasur. Normalerweise kann ich mich fast blind rasieren, aber heute mache ich, zu Ehren meines Geburtstags, eine gründliche Bestandsaufnahme.

Meine Haare sind fast weiß geworden, nur an den Schläfen ist noch ein schwarzer Rest geblieben und die Augenbrauen sind noch vollkommen schwarz. Ich habe mir die Haare wieder etwas wachsen lassen, nicht so lang wie früher, bevor ich Clare traf, aber auch nicht ganz kurz. Meine Haut ist vom Wind rau geworden, an den Augenrändern und auf der Stirn habe ich Falten, und von den Nasenflügeln zu den Mundwinkeln ziehen sich Linien. Mein Gesicht ist zu dünn. Alles an mir ist zu dünn. Nicht auschwitzdünn, aber auch nicht normaldünn. Dünn wie im frühen Krebsstadium vielleicht. Heroinsüchtigdünn. Aber daran will ich gar nicht denken, also fahre ich fort mit meiner Rasur. Dann spüle ich mir das Gesicht ab, trage Rasierwasser auf, trete einen Schritt zurück und begutachte das Ergebnis.

In der Bibliothek erinnerte sich gestern jemand daran, dass ich Geburtstag habe, und dann kamen Roberto, Isabelle, Matt, Catherine und Amelie und führten mich im Beau Thai zum Mittagessen aus. Mir ist klar, dass bei der Arbeit über meine Gesundheit geredet wird, darüber, warum ich plötzlich so stark abgenommen habe und dass ich in jüngster Zeit so rapide gealtert bin. Alle waren besonders nett zu mir, wie Leute es gegenüber Aids-Opfern und Chemothera-pie-Patienten eben sind. Ich sehne mich schon beinahe danach, dass jemand mich einfach fragt, damit ich ihn anlügen und es hinter mich bringen kann. Doch stattdessen haben wir gescherzt, Pad Thai und Prik King, Cashew Chicken und Pad Seeuw gegessen. Amelia hat mir ein Pfund hervorragenden kolumbianischen Kaffee ge-schenkt. Catherine, Matt, Roberto und Isabelle haben sich in Un-kosten gestürzt und mir die Getty-Faksimile der *Mira Calligraphiae Monumenta* gekauft, auf die ich im Buchladen der Newberry schon ewig ein Auge geworfen hatte. Tief gerührt blickte ich zu meinen Kollegen auf und erkannte, dass sie glauben, ich werde bald sterben. »Also, liebe Leute…«, setzte ich an, und dann fiel mir nicht ein, wie ich fortfahren sollte, also beließ ich es dabei. Es kommt nicht oft vor, dass mir die Worte fehlen.

Clare steht auf, Alba wacht auf. Wir ziehen uns alle an und pa-cken das Auto. Wir gehen mit Gomez, Charisse und deren Kindern in den Brookfield Zoo. Den ganzen Tag schlendern wir herum, se-hen uns Affen und Flamingos an, Eisbären und Otter. Alba mag am liebsten die großen Raubkatzen. Rosa hält Alba an der Hand und erzählt ihr von Dinosauriern. Gomez gibt eine hervorragende Imi-tation von einem Schimpansen, und Max und Joe toben herum und tun so, als wären sie Elefanten und spielen Videospiele. Charisse und Clare streifen ziellos umher, reden über nichts, saugen das Son-nenlicht ein. Um vier sind die Kinder alle müde und knatschig, so dass wir sie in die Autos packen, ihnen versprechen, den Zoobesuch bald zu wiederholen, und nach Hause fahren.

Unsere Babysitterin kommt pünktlich um sieben. Clare bestricht und droht Alba, damit sie brav ist, und wir entfliehen. Auf Clares beharrlichen Wunsch hin haben wir uns in Schale geworfen, und als wir am Lake Shore Drive in Richtung Süden entlangsausen, merke ich, dass ich gar nicht weiß, wohin wir fahren. »Du wirst schon se-hen«, sagt Clare. »Aber es ist hoffentlich keine Überraschungsparty?«, frage ich sie verzagt. Mitnichten, versichert sie mir, verlässt den Drive an der Ausfahrt Roosevelt und schlängelt sich durch Pilsen, ein Latino-Viertel gleich südlich des Zentrums. Auf den Straßen spielen Kinder, die wir vorsichtig umfahren, und schließlich parken wir in der Nähe 20. Straße Ecke Racine. Clare führt mich zu einem baufälligen Zweifamilienhaus und klingelt am Eingang. Wir werden summend eingelassen, gehen über den müllübersäten Hof und eine gefährliche Treppe nach oben. Clare klopft an eine der Türen, die von Lourdes, einer ihrer Freundinnen aus der Kunstschule, geöffnet wird. Lourdes lächelt, bittet uns herein, und als wir eintreten, sehe ich, dass das Zimmer in ein Restaurant mit nur einem Tisch umgewandelt worden ist. Herrliche Düfte durchziehen den Raum, und der Tisch ist mit weißem Damast, Porzellan und Kerzen geschmückt. Auf einem schweren geschnitzten Büfett steht ein Plattenspieler. Im Wohnzimmer sind Käfige voller Vögel: Papageien, Kanarienvögel, winzige Turteltauben. Lourdes küsst mich auf die Wange und sagt: »Herzlichen Glückwunsch zum Geburtstag, Henry«, und eine altbekannte Stimme sagt: » Ja, alles Gute zum Geburtstag!« Ich strecke den Kopf in die Küche und da ist Nell. Sie rührt etwas in einem Topf und hört auch nicht auf, als ich die Arme um sie schlinge und sie leicht vom Boden hebe. »Huii!«, sagt sie. »Da hat aber jemand sein Müsli gegessen!« Clare umarmt Nell, sie lächeln sich an. »Er sieht ziemlich überrascht aus«, sagt Nell, und Clare lächelt noch strahlender. »Jetzt setzt euch hin«, befiehlt Nell. »Das Essen ist fertig.«

Wir setzen uns gegenüber an den Tisch. Lourdes bringt kleine Teller mit wunderbar arrangierten Antipasti: Hauchdünner Schinken mit hellgelben Melonen, Muscheln, die mild und rauchig sind, schmale Streifen von Karotten und Rote Bete, die nach Fenchel und Olivenöl schmecken. Clares Haut strahlt im Kerzenlicht, ihre Augen werfen Schatten. Sie trägt eine Perlenkette, die ihr Schlüsselbein und die blasse zarte Stelle über ihren Brüsten betont, die sich bei jedem Atemzug heben und senken. Als Clare mich ertappt, wie ich sie anstarre, lächelt sie und schaut weg. Ich senke den Blick und merke, dass ich meine Muscheln aufgegessen habe und die Gabel in der Luft halte wie ein Idiot. Ich lege sie hin; Lourdes holt unsere Teller und bringt den nächsten Gang.

Wir essen Nells traumhaften Thunfisch, gedünstet in einer Sauce aus Tomaten, Äpfeln und Basilikum. Es gibt einen kleinen Salat mit Radicchio und orangefarbenem Paprika, dazu kleine braune Oliven, die mich an ein Essen mit meiner Mutter in einem Hotel in Athen erinnern, als ich noch sehr klein war. Wir trinken einen Sauvignon Blanc, stoßen mehrmals an. (»Auf Oliven!« »Auf Babysitter!« »Auf Nell!«) Nell erscheint aus der Küche und trägt einen kleinen flachen weißen Kuchen mit lodernden Kerzen. Dann singen Clare, Nell und Lourdes »Happy Birthday« für mich. Ich wünsche mir etwas und blase in einem Atemzug die Kerzen aus. »Jetzt geht dein Wunsch in Erfüllung«, sagt Nell, nur gehört mein Wunsch nicht zu denen, die man erfüllen kann. Die Vögel unterhalten sich mit sonderbaren Stimmen, und wir essen alle Kuchen, dann verschwinden Lourdes und Nell wieder in die Küche. Clare sagt: »Ich hab ein Geschenk für dich. Schließ die Augen.« Ich schließe die Augen und höre, wie Clare den Stuhl vom Tisch zurückschiebt und durchs Zimmer geht. Dann folgt das Geräusch einer Nadel, die auf Vinyl trifft ... ein Rauschen ... Geigen ... ein reiner Sopran, der den Lärm des Orchesters wie lauter Regen durchdringt ... die Stimme meiner Mutter, sie singt *Lulu*. Ich öffne die Augen. Clare sitzt mir gegenüber am Tisch und lächelt. Ich stehe auf, ziehe sie vom Stuhl hoch, umarme sie. »Unglaublich«, sage ich, und dann kann ich nicht fortfahren, also küsse ich sie.

Viel später, nachdem wir uns von Nell und Lourdes verabschiedet und tränenreich unsere Dankbarkeit bekundet haben, nachdem wir nach Hause gefahren sind und die Babysitterin bezahlt haben, nachdem wir uns wie in Trance vor erschöpfter Freude geliebt haben und kurz vorm Einschlafen im Bett liegen, fragt mich Clare: »War es ein schöner Geburtstag?«

»Ja, er war phantastisch. Mein bisher schönster.«

»Wünschst du dir manchmal, du könntest die Zeit anhalten?«, fragt Clare. »Ich hätte nichts dagegen, ewig hier zu sein.«

»Mmm«, sage ich und wälze mich auf den Bauch. Ich bin fast eingenickt, als Clare sagt: »Mir ist, als wären wir am höchsten Punkt einer Achterbahnfahrt«, aber da schlafe ich schon halb und am nächsten Morgen vergesse ich, sie zu fragen, was sie damit meint.

EINE UNERFREULICHE SZENE

Mittwoch, 28. Juni 2006 (Henry ist 43 und 43)

HENRY: Ich erlange im Dunkeln auf einem kalten Betonboden das Bewusstsein. Ich will mich aufsetzen, aber mir wird schwindlig, also lege ich mich wieder hin. Mein Kopf tut weh. Ich taste mich mit den Händen ab; unmittelbar hinter dem linken Ohr ist eine große geschwollene Stelle. Kaum haben meine Augen sich angepasst, sehe ich die schwachen Umrisse von Treppen und EXIT-Zeichen, und hoch über mir erstrahlt eine einsame Neonbirne in kaltem Licht. Um mich herum ist das geflochtene Drahtkreuzmuster des Stahlkäfigs. Ich bin in der Newberry, nach der Öffnungszeit, im Inneren des Käfigs.

»Keine Panik«, rede ich mir laut ein. »Schon gut, schon gut, schon gut.« Ich höre auf, als ich merke, dass ich mir gar nicht zuhöre. Mühsam komme ich auf die Füße. Ich zittere. Ich frage mich, wie lange ich wohl warten muss. Ich frage mich, was meine Kollegen sagen werden, wenn sie mich sehen. Denn jetzt ist es so weit. Ich stehe kurz davor, als der flüchtige Freak überführt zu werden, der ich letztendlich auch bin. Diesen Augenblick habe ich, gelinde gesagt, immer gefürchtet.

Ich schreite auf und ab, um warm zu bleiben, bekomme davon aber rasende Kopfschmerzen. Ich gebe es auf, setze mich in der

Mitte des Käfigs auf den Boden und mache mich so klein wie möglich. Stunden vergehen. Im Geist spiele ich den Vorfall durch, übe meinen Text, überdenke alle Möglichkeiten, wie es hätte besser oder schlechter laufen können. Schließlich bin ich das Ganze leid und lege mir im Kopf Platten auf. *That's Entertainment* von den Jam, *Pills and Soap* von Elvis Costello, *Perfect Day* von Lou Reed. Ich versuche gerade den Text des Gang-of-Four-Songs *I Love a Man in a Uniform* vollständig zu erinnern, als die Lichter blinkend angehen. Natürlich ist es Kevin der Sicherheits-Nazi, er öffnet die Bibliothek. Kevin ist der letzte Mensch auf der ganzen Welt, dem ich nackt und gefangen im Käfig begegnen möchte, aber natürlich entdeckt er mich, sobald er hereinkommt. Ich liege eingerollt auf dem Boden und spiele Beutelratte.

»Wer ist da?«, fragt Kevin lauter als nötig. Ich stelle mir vor, wie er käsig und verkatert dasteht, im dumpfigen Licht des Treppenhauses. Seine Stimme prallt ringsherum ab, hallt vom Beton wider. Kevin steigt die Treppe herunter und bleibt ungefähr drei Meter von mir entfernt stehen. »Wie Sind Sie da reingekommen?« Er läuft um den Käfig herum. Ich gebe weiterhin den Bewusstlosen. Da ich keine Erklärung parat habe, brauche ich mich auch gar nicht erst zu bemühen. »Mein Gott, das ist ja DeTamble.« Ich kann förmlich spüren, wie er dasteht und gafft. Schließlich erinnert er sich an sein Funkgerät. »Ähm, zehn-vier, hey, Roy.« Unverständliches statisches Rauschen. »Ähm, ja, Roy, ich bin's, Kevin, ähm, könntest du mal runter nach A46 kommen? Ja, ganz unten.« Protest. »Komm einfach hier runter.« Er schaltet das Funkgerät ab. »Himmel, DeTamble, ich weiß ja nicht, was Sie damit beweisen wollen, aber jetzt haben Sie's jedenfalls geschafft.« Ich höre ihn herumlaufen. Seine Schuhe quietschen, und er gibt leise Grunzer von sich. Ich nehme an, er hat sich auf die Treppe gesetzt. Ein paar Minuten später öffnet sich oben eine Tür und Roy kommt herunter. Roy ist mein liebster Wachmann. Er ist ein riesiger afro-amerikanischer Gentleman, dem immer ein wunderschönes Lachen im Gesicht steht. Er ist der König am Informationstisch, und ich bin immer froh, wenn ich zur Arbeit komme und mich in seiner herrlich guten Laune sonnen kann.

»Brr«, sagt Roy. »Was haben wir denn da?«

»Das ist DeTamble. Ich weiß beim besten Willen nicht, wie er da reingekommen ist.«

»DeTamble? Nein so was. Der Junge hat wirklich einen Hang dazu, seinen Schwanz auszulüften. Hab ich dir schon von dem einen Mal erzählt, als er im Adamskostüm durch den zweiten Stock gerannt ist?«

»Ja, hast du.«

»Also, irgendwie müssen wir ihn wohl rausholen.«

»Er rührt sich nicht.«

»Aber er atmet. Meinst du, er ist verletzt? Vielleicht sollten wir einen Krankenwagen rufen?«

»Erst mal brauchen wir die Feuerwehr, die muss ihn mit einem Brennschneider rausholen, wie man sie für Autowracks verwendet.« Kevin klingt aufgeregt. Ich will keine Feuerwehr oder Sanitäter. Stöhnend setze ich mich auf.

»Guten *Morgen*, Mr DeTamble«, flötet Roy. »Sie sind ein bisschen früh hier, nicht wahr?«

»Nur ein bisschen«, gebe ich zu und ziehe die Knie ans Kinn. Mir ist so kalt, dass mir die Zähne vom Zusammenbeißen wehtun. Ich mustere Kevin und Roy, und sie erwidern meinen Blick. »Sie sind wahrscheinlich nicht bestechlich, meine Herren?«

Sie wechseln Blicke. »Kommt drauf an«, sagt Kevin, »woran Sie dabei denken. Wir können die Sache nicht verschweigen, weil wir sie nicht allein rauskriegen.«

»Nein, nein, das erwarte ich gar nicht.« Sie wirken erleichtert. »Hören Sie. Ich zahle jedem von Ihnen hundert Dollar, wenn Sie mir zwei Gefallen tun. Erstens möchte ich, dass einer von Ihnen losgeht und mir einen Becher Kaffee holt.«

Roys Mund öffnet sich zu seinem patentrechtlich geschützten König-am-Informationstisch-Lachen. »Himmel, Mr DeTamble, das mach ich sogar umsonst. Wobei ich natürlich nicht weiß, wie Sie den trinken wollen.«

»Bringen Sie einen Strohhalm mit. Und holen Sie ihn nicht aus den Automaten in der Eingangshalle. Gehen Sie raus und besorgen Sie richtigen Kaffee. Mit Milch, ohne Zucker.«

»Wird gemacht«, verspricht Roy.

»Und der zweite Gefallen?«, fragt Kevin.

»Ich möchte, dass Sie in die Sondersammlung hochgehen und sich ein paar Sachen zum Anziehen aus meinem Schreibtisch schnappen, untere Schublade rechts. Wenn Ihnen das gelingt, ohne dass jemand Ihr Vorhaben bemerkt, gibt's Bonuspunkte.«

»Kein Problem«, sagt Kevin, und ich überlege schon, warum ich diesen Mann eigentlich nie mochte.

»Schließ das Treppenhaus lieber ab«, sagt Roy zu Kevin, der nickt und loszieht, um den Auftrag auszuführen. Roy steht an der Seite des Käfigs und sieht mich mitfühlend an. »Wie sind Sie da eigentlich reingekommen?«

Ich zucke die Schultern. »Darauf habe ich leider keine befriedigende Antwort.«

Roy lächelt, schüttelt den Kopf. »Tja, denken Sie drüber nach und ich geh Ihnen inzwischen den Kaffee holen.«

Ungefähr zwanzig Minuten verstreichen. Schließlich höre ich, wie eine Tür aufgeschlossen wird, und Kevin die Treppe herunterkommt, gefolgt von Matt und Roberto. Kevin fängt meinen Blick auf und hebt kurz die Schultern, als wollte er sagen, *Ich hab's versucht.* Er fädelt mein Hemd durch den Maschendraht des Käfigs, und ich ziehe es an, während Roberto mit verschränkten Armen dasteht und mich kalt mustert. Die Hose ist ein bisschen sperrig, und es kostet einige Mühe, sie in den Käfig zu zwängen. Matt sitzt mit zweifelnder Miene auf der Treppe. Ich höre, wie sich die Tür erneut öffnet. Es ist Roy, er bringt mir Kaffee und ein süßes Brötchen. Er steckt einen Strohhalm in den Kaffee und stellt ihn auf den Boden neben das Brötchen. Ich muss den Blick gewaltsam davon lösen und auf Roberto lenken, der sich an Roy und Kevin wendet und fragt: »Könntet ihr mich einen Augenblick mit ihm allein lassen?«

»Aber sicher, Dr. Calle.« Die Wachmänner gehen nach oben und zur Tür ins Erdgeschoss hinaus. Nun bin ich allein, gefangen und ohne jegliche Erklärung für Roberto, den ich verehre und den ich wiederholt belogen habe. Nun bleibt nur die Wahrheit, auch wenn sie haarsträubender ist als jede meiner Lügen.

»Na gut, Henry«, sagt Roberto. »Dann mal los.«

HENRY: Es ist ein herrlicher Septembermorgen. Wegen Alba (sie wollte sich nicht anziehen lassen) und der Bahn (sie kam ewig nicht) verspäte ich mich bei der Arbeit, aber nicht allzu sehr, zumindest für meine Verhältnisse. Als ich mich am Informationstisch zum Dienst melde, ist da nicht Roy, sondern Marsha. »Hey, Marsha, wo ist Roy?«, frage ich, worauf sie erwidert: »Ach, der kümmert sich um eine Angelegenheit.« Ich gebe ein erstauntes »Oh« von mir und nehme den Fahrstuhl in den dritten Stock.

»Du kommst zu spät«, sagt Isabelle in der Sondersammlung.

»Aber nicht viel«, entgegne ich und gehe in mein Büro. Matt steht am Fenster und sieht auf den Park hinaus.

»Hallo Matt«, sage ich, und Matt schreckt zusammen.

»Henry!«, entgegnet er und wird ganz bleich. »Wie bist du aus dem Käfig gekommen?«

Ich stelle meinen Rucksack auf den Schreibtisch und sehe ihn fragend an. »Aus dem Käfig?«

»Du ... ich bin eben von unten gekommen ... du warst im Käfig eingeschlossen, und Roberto ist noch unten ... du hast mir gesagt, ich soll hier oben warten, aber du hast nicht gesagt, worauf ...«

»Mein Gott.« Ich setze mich auf den Schreibtisch. »O mein Gott.« Matt lässt sich auf meinen Stuhl nieder und blickt zu mir auf. »Hör mal, ich kann alles erklären ...«, setze ich an.

»Kannst du das?«

»Klar.« Ich überlege einen Augenblick. »Ich ... verstehst du ... ach, Mist.«

»Es muss ziemlich unheimlich sein, nicht wahr, Henry?«

»Ja, könnte man sagen.« Wir schauen uns an. »Pass auf, Matt ... lass uns nach unten gehen und nachsehen, was los ist, dann erkläre ich es dir und Roberto zusammmen, gut?«

»Gut.« Wir stehen auf und gehen nach unten.

Auf dem Weg durch den Ostflur sehe ich Roy, der am Eingang zum Treppenhaus herumtrödelt. Er erschrickt, als er mich sieht, und will mir gerade die nahe liegende Frage stellen, als ich Catherine im Vorbeisausen sagen höre: »Hallo, Jungs, was gibt's?«, und dann will sie die Tür zur Treppe öffnen. »Hey, Roy, wieso ist die nicht auf?«

»Ähm, nun, Ms Mead«, Roy blickt kurz zu mir, »wir hatten da ein Problem mit, hm ...«

»Schon gut, Roy«, sage ich. »Komm mit, Catherine. Roy, könnten Sie so nett sein und hier oben bleiben?« Er nickt und lässt uns ins Treppenhaus.

Als wir eintreten, höre ich Roberto sagen: »Pass auf, mir gefällt nicht, dass du da drinnen sitzt und mir Sciencefiction erzählst. Wollte ich Sciencefiction, würde ich mir welche bei Amelia ausleihen.« Er sitzt auf den unteren Stufen, und als er uns hinter sich herunterkommen hört, dreht er sich um.

»Hallo, Roberto«, sage ich leise. Catherine ruft: »O Gott! Das darf nicht wahr sein.« Roberto erhebt sich, verliert das Gleichgewicht, aber Matt springt ihm zur Seite und stützt ihn. Ich sehe zum Käfig hinüber, und da bin ich: Auf dem Boden sitzend, in weißem Hemd und Khakihose, die Arme um die Knie geschlungen und an die Brust gepresst, offenbar friere ich und bin hungrig. Vor dem Käfig steht ein Becher Kaffee. Roberto, Matt und Catherine mustern uns stumm.

»Aus welcher Zeit kommst du?«, frage ich.

»August 2006.« Ich nehme den Kaffee, halte ihn auf Kinnhöhe, stecke den Strohhalm durch die Käfigseite. Er trinkt ihn aus. »Willst du das Brötchen?« Er will. Ich breche es in drei Stücke und schiebe es ihm hinein. Ich komme mir vor wie im Zoo. »Du hast dich verletzt«, sage ich. »Ich bin mit dem Kopf irgendwo angeschlagen«, erwidert er. »Wie lange bleibst du noch hier?« »Ungefähr eine halbe Stunde.« Er macht eine Geste zu Roberto. »Siehst du?«

»Was geht hier vor?«, fragt Catherine.

Ich ziehe mein Ich zu Rate. »Willst du es erklären?«

»Ich bin müde. Mach du.«

Und so erkläre ich alles. Ich erkläre, dass ich durch die Zeit reise, ich beschreibe die praktische und genetische Seite davon. Ich erkläre, dass das Ganze in Wirklichkeit eine Art Krankheit ist, die ich nicht kontrollieren kann. Ich erzähle von Kendrick und wie Clare und ich uns kennen gelernt haben und später wieder trafen. Ich erwähne Ursache-Wirkungsbeziehungen, Quantenmechanik, Photonen, Lichtgeschwindigkeit. Ich erkläre, wie es ist, außerhalb von zeitlichen Zwängen zu leben, denen die meisten Menschen unterworfen sind. Ich erzähle ihnen von den Lügen und dem Stehlen, von der Angst. Ich erkläre meine Versuche, ein normales Leben zu führen. »Und zu einem normalen Leben gehört nun mal auch eine normale Arbeit«, schließe ich.

»Als normale Arbeit würde ich das eigentlich nicht bezeichnen«, sagt Catherine.

»Ich würde das auch nicht als normales Leben bezeichnen«, sagt mein Ich, das im Käfig kauert.

Ich sehe Roberto an, der auf der Treppe sitzt, den Kopf an die Wand gelehnt. Er wirkt erschöpft und schwermütig. »Und«, frage ich ihn. »Setzt du mich jetzt vor die Tür?«

Roberto seufzt. »Nein. Nein, Henry, ich setze dich nicht vor die Tür.« Vorsichtig steht er auf, wischt sich den Mantel hinten ab. »Aber ich verstehe nicht, warum du mir das alles nicht schon längst erzählt hast.«

»Du hättest mir nicht geglaubt«, sagt mein Ich. »Eben hast du mir auch nicht geglaubt, bis du es mit eigenen Augen gesehen hast.«

»Nun, ja ...«, setzt Roberto an, doch seine nächsten Worte gehen in dem seltsamen Geräuschvakuum unter, das mein Kommen und Gehen manchmal begleitet. Ich drehe mich um und sehe einen Kleiderhaufen auf dem Käfigboden liegen. Später am Nachmittag werde ich wiederkommen und die Sachen mit einem Kleiderbügel herausfischen. Ich wende mich zu Matt, Roberto und Catherine, die sehr verwirrt aussehen.

»Mann«, sagt Catherine. »Das ist ja, als würde man mit Clark Kent zusammenarbeiten.«

»Ich komme mir vor wie Jimmy Olsen«, erwidert Matt. »Igitt.«

»Dann bist du Lois Lane«, frotzelt Roberto mit Catherine.

»Nein, nein, Clare ist Lois Lane«, entgegnet sie.

»Aber Lois Lane ahnte nichts von der Clark Kent/Superman-Verbindung«, widerspricht Matt, »wohingegen Clare ...«

»Ohne Clare hätte ich schon lange aufgegeben«, sage ich. »Mir war nie klar, warum Clark Kent so versessen darauf war, Lois Lane im Dunkeln zu lassen.«

»Das ist gut für die Story«, sagt Matt.

»Wirklich? Da bin ich mir nicht so sicher«, erwidere ich.

Freitag, 7. Juli 2006 (Henry ist 43)

HENRY: Ich sitze in Kendricks Praxis und höre mir seine Erklärung an, warum es nicht funktioniert. Draußen herrscht brütende Hitze, man fühlt sich wie in heiße Wolle eingewickelt. Hier drinnen ist die klimatisierte Luft so kühl, dass ich mit Gänsehaut auf meinem Platz kauere. Wir sitzen uns in den gleichen Stühlen gegenüber wie immer. Auf dem Tisch steht ein Aschenbecher voll Kippen. Kendrick hat sich eine Zigarette an der vorhergehenden angezündet. Wir sitzen bei ausgeschaltetem Licht, die Luft ist gesättigt mit Qualm und Kälte. Ich möchte einen Drink. Ich möchte schreien. Ich möchte, dass Kendrick aufhört zu reden, damit ich ihm eine Frage stellen kann. Ich möchte aufstehen und rausgehen. Aber ich bleibe sitzen und höre zu.

Als Kendrick verstummt, werden plötzlich die Hintergrundgeräusche im Gebäude wahrnehmbar.

»Henry? Hast du mich verstanden?«

Ich richte mich auf und sehe ihn an wie ein Schulkind, das beim Tagträumen ertappt wurde. »Ähm, nein.«

»Ich hab dich gefragt, ob du verstanden hast, weshalb es nicht funktioniert.«

»Ja, klar.« Ich versuche meine Sinne zusammenzunehmen. »Es funktioniert nicht, weil mein Immunsystem völlig im Arsch ist. Und weil ich alt bin. Und weil zu viele Gene mit im Spiel sind.«

»Genau.« Kendrick seufzt und drückt seine Zigarette in dem Kippenhaufen aus. Rauchwolken steigen auf und ersterben. »Es tut mir Leid.« Er lehnt sich im Stuhl zurück, faltet seine weichen rosigen Hände im Schoß. Mir fällt unsere erste Begegnung hier in diesem Büro ein, vor acht Jahren. Damals waren wir beide noch jünger und kecker, wir vertrauten in die Möglichkeiten der Molekulargenetik, waren nur zu bereit, die Natur mit Hilfe der Wissenschaft auszutricksen. Ich denke daran, wie ich Kendricks zeitreisende Maus in den Händen hielt, an die Hoffnung, die damals in mir aufkeimte, als ich meine kleine weiße Stellvertreterin betrachtete. Ich stelle mir Clares Gesichtsausdruck vor, wenn ich ihr sage, dass es nicht funktioniert. Aber sie hat ohnehin nie daran geglaubt.

Ich räuspere mich. »Was ist mit Alba?«

Kendrick schlägt die Füße über Kreuz und rutscht hin und her. »Was soll mit Alba sein?«

»Könnte es bei ihr funktionieren?«

»Das werden wir wohl nie erfahren. Es sei denn, Clare überlegt es sich anders und lässt mich mit Albas DNA arbeiten. Und wir beide wissen ganz genau, dass Clare entsetzliche Angst vor einer Gentherapie hat. Immer wenn ich das Thema bei ihr anschneiden will, schaut sie mich an, als wäre ich Josef Mengele.«

»Aber wenn du Albas DNA hättest, könntest du mit Mäusen arbeiten und ein Mittel für Alba entwickeln, das sie, wenn sie will, mit achtzehn ausprobieren kann.«

»Ja.«

»Auch wenn für mich also alles zu spät ist, könnte Alba eines Tages davon profitieren.«

»Genau.«

»Also gut.« Ich stehe auf, reibe meine Hände aneinander und zupfe mir das Baumwollhemd an den Stellen vom Körper, wo es durch den mittlerweile kalten Schweiß festgeklebt ist. »Dann werden wir das tun.«

Freitag, 14. Juli 2006 (Clare ist 35, Henry 43)

CLARE: Ich bin im Atelier und mache *gampi*, ein Papier, das so dünn und transparent ist, dass man hindurchsehen kann. Ich tauche die Schöpfform in die Wanne, hole sie wieder hoch und schwenke die dünnflüssige Pulpe herum, bis sie gleichmäßig verteilt ist. Dann setze ich die Schöpfform zum Abtropfen auf den Rand der Wanne. Ich höre Alba lachen, Alba rennt durch den Garten, Alba ruft: »Mama! Schau, was Daddy mir geschenkt hat!« Sie platzt zur Tür herein und trampelt auf mich zu, Henry folgt ihr etwas gelassener. Ich blicke nach unten, um festzustellen, warum sie so trampelt, und sehe: rubinrote Schuhe.

»Genau wie die von Dorothy!«, sagt Alba und vollführt einen kleinen Stepptanz auf dem Holzfußboden. Sie schlägt auch dreimal die Hacken zusammen, verschwindet allerdings nicht. Aber sie ist ja auch schon zu Hause. Ich muss lachen. Henry scheint sich zu freuen.

»Bist du bei der Post gewesen?«, frage ich ihn.

Er macht ein schuldbewusstes Gesicht. »Mist. Nein, hab ich vergessen. Tut mir Leid. Gleich morgen früh gehe ich hin.« Alba wirbelt herum, aber Henry packt sie und hält sie auf. »Nicht, Alba. Sonst wird dir schwindlig.«

»Mir gefällt es, wenn mir schwindlig ist.«

»Aber es ist nicht gut.«

Alba trägt ein T-Shirt und Shorts. In ihrer Ellbogenbeuge klebt ein Pflaster. »Was ist mit deinem Arm passiert?«, frage ich sie. Statt mir zu antworten, schaut sie zu Henry, genau wie ich.

»Nicht weiter schlimm«, sagt er. »Sie hat an ihrer Haut gesaugt und sich einen Knutschfleck gemacht.«

»Was ist ein Knutschfleck?«, fragt Alba. Henry will es ihr erklären, aber ich sage: »Seit wann braucht man bei einem Knutschfleck ein Pflaster?«

»Keine Ahnung«, antwortet er. »Sie wollte eben eins.«

Mich beschleicht eine Ahnung. Vielleicht ist es der sechste Sinn von Müttern, jedenfalls gehe ich zu Alba. »Zeig mal.«

Sie zieht ihren Arm eng an sich, hält ihn mit der Hand fest. »Nimm das Pflaster nicht ab. Das tut weh.«

»Ich bin ganz vorsichtig.« Ich packe sie fest am Arm. Sie wimmert leise, aber ich bin entschlossen. Langsam biege ich ihren Arm gerade und pule das Pflaster vorsichtig ab. Da ist ein Bluterguss, in dessen Mitte ein kleiner roter Punkt prangt. Alba sagt: »Das brennt, *nicht*«, und ich lasse sie los. Sie klebt das Pflaster wieder fest und sieht mich erwartungsvoll an.

»Alba, geh doch mal zu Kimy und frag sie, ob sie nicht mit uns zu Abend essen will.« Alba lächelt und rennt aus dem Atelier. Wenig später knallt im Haus die hintere Tür. Henry sitzt an meinem Zeichentisch und schaukelt auf dem Stuhl leicht vor und zurück. Er mustert mich. Wartet darauf, was ich sage.

»Ich kann es nicht fassen«, setze ich schließlich an. »Wie konntest du nur?«

»Es musste sein«, erwidert Henry. Seine Stimme klingt ruhig. »Sie … ich konnte sie nicht zurücklassen, ohne wenigstens … ich wollte ihr einen Vorsprung geben. Damit Kendrick daran arbeiten kann, für sie arbeiten kann, nur für den Fall.« Mit quietschenden Galoschen und in Gummischürze gehe ich zu ihm und lehne mich an den Tisch. Henry neigt den Kopf, und das Licht furcht sein Gesicht, man sieht die Linien, die sich über die Stirn ziehen, um die Mundwinkel, seine Augen. Er hat noch mehr abgenommen. Seine Augen wirken riesig im Gesicht. »Clare, ich hab ihr nicht erzählt, wozu es dient. Du kannst es ihr erklären, wenn … es an der Zeit ist.«

Ich schüttle den Kopf, nein. »Ruf Kendrick an und sag ihm, er soll aufhören.«

»Nein.«

»Dann tu ich's.«

»Clare, nicht …«

»Mit deinem eigenen Körper kannst du tun und lassen, was du willst, Henry, aber …«

»Clare!« Henry stößt meinen Namen zwischen zusammengebissenen Zähnen hervor.

»Was ist?«

»Es ist *vorbei*, verstehst du? Ich bin *erledigt*. Kendrick sagt, er kann nichts mehr für mich tun.«

»Aber …«, ich mache eine Pause, um zu verarbeiten, was er da eben gesagt hat. »Aber … was geschieht dann?«

Henry schüttelt den Kopf. »Ich weiß nicht. Wahrscheinlich geschieht das, was wir nie ausschließen konnten. Aber wenn das geschieht, kann ich Alba nicht einfach zurücklassen, ohne wenigstens versucht zu haben, ihr zu helfen … oh, Clare, bitte lass mich das für sie tun! Vielleicht funktioniert es nicht, vielleicht nimmt sie es nie in Anspruch – vielleicht findet sie es ja toll, durch die Zeit zu reisen, vielleicht verirrt sie sich nie und muss nie hungern, vielleicht wird sie nie verhaftet oder gejagt oder missbraucht oder zusammengeschlagen. Aber was ist, wenn sie es *nicht* gut findet? Clare? Ach, Clare, bitte wein doch nicht …« Aber ich kann nicht aufhören, ich stehe da und weine in meine gelbe Gummischürze, bis Henry schließlich aufsteht und mich in den Arm nimmt. »Wir waren nie davon befreit, Clare«, sagt er leise. »Ich will ihr nur ein Sicherheitsnetz bieten.« Ich spüre seine Rippen durch das T-Shirt. »Darf ich ihr das wenigstens hinterlassen?« Ich nicke, und Henry küsst mich auf die Stirn. »Danke«, sagt er, und ich fange wieder zu weinen an.

Samstag, 27. Oktober 1984 (Henry ist 43, Clare 13)

HENRY: Ich kenne nun das Ende. Es geht so:

Eines frühen Herbstmorgens werde ich auf der Wiese sitzen. Es ist bewölkt und kühl, ich trage einen schwarzen Wollmantel, Stiefel und Handschuhe. Das Datum steht nicht auf der Liste. Clare wird noch in ihrem warmen Einzelbett schlafen. Sie wird dreizehn sein.

In der Ferne wird ein Schuss durch die kalte Luft knallen. Es ist Jagdsaison. Irgendwo da draußen sitzen Männer in leuchtend orangefarbener Kleidung und warten, schießen. Später trinken sie Bier und essen Brote, die ihnen ihre Frauen eingepackt haben.

Der Wind wird auffrischen, wird durch den Obstgarten rascheln und die nutzlosen Blätter von den Apfelbäumen reißen. In Meadowlark schlägt die hintere Tür zu, und zwei winzige, in leuchtendes Orange gekleidete Gestalten tauchen auf, ihre Gewehre sind kaum zu erkennen. Sie marschieren in meine Richtung auf die Wiese zu, Philip und Mark. Aber sie sehen mich nicht, denn ich kauere im hohen Gras, bin ein dunkler, unbeweglicher Fleck inmitten einer Fläche aus hellbraunem vertrocknetem Gras. Ungefähr zwanzig Meter vor mir werden Philip und Mark vom Weg abbiegen und in Richtung Wald marschieren.

Plötzlich werden sie stehen bleiben und horchen. Sie werden es noch vor mir hören: Ein Rascheln, Schlagen, etwas bewegt sich durchs Gras, groß und ungelenk, etwas Weißes blitzt auf, ein Schwanz vielleicht? Es kommt auf mich zu, rast in Richtung der Lichtung, und Mark legt das Gewehr an, zielt sorgsam, drückt ab und:

Ein Schuss wird ertönen, dann ein Schrei, ein menschlicher Schrei. Dann folgt eine Pause. Und dann: »*Clare! Clare!*« Und dann nichts.

Einen Augenblick werde ich dasitzen und nicht denken, nicht atmen. Philip wird losrennen, dann werde ich losrennen und schließlich Mark, wir stoßen an der betreffenden Stelle zusammen:

Doch da ist nichts. Blut auf der Erde, glänzend und dick. Umgeknicktes vertrocknetes Gras. Wir werden uns über die leere Erde hinweg anstarren, ohne uns zu erkennen.

Auch Clare wird den Schrei in ihrem Bett hören. Jemand wird ihren Namen rufen, und sie wird sich aufsetzen, ihr Herz hüpft vor Aufregung. Sie rennt nach unten, zur Tür hinaus, läuft in ihrem Nachthemd zur Wiese. Wenn sie uns drei sieht, wird sie verwirrt stehen bleiben. Hinter dem Rücken ihres Vaters und Bruders werde ich mir den Zeigefinger auf die Lippen legen. Philip geht zu ihr, und ich werde mich abwenden, werde im Schutz des Obstgartens stehen und beobachten, wie sie in den Armen ihres Vaters zittert, während Mark, mit den Bartstoppeln eines Fünfzehnjährigen am Kinn, ungeduldig und verdutzt neben mir stehen und mich mustern wird, als wollte er sich partout an etwas erinnern.

Und Clare wird mich ansehen, ich werde ihr zuwinken, und sie wird mit ihrem Dad zum Haus zurückgehen, sie wird zurückwinken, schlank, von ihrem Nachthemd umweht wie ein Engel, und sie wird immer kleiner werden, wird sich weiter entfernen und im Haus verschwinden, während ich vor einem kleinen zertrampelten blutigen Fleckchen Erde stehen und wissen werde: Irgendwo dort draußen sterbe ich.

DIE EPISODE IM PARKHAUS AN DER MONROE STREET

Montag, 7. Januar 2006 (Henry ist 43)

HENRY: Es ist kalt. Sehr, sehr kalt, und ich liege auf der Erde im Schnee. Wo bin ich? Ich versuche mich aufzusetzen. Meine Füße sind gefühllos, ich kann sie nicht mehr spüren. Ich befinde mich auf einem freien Gelände ohne Häuser und Bäume. Wie lange bin ich schon hier? Mühsam komme ich auf Hände und Füße. Ich sehe mich um. Ich bin im Grant Park. Das dunkle und geschlossene Art Institute steht jenseits einer unberührten Schneedecke in weiter Ferne. Die wunderschönen Gebäude der Michigan Avenue liegen still da. Autos rollen über den Lake Shore Drive, Scheinwerfer zerschneiden die Nacht. Über dem See schwebt eine schwache Lichtlinie; der Tag bricht an. Ich muss von hier weg, ich muss wieder warm werden.

Ich stehe auf. Meine Füße sind weiß und steif. Ich kann sie weder spüren noch bewegen, versuche aber dennoch zu laufen, stolpere vorwärts durch den Schnee, falle gelegentlich hin, raffe mich wieder auf und schleppe mich weiter, so geht es unentwegt, bis ich nur noch krieche. Ich krieche über eine Straße. Ich krieche rückwärts eine Betontreppe hinunter und halte mich dabei am Geländer fest. Salz dringt in die offenen Stellen an meinen Händen und Knien. Ich krieche zu einem Münztelefon.

Sieben Klingelzeichen. Acht. Neun. »Hallo«, meldet sich mein Ich.

»Hilf mir«, sage ich. »Ich bin im Parkhaus an der Monroe Street. Hier unten ist es so wahnsinnig kalt. Ich bin in der Nähe der Wachstation. Komm und hol mich.«

»Gut. Bleib dort. Wir brechen gleich auf.«

Ich will den Hörer einhängen, verfehle aber die Gabel. Meine Zähne klappern unkontrolliert. Ich krieche zur Wachstation und hämmere gegen die Tür. Niemand da. Im Inneren sehe ich Videomonitore, ein Heizgerät, eine Jacke, einen Schreibtisch, einen Stuhl. Ich drehe am Türknopf. Abgeschlossen. Ich habe nichts, womit ich ihn öffnen könnte. Das Fensterglas ist mit Draht verstärkt. Mir ist entsetzlich kalt. Kein Auto parkt hier unten.

»Hilfe!«, rufe ich, doch es kommt niemand. Vor der Tür rolle ich mich zu einer Kugel zusammen, ziehe die Knie ans Kinn und lege die Hände um meine Füße. Niemand kommt, und dann werde ich endlich, endlich ohnmächtig.

BRUCHSTÜCKE

Montag, Dienstag, Mittwoch, 25., 26. und 27. September 2006
(Clare ist 35, Henry 43)

CLARE: Henry war den ganzen Tag fort. Abends sind Alba und ich zu McDonald's essen gegangen. Wir haben Schwimmen und Mau-Mau gespielt; Alba hat ein Bild von einem Mädchen mit langen Haaren gemalt, das vor einem Hund flüchtet. Wir haben ihr Schulkleid für morgen ausgesucht. Nun liegt sie im Bett. Ich sitze auf der vorderen Veranda und versuche, Proust zu lesen; die französische Lektüre macht mich träge und ich schlafe schon fast, da kracht es im Wohnzimmer und Henry liegt auf dem Boden, zitternd, weiß und eiskalt... »Hilf mir«, sagt er durch klappernde Zähne, und ich renne zum Telefon.

Später:

In der Notfallambulanz: Eine Szene aus der neonbeleuchteten Vorhölle: Alte Menschen voller Gebrechen, Mütter mit fiebrigen Kleinkindern, Jugendliche, deren Freunde sich Kugeln aus diversen Köpergliedern entfernen lassen und die später damit vor bewundernden Mädchen angeben werden; im Moment aber sind sie still und müde.

In einem kleinen weißen Zimmer: Schwestern heben Henry auf ein Bett und entfernen die Decke. Seine Augen öffnen sich, nehmen mich wahr, schließen sich wieder. Eine Schwester misst Temperatur und Puls. Henry zittert, er zittert so heftig, dass das Bett wackelt, dass der Arm der Schwester bebt, als läge sie in einem der Massagebetten in einem Motel der 1970er Jahre. Die Oberärztin untersucht Henrys Pupillen, Ohren, Nase, Finger, Zehen, Genitalien. Sie wickeln ihn in Decken und etwas Metallisches und Aluminiumfolienartiges. Dann packen sie seine Füße in einen Kälteverband. In dem kleinen Zimmer ist es sehr warm. Henrys Augen öffnen sich wieder. Er will etwas sagen. Es klingt nach meinem Namen. Ich fasse unter die Decke, halte seine eiskalte Hand in der meinen und schaue die Schwester an. »Wir müssen ihn aufwärmen und seine Kerntemperatur erhöhen«, sagt sie. »Dann sehen wir weiter.«

Später:

Wie um alles in der Welt konnte er sich im September unterkühlen?«, fragt mich die Oberärztin.

»Ich weiß es nicht«, sage ich. »Fragen Sie ihn.«

Später:

Es ist Morgen. Charisse und ich sitzen in der Krankenhaus-Cafeteria. Sie isst Schokoladenpudding. Oben schläft Henry in seinem Zimmer. Kimy passt auf ihn auf. Auf meinem Teller liegen zwei Scheiben Toast, von Butter durchweicht und unberührt. Jemand setzt sich neben Charisse, es ist Kendrick. »Gute Nachrichten«, sagt er, »seine Kerntemperatur ist auf sechsunddreißig Komma fünf gestiegen. Das Gehirn scheint unversehrt zu sein.«

Ich kann nichts sagen, denke nur, *Gott sei Dank.*

»Na schön, ich komme später wieder vorbei, wenn ich im Rush St. Luke fertig bin«, sagt Kendrick und steht auf.

»Vielen Dank, David«, sage ich. Kendrick lächelt und geht.

Dr. Murray kommt mit einer indischen Krankenschwester herein, auf deren Namensschild Sue steht. Sue trägt eine große Schüssel, ein Thermometer und einen Eimer. Ganz gleich, was jetzt passiert, es ist nicht High Tech.

»Guten Morgen, Mr DeTamble, Mrs DeTamble. Wir wollen Ihre Füße aufwärmen.« Sue stellt die Schüssel auf den Boden und verschwindet stumm im Badezimmer. Wasser rauscht. Dr. Murray ist sehr groß und hat eine herrliche Turmfrisur, wie sie sich nur bestimmte imposante und schöne schwarze Frauen leisten können. Ihre massige Gestalt verjüngt sich vom Saum ihres weißen Kittels zu zwei vollkommenen Füßen, die in Pumps aus Krokodilleder stecken. Sie holt eine Spritze und eine Ampulle aus der Tasche, zieht den Inhalt der Ampulle in die Spritze.

»Was ist das?«, frage ich.

»Morphium. Es wird wehtun. Seine Füße sind ziemlich kaputt.« Sanft nimmt sie Henrys Arm, den er ihr stumm darbietet, als hätte sie ihn beim Pokern gewonnen. Sie ist eine behutsame Ärztin. Die Kanüle gleitet in die Haut, der Kolben entleert sich, und im nächsten Moment stößt Henry einen kleinen dankbaren Seufzer aus. Dr. Murray entfernt die Kälteverbände von Henrys Füßen, und Sue erscheint mit dem heißen Wasser, das sie auf dem Fußboden abstellt. Dr. Murry senkt das Bett, und zu zweit befördern sie Henry in eine sitzende Position. Sue misst die Wassertemperatur, gießt das Wasser in die Schüssel und taucht Henrys Füße ein. Er schnappt nach Luft.

»Gewebe, das noch zu retten ist, wird knallrot. Wenn es nicht krebsrot wird, haben wir ein Problem.«

Ich beobachte Henrys Füße, die in der gelben Plastikwanne schwimmen. Sie sind weiß wie Schnee, weiß wie Marmor, weiß wie Titan, weiß wie Papier, weiß wie Brot, weiß wie Wäsche, weiß wie es weißer nicht geht. Sue wechselt das Wasser, wenn Henrys eiskalte Füße es abgekühlt haben. Das Thermoteter zeigt achtunddreißig Komma zwei Grad. Nach fünf Minuten ist es auf zweiunddreißig Grad gesunken, und Sue wechselt es wieder. Henrys Füße wippen wie tote Fische. Tränen rollen ihm die Wangen hinab und verschwinden unter seinem Kinn. Ich wische ihm das Gesicht ab, streichle ihm übers Haar. Ich behalte seine Füße im Auge, will sehen, wie sie rot werden. Es ist, als würde man auf die Entwicklung eines Fotos warten, als würde man zusehen, wie die Grautöne in der Schale mit den Chemikalien langsam in Schwarz übergehen. An den Knöcheln beider Füße erscheint ein Hauch von Rot. Das Rot breitet sich in Klecksen über die linke Ferse aus, schließlich erröten zögerlich auch einige Zehen. Der rechte Fuß bleibt hartnäckig bleich. Ein wenig Rosa erscheint widerstrebend bis zum Fußballen, aber weiter geht es nicht. Nach einer Stunde trocknen Dr. Murray und Sue vorsichtig Henrys Füße ab, und Sue steckt ihm kleine Baumwolltupfer zwischen die Zehen. Sie legen ihn wieder ins Bett zurück und errichten ein Gestell über seinen Füßen, damit nichts sie berührt.

Am folgenden Abend:

Es ist spätnachts und ich sitze im Mercy Hospital am Bett von Henry, beobachte ihn beim Schlafen. Gomez sitzt auf der anderen Bettseite auf einem Stuhl und schläft ebenfalls. Er schläft mit zurückgelegtem Kopf und offenem Mund, und gelegentlich gibt er ein leises Schnarchen von sich und dreht das Gesicht zur anderen Seite.

Henry liegt reglos und stumm da. Der Tropf biept. Am Bettende hebt eine zeltartige Vorrichtung die Decke von der Stelle weg, an der seine Füße liegen müssten, aber Henrys Füße sind nun nicht mehr da. Die Erfrierungen haben sie ruiniert. Heute früh wurden beide Füße oberhalb der Knöchel amputiert. Ich kann mir nicht vorstellen, will mir nicht vorstellen, was da unter der Decke liegt. Henrys verbundene Hände ruhen über der Decke, und ich nehme eine Hand, spüre, wie kühl und trocken sie ist, wie der Puls im Gelenk schlägt, wie greifbar Henrys Hand in der meinen ist. Nach der Operation fragte mich Dr. Murray, was sie mit Henrys Füßen machen soll. *Sie wieder befestigen* wäre wohl die richtige Antwort gewesen, aber ich zuckte nur die Achseln und sah woandershin.

Eine Schwester kommt herein, lächelt mich an und gibt Henry seine Spritze. Ein paar Minuten später lullt das Mittel sein Gehirn ein, er stößt einen Seufzer aus und wendet mir das Gesicht zu. Seine Augen öffnen sich ganz leicht, aber dann schläft er schon wieder.

Am liebsten würde ich beten, aber mir fallen keine Gebete ein, mir geht nur durch den Kopf: *Ene, mene, meine, me, pack den Tiger schnell am Zeh, wenn er brüllt, dann tut es weh, ene, mene, meine, me.* Oh, Gott, bitte nicht, bitte tu mir das nicht an. *Denn das Schnark war ein Buuhdschamm.* Nein. Mir fällt nichts ein. *Envoyez chercher le médecin. Qu'avez-vous? Il faudra aller à l'hôpital. Je me suis coupé assez fortement. Otez le bandange et laissez-moi voir. Oui, c'est une coupure profonde.*

Ich weiß nicht, wie spät es ist. Draußen wird es langsam hell. Ich lege Henrys Hand wieder auf die Decke. Er zieht sie wie zum Schutz an die Brust.

Gomez gähnt und streckt die Arme aus, seine Knöchel knacken. »Morgen, Kätzchen«, sagt er, steht auf und trottet ins Bad. Ich kann ihn pinkeln hören; Henry schlägt die Augen auf.

»Wo bin ich?«

»Im Mercy. 27. September 2006.«

Henry starrt an die Zimmerdecke. Dann schiebt er sich langsam am Kissen hoch und starrt aufs Fußende des Bettes. Er beugt sich vor und greift mit den Händen unter die Decke. Ich schließe die Augen.

Henry beginnt zu weinen.

Dienstag, 17. Oktober 2006 (Clare ist 35, Henry 43)

CLARE: Henry ist vor einer Woche aus dem Krankenhaus entlassen worden. Er verbringt die Tage im Bett, eingerollt, den Blick zum Fenster gewandt, sinkt ständig in morphiumgedämpften Schlaf und wacht wieder auf. Ich versuche ihm Suppe zu geben, Toast, Makkaroni mit Käse, aber er isst nicht viel. Er redet auch nicht viel. Alba schleicht stumm um ihn herum, eifrig darauf bedacht, Daddy eine Freude zu machen, ihm eine Orange zu bringen, eine Zeitung, ihren Teddy; doch Henry lächelt nur geistesabwesend, und der kleine Gabenhaufen liegt unberührt auf dem Nachtkästchen. Einmal am Tag kommt eine forsche Schwester vorbei, um die Verbände zu wechseln und Ratschläge zu erteilen, doch sobald sie in ihrem roten VW Käfer verschwunden ist, versinkt Henry in seine unnahbare stumme Rolle. Ich helfe ihm beim Benutzen der Bettpfanne. Ich sorge dafür, dass er den Schlafanzug wechselt. Ich frage ihn, wie er sich fühlt, was er braucht, und er antwortet vage oder gar nicht. Obwohl ich Henry direkt vor mir sehe, ist er verschwunden.

Ich gehe mit einem Korb voll Wäsche unterm Arm durch den Flur, komme am Schlafzimmer vorbei und sehe Alba durch die leicht geöffnete Tür neben Henry stehen, der zusammengekauert im Bett liegt. Sie regt sich nicht, ihre Arme hängen an der Seite, die schwarzen Zöpfe baumeln den Rücken herunter, ihr blauer Rolli sitzt vom Anziehen noch ganz schief. Morgenlicht durchflutet den Raum, taucht alles in Gelb.

»Daddy?«, sagt Alba leise. Henry reagiert nicht. Sie probiert es noch einmal, diesmal lauter. Henry dreht sich zu ihr um. Alba setzt sich aufs Bett. Henrys Augen sind geschlossen.

»Daddy?«

»Hmm?«

»Musst du sterben?«

Henry öffnet die Augen und sieht Alba ruhig an. »Nein.«

»Alba hat gesagt, du stirbst.«

»Aber erst in der Zukunft, Alba. Jetzt noch nicht. Sag Alba, sie soll dir nicht solche Sachen erzählen.« Henry fährt sich mit der Hand über den Bart, der ihm seit der Entlassung aus dem Krankenhaus gewachsen ist. Alba sitzt mit gefalteten Händen im Schoß und aneinander gepressten Knien da.

»Bleibst du jetzt immer im Bett liegen?«

Henry zieht sich hoch, bis er am Kopfteil lehnt. »Vielleicht.« Er wühlt in der Nachttischschublade, aber die Schmerzmittel sind im Badezimmer.

»Warum?«

»Weil es mir beschissen geht, *verstanden*?«

Alba schreckt vor Henry zurück, steht vom Bett auf. »Verstanden!«, sagt sie, öffnet die Tür und stößt fast mit mir zusammen, sie ist verschüchtert, und dann schlingt sie stumm die Arme um meine Taille, und ich hebe sie hoch, inzwischen ist sie ziemlich schwer geworden. Ich trage sie in ihr Zimmer, wo wir uns in den Schaukelstuhl setzen und gemeinsam schaukeln, ihr heißes Gesicht ist an meinen Hals geschmiegt. Wie soll ich dich trösten, Alba? Was soll ich dir sagen?

CLARE: Ich stehe in meinem Atelier vor einer Rolle Verstärkungsdraht und einigen Zeichnungen. Der große Arbeitstisch ist aufgeräumt, die Zeichnungen sind ordentlich an die Wand gepinnt. Nun versuche ich dem Werk vor meinem geistigen Auge Form zu geben, es mir in 3-D vorzustellen. Lebensgroß. Ich schneide ein Stück Draht ab, es federt von der riesigen Rolle, und forme nach und nach den Körper. Ich biege den Draht zu Schultern, Brustkasten und einem Becken. Dann überlege ich. Vielleicht sollten die Arme und Beine beweglich sein? Brauche ich Füße oder nicht? Ich fange an, den Kopf zu formen, und merke mit einem Mal, dass ich nichts davon will. Ich schiebe alles unter den Tisch und fange noch einmal mit etwas mehr Draht an.

Wie ein Engel. *Jeder Engel ist schrecklich. Und dennoch, weh mir, ansing ich euch, fast tödliche Vögel der Seele* ... Nur Flügel möchte ich ihm geben. Mit dem dünnen Metall fahre ich durch die Luft, ziehe Schlaufen und Kreise. Die Flügelspanne messe ich mit den Armen ab, dann wiederhole ich den Prozess spiegelverkehrt für den zweiten Flügel und vergleiche die Symmetrie wie wenn ich Alba die Haare schneide, nehme mit dem Auge Maß, ertaste das Gewicht, die Formen. Ich verbinde die Flügel miteinander und steige dann auf die Leiter, um sie an der Decke aufzuhängen. Nun schweben sie, von Linien eingefasste Luft, auf einer Höhe mit meiner Brust, zweieinhalb Meter im Durchmesser, anmutig, dekorativ, nutzlos.

Anfangs hatte ich sie mir weiß vorgestellt, aber jetzt wird mir klar, das geht nicht. Ich öffne die Vitrine mit den Pigmenten und Farbstoffen. Ultramarin, Ockergelb, Umbra, Chromgrün, Krapprosa. Nein. Das ist es: Eisenoxidrot. Die Farbe von getrocknetem Blut. Ein schrecklicher Engel wäre nicht weiß, oder er wäre weißer als jedes Weiß, das ich mischen kann. Ich stelle das Glas zusammen mit Beinschwarz auf die Theke, dann gehe ich zu den Faserbündeln, die wohlriechend in der hinteren Ecke des Ateliers stehen. Kozo und Leinen; Transparenz und Geschmeidigkeit, eine Faser, die raschelt wie schnatternde Zähne, verbunden mit einem Stoff, der weich ist wie Lippen. Ich wiege zwei Pfund Kozo ab, getrocknete und unverwüstliche Rinde, die gekocht und geschlagen, zerfetzt und gestampft werden muss. Dann erhitze ich Wasser in dem großen Topf, der zwei Platten auf dem Ofen einnimmt. Als es kocht, werfe ich Kozo-Fasern hinein, sehe zu, wie sie dunkel werden und langsam Wasser aufsaugen. Ich messe Pottasche ab, gebe sie dazu, decke den Topf ab und stelle die Dunstabzugshaube ein. Ich hacke ein Pfund weiße Lumpen in kleine Stücke, fülle den Holländer mit Wasser und lasse ihn den Hadern in feine weiße Pulpe reißen. Dann mache ich mir einen Kaffee, setze mich ans Fenster und schaue über den Hof hinüber zum Haus.

Im selben Moment:

HENRY: Meine Mutter sitzt am Fußende des Bettes. Ich will nicht, dass sie die Sache mit meinen Füßen erfährt. Ich schließe die Augen und stelle mich schlafend.

»Henry?«, sagt sie. »Ich weiß, du bist wach. Komm schon, Kumpel, raus aus den Federn.«

Ich öffne die Augen. Es ist Kimy. »Morgen.«

»Es ist halb drei nachmittags. Du solltest langsam aufstehen.«

»Ich kann nicht aufstehen, Kimy. Ich habe keine Füße.«

»Aber einen Rollstuhl«, sagt sie. »Komm schon, du musst baden, du musst dich rasieren, pfui, du riechst wie ein alter Mann.« Kimy steht auf und sieht sehr streng aus. Sie schlägt die Decke zurück und da liege ich, kalt und kraftlos im Licht der Nachmittagssonne, wie eine geschälte Garnele. Kimy blickt mich drohend an, bis ich endlich im Rollstuhl sitze, und schiebt mich dann zur Badezimmertür, die zu eng ist, um durchzufahren.

»Na schön«, sagt Kimy, vor mir stehend, die Hände in die Hüften gestützt. »Wie wollen wir das anstellen, hm?«

»Ich weiß nicht, Kimy. Ich bin nur der Gimp, das hier ist nicht mein Wirkungskreis.«

»Was ist das für ein Wort, *Gimp*?«

»Das ist ein sehr abschätziges Wort für Krüppel.«

Kimy sieht mich an, als wäre ich acht und hätte das Wort *ficken* in ihrer Anwesenheit benutzt (ich wusste nicht, was es heißt, nur, dass es verboten war). »Das müsste eigentlich *behindert* heißen, Henry.« Sie beugt sich heran und knöpft mir die Schlafanzugjacke auf.

»*Hände* hab ich selbst«, sage ich und öffne die restlichen Knöpfe allein. Brummend macht Kimy auf dem Absatz kehrt und dreht den Wasserhahn auf, stellt die Temperatur ein, steckt den Stöpsel in den Abfluss. Dann wühlt sie im Arzneischränkchen herum, holt mein Rasiermesser, Rasierseife, den Biberhaarpinsel. Ich habe nicht die geringste Ahnung, wie ich aus dem Rollstuhl kommen soll. Mir fällt ein, dass ich versuchen könnte, vom Sitz zu rutschen; ich schiebe den Hintern nach vorn, wölbe den Rücken und gleite zu Boden. Im Fallen verrenke ich mir die Schulter und schlage mit dem Po auf, aber es ist nicht allzu schlimm. Meine Physiotherapeutin im Krankenhaus, eine ermutigende junge Frau namens Penny Featherwight, zeigte mir mehrere Techniken, wie ich in den Stuhl hinein- und wieder herauskomme, aber es ging immer nur um den Weg vom Stuhl ins Bett oder vom Stuhl auf einen anderen Stuhl. Nun sitze ich auf dem Boden, und die Badewanne ragt über mir auf wie die weißen Klippen von Dover. Ich sehe zu Kimy hoch, zweiundachtzig Jahre alt, und mir wird klar, dass ich hier allein auf mich gestellt bin. Sie schaut mich an, ihr Blick ist voll unendlichem Mitleid. Ich sage mir *verdammt, irgendwie muss ich das schaffen, ich kann nicht zulassen, dass Kimy mich so ansieht*. Ich winde mich aus meiner Schlafanzughose und nehme langsam die Wickelbandage ab, die die Mullauflagen auf meinen Beinen bedeckt. Kimy begutachtet ihre Zähne im Spiegel. Ich lege einen Arm über den Badewannenrand und teste das Wasser.

»Wenn du noch ein paar Kräuter reinwirfst, kannst du heute Abend Gimpbrühe essen.«

»Zu heiß?«, fragt Kimy.

»Ja.«

Kimy reguliert die Wasserhähne und geht, nachdem sie den Rollstuhl aus dem Weg geschoben hat, aus dem Bad. Behutsam entferne ich die Mullauflage vom rechten Bein. Die Haut darunter ist fahl und kalt. Ich lege die Hand auf den übereinander gefalteten Teil, auf das Fleisch, das den Knochen schützt. Vor einiger Zeit hatte ich eine Vicodin genommen. Ich überlege, ob ich noch eine nehmen könnte, ohne dass Clare es merkt. Das Fläschchen steht wahrscheinlich oben im Arzneischrank. Kimy kommt mit einem Küchenstuhl zurück und stellt ihn neben mir ab. Ich entferne den Verband vom anderen Bein.

»Sie hat gute Arbeit geleistet«, sagt Kimy.

»Dr. Murray? Ja, eine gewaltige Verbesserung, viel aerodynamischer.«

Kimy lacht, und ich schicke sie in die Küche, um Telefonbücher zu holen. Kaum hat sie sie neben den Stuhl gelegt, stemme ich mich hoch und setze mich darauf. Dann arbeite ich mich weiter auf den Stuhl und lande halb fallend, halb rollend in der Badewanne. Eine riesige Wasserwelle schwappt aus der Wanne auf die Kacheln. Halleluja. Kimy dreht den Wasserhahn zu und trocknet sich die Beine mit einem Handtuch ab. Ich tauche unter.

Später:

CLARE: Nach stundenlangem Kochen zerre ich die Kozo-Fasern auseinander, und auch sie landen im Holländer. Je länger sie drin bleiben, umso feiner und mehliger wird die Pulpe. Nach vier Stunden füge ich Retentionsmittel, Ton und Pigment hinzu. Die beigefarbene Pulpe färbt sich zu einem tiefdunklen Erdrot. Ich lasse sie in Eimer abtropfen und gieße sie in die wartende Schöpfwanne. Dann gehe ich hinüber ins Haus; Kimy ist in der Küche und kocht.

»Wie ist es gelaufen?«, frage ich sie.

»Sehr gut. Er ist im Wohnzimmer.« Zwischen Bad und Wohnzimmer verläuft eine Wasserspur in Form von Kimys Fußabdrücken. Henry schläft auf dem Sofa, auf seiner Brust liegt ein aufgeschlagenes Buch. Borges' *Fiktionen*. Er ist rasiert, und ich beuge mich über ihn und atme seinen Duft ein; er riecht frisch, sein feuchtes graues Haar steht struppig ab. Alba plaudert in ihrem Zimmer mit Teddy. Einen Augenblick habe ich das Gefühl, als wäre *ich* durch die Zeit gereist, als wäre dies ein seltener Moment von *vorher*, doch dann wandern meine Augen über Henrys Körper zum flachen Ende der Decke, und ich weiß wieder, ich bin im Hier und Jetzt.

Am nächsten Morgen regnet es. In meinem Atelier erwarten mich die Drahtflügel, sie schweben im grauen Morgenlicht. Ich schalte das Radio ein: Chopin läuft, rollende Etüden wie Wasser über Sand. Ich ziehe Gummistiefel an, ein Bandana, damit meine Haare nicht in die Pulpe hängen, eine Gummischürze. Dann spritze ich meine liebsten Sieb- und Deckelrahmen aus Teakholz und Messing ab, decke die Schöpfwanne ab und lege eine Filzunterlage bereit, um das Papier darauf abzugautschen. Ich fasse in die Wanne und rühre den dunkelroten Brei um, damit Fasern und Wasser sich vermischen. Alles tropft. Danach tauche ich Schöpfform mit Deckelrahmen in die Pulpe, hole sie vorsichtig hoch, vollkommen waagrecht, das Wasser strömt. Anschließend setze ich die Schöpfform auf die Wannenecke, und das Wasser läuft ab und hinterlässt auf der Oberfläche eine Faserschicht; ich entferne den Deckelrahmen und presse den Siebrahmen auf den Filz, bewege ihn sanft hin und her, nehme ihn weg, und das Papier bleibt fein und glänzend auf der Unterlage. Ich lege einen weiteren Filz darüber, befeuchte ihn und beginne von vorn: Schöpfform eintauchen, hochziehen, abtropfen lassen, abgautschen. Ich verliere mich in der Wiederholung, und die Klaviermusik perlt über das schwappende, tropfende, rieselnde Wasser. Nachdem ich einen Stapel Papier und Filz zusammen habe, presse ich alles in der hydraulischen Papierpresse. Dann gehe ich ins Haus zurück und esse ein Schinkensandwich. Henry liest. Alba ist in der Schule.

Nach dem Mittagessen stehe ich mit meinem frisch geschöpften Papier vor den Flügeln. Ich will den Draht mit einer Papiermembran verhängen. Das Papier ist feucht und dunkel und immer kurz vorm Reißen, aber es schmiegt sich wie eine zweite Haut über die Drahtformen. Ich zwirble das Papier zu Sehnen und Kordeln, die sich drehen und verbinden. Die Flügel sind nun Fledermausflügel, das Drahtgeflecht ist unter der dünnen Papierfläche sichtbar. Das nicht benutzte Papier trockne ich, indem ich es auf Stahlplatten erhitze. Dann reiße ich es in Streifen und Federn, die ich, sobald die Flügel trocken sind, annähen werde. Zuvor aber male ich die Streifen schwarz, grau und rot an. Gefieder für den schrecklichen Engel, für den tödlichen Vogel.

Eine Woche später, abends:

HENRY: Clare hat mich dazu überredet, mich anzuziehen, und Gomez hat sie gebeten, mich durch die hintere Tür über den Hof in ihr Atelier zu tragen. Es ist von Kerzen erleuchtet, wahrscheinlich Hunderten, wenn nicht noch mehr, auf Tischen, auf dem Fußboden und den Fenstersimsen. Gomez setzt mich auf dem Sofa ab und zieht sich wieder ins Haus zurück. In der Mitte des Ateliers hängt ein weißes Laken von der Decke, und ich sehe mich um, ob irgendwo ein Projektor steht, aber da ist keiner. Clare trägt ein dunkles Kleid, und wenn sie sich im Raum bewegt, wirken ihr Gesicht und die Hände weiß und geisterhaft.

»Möchtest du Kaffee?«, fragt sie mich. Den Letzten habe ich getrunken, bevor ich ins Krankenhaus kam. »Klar«, entgegne ich. Sie schenkt zwei Becher ein, fügt Sahne hinzu und bringt mir einen. Der heiße Becher fühlt sich vertraut und gut in der Hand an. »Ich hab was für dich gemacht«, sagt Clare.

»Füße? Zwei Füße könnte ich gebrauchen.«

»Flügel«, sagt sie und lässt das weiße Laken zu Boden sinken.

Die Flügel sind riesig und schweben in der Luft, wabern im Kerzenlicht. Sie scheinen dunkler als die Dunkelheit, bedrohlich, aber sie gemahnen auch an Sehnsucht, an Freiheit, an Sturzflüge durch den Raum. An das Gefühl fest zu stehen, *auf meinen eigenen zwei Füßen,* zu laufen, laufen wie fliegen. Die Träume vom Schweben, vom Fliegen, als sei die Schwerkraft aufgehoben worden und gestatte mir nun, mich in sichere Entfernung von der Erde zu begeben, diese Träume kehren im halbdunklen Atelier zu mir zurück. Clare setzt sich neben mich. Die Flügel sind stumm, ihre Ränder zerzaust. Ich kann nicht sprechen. *Siehe, ich lebe. Woraus? Weder Kindheit noch Zukunft/ werden weniger ... Überzähliges Dasein/ entspringt mir im Herzen.*

»Küss mich«, sagt Clare, und ich wende mich zu ihr, weißes Gesicht und dunkle Lippen schweben im Dunkeln, und ich tauche unter, ich fliege, ich bin frei: Dasein entspringt mir im Herzen.

FUSSTRÄUME

Oktober/November 2006 (Henry ist 43)

HENRY: Ich träume, dass ich in der Newberry bin und einigen Absolventen des Columbia College einen Teil der Sondersammlungen präsentiere. Ich zeige ihnen die Inkunabeln, erste gedruckte Bücher. Ich stelle ihnen das Gutenberg-Fragment vor, William Caxtons *Game and Play of Chess*, den Eusebius von Nicolas Jenson. Alles läuft gut, sie stellen kluge Fragen. Ich wühle auf dem Wagen herum und suche ein bestimmtes Buch, das ich gerade im Magazin entdeckt habe, ein Werk, von dem ich nicht wusste, dass wir es besitzen. Es steckt in einer schweren roten Schachtel. Ohne Titel, nur die Standortnummer, CASE WING f ZX 983.D 453, die in Gold unter die Insignien der Newberry geprägt ist. Ich stelle die Schachtel auf den Tisch, breite die Polster aus, öffne den Deckel, und da sind sie, meine rosigen makellosen Füße. Sie sind erstaunlich schwer. Als ich sie auf die Polster stelle, wackeln alle Zehen, sie sagen Hallo, wollen mir zeigen, dass sie es noch können. Ich halte einen kleinen Vortrag über sie, erkläre die Relevanz meiner Füße für die venezianische Buchdruckkunst des fünfzehnten Jahrhunderts. Die Studenten machen sich Notizen. Eine von ihnen, eine hübsche Blondine in einem mit Pailletten besetzten trägerlosen Top, zeigt auf meine Füße und sagt: »Da, die sind ja ganz weiß!« Und es stimmt, die Haut ist totenweiß geworden, die Füße sind leblos und faulig. Ich nehme mir vor, sie gleich morgen zur Konservierung hochzuschicken.

Im Traum renne ich. Alles ist gut. Ich renne am See entlang, vom Oak Street Beach in Richtung Norden. Ich spüre, wie mein Herz klopft, wie meine Lungen sich leicht ausdehnen und senken. Ich komme gut voran. Was für eine Erleichterung, denke ich mir. Ich hatte schon Angst, nie wieder laufen zu können, aber wie man sieht, ich laufe. Ein großartiges Gefühl.

Dann aber wird alles zunehmend schlechter. Teile meines Körpers fallen ab. Erst mein linker Arm. Ich bleibe stehen und hebe ihn auf, wische den Sand ab und setze ihn wieder an, aber er ist nicht gut befestigt und schon nach achthundert Metern fällt er wieder herunter. Ich trage ihn also mit meinem anderen Arm und sage mir, wenn ich damit nach Hause komme, kann ich ihn besser befestigen. Aber dann fällt auch der zweite Arm ab, und nun bleibt mir nichts, um die verlorenen Arme aufzuheben. Also laufe ich einfach weiter. So schlimm ist es gar nicht, es tut auch nicht weh. Bald merke ich, dass sich mein Schwanz gelöst hat und ins rechte Bein meiner Trainingshose gefallen ist, wo er störend herumschlackert, gefangen vom Gummiband unten. Aber ich kann nichts ändern, also ignoriere ich es. Und dann spüre ich, wie meine Füße in den Schuhen rissig werden wie Straßenbelag, und dann brechen sie beide an den Knöcheln ab und ich falle mit dem Gesicht nach unten auf den Weg. Mir ist klar, dass andere Läufer über mich hinwegtrampeln werden, also bewege ich mich rollend fort. Ich rolle immer weiter, bis ich im See lande und die Wellen mich nach unten spülen und ich nach Luft schnappend aufwache.

Ich träume, dass ich beim Ballett bin. Ich bin die Primaballerina, sitze in meiner Garderobe und werde von Barbara, der Garderobiere meiner Mutter, in rosa Tüll eingehüllt. Barbara ist ein zäher Brocken, darum beklage ich mich nicht, als sie mir vorsichtig lange rosa Spitzenschuhe aus Satin über die Stümpfe zieht, obwohl es wahnsinnig wehtut. Als sie fertig ist, erhebe ich mich schwankend vom Stuhl und schreie auf. »Stell dich nicht so an«, sagt Barbara, hat dann aber Mitleid und gibt mir eine Morphiumspritze. Onkel Ish erscheint in der Garderobentür, und wir eilen hinter der Bühne durch endlose Gänge. Ich weiß, dass meine Füße wehtun, auch wenn ich sie weder sehen noch fühlen kann. Wir eilen weiter, und plötzlich stehe ich in der Kulisse, blicke auf die Bühne und erkenne, dass es den *Nussknacker* gibt und ich die Zuckerfee tanze. Aus irgendeinem Grund nervt mich das. Ich hatte etwas anderes erwartet. Aber jemand gibt mir einen leichten Stoß, und schon wanke ich auf die Bühne. Und tanze. Die Lichter blenden mich, ich tanze ohne zu denken, ohne die Schritte zu kennen, in einer Ekstase von Schmerz. Schließlich falle ich schluchzend auf die Knie, und das Publikum steht auf und applaudiert.

Freitag, 3. November 2006 (Clare ist 35, Henry 43)

CLARE: Henry hält eine Zwiebel hoch, schaut mich ernst an und sagt: »*Das* ... ist eine Zwiebel.«

Ich nicke. »Ja. Über die hab ich schon mal was gelesen.«

Er zieht eine Braue hoch. »Sehr gut. Also, um eine Zwiebel zu schälen, nimmst du ein scharfes Messer, legst besagte Zwiebel seitlich auf ein Schneidebrett und entfernst die beiden Enden – so. Dann kannst du die Zwiebel schälen – so. Gut. Nun schneidest du sie durch. Willst du Zwiebelringe haben, ziehst du nur jede Scheibe auseinander, aber für Suppe, Spaghetti und dergleichen schneidest du sie in Würfel – so.«

Henry hat beschlossen, mir das Kochen beizubringen. Die Küchentheken und -schränke sind alle zu hoch für ihn in seinem Rollstuhl. Wir sitzen am Küchentisch, umgeben von Schalen und Messern und Dosen mit Tomatensauce. Henry schiebt mir Schneidebrett und Messer über den Tisch hinweg zu, und ich stehe auf und schneide die Zwiebel umständlich in Würfel. Henry sieht geduldig zu. »Gut, sehr schön. Jetzt die grünen Paprikaschoten: Du fährst mit dem Messer hier herum, dann ziehst du den Stiel heraus ...«

Wir machen Marinarasauce, Pesto, Lasagne. An einem anderen Tag zaubern wir Kekse mit Schokosplittern, Brownies, Crème brulée. Alba ist begeistert. »Noch einmal Nachspeise«, bettelt sie. Wir pochieren Eier und Lachs, backen Pizza. Irgendwie macht es Spaß, das muss ich zugeben. Aber als ich mein erstes Abendessen allein koche, habe ich schreckliche Angst. Ich stehe in der Küche, umgeben von Töpfen und Pfannen, der Spargel ist zu weich, und als ich den Seeteufel aus dem Herd nehme, verbrenne ich mich. Ich verteile alles auf Teller und bringe sie ins Esszimmer, in dem Henry und Alba auf ihren Plätzen sitzen. Henry lächelt aufmunternd. Ich setze mich, und Henry hebt sein Milchglas: »Auf die neue Köchin!« Alba stößt ihren Becher an sein Glas, und wir fangen an. Verstohlen beobachte ich Henry. Doch beim Essen merke ich, dass alles in Ordnung ist. »Schmeckt gut, Mama!«, sagt Alba, und Henry nickt. »Hervorragend, Clare«, sagt Henry. Wir sehen uns an, und ich denke, *Verlass mich nicht.*

WIE MAN SÄT, SO ERNTET MAN

Montag, 18. Dezember 2006, 2. Januar 1994 (Henry ist 43)

HENRY: Mitten in der Nacht wache ich auf, an meinen Beinen nagen tausend rasiermesserbezahnte Insekten, und noch ehe ich eine Vicodin aus dem Fläschchen schütteln kann, beginne ich zu fallen. Schmerzverkrümmt liege ich auf dem Boden, doch es ist nicht unser Boden, es ist ein anderer, in einer anderen Nacht. Wo bin ich? Der Schmerz verleiht allem einen Schimmer, aber es ist dunkel und irgendwas an diesem Geruch erinnert mich an – woran nur? Bleichmittel. Schweiß. Parfüm, sehr vertraut ... aber das kann doch nicht sein ...

Schritte kommen die Treppe herauf, Stimmen, ein Schlüssel sperrt mehrere Schlösser auf *(wo kann ich mich verstecken?)*, die Tür öffnet sich, und ich krieche gerade über den Boden, da leuchtet das Licht auf und explodiert in meinem Kopf wie eine Blitzbirne, und eine Frau flüstert: »O Gott.« Ich denke mir *Nein, das darf einfach nicht wahr sein*, aber die Tür schließt sich, und ich höre Ingrid sagen: »Celia, du musst wieder gehen«, worauf Celia protestiert, und während sich die beiden auf der anderen Seite der Tür darüber streiten, sehe ich mich verzweifelt um, aber es gibt keinen Ausweg. Offenbar bin ich in Ingrids Wohnung gelandet, in der Clark Street, wo ich noch nie gewesen bin, aber hier sind ihre Sachen und überwältigen mich, der Stuhl von Charles Eames, der nierenförmige, mit Modezeitschriften übersäte Beistelltisch aus Marmor, das hässliche orangefarbene Sofa, auf dem wir ... Panisch sehe ich mich nach etwas zum Anziehen um, aber das einzige Stück Stoff in dieser minimal eingerichteten Wohnung ist eine purpurrot-gelbe Wolldecke, die sich mit dem Sofa beißt. Ich schnappe sie mir, schlinge sie um mich und hieve mich aufs Sofa, als Ingrid die Tür wieder öffnet. Eine ganze Weile steht sie ruhig da und mustert mich, und ich mustere sie und denke nur, oh, Ing, was hast du dir nur angetan?

Die Ingrid, die in meiner Erinnerung lebt, ist der coole, strahlend blonde Engel, den ich auf Jimbos Unabhängigkeitstags-Party am 4. Juli 1988 kennen gelernt habe. Ingrid Carmichel war umwerfend und unnahbar, umgeben von einer glänzenden Rüstung aus Reichtum, Schönheit und Langeweile. Die Ingrid, die mich jetzt ansieht, wirkt hager, hart und müde. Sie hält den Kopf leicht zur Seite geneigt und betrachtet mich voller Verwunderung und Verachtung. Offenbar wissen wir beide nichts zu sagen. Schließlich zieht sie ihren Mantel aus, wirft ihn auf den Stuhl und hockt sich ans andere Ende des Sofas. Sie hat eine Lederhose an, die beim Hinsetzen ein bisschen quietscht.

»Henry.«

»Ingrid.«

»Was machst du hier?«

»Ich weiß nicht. Entschuldige. Ich bin einfach ... na, du weißt schon.« Ich zucke die Achseln. Meine Beine schmerzen so sehr, dass mir fast schon egal ist, wo ich bin.

»Du siehst beschissen aus.«

»Ich habe starke Schmerzen.«

»Wie komisch. Ich auch.«

»Ich meine körperliche Schmerzen.«

»Warum?« Wenn es nach Ingrid ginge, könnte ich auf der Stelle vor ihren Augen in Flammen aufgehen. Ich schlage die Decke zurück und zeige ihr meine Stümpfe.

Sie schreckt nicht zurück und schnappt nicht nach Luft. Sie schaut auch nicht woandershin, und als sie es tut, sucht sie meinen Blick, und ich sehe, dass mich Ingrid, ausgerechnet sie, vollkommen versteht. Aus gänzlich unterschiedlichen Gründen haben wir denselben Zustand erreicht. Sie steht auf, geht in ein Nebenzimmer und kommt mit ihrem alten Nähkorb zurück. Hoffnung wallt in mir auf, und sie wird nicht enttäuscht: Ingrid setzt sich, öffnet den Deckel und wie in den guten alten Tagen tut sich, neben Nadelkissen und Fingerhüten, eine komplette Apotheke auf.

»Was willst du?«, fragt Ingrid.

»Opiate.« Sie durchwühlt einen Plastikbeutel voller Pillen und bietet mir eine Auswahl an. Ich entdecke Ultram und nehme zwei. Kaum habe ich sie trocken geschluckt, holt sie mir ein Glas Wasser, das ich in einem Zug austrinke.

»Nun.« Ingrid fährt sich mit ihren langen roten Fingernägeln durch die langen blonden Haare. »Von wann kommst du?«

»Dezember 2006. Den wievielten habt ihr hier?«

Ingrid sieht auf die Uhr. »Eben war noch Neujahr, aber inzwischen haben wir den 2. Januar 1994.«

Oh, nein. Bitte nicht. »Was ist los?«, fragt Ingrid.

»Nichts.« Heute ist der Tag, an dem Ingrid Selbstmord begehen wird. Was soll ich ihr nur sagen? Ob ich sie aufhalten kann? Und wenn ich jemand anrufen würde? »Hör mal, Ing, ich möchte dir nur sagen …« Ich zögere. Was darf ich ihr erzählen, ohne dass ich sie erschrecke? Spielt das jetzt noch eine Rolle? Zumal sie inzwischen tot ist. Auch wenn sie hier direkt vor mir sitzt.

»Was?«

Ich schwitze. »Geh einfach … gut mit dir um. Tu dir nichts … ich meine, ich weiß, du bist nicht sehr glücklich …«

»Und wer ist daran wohl schuld?« Ihr mit leuchtend rotem Lippenstift bemalter Mund zieht sich missbilligend zusammen. Ich antworte ihr nicht. Bin ich wirklich schuld? Ich weiß es nicht genau. Ingrid starrt mich an, als wenn sie eine Antwort erwartet. Ich wende den Blick von ihr ab, betrachte das Poster von Maholy-Nagy an der Wand gegenüber. »Henry?«, sagt Ingrid. »Warum warst du so gemein zu mir?«

Schweren Herzens lenke ich meinen Blick wieder auf sie. »War ich das? Es war keine Absicht.«

Ingrid schüttelt den Kopf. »Dir war völlig egal, ob ich lebe oder sterbe.«

Ach, Ingrid. »Das ist mir nicht egal. Ich will nicht, dass du stirbst.«

»Es war dir egal. Du hast mich verlassen und bist nicht mal ins Krankenhaus gekommen.« Ingrid presst die Worte mühsam aus sich heraus.

»Deine Familie wollte nicht, dass ich komme. Deine Mutter wollte, dass ich wegbleibe.«

»Du hättest kommen sollen.«

»Ingrid«, entgegne ich seufzend, »dein *Arzt* hat mir gesagt, ich darf dich nicht besuchen.«

»Als ich gefragt habe, hieß es, du hättest nie angerufen.«

»Ich habe angerufen, aber man hat mir gesagt, du willst mich nicht sprechen und ich soll nicht mehr anrufen.« Langsam setzt das Schmerzmittel ein. Das Stechen in meinen Beinen lässt nach. Ich fasse unter die Decke und lege meine Handflächen auf den linken Stumpf, dann auf den rechten.

»Ich wäre beinahe gestorben, und du hast nie wieder mit mir gesprochen.«

»Ich dachte, du willst nicht mit mir reden. Woher hätte ich es denn wissen sollen?«

»Du hast geheiratet und mich nicht angerufen, aber Celia hast du zu deiner Hochzeit eingeladen, um mich zu ärgern.«

Ich muss lachen, ohne es zu wollen. »Ingrid, *Clare* hat Celia eingeladen. Die beiden sind befreundet, warum, habe ich nie herausgefunden. Ich nehme an, weil Gegensätze sich anziehen. Mit mir hatte es jedenfalls nichts zu tun.«

Ingrid wirkt bleich unter ihrem Make-up. Sie sagt nichts, greift in ihre Manteltasche und holt eine Schachtel English Ovals und ein Feuerzeug hervor.

»Seit wann rauchst du?«, frage ich sie. Ingrid konnte Rauchen nie ausstehen. Sie mochte Koks und Methedrin und Drinks mit poetischen Namen. Zwischen zwei langen Fingernägeln entnimmt sie der Packung eine Zigarette und zündet sie an. Ihre Hände zittern. Sie nimmt einen Zug, aus ihrem Mund schlängelt sich Rauch.

»Und wie lebt es sich so ohne Füße?«, fragt Ingrid. »Wie ist das überhaupt passiert?«

»Erfrierung. Ich bin im Grant Park ohnmächtig geworden, es war Januar.«

»Und wie bewegst du dich fort?«

»Vor allem im Rollstuhl.«

»Oh. Das nervt.«

»Ja. Und wie.« Einen Augenblick sitzen wir schweigend da.

»Bist du noch verheiratet?«, fragt Ingrid.

»Klar.«

»Kinder?«

»Eins. Ein Mädchen.«

»Aha.« Ingrid lehnt sich zurück, zieht an ihrer Zigarette, bläst einen dünnen Rauchfaden aus der Nase. »Ich hätte auch gern Kinder.«

»Du wolltest nie Kinder, Ing.«

Sie sieht mich an, aber ich kann ihren Blick nicht deuten. »Ich wollte immer welche. Ich dachte nur, *du* willst keine Kinder, darum hab ich es nie gesagt.«

»Du kannst immer noch welche haben.«

Ingrid lacht. »Ach ja? Bekomme ich Kinder, Henry? Hab ich im Jahr 2006 einen Mann und ein Haus im spießigen Winnetka und zweieinhalb Kinder?«

»Nicht ganz.« Ich verändere meine Position auf dem Sofa. Der Schmerz ist gewichen, aber geblieben ist seine Hülle, ein leerer Raum, wo er sitzen müsste, im Moment ist da nur die Erwartung von Schmerz.

»*Nicht ganz*«, äfft Ingrid mich nach. »Wie nicht ganz? So wie in, ›Nicht ganz, Ingrid, in Wirklichkeit bist du eine Stadtstreicherin?‹«

»Du bist keine Stadtstreicherin.«

»Ich bin also keine Stadtstreicherin. Gut, hervorragend.« Sie drückt ihre Zigarette aus und schlägt die Beine übereinander. Ingrids Beine fand ich immer phantastisch. Sie trägt Stiefel mit hohen Absätzen, offenbar waren sie und Celia auf einer Party. »Damit hätten wir die beiden Extreme ausgeschlossen: Ich bin keine Vorstadtmatrone und ich bin nicht obdachlos. Komm schon Henry, gib mir ein paar mehr Hinweise.«

Ich sage nichts, auf dieses Spiel habe ich keine Lust.

»Na schön, machen wir Multiple Choice. Mal sehen… a) Ich bin

Stripperin in einem echt schäbigen Club in der Rush Street. b) Ich sitze im Knast, weil ich Celia mit der Axt erschlagen und an Malcolm verfüttert habe. He. Klar, ja, c) Ich lebe mit einem Investmentbanker am Rio del Sol. Was meinst du Henry? Findest du eine Möglichkeit davon gut?«

»Wer ist Malcolm?«

»Celias Doberman.«

»Hätte ich mir denken können.«

Ingrid spielt mit ihrem Feuerzeug, klickt es an und aus. »Wie wär's mit d) Ich bin tot?« Ich zucke zusammen. »Würde dir das nicht gefallen?«

»Nein. Würde es nicht.«

»Wirklich nicht? Mir gefällt das am besten.« Ingrid lächelt. Kein schönes Lächeln, es gleicht eher einer Grimasse. »Das gefällt mir sogar so gut, dass es mich auf eine Idee bringt.« Sie steht auf, schreitet durch den Raum und den Flur entlang. Ich höre, wie sie eine Schublade öffnet und schließt. Bei ihrer Rückkehr hält sie eine Hand hinter den Rücken. Sie baut sich vor mir auf, sagt »Überraschung!« und richtet einen Revolver auf mich.

Es ist ein kleineres Exemplar – schlank, schwarz, glänzend. Ingrid hält ihn dicht an ihrer Taille, ganz lässig, als wäre sie auf einer Cocktailparty. Ich starre auf den Revolver. Ingrid sagt: »Ich könnte dich erschießen.«

»Ja. Könntest du.«

»Und dann könnte ich mich erschießen.«

»Auch das könnte passieren.«

»*Aber tut es das?*«

»Ich weiß es nicht, Ingrid. Die Entscheidung liegt bei dir.«

»Quatsch nicht, Henry. Sag's mir«, befiehlt sie.

»Na schön. Nein. So passiert es nicht.« Ich bemühe mich um einen zuversichtlichen Tonfall.

Ingrid lächelt süffisant. »Und wenn ich aber will, dass es so passiert?«

»Ingrid, gib mir den Revolver.«

»Komm her und hol ihn dir.«

»Willst du mich erschießen?« Ingrid schüttelt den Kopf und lächelt. Ich klettere vom Sofa auf den Boden und krieche, durch das Schmerzmittel verlangsamt und die Wolldecke hinter mir herziehend, auf Ingrid zu. Sie weicht zurück, die Waffe weiter auf mich gerichtet. Ich halte an.

»Komm her, Henry. Braves Hündchen. *Treues* Hündchen.« Ingrid entsichert den Revolver und kommt zwei Schritte auf mich zu. Ich erstarre. Sie zielt aus kürzester Entfernung auf meinen Kopf. Doch dann lacht sie und setzt sich die Mündung der Waffe an die Schläfe. »Und was ist damit, Henry? Passiert es vielleicht so?«

»Nein.« *Nein!*

Sie zieht die Stirn in Falten. »Bist du sicher, Henry?« Ingrid senkt den Revolver an ihre Brust. »Besser? Kopf oder Herz, Henry?« Ingrid tritt vor. Ich könnte sie berühren, könnte sie packen ... aber sie tritt mich in die Brust, ich falle nach hinten und liege ausgestreckt am Boden, den Blick auf Ingrid gerichtet, die sich über mich beugt und mir ins Gesicht spuckt.

»Hast du mich geliebt?«, fragt sie und blickt auf mich herab.

»Ja.«

»Lügner«, sagt Ingrid und drückt ab.

Montag, 18. Dezember 2006 (Clare ist 35, Henry 43)

CLARE: Ich erwache mitten in der Nacht und Henry ist fort. Voller Angst setze ich mich im Bett auf. Die Möglichkeiten überschlagen sich in meinem Kopf. Er könnte überfahren worden sein, in einem verlassenen Gebäude festsitzen oder draußen in der Kälte – auf einmal höre ich ein Geräusch, jemand weint. Wahrscheinlich Alba, denke ich, vielleicht wollte Henry nachsehen, was ihr fehlt, also stehe ich auf und gehe in ihr Zimmer, aber Alba schläft, um ihren Teddy gekuschelt; die Decke ist vom Bett gefallen. Ich folge dem Geräusch durch den Flur, und da, auf dem Boden im Wohnzimmer, sitzt Henry und hält sich den Kopf.

Ich knie mich neben ihn. »Was ist los?«

Henry blickt auf, und im Straßenlicht, das durch die Fenster fällt, sehe ich Tränen auf seinen Wangen schimmern. »Ingrid ist tot«, sagt Henry.

Ich schlinge meine Arme um ihn. »Aber Ingrid ist doch schon lange tot«, sage ich leise.

Henry schüttelt den Kopf. »Jahre, Minuten ... für mich ist alles gleich.« Wir sitzen schweigend auf dem Boden, bis Henry schließlich sagt: »Meinst du, es ist schon Morgen?«

»Bestimmt.« Der Himmel ist noch dunkel. Nicht ein Vogel zwitschert.

»Dann stehen wir doch auf«, sagt er. Ich hole den Rollstuhl, helfe ihm hinein und schiebe ihn in die Küche. Dann bringe ich ihm den Bademantel und er windet sich mühsam hinein. Er sitzt am Küchentisch, blickt auf den zugeschneiten Hof hinaus. Irgendwo in der Ferne schabt ein Schneepflug die Straße entlang. Ich knipse das Licht an, gebe ein paar Löffel Kaffee in den Filter, gieße Wasser in die Kaffeemaschine, schalte sie ein. Dann hole ich Becher. Vor dem Kühlschrank frage ich Henry, was er essen möchte, aber er schüttelt nur den Kopf. Ich setze mich ihm gegenüber an den Küchentisch, und er sieht mich an. Seine Augen sind rot und die Haare verstrubbelt, seine Hände sind dünn, das Gesicht freudlos.

»Es war meine Schuld«, sagt Henry. »Wäre ich nicht dort gewesen ...«

»Hättest du sie davon abhalten können?«

»Nein. Ich hab's ja versucht.«

»Na also.«

Die Kaffeemaschine gibt kleine spotzende Geräusche von sich. Henry fährt sich mit den Händen übers Gesicht. »Ich hab mich immer gefragt, wieso sie keine Nachricht hinterlassen hat«, sagt er. Ich will ihn fragen, was er damit meint, als ich Alba in der Küchentür sehe. Sie trägt ein rosa Nachthemd und grüne Maushausschuhe, kneift die Augen zusammen und gähnt im grellen Licht der Küche.

»Hallo, Kleines«, sagt Henry. Alba geht zu ihm und legt sich seitlich über den Rollstuhl. »Mmmmorgen«, sagt Alba.

»Ist noch gar nicht richtig Morgen«, erkläre ich ihr. »Eigentlich ist es noch Nacht.«

»Und warum seid ihr auf, wenn es noch Nacht ist?« Alba rümpft die Nase. »Ihr macht Kaffee, also ist es Morgen.«

»Aha, das ist der alte Kaffee-gleich-Morgen-Trugschluss«, wirft Henry ein. »Deine Logik hinkt, Kumpel.«

»Wieso?« Alba kann es nicht ausstehen, wenn sie nicht Recht hat.

»Du stützt deine Schlussfolgerung auf falsche Daten, du vergisst nämlich, dass deine Eltern Kaffeefanatiker ersten Grades sind und dass wir mitten in der Nacht aufgestanden sein könnten, um NOCH MEHR KAFFEE zu trinken.« Er brüllt wie ein Ungeheuer, ein Kaffeefanatiker zum Beispiel.

»Ich will auch Kaffee«, sagt Alba. »Ich bin *auch* ein Kaffeefanatiker«, brüllt sie zu Henry zurück, aber er hebt sie von sich weg und setzt sie auf den Füßen ab. Alba rennt um den Tisch und schlingt mir die Arme um die Schultern. »Du musst auch brüllen!«, schreit sie mir ins Ohr.

Ich stehe auf und hebe Alba hoch. Inzwischen ist sie sehr schwer. »Brüll selber.« Ich trage sie durch den Flur, werfe sie auf ihr Bett, und sie kreischt vor Vergnügen. Die Uhr auf ihrem Nachttisch zeigt 4.16 Uhr. »Siehst du?« Ich zeige auf die Uhr. »Zu früh für dich, um aufzustehen.« Nach dem obligatorischen Theater legt Alba sich wieder ins Bett, und ich gehe zurück in die Küche. Henry hat uns beiden Kaffee eingeschenkt. Ich setze mich wieder. Hier ist es kalt.

»Clare.«

»Mmm?«

»Wenn ich tot bin...« Henry stockt, blickt zur Seite, holt tief Luft, beginnt erneut. »Ich habe für alles gesorgt, sämtliche Dokumente, du weißt schon, mein Testament, Briefe an Leute, Sachen für Alba – in meinem Schreibtisch liegt alles.« Ich kann nichts sagen. Henry sieht mich an.

»Wann?«, frage ich. Henry schüttelt den Kopf. »Monate? Wochen? Tage?«

»Ich weiß es nicht, Clare.« Das stimmt nicht, natürlich weiß er es.

»Du hast die Todesanzeige gelesen, stimmt's?« Henry zögert, dann nickt er. Ich öffne den Mund, will noch einmal fragen, aber dann habe ich Angst.

STUNDEN, WENN NICHT TAGE

Freitag, 24. Dezember 2006 (Henry ist 43, Clare 35)

HENRY: Ich bin früh wach, so früh, dass das Schlafzimmer im Licht
der Morgendämmerung blau schimmert. Ich liege im Bett, lausche
Clares tiefem Atem, lausche dem sporadischen Verkehrslärm auf
der Lincoln Avenue, den Krähen, die sich gegenseitig rufen, der Heizung, die sich abschaltet. Meine Beine tun weh. Ich setze mich auf,
taste nach dem Vicodin-Fläschchen auf meinem Nachttisch, nehme
zwei und spüle sie mit schaler Cola hinunter.

Ich rutsche wieder unter die Decke und lege mich auf die Seite.
Clare schläft auf dem Bauch, ihre Arme sind wie zum Schutz um
den Kopf geschlungen. Ihre Haare sind unter der Decke versteckt.
Ohne das Ambiente ihrer Haare wirkt sie kleiner. Sie schläft mit der
Schlichtheit, die ihr als Kind eigen war. Ich versuche mich zu erinnern, ob ich Clare jemals als Kind schlafen sah, und stelle fest, dass
das nie der Fall war. Wahrscheinlich habe ich an Alba gedacht. Es
wird hell. Clare bewegt sich, dreht sich zu mir, auf die Seite. Ich
betrachte ihr Gesicht. An Augenwinkeln und Mund sind ein paar
schwache Linien, eine erste Andeutung auf Clares Gesicht in den
mittleren Jahren. Nie werde ich dieses Gesicht sehen, und das bedaure ich bitter, dieses Gesicht, mit dem Clare ohne mich leben
wird, das nie von mir geküsst werden, das zu einer Welt gehören

wird, die ich nicht kenne, außer in der Erinnerung von Clare, endgültig in die konkrete Vergangenheit verbannt.

Heute ist der siebenunddreißigste Todestag meiner Mutter. In diesen siebenunddreißig Jahren habe ich jeden Tag an sie gedacht, mich nach ihr gesehnt, und mein Vater hat, glaube ich, fast ununterbrochen an sie gedacht. Könnte leidenschaftliches Erinnern Tote auferwecken, dann wäre sie unsere Eurydike, dann würde sie wie Lady Lazarus von ihrem hartnäckigen Tod auferstehen und uns trösten. Doch unser Wehklagen konnte ihrem Leben nicht eine Sekunde, nicht einen Herzschlag mehr, nicht einen Atemzug hinzufügen. Mein Verlangen nach ihr wurde lediglich gestillt, indem ich zu ihr ging. Was hat Clare, wenn ich nicht mehr bin? Wie kann ich sie nur allein lassen?

Alba redet im Schlaf. »He«, sagt sie. »He, Teddy! Pst, schlaf jetzt ein.« Stille. »Daddy?« Vorsichtig drehe ich mich um, befreie mich behutsam von der Decke, manövriere mich auf den Fußboden. Dann krieche ich aus unserem Schlafzimmer durch den Flur und in Albas Zimmer. Als sie mich sieht, kichert sie. Ich knurre sie an, und sie tätschelt mir den Kopf, als wäre ich ein Hund. Sie sitzt aufrecht im Bett, umgeben von allen Kuscheltieren, die sie besitzt. »Mach Platz, Rotkäppchen.« Alba rückt zur Seite, und ich hieve mich aufs Bett. Sie ordnet penibel ein paar Spielsachen um mich herum. Ich lege den Arm um sie, lehne mich zurück, und sie hält mir den Blauen Teddy vor die Nase. »Der möchte gern Marshmallows.«

»Für Marshmallows ist es noch ein bisschen früh, Blauer Teddy. Wie wär's mit pochierten Eiern und Toast?«

Alba schneidet eine Grimasse, indem sie Mund, Augenbrauen und Nase zusammenzieht. »Teddy mag keine Eier«, verkündet sie.

»Scht. Mama schläft noch.«

»Na gut«, flüstert Alba laut. »Teddy will blauen Wackelpudding.« Aus dem anderen Zimmer höre ich Clare stöhnen und langsam aufstehen.

»Grießbrei?«, versuche ich sie zu beschwatzen. Alba überlegt. »Mit braunem Zucker?«

»Einverstanden.«

»Willst du ihn machen?« Ich gleite vom Bett.

»Klar. Darf ich auf dir reiten?«

Ich zögere. Meine Beine tun sehr weh, und Alba ist ein bisschen zu schwer geworden, um solche Spiele ohne Schmerzen zu überstehen, aber im Moment kann ich ihr nichts abschlagen. »Klar. Spring auf.« Ich bin auf allen vieren. Alba klettert auf meinen Rücken, und wir machen uns auf den Weg in die Küche. Clare, die verschlafen an der Spüle steht, sieht zu, wie Kaffee in die Kanne tropft. Ich krieche zu ihr, stupse sie mit dem Kopf in die Knie, und sie packt Alba, die die ganze Zeit ausgelassen kichert, und hebt sie hoch. Ich rutsche zu meinem Stuhl. Clare lächelt und sagt: »Was gibt's zum Frühstück, Köche?«

»Wackelpudding!«, schreit Alba.

»Mmm. Welche Sorte Wackelpudding? Cornflakes?«

»Neeeiiin!«

»Schinken?«

»Igitt!« Alba klammert sich an Clare fest, zieht sie an den Haaren.

»Aua. Nicht, Süße. Also dann müssen es Haferflocken sein.«

»Grießbrei!«

»Grießbreiwackelpudding, lecker.« Clare holt den braunen Zucker, die Milch, die Grießbreipackung, stellt alles auf die Theke und schaut mich fragend an. »Und du? Wackelpuddingomelette?«

»Wenn du es machst, gern.« Ich bewundere die Effizienz, mit der sie sich in der Küche bewegt – Clare, der Leitstern aller Backfeen, als hätte sie seit Jahren nichts anderes getan. Sie wird ohne mich zurechtkommen, denke ich mir, wie ich sie so beobachte, dabei weiß ich, dass das nicht stimmt. Alba vermischt Wasser und Grieß, und ich stelle sie mir mit zehn, fünfzehn, zwanzig vor. Ich habe längst noch nicht genug. Ich bin noch nicht fertig. Ich will hier sein. Ich will sie sehen, ich will sie in die Arme schließen, ich will leben…

»Daddy weint«, flüstert Alba Clare zu.

»Weil er essen muss, was ich ihm koche«, sagt Clare, zwinkert mir zu, und ich muss lachen.

SILVESTER, ZWEI

Sonntag, 31. Dezember 2006 (Clare ist 35, Henry 43)
(19.25 Uhr)

CLARE: Wir geben eine Party! Anfangs wollte Henry nicht so recht, aber inzwischen scheint er sich sehr zu freuen. Er sitzt am Küchentisch und zeigt Alba, wie man aus Karotten und Radieschen Blumen schnitzt. Zugegeben, ich bin nicht ganz fair vorgegangen: Ich habe das Thema bei Alba angeschnitten, sie war völlig begeistert, und dann hat er es nicht über sich gebracht, sie zu enttäuschen.

»Es wird toll, Henry. Wir laden alle ein, die wir kennen.«

»Alle?«, fragte Henry mit einem Lächeln.

»Alle, die wir *mögen*«, verbesserte ich mich. Und so mache ich seit Tagen die Wohnung sauber, und Henry und Alba backen Plätzchen (obgleich die Hälfte des Teigs in Albas Mund wandert, wenn wir nicht aufpassen). Gestern waren Charisse und ich im Supermarkt und haben eingekauft: Dips, Chips, Brotaufstriche, alle möglichen Gemüse, außerdem Bier, Wein und Sekt, kleine bunte Zahnstocher für Vorspeisen und Servietten mit *Frohes-neues-Jahr*-Aufdruck in Gold, dazu passende Pappteller und weiß der Kuckuck was noch. Nun riecht es im ganzen Haus nach Frikadellen und dem schon halb vertrockneten Christbaum im Wohnzimmer. Alicia ist da und wäscht die Weingläser.

Henry blickt zu mir auf und sagt: »Hey, Clare, bald ist Showtime. Geh unter die Dusche.« Ich werfe einen Blick auf die Uhr, und ja, er hat Recht, es ist Zeit.

Unter die Dusche, Haare waschen, Haare trocknen, Unterwäsche und BH anziehen, Strümpfe und schwarzes Partykleid aus Seide, Stöckelschuhe, dann ein Tupfer Parfüm, Lippenstift und ein letzter Blick in den Spiegel (nicht schlecht – ich staune), und schon bin ich wieder in der Küche, wo Alba seltsamerweise noch keinen einzigen Fleck auf ihr blaues Samtkleid gemacht hat und Henry noch in seinem löchrigen roten Flanellhemd und der zerrissenen Jeans dasitzt.

»Willst du dich nicht umziehen?«

»Oh ... doch. Klar. Hilfst du mir, hm?« Ich schiebe ihn in unser Schlafzimmer.

»Was möchtest du anziehen?« Ich suche in seinen Schubladen nach Unterwäsche und Socken.

»Egal. Such du's aus.« Henry schließt die Schlafzimmertür. »Komm her.«

Ich höre auf, im Schrank herumzuwühlen und sehe Henry an. Er stellt die Bremse am Rollstuhl fest und manövriert seinen Körper aufs Bett.

»Wir haben keine Zeit«, sage ich.

»Vollkommen richtig. Darum wollen wir sie nicht mit langen Reden verschwenden.« Seine Stimme klingt ruhig und zwingend. Ich sperre die Tür ab.

»Du weißt, ich hab mich eben angezogen...«

»Scht.« Er streckt die Arme nach mir aus, und ich gebe nach, setze mich neben ihn, und plötzlich schießt mir ungebeten eine Wendung durch den Kopf: *das letzte Mal.*

(20.05 Uhr)

HENRY: Als es an der Tür klingelt, binde ich mir gerade die Krawatte. Clare fragt nervös: »Seh ich gut aus?« Das tut sie, rosig und hübsch sieht sie aus, und ich sage es ihr. Wir treten aus dem Schlafzimmer, und Alba rennt zur Tür und schreit: »Grandpa! Grandpa! Kimy!« Mein Vater, der sich den Schnee von den Stiefeln stampft,

beugt sich hinunter und umarmt sie. Clare küsst Dad auf beide
Wangen, und er belohnt sie dafür mit seinem Mantel. Alba nimmt
Kimy in Beschlag und zeigt ihr den Weihnachtsbaum, bevor die
Ärmste überhaupt den Mantel ablegen kann.

»Hallo, Henry«, sagt Dad und lächelt, beugt sich zu mir, und auf
einmal wird mir klar: Heute Abend wird mein Leben vor meinen
Augen aufblitzen. Wir haben alle eingeladen, die uns etwas bedeuten: Dad, Kimy, Alicia, Gomez, Charisse, Philip, Mark und Sharon
mit ihren Kindern, Gram, Ben, Helen, Ruth, Kendrick und Nancy
mit Nachwuchs, Roberto, Catherine, Isabelle, Matt, Amelia, Künstlerfreunde von Clare, Freunde aus meiner Bibliothekarsstudienzeit,
Eltern von Albas Freundinnen, Clares Kunstagentin, und auf Clares
Drängen sogar Celia Attley… Die Einzigen, die fehlen, sind aus trif-
tigen Gründen verhindert: Meine Mutter, Lucille, Ingrid… O Gott.
Hilf mir.

(20.20 Uhr)

CLARE: Gomez und Charisse kommen unbekümmert herein-
geschneit wie Kamikazeflieger. »Hey, Bücherknecht, faules Ei,
schippst du nie den Schnee vom Gehweg?«

Henry schlägt sich an die Stirn. »Ich wusste, ich hab was vergessen.« Gomez legt eine Einkaufstüte voller CDs in Henrys Schoß und
geht zum Schnee schippen nach draußen. Charisse lacht und folgt
mir in die Küche, wo sie eine riesige Flasche Wodka auspackt und
ins Kühlfach steckt. Wir können hören, wie Gomez, der sich mit der
Schaufel an der Hauswand entlangarbeitet, »Let It Snow« singt.

»Wo sind die Kinder?«, frage ich Charisse.

»Wir haben sie bei meiner Mutter gelassen. Schließlich ist Silves-
ter, und wir dachten, bei Grandma haben sie mehr Spaß. Außerdem
wollten wir unseren Kater in Ruhe ausschlafen, verstehst du?« Darüber habe ich eigentlich nie nachgedacht, denn seit ich mit Alba
schwanger war, war ich nicht mehr betrunken. Alba kommt in die
Küche gerannt, und Charisse umarmt sie stürmisch. »Hey, kleines
Mädchen! Wir haben dir ein Weihnachtsgeschenk mitgebracht!«

Alba sieht mich an. »Na los, mach auf.« Es ist ein kleines Maniküreset, komplett mit Nagellack. Alba sperrt vor Staunen den Mund auf. Ich stupse sie an, da fällt es ihr ein.

»*Vielen Dank*, Tante Charisse.«

»Gern geschehen, Alba.«

»Zeig es Daddy«, sage ich, und sie rennt in Richtung Wohnzimmer davon. Als ich den Kopf in den Flur strecke, sehe ich, wie Alba aufgeregt vor Henry herumhantiert, der ihr seine Finger hinhält, als ziehe er eine Fingernagelektomie in Erwägung. »Volltreffer«, sage ich zu Charisse.

Sie lächelt. »Davon war ich völlig besessen, als ich klein war. Ich wollte später Kosmetikerin werden.«

»Und weil du das nicht gepackt hast, bist du Künstlerin geworden.«

»Ich habe Gomez kennen gelernt und eingesehen, dass es noch keinem gelungen ist, das spießige, kapitalistische, frauenfeindliche Wirtschaftssystem zu Fall zu bringen, indem er seine Betreiber pedikü't.«

»Allerdings haben wir sie auch nicht in die Knie gezwungen, indem wir ihnen Kunst verkauft haben.«

»Du sprichst wohl für dich, Süße. Du bist einfach süchtig nach Schönheit, mehr nicht.«

»Ich bekenne mich schuldig.« Wir schlendern ins Esszimmer, wo Charisse sich den Teller mit Essen belädt. »Und woran arbeitest du zurzeit?«, frage ich sie.

»Computerviren als Kunst.«

»Wow.« Bitte nicht. »Ist das nicht illegal?«

»Ach, eigentlich nicht. Ich designe sie nur, dann male ich die html auf die Leinwand, dann stelle ich sie aus. Ich bringe sie ja nicht in Umlauf.«

»Aber jemand anders könnte es tun.«

»Klar.« Charisse grinst boshaft. »Darauf setze ich meine Hoffnung. Gomez macht sich zwar lustig darüber, aber einige dieser kleinen Zeichnungen könnten der Weltbank, Bill Gates und diesen Schweinen, die die Geldautomaten herstellen, ernsthafte Unannehmlichkeiten bereiten.«

»Na, dann viel Glück. Wann ist die Ausstellung?«

»Im Mai. Du bekommst eine Karte.«

»Ja, und dann tausche ich unser Vermögen sofort in Gold um und fang an, Mineralwasserflaschen zu stapeln.«

Charisse lacht. Catherine und Amelia sind angekommen, und wir beenden unser Gespräch über Weltanarchie durch Kunst und gehen dazu über, uns gegenseitig in unseren Partykleidern zu bewundern.

(20.50 Uhr)

HENRY: Das Haus ist brechend voll mit unseren Lieben, von denen ich einige zuletzt vor der Operation gesehen habe. Leah Jacobs, Clares Kunstagentin, gibt sich taktvoll und freundlich, aber es fällt mir schwer, ihrem mitleidvollen Blick standzuhalten. Celia dagegen überrascht mich: Sie kommt direkt auf mich zu und hält mir die Hand hin. Ich nehme sie, und sie sagt: »Tut mir Leid, dich so zu sehen.«

»Dafür siehst du großartig aus«, entgegne ich, und das stimmt. Sie hat eine eindrucksvolle Turmfrisur und ist in glänzendes Blau gekleidet.

»Mm-mh«, sagt Celia mit ihrer fabelhaften Karamellstimme. »Ich fand es besser, als du noch böse warst und ich dich weißes Würstchen einfach hassen konnte.«

Ich muss lachen. »Ach, die guten alten Zeiten.«

Sie greift tief in ihre Handtasche. »Das hier habe ich vor langer Zeit mal in Ingrids Sachen gefunden. Ich dachte mir, Clare möchte es vielleicht.« Celia reicht mir ein Foto. Es zeigt mich, vermutlich um 1990. Meine Haare sind noch lang und ich lache, stehe am Oak Street Beach ohne Hemd. Ein schönes Foto. Ich kann mich nicht entsinnen, wann Ingrid es aufgenommen hat, aber inzwischen ist vieles aus meiner Zeit mit Ingrid irgendwie verschwunden.

»Ja, ich wette, das gefällt ihr. *Memento mori.*« Ich gebe ihr das Bild zurück.

Celia sieht mich scharf an. »Du bist noch nicht tot, Henry DeTamble.«

»Ich bin nicht weit davon entfernt, Celia.«

Sie lacht. »Solltest du vor mir in die Hölle kommen, reservier mir einen Platz neben Ingrid.« Sie dreht sich unvermittelt um und zieht los, um Clare zu suchen.

CLARE: Die Kinder sind herumgerannt, haben zu viel durcheinander gegessen und jetzt sind sie zwar müde, aber quängelig. Als ich im Flur an Colin Kendrick vorbeigehe, frage ich ihn, ob er ein Nickerchen machen will, worauf er sehr ernst entgegnet, er möchte gern mit den Erwachsenen aufbleiben. Ich bin gerührt von seiner Höflichkeit und der Schönheit dieses vierzehnjährigen Jungen, von seiner Schüchternheit mir gegenüber, obwohl er mich schon sein ganzes Leben lang kennt. Alba und Nadia Kendrick sind nicht so beherrscht. »Mamaaa«, meckert Alba, »du hast doch gesagt, wir dürfen *aufbleiben*.«

»Wollt ihr nicht lieber ein Weilchen schlafen? Ich würde euch kurz vor Mitternacht wecken.«

»*Neeeeiiin.*« Kendrick, der diesen Wortwechsel und mein Schulterzucken verfolgt, muss lachen.

»Das unbezähmbare Duo. Gut, ihr Mädchen, geht doch in Albas Zimmer und spielt eine Weile.« Brummelnd schlurfen sie davon. Uns ist klar, dass sie in ein paar Minuten fröhlich spielen werden.

»Es ist schön, dich zu sehen, Clare«, sagt Kendrick. Alicia kommt herübergeschlendert.

»Hey, Clare. Guck dir das mal an.« Ich folge ihrem Blick und sehe, wie unser Vater mit Isabelle flirtet. »Wer ist das?«

»O Gott.« Ich muss lachen. »Das ist Isabelle Berk.« Ich umreiße ihr kurz die drakonischen sexuellen Vorlieben von Isabelle. Wir müssen so lachen, dass wir kaum Luft bekommen. »Herrlich, einfach herrlich. Oh. Hör auf«, sagt Alicia.

Angezogen von unserem hysterischen Lachen kommt Richard zu uns. »Was ist da so komisch, ihr Hübschen?«

Wir schütteln den Kopf, noch immer kichernd. »Sie machen sich über das Paarungsgebaren ihrer väterlichen Autoritätsfigur lustig«, sagt Kendrick. Richard nickt verwirrt und erkundigt sich bei Alicia nach ihrem Konzertprogramm im Frühjahr. Dann spazieren sie in Richtung Küche davon, unterhalten sich über Bukarest und Bartók. Kendrick steht immer noch bei mir und möchte etwas loswerden, von dem ich nichts hören will. Ich will mich umdrehen, aber er legt mir seine Hand auf den Arm.

»Warte, Clare...« Ich warte. »Es tut mir Leid«, sagt er.

»Schon gut, David.« Einen Augenblick sehen wir uns an. Kendrick schüttelt den Kopf, tastet nach seinen Zigaretten. »Wenn du irgendwann im Labor vorbeikommen willst, könnte ich dir zeigen, was ich für Alba getan habe...« Ich lasse meinen Blick über die Gäste schweifen, auf der Suche nach Henry. Gomez zeigt Sharon im Wohnzimmer, wie man Rumba tanzt. Alle scheinen sich zu amüsieren, nur Henry ist nirgendwo in Sicht. Ich habe ihn seit mindestens einer Dreiviertelstunde nicht mehr gesehen und verspüre den starken Drang, ihn zu suchen, um mich zu vergewissern, dass es ihm gut geht, um zu sehen, dass er da ist. »Entschuldige mich«, sage ich zu Kendrick, der aussieht, als wollte er die Unterhaltung gern fortsetzen. »Ein andermal. Wenn es ruhiger ist.« Er nickt. Nancy Kendrick erscheint mit Colin im Schlepptau, womit das Thema ohnehin tabu wäre. Sie beginnen eine lebhafte Diskussion über Eishockey, und ich entwische.

(21.48 Uhr)

HENRY: Im Haus ist es sehr warm geworden, und um etwas abzukühlen sitze ich auf der umbauten Vorderveranda. Ich höre die Leute im Wohnzimmer reden. Der Schnee, der inzwischen dicht und schnell fällt, bedeckt die Autos und Büsche, zeichnet die harten Linien weicher und erstickt das Rauschen des Verkehrs. Eine wunderschöne Nacht. Ich öffne die Tür zwischen Veranda und Wohnzimmer.

»Hey Gomez.«

Er kommt herübergetrottet und streckt den Kopf durch die Tür. »Ja?«

»Lass uns nach draußen gehen.«

»Da ist es saukalt.«

»Komm schon, du verweichlichter alter Stadtrat.«

Etwas in meinem Tonfall überzeugt ihn. »Schon gut, schon gut. Sekunde noch.« Er verschwindet und kehrt nach ein paar Minuten im Mantel zurück, meinen trägt er im Arm. Während ich mich hineinschlängle, bietet er mir seinen schicken Flachmann an.

»Oh, nein danke.«

»Wodka. Davon wachsen dir Haare auf der Brust.«

»Beißt sich mit Opiaten.«

»Ach, richtig. Wie schnell wir doch vergessen.« Gomez schiebt mich durchs Wohnzimmer. Oben an der Treppe hebt er mich aus dem Stuhl, nimmt mich Huckepack wie ein kleines Kind, wie einen Affen, und schon sind wir vor der Haustür im Freien und die kalte Luft fühlt sich an wie ein Chitinpanzer. Ich kann den Alkohol in Gomez' Schweiß riechen. Irgendwo da draußen, hinter den grellen Chicagoer Lichtern, leuchten die Sterne.

»Genosse.«

»Mmm?«

»Danke für alles. Du warst der Beste...« Ich kann sein Gesicht nicht sehen, spüre aber, wie Gomez unter den vielen Kleiderschichten erstarrt.

»Was sagst du da?«

»Es besteht keine Hoffnung mehr, Gomez. Die Zeit ist um. Das Spiel ist aus.«

»Wann?«

»Bald.«

»Wie bald?«

»Ich weiß nicht«, lüge ich. Schon sehr bald. »Jedenfalls wollte ich dir sagen – ich weiß, dass ich dir manchmal ziemlich auf den Wecker gegangen bin« (Gomez lacht), »aber es war großartig« (ich stocke, weil ich den Tränen nahe bin) »es war wirklich großartig« (und da stehen wir, wir zwei sprachlosen unbeholfenen Amerikaner, unser Atem gefriert in Wolken vor uns, alle möglichen Worte bleiben nun unausgesprochen) und schließlich sage ich: »Komm, wir gehen wieder rein«, und das tun wir. Als Gomez mich sanft in den Rollstuhl zurücksetzt, umarmt er mich kurz, und dann entfernt er sich schweren Schrittes ohne sich umzudrehen.

(22.15 Uhr)

CLARE: Henry ist nicht im Wohnzimmer, das sich mit einem kleinen, aber wild entschlossenen Grüppchen von Leuten gefüllt hat,
die in den verschiedensten unmöglichen Stilen zu den Squirrel Nut
Zippers tanzen. Charisse und Matt legen etwas hin, das nach Cha-
Cha-Cha aussieht, und Roberto tanzt mit beträchtlichem Charme
mit Kimy, die sich gefühlvoll, aber unerschütterlich in einer Art
Foxtrott bewegt. Gomez hat Sharon zugunsten von Catherine aufgegeben, die kreischt, wenn er sie herumwirbelt, und lacht, als er
aufhört zu tanzen, um sich eine Zigarette anzuzünden.

Henry ist auch nicht in der Küche, die von Raoul, James, Lourdes
und dem Rest meiner Künstlerfreunde in Beschlag genommen worden ist. Sie ergötzen sich gegenseitig mit Geschichten von schrecklichen Dingen, die Kunstagenten Künstlern angetan haben und umgekehrt. Lourdes erzählt gerade von Ed Kienholtz, der eine
kinetische Skulptur schuf, die ein großes Loch in den teuren
Schreibtisch seines Agenten bohrte. Alle lachen sie schadenfroh. Ich
drohe ihnen mit dem Zeigefinger. »Lasst das bloß nicht Leah hören«, sage ich scherzhaft. »Wo ist Leah eigentlich?«, ruft James. »Die
hat doch bestimmt ein paar ganz tolle Geschichten auf Lager...« Er
begibt sich auf die Suche nach meiner Agentin, die auf der Treppe
mit Mark einen Cognac trinkt.

Ben macht sich einen Tee. Er hat einen Plastikbeutel mit allen
möglichen übel riechenden Kräutern, die er sorgsam in ein Teesieb
abmisst, und das taucht er in einen Becher mit kochendem Wasser.
»Hast du Henry gesehen?«, frage ich ihn.

»Ja, eben hab ich noch mit ihm geredet. Er ist auf der Vorderveranda.« Ben sieht mich an. »Ich mach mir ein bisschen Sorgen
um ihn. Er wirkt so traurig. Er war...« Ben verstummt, macht eine
Handbewegung, die so viel bedeutet wie *vielleicht täusche ich mich
ja auch,* »er hat mich an manche Patienten erinnert, wenn sie damit
rechnen, nicht mehr lange unter uns zu weilen...« Mir zieht sich der
Magen zusammen.

»Seit der Sache mit den Füßen ist er sehr deprimiert...«

»Ich weiß. Aber er hat geredet, als steige er in einen Zug, der jeden Augenblick abfährt, verstehst du, er hat gesagt...«, Ben senkt die Stimme, die ohnehin immer sehr leise ist, so dass ich ihn kaum verstehen kann: »Er hat gesagt, er liebe mich und möchte mir danken ... ich meine, solche Sachen sagt doch niemand, sagt kein *Mann*, wenn er davon ausgeht, dass alles normal läuft.« Bens Augen schimmern feucht hinter den Brillengläsern, und ich nehme ihn in den Arm, halte seinen geschundenen Körper fest, und so stehen wir eine Weile da. Um uns herum plaudern Leute und ignorieren uns. »Ich will keinen überleben«, sagt Ben. »Himmel. Nachdem ich dieses grässliche Zeug getrunken habe und fünfzehn Jahre lang praktisch ein Märtyrer war, hab ich mir doch wohl das Recht verdient, dass alle meine Bekannten hinter meinem Sarg defilieren und sagen: ›Er wurde mitten aus dem Leben gerissen.‹ Oder so was in der Richtung. Ich zähle darauf, dass Henry dabei ist und Donne zitiert: ›*Tod, sei nicht stolz, du blöder Arsch.*‹ Das wird herrlich.«

Ich muss lachen. »Also, wenn Henry es nicht schafft, werde ich kommen und eine schlechte Parodie von ihm geben.« Ich ziehe eine Braue hoch, hebe mein Kinn, senke die Stimme: »*Nach kurzem Schlaf geht's ewiger Wachheit zu, Und Gevatter Tod wird um drei Uhr morgens in seiner Unterwäsche in der Küche sitzen und das Kreuzworträtsel der letzten Woche lösen...*« Ben biegt sich vor Lachen. Ich küsse ihn auf die bleiche, glatte Wange und gehe weiter.

Henry sitzt allein auf der Vorderveranda im Dunkeln und beobachtet die Schneeflocken. Ich habe fast den ganzen Tag nicht aus dem Fenster gesehen und stelle erstaunt fest, dass es seit Stunden beständig geschneit hat. Schneepflüge rattern die Lincoln Avenue entlang, und unsere Nachbarn schippen ihre Fußwege. Es ist kalt hier, obwohl die Veranda umbaut ist.

»Komm mit rein«, sage ich zu Henry. Ich stehe neben ihm und beobachte einen Hund, der auf der anderen Straßenseite im Schnee herumtollt. Henry legt mir den Arm um die Taille und lehnt den Kopf an meine Hüfte.

»Ich wünschte, wir könnten jetzt die Zeit anhalten«, sagt er. Ich fahre ihm mit den Fingern durchs Haar. Es ist dicker und struppiger als früher, bevor es grau wurde.

»Clare.«

»Henry.«

»Es ist so weit …« Er hält inne.

»Was?«

»Es … Ich werde …«

»Mein Gott.« Ich setze mich auf den Diwan und sehe Henry an. »Aber … nein. Du musst einfach … bleiben.« Ich drücke seine Hände ganz fest.

»Es ist schon geschehen. Komm, lass mich bei dir sitzen.« Er schwingt sich vom Rollstuhl auf den Diwan. Wir legen uns auf den kalten Stoff. Ich zittere in meinem dünnen Kleid. Die Leute im Haus lachen und tanzen. Henry legt den Arm um mich und wärmt mich.

»Warum hast du es mir nicht erzählt? Warum hast du mich die vielen Leute einladen lassen?« Ich möchte mich nicht ärgern, tue es aber trotzdem.

»Ich will nicht, dass du allein bist … danach. Und ich wollte mich von allen verabschieden. Es war gut, war ein schönes letztes Hurra …« Eine Weile liegen wir schweigend da. Der Schnee fällt lautlos zur Erde.

»Wie spät ist es?«

Ich sehe auf die Uhr. »Kurz nach elf.« O Gott. Henry nimmt eine Decke vom anderen Stuhl, und wir wickeln uns darin ein. Ich kann es nicht fassen. Mir war klar, dass es bald so kommen würde, früher oder später kommen musste, aber jetzt ist es so weit, und wir liegen einfach da und warten …

»Warum können wir denn nichts tun?«, flüstere ich in Henrys Hals.

»Clare …« Henry hält mich im Arm. Ich schließe die Augen.

»Halt es auf. Lass nicht zu, dass es geschieht. *Ändere* etwas.«

»Ach, Clare.« Henrys Stimme ist leise. Ich blicke zu ihm auf, und im vom Schnee reflektierten Licht sehe ich in seinen Augen Tränen schimmern. Ich lege meine Wange an seine Schulter. Er streichelt mir übers Haar. So liegen wir eine ganze Weile da. Henry schwitzt. Ich fasse ihm an die Stirn, er glüht wie im Fieber.

»Wie spät ist es?«

»Fast Mitternacht.«

»Ich hab Angst.« Ich hake meine Arme bei ihm unter, schlinge meine Beine um die seinen. Mir ist unvorstellbar, dass Henry, so präsent, mein Geliebter, dieser Mensch aus Fleisch und Blut, den ich mit aller Kraft an mich drücke, jemals verschwinden könnte:

»Küss mich!«

Ich küsse Henry, und dann bin ich allein, unter der Decke, auf dem Diwan, auf der kalten Veranda. Es schneit immer noch. Im Haus wird die Platte angehalten, ich höre Gomez sagen »Zehn! Neun! Acht!«, und dann sagen alle gemeinsam »sieben! sechs! fünf! vier! drei! zwei! eins! Frohes neues Jahr!« Ein Sektkorken knallt, alle fangen an gleichzeitig zu reden, und jemand fragt: »Wo sind eigentlich Henry und Clare?« Draußen auf der Straße zündet jemand Knallkörper. Ich lege den Kopf in die Hände und warte.

III

EINE ABHANDLUNG ÜBER SEHNSUCHT

... und schreib, dass ich
Dies Testament im dreiundvierzigsten Jahr
Verfasst. An meiner Zeit End, meiner *Zeit*,
In der ich die Unendlichkeit geschaut
Durch Risse in der Dinge Haut und starb daran.

Antonia S. Byatt, *Besessen*

Sie folgte langsam und sie brauchte lang
Als wäre etwas noch nicht überstiegen;
Und doch: Als ob, nach einem Übergang,
sie nicht mehr gehen würde, sondern fliegen.

aus *Die Erblindende*
Rainer Maria Rilke (Paris 1906)

Samstag, 27. Oktober 1984/Montag, 1. Januar 2007
(Henry ist 43, Clare 35)

HENRY: Der Himmel ist leer und ich falle ins hohe trockene Gras, *bitte lass es schnell gehen,* und obwohl ich versuche still zu liegen, ertönt in der Ferne ein Schuss, bestimmt hat das nichts mit mir zu tun, aber nein: Es reißt mich zu Boden, ich betrachte meinen Bauch, der sich wie ein Granatapfel geöffnet hat, eine Suppe aus Eingeweiden und Blut schwappt in der Schüssel meines Körpers; es tut gar nicht weh, *wie ist das möglich?,* aber ich kann nur die kubistische Version meiner Innereien bewundern, *jemand kommt herbeigerannt* ich will nur Clare sehen bevor *bevor* – ich schreie ihren Namen *Clare, Clare* und Clare beugt sich über mich, sie weint, und Alba flüstert: »Daddy...«

»Liebe dich...«

»Henry!«

»Immer und ewig...«

»O Gott, o Gott!«

»Welt genug...«

»Nein!«

»Und Zeit...«

»*Henry!*«

CLARE: Im Wohnzimmer ist es ganz still. Alle stehen unbeweglich da, wie erstarrt, und blicken auf uns herab. Billie Holiday singt, und dann schaltet jemand den CD-Player aus und es herrscht Schweigen. Ich sitze auf dem Boden und halte Henry im Arm. Alba kauert über ihm, flüstert ihm ins Ohr, schüttelt ihn. Henrys Haut ist noch warm, seine Augen sind offen, starren an mir vorbei, er ist schwer in meinen Armen, furchtbar schwer, seine blasse Haut ist aufgeplatzt, alles ist rot, zerfetztes Fleisch umrahmt ein blutiges Geheimnis. Ich wiege Henry. Aus einem Mundwinkel rinnt Blut. Ich wische es ab. Irgendwo in der Nähe explodieren Knallfrösche.

Gomez sagt: »Ich glaube, wir rufen lieber die Polizei.«

AUFLÖSUNG

Freitag, 2. Februar 2007 (Clare ist 35)

CLARE: Ich schlafe den ganzen Tag. Geräusche huschen durchs Haus – ein Müllwagen in der Gasse, Regen, ans Fenster klopfende Zweige. Ich schlafe. Ich habe mich fest im Schlaf eingerichtet, zwinge ihn herbei, halte ihn, schiebe Träume weg, ich will nicht, will nicht. Der Schlaf ist jetzt mein Liebhaber, mein Vergessen, mein Opiat, mein Nichts. Das Telefon klingelt und klingelt. Ich habe den Anrufbeantworter, der sich mit Henry meldet, abgeschaltet. Es ist Nachmittag, es ist Abend, es ist Morgen. Alles ist auf dieses Bett reduziert, diesen endlosen Schlummer, der die Tage zu einem einzigen Tag gerinnen lässt, der die Zeit anhält, der die Zeit dehnt und zusammendrängt, bis sie bedeutungslos wird.

Manchmal lässt mich der Schlaf im Stich und dann tue ich, als wenn Etta gekommen wäre und mich zur Schule wecken will. Ich atme langsam und tief. Ich halte die Augen unter den Lidern still, ich halte mein Denken still, und bald kommt der Schlaf, um sich, kaum sieht er das perfekte Abbild seiner selbst, mit seinem Faksimile zu vereinen.

Manchmal wache ich auf und taste nach Henry. Der Schlaf löscht alle Unterschiede aus: damals und jetzt, tot und lebendig. Ich bin weit entfernt von Hunger, Eitelkeit, Sorgfalt. Heute Morgen habe ich einen Blick von meinem Gesicht im Badezimmerspiegel erhascht. Meine Haut ist wächsern, ich bin hager, habe Augenringe, verfilzte Haare. Ich sehe aus wie tot. Ich will nichts.

Kimy sitzt am Fußende des Bettes. »Clare?«, sagt sie. »Alba ist aus der Schule zurück ... willst du sie nicht hereinlassen, sie begrüßen?« Ich tue, als wenn ich schlafe. Albas kleine Hand streichelt mein Gesicht. Tränen sickern mir aus den Augen. Alba stellt etwas – ihren Rucksack? ihren Geigenkasten? – auf dem Boden ab, und Kimy sagt: »Zieh deine Schuhe aus, Alba«, und dann krabbelt Alba zu mir ins Bett. Sie schlingt meinen Arm um sich, steckt ihren Kopf unter mein Kinn. Seufzend öffne ich die Augen. Alba stellt sich schlafend. Ich betrachte ihre dichten schwarzen Wimpern, den breiten Mund, die blasse Haut. Sie atmet gleichmäßig, umklammert meine Hüfte mit ihrer kräftigen Hand, sie riecht nach Bleistiftschnipseln, Harz und Shampoo. Ich küsse sie aufs Haar. Alba öffnet die Augen, und ihre Ähnlichkeit mit Henry ist beinahe mehr, als ich ertragen kann. Kimy steht auf und geht aus dem Zimmer.

Später stehe ich auf, stelle mich unter die Dusche, esse mit Kimy und Alba am Tisch zu Abend. Als Alba im Bett liegt, setze ich mich an Henrys Schreibtisch, öffne die Schubladen, nehme ein Bündel mit Briefen und Papieren heraus und beginne zu lesen.

Ein Brief, zu öffnen im Falle meines Todes

10. Dezember 2006

Liebste Clare,
während ich dies schreibe, sitze ich an meinem Schreibtisch im hinteren Schlafzimmer und blicke über den bläulichen Abendschnee im Hof auf dein Atelier. Alles ist glatt und mit einer Eiskruste überzogen, und es ist sehr still. Es ist einer dieser Winterabende, an dem allgegenwärtige Kälte die Zeit zu verlangsamen scheint, als riesle die Zeit durch die schmale Mitte einer Eieruhr, langsam, ganz langsam. Ich habe das Gefühl, das mir sehr vertraut ist, wenn ich nicht in der Gegenwart bin, das ich sonst aber so gut wie nie empfinde, nämlich, dass die Zeit mich trägt und ich mühelos auf ihrer Oberfläche treibe wie eine dicke Schwimmerin. Vorhin, als ich so allein hier im Haus war (du bist bei Alicias Konzert in der St.-Lucy-Kirche), verspürte

ich plötzlich den heftigen Wunsch, dir einen Brief zu schreiben. Auf einmal wollte ich etwas hinterlassen, für *danach*. Ich glaube, die Zeit wird jetzt knapp. Mir ist, als seien meine Reserven an Energie, an Freude, an Durchhaltekraft dürftig und beschränkt. Ich fühle mich nicht in der Lage, noch sehr viel länger weiterzumachen. Ich weiß, dass auch du das weißt.

Wenn du diese Zeilen liest, bin ich vermutlich tot. (Ich sage vermutlich, weil man nie weiß, wie die Verhältnisse sich entwickeln; außerdem erscheint es mir dumm und arrogant, den eigenen Tod als ausgemachte Tatsache hinzustellen.) Was meinen Tod betrifft, so hoffe ich, er war schlicht, sauber und eindeutig. Ich hoffe, er hat nicht zu viele Umstände gemacht. Es tut mir Leid. (Das Ganze liest sich wie ein Selbstmordbrief. Komisch.) Aber du weißt: Du weißt genau, dass ich, wenn ich hätte bleiben, wenn ich hätte weitermachen können, jede Sekunde festgehalten hätte: Wie immer er verlaufen sein mag, dieser Tod, du weißt, er kam und hat mich *geholt*, wie ein Kind, das von Kobolden entführt wird.

Clare, ich möchte dir noch einmal sagen: Ich liebe dich. Unsere Liebe war der Faden durch das Labyrinth, das Netz unter dem Drahtseiltänzer, der einzige Fixpunkt in meinem sonderbaren Leben, auf den ich vertrauen konnte. Heute Abend ist mir, als hätte meine Liebe zu dir eine größere Dichte in dieser Welt als ich selbst: Als könnte sie nach mir fortbestehen und dich umgeben, dich tragen, dich halten.

Ich finde es schrecklich, mir vorzustellen, dass du wartest. Dein ganzes Leben hast du auf mich gewartet, immer im Ungewissen, wie lange die nächste Wartephase dauern wird. Zehn Minuten, zehn Tage. Ein Monat. Ich bin dir ein unsteter Mann gewesen, Clare, ein Matrose, Odysseus, allein auf hoher See hin und her geworfen, mal listig, mal nur ein Spielzeug der Götter. Bitte, Clare. Wenn ich tot bin. Hör auf zu warten und sei frei. Von mir – bewahre mich tief in dir, dann geh hinaus in die Welt und lebe. Liebe die Welt und dich selbst darin, bewege dich durch sie, als böte sie keinen Widerstand, als sei sie dein natürliches Element. Durch mich warst du in einer Welt der vorübergehenden Leblosigkeit. Damit will ich nicht sagen, dass du nichts getan hast. Du hast Schönheit und Sinn geschaffen, in deiner Kunst und mit Alba, die so unglaublich ist, und für mich: Du warst mein Ein und Alles.

Der Tod meiner Mutter hat meinen Vater vollkommen aufgezehrt. Sie hätte das nie und nimmer gewollt. Jede Minute seines Lebens war seitdem von ihrer Abwesenheit geprägt, jeder Handlung fehlte Bedeutung, weil sie nicht da war, um als Maßstab zu dienen. Als ich klein war, konnte ich das nicht verstehen, doch inzwischen weiß ich, dass Abwesenheit sehr präsent sein kann, wie ein kaputter Nerv, wie ein dunkler Vogel. Müsste ich ohne dich weiterleben, ich weiß, es wäre mir unmöglich. Aber ich habe Hoffnung, ich habe diese Vision von dir, dass du unbelastet weitergehst, dein Haar glänzend in der Sonne. Ich habe dieses Bild nicht mit eigenen Augen gesehen, sondern nur in meiner Phantasie, die Bilder schafft und die dich immer malen wollte, strahlend; dennoch hoffe ich, meine Vision wird sich erfüllen.

Clare, da ist noch etwas, und ich habe gezögert, ob ich es dir sagen soll, weil ich auf abergläubische Weise befürchte, es auszusprechen könnte dazu führen, dass es nicht geschieht (albern, ich weiß), und weil ich mich eben darüber ausgelassen habe, dass du nicht warten sollst und dies dich veranlassen könnte, ganz besonders lange zu warten. Dennoch will ich es dir sagen, für den Fall, dass du etwas brauchst, *danach*.

Als ich letzten Sommer einmal bei Kendrick im Wartezimmer saß, fand ich mich plötzlich in einem dunklen Flur wieder, in einem Haus, das ich nicht kenne. Irgendwie stolperte ich über lauter Gummistiefel, es roch nach Regen. Am Ende des Flurs konnte ich einen Lichtrand um eine Tür erkennen, also ging ich ganz langsam und ganz ruhig zu der Tür und schaute hinein. Das Zimmer war weiß gestrichen und hell erleuchtet von der Morgensonne. Am Fenster saß mit dem Rücken zu mir eine Frau, sie trug eine korallenrote Strickjacke, ihre langen weißen Haare hingen ihr lose über den Rücken. Auf einem Tisch neben ihr stand eine Tasse Tee. Wahrscheinlich machte ich ein Geräusch oder sie spürte mich hinter sich, jedenfalls drehte sie sich um und sah mich, und ich sah sie, und das warst du, Clare, das warst du als alte Frau, in der Zukunft. Es war wunderschön, Clare, unbeschreiblich schön, so gleichsam aus dem Tod zu kommen und dich zu umarmen, und die vielen Jahre deutlich in deinem Gesicht zu sehen. Ich will dir nicht mehr erzählen, damit du es dir vorstellen, damit du es spontan erleben kannst, wenn die Zeit kommt, und sie wird kommen, ganz bestimmt. Wir werden uns wiedersehen, Clare. Bis dahin lebe dein Leben, sei in der Welt, die so schön ist.

Nun ist es dunkel und ich bin sehr müde. Ich liebe dich, auf immer und ewig. Zeit bedeutet nichts.

Henry

DASEIN

Samstag, 12. Juli 2008 (Clare ist 37)

CLARE: Charisse ist mit Alba, Rosa, Max und Joe beim Rollschuh-
fahren im Rainbo. Ich fahre bei ihr vorbei, um Alba abzuholen,
bin jedoch zu früh dran, und Charisse hat gemeint, sie verspätet
sich. Gomez öffnet mit einem Handtuch um die Hüften die Tür.

»Komm doch rein«, sagt er und reißt die Tür weit auf. »Willst du
einen Kaffee?«

»Klar.« Ich folge ihm durch das chaotische Wohnzimmer in die
Küche. Dort setze ich mich an den Tisch, der noch mit Frühstücks-
geschirr übersät ist, und räume mir eine Stelle frei, die groß genug
ist, um die Arme aufzustützen. Gomez rumort in der Küche herum
und macht Kaffee.

»Hab dich lange nicht gesehen.«

»Ich hatte viel zu tun. Alba nimmt alle möglichen Stunden, und
ich fahre sie ständig durch die Gegend.«

»Machst du nebenbei auch Kunst?« Gomez stellt eine Tasse mit
Untertasse vor mich hin und schenkt Kaffee ein. Milch und Zucker
stehen bereits auf dem Tisch, also bediene ich mich.

»Nein.«

»Aha.« Gomez lehnt an der Küchentheke, die Hände um seine
Kaffeetasse geschlungen. Sein Haar ist dunkel vom Wasser und glatt

nach hinten gekämmt. Bis jetzt ist mir nie aufgefallen, dass sein Haaransatz zurückgeht. »Und was, außer ihre Hoheit herumzuchauffieren, machst du sonst noch?«

Was ich sonst noch mache? Ich warte. Ich denke. Ich sitze auf unserem Bett und halte ein altes kariertes Hemd in der Hand, das noch nach Henry riecht, sauge seinen Duft tief in mich ein. Nachts um zwei mache ich Spaziergänge, wenn Alba wohlbehalten in ihrem Bett liegt, lange Spaziergänge, damit ich müde werde und schlafen kann. Ich unterhalte mich mit Henry, als wenn er bei mir wäre, als wenn er durch meine Augen sehen, mit meinem Kopf denken könnte.

»Nicht viel.«

»Hmm.«

»Und du?«

»Ach, du weißt schon. Ich gebe den Stadtrat. Spiele den strengen Familienvater. Das Übliche.«

»Aha.« Ich trinke einen Schluck Kaffee, werfe einen Blick auf die Uhr über der Spüle. Sie hat die Form einer schwarzen Katze: Der Schwanz schwingt hin und her wie ein Pendel, und die großen Augen bewegen sich im Takt mit jeder Schwingung. Sie tickt laut. Es ist 11.45 Uhr.

»Möchtest du was essen?«

Ich schüttle den Kopf. »Nein, vielen Dank.« Nach dem Geschirr auf dem Tisch zu urteilen gab es bei Gomez und Charisse Honigmelone, Rührei und Toast zum Frühstück. Die Kinder hatten Haferflocken, Müsli und irgendwas mit Erdnussbutter drauf. Der Tisch gleicht der archäologischen Rekonstruktion eines Familienfrühstücks aus dem einundzwanzigsten Jahrhundert.

»Hast du einen Freund?« Ich blicke auf, Gomez lehnt immer noch an der Theke, hält immer noch die Kaffeetasse auf Kinnhöhe.

»Nein.«

»Warum nicht?«

Das geht dich nichts an, Gomez. »Ist mir noch nicht in den Sinn gekommen.«

»Du solltest aber darüber nachdenken.« Er stellt seine Tasse in die Spüle.

»Warum?«

»Du brauchst etwas Neues. Einen Neuen. Du kannst nicht den Rest deines Lebens herumsitzen und darauf warten, dass Henry auftaucht.

»Klar kann ich. Wie du siehst.«

Zwei Schritte, und Gomez steht neben mir. Er beugt sich zu mir heran, sein Mund ist an meinem Ohr. »Fehlt dir denn nie ... das?« Er leckt meine Ohrmuschel. *Doch, das fehlt mir.* »Lass mich in Ruhe, Gomez«, zische ich ihn an, weiche aber nicht zurück. Eine Idee lässt mich wie festgenagelt sitzen bleiben. Gomez hebt meine Haare hoch und küsst mich auf den Nacken.

Komm zu mir, ja! komm zu mir!

Ich schließe die Augen. Hände ziehen mich hoch, knöpfen mein Hemd auf. Zunge auf meinem Hals, meinen Schultern, meinen Nippeln. Blindlings taste ich nach vorn und spüre Frottee, ein Badetuch, das herunterfällt. *Henry.* Hände knöpfen meine Jeans auf, schieben sie nach unten, legen mich rücklings auf den Küchentisch. Etwas fällt zu Boden, es klingt metallisch. Essen und Besteck, der Halbkreis eines Tellers, Melonenschale an meinem Rücken. Meine Beine spreizen sich. Zunge an meiner Möse. »Ohh...« *Wir sind auf der Wiese. Es ist Sommer. Eine grüne Decke. Wir haben gerade gegessen, ich spüre noch den Geschmack von Melone im Mund.* Zunge trifft auf Leere, nass und weit. Ich öffne die Augen, sehe ein halb volles Glas Orangensaft. Ich schließe die Augen. Das feste, gleichmäßige Stoßen von Henrys Schwanz in mir. Ja. *Ich habe sehr geduldig gewartet, Henry. Ich wusste, früher oder später wirst du kommen.* Ja. Haut auf Haut, Hände auf Brüsten, stoßen ziehen schmiegsamer Rhythmus geht tiefer ja, oh...

»Henry...«

Alles hört auf. Eine Uhr tickt laut. Ich öffne die Augen. Gomez starrt auf mich herab – gekränkt? wütend? – gleich darauf weicht jeder Ausdruck aus seinem Blick. Eine Autotür knallt. Ich setze mich auf, springe vom Tisch, renne ins Badezimmer. Gomez wirft mir meine Kleider hinterher.

Beim Anziehen höre ich Charisse und die Kinder lachend zur Haustür hereinkommen. Alba ruft: »Mama?«, und ich rufe »Bin gleich da!« Im düsteren Licht des rosaschwarz gekachelten Badezimmers starre ich in den Spiegel. In meinen Haaren kleben Frühstücksflocken. Mein Spiegelbild sieht verloren und blass aus. Ich wasche mir die Hände, versuche mir mit den Fingern die Haare zu kämmen. *Was habe ich nur getan? Wie konnte ich das bloß zulassen?*

Eine ungefähre Antwort könnte sein: Jetzt reist *du* durch die Zeit.

Samstag, 26. Juli 2008 (Clare ist 37)

CLARE: Albas Belohnung für ihre Geduld in den Galerien, wo Charisse und ich uns Kunst angesehen haben, ist ein Besuch im Ed Debevic, einem kitschigen Diner, das bei Touristen als Geheimtipp gilt. Kaum sind wir durch die Tür, tauchen wir in die überladene Atmospähre der 60er Jahre ein. Die Kinks spielen in voller Lautstärke, und überall prangen Schilder:

»*Wenn Sie wirklich ein guter Kunde wären, dann würden Sie mehr bestellen!!!*«

»Bitte sprechen Sie laut und deutlich, wenn Sie Ihre Bestellung aufgeben.«

»Unser Kaffee ist so gut, dass wir ihn selber trinken!«

Heute ist offenbar Tag der Luftballontiere: Ein Herr in einem glänzenden purpurroten Anzug zaubert einen Dackel für Alba und verwandelt ihn dann in einen Hut, den er ihr auf den Kopf pflanzt. Sie quietscht vor Freude. Obwohl wir eine halbe Stunde warten müssen, quängelt Alba nicht ein einziges Mal. Sie beobachtet, wie die Kellner und Kellnerinnen miteinander flirten und beurteilt insgeheim die Ballontiere der anderen Kinder. Schließlich eskortiert uns ein Kellner, der eine dicke Hornbrille trägt und ein Namensschild, auf dem SPAZ steht, zu einer Sitznische. Charisse und ich schlagen die Karte auf und versuchen zwischen all den Cheddar-Fritten und Frikadellen etwas zu finden, das wir essen möchten. Alba singt immer nur das Wort *Milchshake*. Als SPAZ wieder erscheint, befällt sie mit einem Mal eine Schüchternheitsattacke und sie muss regelrecht überredet werden, ihm mitzuteilen, dass sie einen Erdnussbutter-Milchshake möchte (und eine kleine Portion Pommes, weil es, wie ich ihr erkläre, zu dekadent ist, wenn man zum Mittagessen nur einen Milchshake trinkt). Charisse bestellt Makkaroni mit Käse, ich ein Sandwich mit Schinken, Salat und Tomaten. Kaum ist Spaz verschwunden, singt Charisse: »Alba und Spaz sitzen auf einem Baum und k-ü-s-s-e-n sich…« Alba schließt die Augen und hält sich die Ohren zu, schüttelt den Kopf und grinst. Ein Kellner, auf dessen Namensschild BUZZ steht, stolziert vor der Theke auf und ab und gibt eine Karaoke-Einlage zu Bob Segers *I Love That Old Time Rock and Roll*.

»Ich hasse Bob Seger«, sagt Charisse. »Meinst du, er hat mehr als dreißig Sekunden gebraucht, um das Stück zu schreiben?«

Der Milchshake kommt in einem hohen Glas mit einem biegsamen Strohhalm und einem Metallshaker, in dem sich der Rest befindet, der nicht ins Glas gepasst hat. Zum Trinken steht Alba auf, stellt sich auf Zehenspitzen und sucht den bestmöglichen Winkel, um ihren Erdnussbutter-Milchshake aufzusaugen. Ihr Luftballon-Dackel-Hut rutscht ihr ständig in die Stirn und stört ihre Konzentration. Durch ihre dichten schwarzen Wimpern blickt sie zu mir auf und schiebt den Luftballonhut hoch, so dass er durch statische Elektrizität an ihrem Kopf haften bleibt.

»Wann kommt Daddy nach Hause?«, fragt sie. Charisse gibt ein Geräusch von sich, das einem entfährt, wenn man versehentlich Pepsi in die Nase bekommen hat, und fängt an zu husten; ich klopfe ihr auf den Rücken, bis sie mir mit Handzeichen zu verstehen gibt aufzuhören, und ich gehorche.

»Am 29. August«, antworte ich Alba, die sich wieder ihrem Shake zuwendet und den Bodensatz aufsaugt, während Charisse mich vorwurfsvoll ansieht.

Später fahren wir im Auto den Lake Shore Drive entlang; ich sitze am Steuer, Charisse fummelt am Radio herum und Alba schläft auf dem Rücksitz. Als ich bei der Ausfahrt Irving Park rausfahre, sagt Charisse: »Weiß Alba nicht, dass Henry tot ist?«

»Natürlich weiß sie das. Sie war doch dabei«, erinnere ich Charisse.

»Aber wieso sagst du ihr dann, er würde im August nach Hause kommen?«

»Weil es so ist. Er hat mir das Datum selber gegeben.«

»Aha.« Obwohl mein Blick auf die Straße gerichtet ist, spüre ich, wie Charisse mich anstarrt. »Ist das nicht ... irgendwie schräg?«

»Alba findet es toll.«

»Aber du?«

»Zu mir kommt er nie.« Ich bemühe mich um einen unbeschwerten Tonfall, als würde mich diese Ungerechtigkeit nicht quälen, als wäre ich nicht traurig über den Groll, den ich empfinde, wenn Alba mir von Henrys Besuchen erzählt und ich jede Kleinigkeit aufsauge.

Warum nicht ich, Henry? frage ich ihn insgeheim, als ich in Charisse und Gomez' mit Spielsachen übersäte Einfahrt biege. *Warum nur Alba?* Doch wie immer gibt es darauf keine Antwort. Wie immer ist es eben einfach so. Charisse küsst mich, steigt aus und geht gelassen auf die Haustür zu, die sich wie von Zauberhand öffnet und Gomez mit Rosa zeigt. Rosa hüpft auf und ab und hält Charisse etwas hin, die es nimmt, etwas sagt und sie herzlich umarmt. Gomez sieht mich an und winkt schließlich leicht. Ich winke zurück. Er wendet sich ab. Charisse und Rosa sind im Haus verschwunden. Die Tür schließt sich.

Ich sitze da in der Einfahrt, Alba schläft auf dem Rücksitz. Krähen staksen über den mit Löwenzahn durchwachsenen Rasen. *Henry, wo bist du?* Ich lehne den Kopf ans Steuerrad. *Hilf mir.* Niemand antwortet. Nach einer Weile lege ich den Gang ein, fahre rückwärts aus der Einfahrt und mache mich auf den Weg zu unserem stillen Zuhause.

Samstag, 3. September 1990 (Henry ist 27)

HENRY: Ingrid und ich sind betrunken, wir wissen nicht mehr, wo unser Auto steht. Wir sind betrunken und es ist dunkel und wir sind die Straße auf und ab gelaufen und wieder zurück und im Kreis, aber kein Auto. Verdammter Lincoln Park. Verdammter Abschleppdienst. Verdammt.

Ingrid ist wütend. Sie geht vor mir her, und ihr ganzer Rücken, selbst die Art, wie sie die Hüften schwingt, wirkt wütend. Irgendwie ist alles meine Schuld. Scheiß Park-West-Nachtclub. Wie kann man einen Nachtclub in diesem elenden yuppiefizierten Lincoln Park eröffnen, wo man sein Auto keine zehn Sekunden abstellen kann, ohne dass der Abschleppdienst kommt und sich ins Fäustchen lacht...

»Henry.«

»Was?«

»Da ist wieder das kleine Mädchen.«

»Welches kleine Mädchen?«

»Das wir schon vorhin gesehen haben.« Ingrid bleibt stehen. Ich sehe zu der Stelle, auf die sie zeigt. Das Mädchen steht im Eingang eines Blumenladens. Sie hat etwas Dunkles an, daher erkenne ich nur ihr weißes Gesicht und die bloßen Füße. Sie ist vielleicht sieben oder acht, jedenfalls zu jung, um mitten in der Nacht allein unterwegs zu sein. Ingrid geht zu dem Mädchen hinüber, das sie gelassen beobachtet.

»Ist alles in Ordnung?«, fragt Ingrid das Mädchen. »Hast du dich verlaufen?«

Das Mädchen sieht mich an und sagt: »Ich *hatte* mich verlaufen, aber jetzt weiß ich, wo ich bin. Vielen Dank«, fügt sie höflich hinzu.

»Willst du nach Hause? Wir könnten dich mitnehmen, falls wir je unser Auto wiederfinden.« Ingrid beugt sich zu dem Mädchen heran, ihre Gesichter sind keinen halben Meter voneinander entfernt. Das Mädchen trägt eine Männerwindjacke, die ihm bis an die Knöchel reicht.

»Nein, vielen Dank. Ich wohne sowieso zu weit weg.« Das Mädchen hat lange schwarze Haare und erstaunlich dunkle Augen, im gelben Licht des Blumenladens erinnert sie an ein viktorianisches Streichholzmädchen oder an De Quinceys Ann.

»Wo ist deine Mutter?«, fragt Ingrid.

»Zu Hause«, erwidert das Mädchen, lächelt mich an und fügt hinzu: »Sie weiß nicht, dass ich hier bin.«

»Bist du ausgerissen?«, frage ich sie.

»Nein«, sagt sie und lacht. »Ich habe meinen Daddy gesucht,

aber ich bin wohl noch zu früh dran. Ich werde später wiederkommen.« Sie zwängt sich an Ingrid vorbei und tappt zu mir herüber, packt mich an der Jacke und zieht mich zu sich. »Das Auto ist da drüben«, flüstert sie. Ich blicke über die Straße, und ja, da steht Ingrids roter Porsche. »Danke...«, setze ich an, und das Mädchen gibt mir blitzschnell einen Kuss, der neben meinem Ohr landet, und schon rennt es den Gehsteig entlang, seine Füße klatschen auf dem Asphalt, und ich sehe ihm hinterher. Ingrid schweigt, als wir ins Auto einsteigen. Schließlich sage ich: »Das war komisch«, worauf sie seufzend entgegnet: »Henry, für einen klugen Mann kannst du manchmal ziemlich beschränkt sein.« Ohne ein weiteres Wort setzt sie mich vor meiner Wohnung ab.

Sonntag, 29. Juli 1979 (Henry ist 42)

HENRY: Irgendwann in der Vergangenheit. Ich sitze mit Alba am Lighthouse Beach. Sie ist zehn, ich bin zweiundvierzig. Wir reisen beide durch die Zeit. Es ist ein warmer Abend, vielleicht Juli oder August. Ich trage eine Jeans und ein weißes T-Shirt, gestohlen aus einer schicken Villa im Norden von Evanston. Alba trägt ein rosa Nachthemd, entwendet von der Wäscheleine einer alten Dame. Weil es ihr zu lang ist, haben wir oberhalb der Knie einen Knoten gemacht. Schon den ganzen Nachmittag bedenken uns die Leute mit sonderbaren Blicken. Vermutlich sehen wir nicht wie ein normaler Vater und eine normale Tochter am Strand aus – obwohl wir unser Bestes getan haben: Wir sind geschwommen, haben eine Sandburg gebaut und haben uns bei dem Verkäufer auf dem Parkplatz Hot Dogs und Pommes gekauft. Da wir weder eine Decke noch Handtücher haben, sind wir irgendwie sandig und feucht und angenehm müde, sitzen da und beobachten, wie kleine Kinder in den Wellen auf und ab rennen und große Hunde ausgelassen mit ihnen herumtoben. In unserem Rücken geht die Sonne unter, und wir starren aufs Wasser.

»Erzähl mir eine Geschichte«, sagt Alba, die an mir klebt wie ein Berg kalter Nudeln.

Ich lege meinen Arm um sie. »Was denn für eine Geschichte?«

»Eine schöne. Eine Geschichte von dir und Mama, als sie noch klein war.«

»Hmm. Gut. Es war einmal...«

»Wann war das?«

»Alle Zeiten auf einmal. Vor langer Zeit und in diesem Augenblick.«

»Beides zusammen?«

»Ja, immer beides zusammen.«

»Wie ist das möglich?«

»Willst du jetzt die Geschichte hören oder nicht?«

»Doch, natürlich...«

»Also dann. Es war einmal deine Mama, die lebte in einem großen Haus an einer Wiese, und auf der Wiese war eine Stelle, die nannten alle Lichtung, und dorthin ging sie immer zum Spielen. Eines schönen Tages, als deine Mama – sie war noch ein kleines Ding und ihre Haare waren länger als sie selber – wieder einmal zur Lichtung ging, traf sie dort einen Mann...«

»Ohne Kleider!«

»Nicht ein Fitzel trug er am Leib«, pflichte ich bei. »Und nachdem deine Mama ihm ein Strandlaken gegeben hatte, das sie zufällig bei sich trug, damit er sich etwas anziehen konnte, erklärte er ihr, dass er durch die Zeit reise, und aus irgendeinem Grund glaubte sie ihm.«

»Weil es stimmte!«

»Ja, schon, aber woher sollte sie das wissen? Jedenfalls glaubte sie ihm, und später war sie dann dumm genug, ihn zu heiraten, und jetzt haben wir den Salat.«

Alba boxt mich in den Bauch. »Erzähl es *richtig*«, verlangt sie.

»Uff. Wie soll ich etwas erzählen, wenn du so auf mich einschlägst? Menschenskind.«

Alba ist still. Dann sagt sie: »Warum besuchst du Mama eigentlich nicht in der Zukunft?«

»Ich weiß nicht, Alba. Wenn ich könnte, würde ich sofort.« Das Blau über dem Horizont verdunkelt sich, es herrscht Ebbe. Ich stehe auf und biete Alba meine Hand an, ziehe sie hoch. Sie klopft sich den Sand aus dem Nachthemd, und auf einmal stolpert sie auf mich zu und sagt: »Hoppla!«, und schon ist sie fort, und ich stehe da am Strand, halte ein feuchtes Baumwollnachthemd in der Hand und betrachte Albas schmale Fußabdrücke im Dämmerlicht.

WIEDERERWACHEN

Donnerstag, 4. Dezember 2008 (Clare ist 37)

CLARE: Es ist ein kalter, heller Morgen. Ich schließe die Tür zum Atelier auf und stampfe mir den Schnee von den Stiefeln. Ich öffne die Jalousien, drehe die Heizung an, setze eine Kanne Kaffee auf. Dann stelle ich mich in die Mitte des leeren Ateliers und sehe mich um.

Über allem liegt der Staub und die Stille von zwei Jahren. Mein Zeichentisch ist kahl, der Holländer sauber und leer. Schöpfformen und Deckelrahmen sind säuberlich gestapelt, die Drahtrollen stehen unberührt am Tisch. Farben und Pigmente, Gläser mit Pinseln, Werkzeuge, Bücher – alles ist so, wie ich es hinterlassen hatte. Die Skizzen, die ich mit Reißzwecken an die Wand geheftet hatte, sind vergilbt und gewellt. Ich nehme sie ab und werfe sie in den Mülleimer.

Dann setze ich mich an den Zeichentisch und schließe die Augen.

Der Wind peitscht Äste gegen die Hauswand. Ein Auto fährt spritzend durch den Schneematsch in der Gasse. Die Kaffeemaschine keucht tropfenweise den letzten Kaffee in die Kanne. Fröstelnd öffne ich die Augen und ziehe meinen dicken Pullover enger.

Als ich heute Morgen aufgewacht bin, habe ich den Drang verspürt, hierher zu kommen. Es war wie ein Aufblitzen der Lust: Ich wollte ein Stelldichein mit meinem alten Liebhaber, der Kunst. Nun aber sitze ich hier und warte darauf, dass etwas … irgendetwas … kommt, doch es kommt nichts. Ich öffne eine flache Schublade und hole ein indigo-gefärbtes Papier heraus. Es ist schwer und leicht angeraut, dunkelblau und fühlt sich kalt an wie Metall. Ich lege es auf den Tisch, stelle mich davor und betrachte es eine Weile. Ich hole ein paar weiche weiße Pastellkreiden und wiege sie in der Handfläche. Dann lege ich sie hin und schenke mir Kaffee ein. Ich blicke aus dem Fenster auf die rückwärtige Hauswand. Wäre Henry da, säße er vielleicht an seinem Schreibtisch, würde vielleicht aus dem Fenster über seinem Schreibtisch zu mir herübersehen. Oder er würde vielleicht mit Alba Scrabble spielen oder Comics lesen oder eine Suppe zum Abendessen kochen. Ich trinke meinen Kaffee in kleinen Schlucken und versuche die Zeit zurückzuholen, versuche den Unterschied zwischen jetzt und damals auszulöschen. Nur meine Erinnerung hält mich noch hier. Zeit, lass mich verschwinden. *Dann kommt zusammen, was wir immerfort entzwein, indem wir da sind.*

Mit einer weißen Pastellkreide in der Hand stehe ich vor dem Papierbogen. Ich beuge mich über das große Blatt, obwohl ich weiß, an der Staffelei wäre es einfacher, und beginne in der Mitte. Ich lege die Proportionen der Figur fest: Hier ist der Scheitelpunkt, der Schritt, die Ferse. Ich skizziere grob den Kopf. Ich zeichne leicht, aus dem Gedächtnis: Augenhöhlen in Höhe der Mittellinie, lange Nase, der geschwungene Mund leicht geöffnet. Die Brauen wölben sich staunend: Ach, *du* bist das. Spitzes Kinn und weiche Linie des Kiefers, hohe Stirn, die Ohren nur angedeutet. Hier ist der Hals mit den Schultern, aus denen die Arme herauswachsen, die schützend vor der Brust verschränkt sind, hier endet der Brustkorb, der rundliche Bauch, volle Hüften, die Beine leicht geknickt, die Füße zeigen nach unten, als schwebe die Figur in der Luft. Im indigoblauen Nachthimmel aus Papier sehen die Messpunkte aus wie Sterne; die Figur ist eine Sternenkonstellation. Ich setze Akzente, die Figur wird dreidimensional, ein Glasgefäß. Sorgfältig zeichne ich die Züge, schaffe die Strukturen des Gesichts, setze die Augen ein, die mich ansehen, als würden sie staunen, dass es sie plötzlich gibt. Die Haare wogen über das Papier, schweben schwerelos und unbeweglich, ein linearer Kontrast, der dem statischen Körper Dynamik verleiht. Was fehlt noch in diesem Universum, in dieser Zeichnung? Andere, weit entfernte Sterne. Ich wühle in meinem Werkzeug und nehme eine Nadel. Dann klebe ich die Zeichnung über ein Fenster und fange an, lauter kleine Löcher ins Papier zu stechen, und jeder Nadelstich wird eine Sonne in einem anderen Weltensystem. Und als ich eine Galaxie voller Sterne habe, steche ich die Figur aus, und nun ist sie wirklich eine Sternenkonstellation, ein Netzwerk aus winzigen Lichtern. Ich betrachte mein Abbild, es erwidert meinen Blick. Ich lege ihm den Finger auf die Stirn und sage: »Verschwinde«, aber sie bleibt einfach und ich – ich verschwinde.

IMMER WIEDER

Donnerstag, 24. Juli 2053 (Henry ist 43, Clare 82)

HENRY: Ich bin in einem dunklen Flur. Am anderen Ende befindet sich eine Tür, leicht geöffnet, an den Rändern strahlt weißes Licht. Im Flur stehen lauter Gummistiefel und hängen Regenmäntel. Langsam und leise gehe ich zu der Tür und sehe vorsichtig in den Raum nebenan. Morgenlicht erfüllt das Zimmer und blendet mich zunächst, doch dann gewöhnen sich meine Augen daran und ich sehe einen schlichten Holztisch an einem Fenster. Eine Frau sitzt am Tisch, ihr Gesicht ist dem Fenster zugewandt. Vor ihr steht eine Teetasse. Draußen am See schlagen die Wellen ans Ufer und weichen zurück, so beruhigend und gleichmäßig, dass es nach einiger Zeit wirkt wie Stille. Die Frau sitzt vollkommen reglos da. Etwas an ihr kommt mir vertraut vor. Sie ist alt; ihre herrlich weißen Haare liegen in einem langen dünnen Strom auf ihrem Rücken, über einem leichten Buckel. Sie trägt einen korallenroten Pullover. Die Wölbung ihrer Schultern, die Steifheit ihrer Haltung sagen mir, *da ist jemand, der sehr müde ist*, und ich selbst bin auch sehr müde. Ich verlagere mein Gewicht von einem Fuß auf den anderen, der Holzboden knarrt. Die Frau dreht sich um und sieht mich, ihr Gesicht erstrahlt vor Freude. Ich bin verblüfft, denn es ist Clare, Clare als alte Frau! und sie kommt zu mir, ganz langsam, und ich schließe sie in die Arme.

CLARE: Heute Morgen ist die Luft sehr rein; der Sturm hat lauter Äste im Garten verstreut, die ich, wenn ich später nach draußen gehe, aufheben werde: Der ganze Sand vom Strand hat sich neu verteilt und liegt da wie eine frische glatte Decke mit Spuren von Regentropfen, die Taglilien neigen sich und glitzern im weißen frühmorgendlichen Licht. Ich sitze mit einer Tasse Tee am Esstisch, blicke hinaus aufs Wasser und horche. Warte.

Heute unterscheidet sich nicht besonders von den vielen anderen Tagen. Ich stehe im Morgengrauen auf, ziehe meine Hose und einen Pullover an, bürste mir die Haare, mache Toast und Tee, sitze da und blicke zum See hinaus, frage mich, ob er heute kommen wird. Es unterscheidet sich nicht besonders von den vielen anderen Malen, als er fort war und ich gewartet habe, nur habe ich diesmal Anweisungen: Diesmal weiß ich, Henry wird endlich kommen. Manchmal frage ich mich, ob mein Bereitsein, ob mein Warten vielleicht verhindert, dass das Wunder geschieht. Doch ich habe keine Wahl. Er wird kommen, und ich bin da.

Da schwoll ihm sein Herz von inniger Wehmut:
Weinend hielt er sein treues geliebtes Weib in den Armen.
So erfreulich das Land den schwimmenden Männern erscheinet,
Deren rüstiges Schiff der Erdumgürter Poseidon
Mitten im Meere durch Sturm und geschwollene Fluten zerschmettert;
Wenige nur entflohn dem dunkelwogenden Abgrund,
Schwimmen ans Land, ringsum vom Schlamme des Meeres besudelt,
Und nun steigen sie freudig, dem Tod entronnen, ans Ufer:
So erfreulich war ihr der Anblick ihres Gemahles;
Und fest hielt sie den Hals mit weißen Armen umschlungen.

Aus *Odyssee*, Homer
Übers. v. Johann Heinrich Voss

DANKSAGUNG

Schreiben ist etwas sehr Persönliches. Dabei zuzusehen ist langweilig, und in der Regel bleibt die größte Freude dabei dem vorbehalten, der tatsächlich schreibt. Aus diesem Grund möchte ich allen, die mir geholfen haben, *Die Frau des Zeitreisenden* zu schreiben und zu veröffentlichen, meinen Dank und Respekt aussprechen.

Ich danke Joseph Regal für sein »Ja« und für die aufschlussreiche Lektion in Sachen Buchveröffentlichung. Es war unglaublich. Ich danke den hervorragenden Leuten von MacAdam/Cage, besonders meiner Lektorin Anika Streitfeld für ihre Geduld, ihre Mühe und ihren scharfen Blick. Die Zusammenarbeit mit Dorothy Carico Smith, Pat Walsh, David Poindexter, Kate Nitze, Tom White und John Gray war mir ein Vergnügen. Und ich danke auch Melanie Mitchell, Amy Stoll und Tasha Reynolds. Nicht zu vergessen Howard Sanders und Caspian Dennis.

Die Ragdale Foundation hat dieses Buch mit zahlreichen Arbeitsstipendien gefördert. Ich möchte den wunderbaren Mitarbeitern danken, vor allem Sylvia Brown, Anne Hughes, Susan Tillett und Melissa Mosher. Und Dank auch an The Illinois Arts Council und die Steuerzahler von Illinois, die mir ein Literaturstipendium gewährt haben.

Ich danke den früheren wie jetzigen Bibliothekaren und Mitarbeitern der Newberry Library: Dr. Paul Gehl, Bart Smith und Margaret

Kulis. Ohne ihre großzügige Hilfe wäre Henry als Angestellter bei Starbucks gelandet. Auch den Bibliothekaren an der Auskunft in der Öffentlichen Bibliothek von Evanston möchte ich für die geduldige Hilfe bei allen möglichen abwegigen Nachfragen danken.

Ich danke den Papiermacherinnen Marilyn Sward und Andrea Peterson, die mich geduldig an ihrem Wissen teilhaben ließen.

Ich danke Roger Carlson von Bookman's Alley für die vielen Jahre, in denen er mir wertvolle Tipps gegeben hat; und Steve Kay von Vintage Vinyl, dass er alles führt, was ich hören möchte. Und vielen Dank an Carol Pietro, die unangefochtene Immobilienkönigin.

Vielen Dank an Freunde, Familie und Kollegen, die gelesen, kritisiert und ihren Sachverstand beigetragen haben: Lyn Rosen, Danea Rush, Jonelle Niffenegger, Riva Lehrer, Lisa Gurr, Robert Vladova, Melissa Jay Craig, Stacey Stern, Ron Falzone, Marcy Henry, Josie Kearns, Caroline Preston, Bill Frederick, Bert Menco, Patricia Niffenegger, Beth Niffenegger, Jonis Agee und die Teilnehmer ihres Autorenseminars für Fortgeschrittene in Iowa City im Jahr 2001. Ein Dankeschön auch an Paula Campbell für die Hilfe bei allem Französischen.

Mein besonderer Dank geht an Alan Larson, dessen unerschöpflicher Optimismus mir ein gutes Beispiel war.

Und mein letzter und liebster Dank an Christopher Schneberger: Ich habe auf dich gewartet, und jetzt bist du da.